RAISON
ET
SENTIMENTS

JANE AUSTEN

RAISON
ET SENTIMENTS

*traduit de l'anglais
par Isabelle de Montolieu
et revu par Hélène Seyrès*

*Avant-propos de
Hélène Seyrès*

ARCHIPOCHE

Titre original : *Sense and sensibility*

Si vous désirez recevoir notre catalogue et
être tenu au courant de nos publications,
envoyez vos nom et adresse, en citant ce
livre, aux Éditions Archipoche,
34, rue des Bourdonnais, 75001 Paris.
Et, pour le Canada,
à Édipresse Inc., 945, avenue Beaumont,
Montréal, Québec, H3N 1W3.

ISBN 978-2-35287-017-3

Avant-propos

Jane Austen est née le 16 décembre 1775 au presbytère de Steventon, un village du Hampshire dans le sud de l'Angleterre. Elle est morte le 18 juillet 1817, à Winchester, sans doute de la maladie d'Addison. Elle est l'auteur de six romans de mœurs, *Raison et sentiments* (1811), *Orgueil et préjugés* (1813), *Mansfield Park* (1814), *Emma* (1816), publiés anonymement, puis *Northanger Abbey* et *Persuasion* (1818), publiés ensemble avec une notice biographique due à l'un de ses frères, Henry. *Raison et sentiments* fut traduit en français par la baronne Isabelle de Montolieu dès 1815. Les autres romans parurent en France avant 1830.

Jane Austen a exercé une influence sur de nombreux écrivains, parmi lesquels Henry James (comme le souligne une nouvelle de Rudyard Kipling), Katherine Mansfield et Virginia Woolf. Plus récemment, un écrivain d'origine indienne, Vikram Seth, a vu son roman récompensé du Prix du Commonwealth[1]. Son héroïne, fidèle lectrice de Jane Austen, commet les mêmes erreurs et opère les mêmes choix que Marianne dans *Raison et sentiments* : tentation de céder à la passion, puis mariage de raison, pour ne pas se couper de sa famille.

Jane Austen était le septième enfant d'une famille qui en comptait huit, et la seconde fille. Son père, le pasteur George Austen (1731-1805), était le fils de petits propriétaires

---

1. *Un garçon convenable*, Grasset, 1995.

fonciers du Kent, établis près de Sevenoaks, dont les ancêtres drapiers avaient fait fortune dans la laine, au Moyen Âge. Après avoir étudié au collège Saint John, à Oxford, il était devenu spécialiste de grammaire anglaise, avant d'entrer dans les ordres. À Steventon, il mena une existence de *gentleman farmer* ; tout en veillant sur une petite communauté de trois cents personnes, il gérait les terres d'un manoir voisin et préparait quelques jeunes gens à l'entrée à l'université d'Oxford. Il s'était constitué une imposante bibliothèque, à laquelle ses enfants avaient assez librement accès. C'est ainsi que Jane lut très tôt *Tom Jones* (1749), de Henry Fielding, en plus de romans sentimentaux. Elle est redevable à une certaine liberté de ton, héritée du XVIIIe siècle, de ne pas s'effaroucher devant l'univers masculin et la sexualité, au contraire des romancières victoriennes qui devaient la suivre.

Sa mère, Cassandra Leigh (1739-1827), fille d'ecclésiastique, était issue d'une longue lignée d'aristocrates. Apparentée au duc de Chandos, le richissime trésorier des armées de la guerre de Succession d'Espagne, mécène de Georg Friedrich Haendel et de Alexander Pope, Cassandra Leigh passait pour avoir de l'esprit et être passionnée de poésie.

La meilleure amie de Jane n'était autre que sa sœur aînée, Cassandra. En 1782, comme Jane refusait d'être séparée d'elle, toutes deux furent envoyées en pension, à Oxford, chez une parente. Elles furent inscrites l'année suivante à l'Abbey School de Reading, où elles demeurèrent jusqu'en 1787. Après ces cinq années d'école, leur éducation se poursuivit à la maison, sous la direction de leur père. Comme les héroïnes de *Raison et sentiments*, les deux sœurs s'adonnaient au dessin et à la musique. On doit à Cassandra l'esquisse d'un portrait de Jane et une silhouette vue de dos, en plein air.

Jane s'essaya au piano. Elle aimait également beaucoup danser. Pour rien au monde elle n'aurait manqué le bal annuel de Basingstoke, attendant avec impatience les soirées dansantes des grandes familles des environs, auxquelles les invitaient les élèves de son père. À Noël 1798, au bal de lady Dorchester, nous savons qu'elle prit part à vingt danses. Mais, si elle avait du charme, elle ne manquait pas moins de caractère ; une de ses lettres nous apprend qu'elle préféra demeurer assise durant plusieurs danses plutôt que de céder à l'invite d'un cavalier qui ne lui convenait pas. Sa famille lui offrait d'ailleurs bien d'autres distractions ; chacun s'y livrait à l'écriture : des vers élégiaques, des charades ou des pièces de théâtre que l'on jouait au salon, l'hiver, et dans la grange, l'été. Une année, cette troupe d'amateurs monta même la première comédie de Richard Sheridan, *Les Rivaux* (1775).

Jane Austen se déplaça souvent dans le sud de l'Angleterre, pays qu'elle ne quitta jamais. Elle suivit son père à Bath, lorsqu'il s'y retira en 1801, séjourna chez divers membres de sa famille, habita Southampton, puis revint s'installer près de Steventon. Elle effectua aussi plusieurs séjours à Londres, faisant le tour des expositions de peinture, dont une consacrée à Joshua Reynolds, et se rendant au théâtre. Elle y apprit que le prince régent lisait ses romans.

Ce sont ses frères qui lui ouvrirent les portes du « monde ». Le plus cultivé, James, avait visité la France et l'Espagne avant d'être ordonné prêtre en 1789 et de remplacer son père en 1801. Le troisième, Edward, adopté par un riche parent, avait passé une année à Dresde, fait le « grand tour » d'Europe et rapporté des antiquités de Rome. Quant au quatrième, Henry, soldat, banquier, puis pasteur, il avait épousé une cousine, Eliza, dont le premier mari, le comte de Feuillide, fut guillotiné en 1794. Un destin qui impressionna sans doute le futur écrivain, ainsi que l'évocation, par Eliza, de l'immoralité de la cour de Versailles et des dénonciations calomnieuses à Paris sous la Révolution – Jane Austen ne refusera-t-elle pas de rencontrer Mme de Staël à la fin de sa vie ? Curieusement, si la menace du débarquement de Napoléon en Angleterre est perceptible dans *Orgueil et préjugés*, il n'y est pas fait allusion dans *Raison et sentiments*. En revanche, l'un des personnages du roman, le colonel Brandon, qui a servi aux Indes, doit peut-être quelque chose aux deux derniers frères de Jane, Francis William et Charles John, qui firent carrière dans la Marine.

Les premiers essais d'écriture de Jane Austen remontent à l'âge de onze ans. Très tôt, elle se mit à parodier les romans sentimentaux (*Amour et amitié*, 1789), puis elle composa une *Histoire d'Angleterre* (1791) pour prendre le contre-pied de celle d'Oliver Goldsmith – destinée à la noblesse – et s'inscrire, comme ses ancêtres, dans le camp des défenseurs des Stuart (la famille Austen était plutôt conservatrice).

Toujours en 1791, Jane Austen entreprit de rédiger un recueil de lettres où apparaissent les noms de plusieurs personnages de *Raison et sentiments* : les héros se nomment Edward, le galant, Willoughby, et un troisième homme est colonel. Elle commença aussi à écrire *Lady Susan* (ces textes de jeunesse ont été publiés plus tard sous le titre *Juvenilia*). Vers 1795, Jane Austen développa son recueil de lettres au point de le transformer en un véritable roman épistolaire, *Elinor et Marianne*, qu'elle lut à sa famille ; ce manuscrit a aujourd'hui disparu. Aussitôt après, elle commença la rédaction de *Premières impressions*, version initiale de *Orgueil et préjugés*. George Austen, jugeant ce texte plus abouti que tout ce qui le précédait, le proposa à l'éditeur Cadell, sans succès. La même année, Jane Austen commençait la version définitive de *Raison et sentiments* et de *Susan* (réintitulé *Northanger Abbey*). En 1803, *Susan* fut acheté par l'éditeur Crosby & Co, qui ne le publia pas, pour une raison inconnue. C'est donc *Raison et sentiments* qui eut le premier les honneurs de la publication, en 1811, chez l'éditeur Thomas Egerton. Il connut tout d'abord de petits tirages : mille exemplaires, puis autant en 1813, mais les bibliothèques de prêt contribuèrent à sa notoriété, et, après l'avis favorable de Walter Scott sur *Emma,* les revues prêtèrent attention à tous les romans de Jane Austen. Si elle n'était pas morte relativement jeune, elle n'aurait sans doute pas pu conserver très longtemps l'anonymat.

Raison et sentiments reflète l'état de la société anglaise à l'époque de notre Directoire – une période de transition entre le XVIIIe siècle et la redécouverte de l'Antiquité d'une part, et le XIXe siècle exaltant la sensibilité, d'autre part.

D'*Elinor et Marianne,* il semble subsister quelques passages, dont une tirade enflammée de Marianne sur le point de quitter son « cher, cher Norland », le village de son enfance, sa maison et les arbres voisins (chapitre 5). Il est probable que l'échange de lettres s'effectuait entre les deux sœurs un moment séparées, et entre Elinor et une confidente demeurée à Norland (chapitre 11), un personnage supprimé dans la version finale.

La mode du roman épistolaire avait débuté au milieu du XVIIIe siècle, avec le développement de la poste et de l'éducation, les lecteurs ne constituant alors que cinq à six pour cent de la population. Samuel Richardson, l'auteur favori de Jane Austen, avait remporté un franc succès avec *Pamela* (1740), une suite romancée de modèles de lettres. Certaines pages donnent à penser que Jane Austen connaissait également *La Nouvelle Héloïse* de Jean-Jacques Rousseau – un autre admirateur de Richardson –, peut-être grâce à Eliza de Feuillide, venue de France à Steventon « avec de nombreux livres ». La reprise sous une forme indirecte de *Raison et sentiments,* présentée par une narratrice anonyme qui se place du point de vue d'Elinor, a été adoptée sans doute pour mieux équilibrer le déroulement du récit entre les deux sœurs, et rendre moins invraisemblable l'évocation par le colonel des malheurs des deux Eliza, mère et fille, et celle des fiançailles secrètes d'Edward par Elinor.

Raison et sentiments fut très largement remanié à partir de 1809, lorsque Edward installa Jane, Cassandra et leur mère au village de Chawton, près de son manoir du Hampshire. Les deux sœurs n'espéraient plus se marier. Cassandra avait perdu son fiancé, un officier de marine, mort des fièvres à Saint-Domingue, et Jane n'avait pas trouvé l'homme de ses rêves, bien qu'elle eût été courtisée au moins trois fois. En 1802, elle aurait accepté, un soir, d'épouser un jeune homme de vingt et un ans, Harris Bigg-Wither, héritier d'une famille du Hampshire, mais elle se serait rétractée dès le lendemain. Le détail de ces relations nous échappe, car Cassandra a détruit ou découpé un certain nombre des lettres de Jane. Toutes ces expériences personnelles ont cependant enrichi *Raison et sentiments*.

Avec humour, un critique, Garrod, a résumé ainsi l'intrigue des romans de Jane Austen : « Un village où vivent une ou deux jeunes filles. Monsieur le bon parti vient y faire un séjour. La chasse au mari est ouverte. » L'intrigue de *Raison et sentiments* se rapproche de ce modèle. Le sujet majeur du roman est en effet celui des rapports de l'individu et de la société, qui, pour les jeunes filles, passent par le mariage. Mais Jane Austen y aborde bien d'autres thèmes : la perte du père (tous les héros sont orphelins) ; la maternité, qui s'accompagne de générosité, de laxisme par manque d'éducation ou de réflexion, ou bien encore de tyrannie ; le parallélisme ou l'inversion des expériences vécues par les frères et les sœurs au sein d'une même famille ; enfin, l'opposition entre le gouvernement des sens par la raison et l'abandon incontrôlé aux sentiments. Ce dilemme trouve à l'époque des résonances politiques. Entre la révolution d'Amérique et la fin de l'Empire, l'Angleterre voit ses intérêts menacés en Amérique du Nord et dans les Antilles. Elle s'implante davantage en Asie, et s'y enrichit. En Angleterre même, la noblesse terrienne coupe ses bois, ouvre des routes, accapare les prés communaux, se crée des jardins d'agrément et bouleverse le paysage pour le rendre « pittoresque ». Jane Austen note et déplore ces bouleversements (chapitre 33). Les scènes de plein air tiennent une place importante au début et à la fin de *Raison et sentiments :* promenades, chasse, pique-niques, déplacements en voiture découverte, en carrosse ou à cheval. C'est sans doute ce qui conduira l'un des frères de Jane, Francis, à déclarer préférer dans ce roman « l'air particulier de Nature que l'on y trouve d'un bout à l'autre » – et non le naturel avec lequel les personnages sont traités.

Jane Austen, en lisant son roman à ses proches, savait que le personnage d'Elinor Dashwood, respectueuse des bonnes manières, aimant l'élégance et le langage châtié, serait mal perçu. Elinor entend contrôler ses émotions comme sa destinée et passe d'autant plus vite à l'âge adulte que sa mère, impulsive, dénuée de tout sens de l'économie, se décharge de ses responsabilités sur elle et sur de lointains parents. Elinor, qui n'est certes pas dénuée de sensibilité, est avant tout l'incarnation de la raison : c'est elle qui décide de quitter le manoir et de s'installer à bonne distance, elle qui protège sa sœur Marianne et l'arrache à la dépression, elle qui tait avec héroïsme sa déception en apprenant les fiançailles secrètes d'Edward avec Lucy parce que cette dernière lui a demandé de garder le secret (chapitre 22). Selon son neveu, J. E. Austen-Leigh, Jane Austen aurait annoncé : « Je vais prendre une héroïne que nul autre que moi n'aimera beaucoup. »

De fait, le lecteur se sent davantage attiré par sa sœur, la brune Marianne, qui, bien que ses traits soient moins réguliers, passe pour une beauté. Elle a la vivacité, le piquant, le charme de l'extrême jeunesse – seize ans –, s'exalte ou se décourage comme une enfant. Son goût pour la nature, la musique, la lecture, la poésie contemporaine surtout – celle de William Cowper et de Walter Scott –, l'apparente aux premiers héros préromantiques de Chateaubriand, en particulier à René (1802). Mais, plutôt que de se marginaliser ou de vouloir révolutionner une société qu'elle juge hypocrite, elle agit par empirisme. Sa vie en province ne l'a guère policée : elle se promène par tous les temps, appellerait pour un peu les orages, et se livre très vite sans retenue à ses premiers sentiments, courant la campagne avec le jeune homme qu'elle vient de rencontrer et auquel elle écrit des lettres. Par manque de discernement, elle se persuade qu'on ne devrait aimer qu'une fois – oubliant qu'elle est elle-même issue d'un second mariage. Elle fait fi des conventions, exprime ouvertement ses désirs et ses répugnances, refuse toute activité collective et se fait un rempart de son piano. Marianne est pourtant dotée, comme sa sœur, de bon sens. Suivant les conseils d'Elinor, elle opère une véritable conversion, désireuse d'« expier envers Dieu et envers vous tous » (chapitre 46). Pour Jane Austen, faire un bon usage de la sensibilité est un moyen de connaissance du monde et d'intégration dans la société. Mourir d'amour n'a aucun sens.

Les personnages secondaires de *Raison et sentiments* forment une sorte de chœur antique, qui commente l'action plus qu'il n'influe sur elle. Ils sont plus ou moins bien intégrés dans la société, en particulier celle de Londres. Les couples sont autant d'exemples pour Elinor et Marianne, mais, qu'elles les apprécient ou les critiquent, il leur faudra conserver toute leur vie des relations avec eux. Elinor, grâce à son sens aigu de la discipline, l'accepte. Et Marianne, qui estime d'abord ne pouvoir être heureuse qu'avec un homme dont le goût coïncide en tous points avec le sien (chapitre 3), doit se raviser.

Comme ceux de tout grand romancier, les personnages de Jane Austen ne sont ni bons, ni méchants, ils reflètent le milieu qu'elle connaît le mieux : celui de la bourgeoisie et de la noblesse terrienne d'une Angleterre encore agricole. Ses héroïnes vont connaître un certain bonheur parce qu'elles auront appris à composer : Marianne, en réprimant ses sentiments, et Elinor, en les exprimant mieux. Dans leur entourage, les femmes, pour la plupart privées d'éducation, dépendent de leur père ou de leur mari, mais elles jouissent d'une certaine liberté de parole et de mouvement.

À côté du terne Edward Ferrars, dans lequel Elinor est la seule à reconnaître « un esprit bien informé, avec un juste sens de l'observation et un goût délicat » (chapitre 4), Willoughby, dont s'est éprise Marianne, paraît un demi-dieu. Il tombe du ciel pour l'arracher à la terre lorsqu'elle se fait une entorse, la porte dans ses bras jusque chez elle et ne la quitte plus. Élégant, bon chasseur, amateur de chiens et de chevaux, danseur infatigable, plein d'esprit, d'enthousiasme pour les chaumières, bibliophile et mélomane, il est « un élégant », une incarnation du parfait courtisan. Comme Lovelace, le héros de *Clarissa Harlowe* de Richardson (1748), il est « le plus aimable et le plus beau ».

Mais Willoughby est aussi un séducteur sans scrupule, un roué, un disciple du Valmont des *Liaisons dangereuses* de Choderlos de Laclos (1782), le contemporain du *Don Juan* de Mozart et Da Ponte. Il admet lui-même : « Je tâchai par tous les moyens possibles de me faire aimer sans avoir le dessein de lui rendre son affection » (chapitre 46). Il symbolise donc l'absence de moralité de la fin du règne de George III, victime de troubles mentaux depuis 1765, et plus précisément celle de l'entourage du prince régent, qui mena une existence dissolue. Willoughby est couvert de dettes et, comme Edward Ferrars, déjà fiancé. Mais lui épouse sans amour une jeune fille riche pour se libérer de ses créanciers. L'annonce de la maladie de Marianne le pousse à venir confesser à Elinor sa situation financière, la séduction et l'abandon d'Eliza, son prochain mariage et son attachement pour Marianne. Après un mouvement d'horreur, Elinor s'adoucit à son égard. Si elle ne lui pardonne pas ses fautes, au moins lui permet-elle d'atténuer ses remords. Willoughby rencontre son Commandeur en la personne du colonel Brandon, qui le bat en duel pour venger Eliza. Autre punition : il ne sera jamais heureux avec sa riche épouse.

Ces deux couples d'amoureux contrariés (Elinor/Edward, Marianne/Willoughby) évoluent au milieu d'une vingtaine de personnages illustrant eux-mêmes divers degrés de raison et de sensibilité, prétextes à des scènes de genre évoquant les portraits de groupe dits « *conversation pieces* », à la mode en Angleterre depuis Hogarth.

Dans une lettre de janvier 1848 à G. H. Lewes, qui lui avait recommandé de lire *Orgueil et préjugés,* Charlotte Brontë se plaint de n'y trouver « ni vastes étendues, ni air frais, ni colline bleue, ni frais ruisseau. Je n'aimerais guère vivre avec ses gentilshommes et leurs femmes, dans leurs demeures élégantes à l'atmosphère confinée ».

En effet, si *Raison et sentiments* accorde plus de place à la nature, l'action y progresse surtout dans les salons, lieu de vie des femmes. Elles y reçoivent des visites et s'y occupent sans cesse les mains de travaux d'aiguille, de dessin ou de musique. Elles s'y tiennent également entre le petit déjeuner et le déjeuner, servi d'autant plus tard que le niveau social de la maison est élevé, soit entre seize et dix-huit heures. Elles y retournent ensuite jusqu'au thé, à moins que la saison ne permette une promenade dans l'intervalle. C'est d'ailleurs dans ces conditions que Jane Austen a écrit ses romans, environnée du bruit des conversations et des jeux d'enfants.

La condition féminine n'a rien gagné à l'industrialisation et au puritanisme de l'ère victorienne, comme en témoignent les romans de Charlotte Brontë, George Eliot, Thomas Hardy et Charles Dickens, entre autres. Il faudra encore aux femmes attendre un siècle pour prétendre à travailler et obtenir plus d'égalité. Jane Austen a contribué à cette libération grâce à ses facultés d'observation et d'imagination. Elle éveille en effet celles des autres et charme le lecteur ; auquel elle offre à la fois un voyage dans le passé et une fine exploration de l'âme humaine, qui n'a rien perdu de sa valeur.

Par définition, les femmes seules sont mal intégrées dans la société. Elles ne peuvent y être admises qu'en se mariant, et c'est la raison pour laquelle la riche et jalouse Sophia Grey, qui n'est pas très belle, accapare l'élégant Willoughby. Anne Steele, en revanche, sotte et vulgaire, poursuit en vain un docteur en théologie qui aime la couleur rose : elle demeurera vieille fille. Les veuves, elles, dépendent de la réussite de leurs enfants. La bonne Mme Jennings, dont l'époux était un riche marchand de la City, a beau habiter le West End, elle n'a de relations qu'avec les amis de son mari, qui habitent plus à l'est, et avec ses filles. Encore est-elle plus proche de Charlotte que de lady Middleton. Mme Ferrars, elle, met tous ses espoirs dans la réussite mondaine de l'un ou l'autre de ses fils, mais sera finalement déçue. Quant à Mme Smith, la tante de Willoughby, elle s'est retirée du monde. Elle s'efforce, sans y parvenir, d'exercer sur lui une pression morale, en vue de lui faire épouser la jeune fille qu'il a séduite.

Lorsqu'elle quitte Londres avec Mme Jennings, Elinor déclare qu'elle n'y regrette personne (chapitre 43). Elle ne semble pas se rendre compte que, si le bon sens est chose assez bien partagée, les sentiments peuvent avoir un effet bénéfique sur la société et l'individu – aussi longtemps qu'un équilibre est maintenu entre les deux. Elle voit bien cependant que pour chacun, la vie en société, surtout dans la capitale, est exigeante et moins satisfaisante, et que l'harmonie dans le couple est mieux défendue à la campagne. Ici, les deux sœurs sont presque résignées à demeurer vieilles filles. Il faudra encore l'épreuve de la maladie et l'intervention du hasard pour que leur histoire connaisse un dénouement heureux.

Dès 1816, Walter Scott saluait la maîtrise de l'« auteur inconnu » d'*Emma* et la distinguait des autres femmes qui illustraient alors la nouvelle tendance réaliste du roman. En janvier 1843, l'essayiste Thomas Macaulay associait le nom de Jane Austen à celui de Shakespeare, louant la multitude des personnages, la délicatesse de touche des descriptions, et affirmant qu'elle était l'écrivain anglais le plus proche du grand maître. Tennyson a tempéré cet enthousiasme : « Shakespeare est un soleil par rapport auquel Jane Austen, bien qu'elle constitue un petit univers brillant et véridique, n'est qu'un astéroïde. » Un astéroïde qui, un siècle plus tard, est chaque jour plus visité.

Les études sur Jane Austen ne cessent de se développer depuis les années 1930. Elle est aujourd'hui tenue pour l'un des écrivains majeurs de langue anglaise. On admire chez elle la structure et l'organisation toutes classiques du récit, les thèmes abordés, révélateurs d'une période charnière, la description du paysage et l'attrait pour la nature, qui la rapprochent des premiers poètes romantiques (Wordsworth, Coleridge, Byron et Shelley), la finesse de l'analyse psychologique et sociale, et l'attention portée au langage. Mais le plus remarquable est peut-être l'ironique détachement avec lequel elle regarde se dérouler, du fond de sa province, la comédie humaine, détachement qui lui permet d'atteindre à l'universel.

L'ironie, qui est l'un des traits particuliers de Jane Austen, passe d'abord par le langage. La narratrice rapporte ainsi une scène de comédie grinçante entre Mme Dashwood et son mari. La première persuade le second que la promesse qu'il a faite à son père, sur son lit de mort, d'aider ses sœurs, peut bien se limiter à l'envoi de gibier (chapitre 2). Autre scène de comédie plutôt cruelle : celle où les sœurs Steele se laissent tyranniser par les enfants Middleton pour se gagner les bonnes grâces de leur mère (chapitre 21).

L'ironie est aussi l'arme secrète d'Elinor, qui observe les scènes de salon et juge les caractères, en particulier celui de son demi-frère (chapitre 33). Sir John Middleton et Mme Jennings la manient avec moins de finesse lorsqu'ils tentent de faire avouer à Elinor le nom de l'homme qui l'intéresse (chapitre 12), ou lorsqu'un malentendu fait croire à la bonne dame que le colonel Brandon veut épouser Elinor (chapitre 40). Ailleurs, Mme Jennings se moque de Marianne à propos d'une lettre de Willoughby et lance aussitôt la rumeur dangereuse de leurs fiançailles : « Je l'ai dit à tout le monde, et Charlotte en a parlé comme moi » (chapitre 29).

L'art du dialogue réaliste, la richesse narrative sont également indissociablement liés au nom de Jane Austen. *Raison et sentiments* est le seul de ses romans qui compte de nombreuses scènes à Londres et les différences d'appartenance sociale y sont traduites vivement par le mode d'expression, la capitale étant le creuset de la langue anglaise. La distinction entre la ville et la campagne, ainsi qu'entre les classes, est immédiatement sensible dans la division de la journée, essentielle à la compréhension du roman. À Londres, toute action précédant seize heures est en effet considérée comme ayant lieu « dans la matinée ». D'autre part, le style des lettres de Willoughby, homme du monde, n'est pas du tout celui de la petite provinciale illettrée qu'est Lucy Steele ; à l'intérieur d'une même classe sociale, le langage des femmes diffère de celui des hommes : ainsi, seules celles-ci s'adressent à leurs parents proches en disant « frère » ou « père ». Enfin, des interjections telles que « Dieu vous bénisse ! » trahissent une certaine vulgarité chez Mme Jennings, de même que des chevilles comme « je vous assure » ou « j'ose le dire ». Quant au déluge d'adjectifs dont use Anne Steele – « charmant », « délicieux », « monstrueux » –, il n'est tout simplement pas admis dans la bonne société.

Jeanne Isabelle Pauline de Montolieu (1751-1832), traductrice ou plutôt adaptatrice des deux premiers romans de Jane Austen, a donné à celui-ci le titre de *Raison et sensibilité* (1815). Cette version a été revue et corrigée avant réimpression, en 1828. C'est celle que nous présentons ici. Les changements que l'on y relève par rapport à une traduction moderne tiennent d'abord au découpage des chapitres. À partir du chapitre 29, ils sont raccourcis de deux ou trois pages, sans doute pour les rééquilibrer par rapport aux premiers, qui ne comportent qu'une dizaine de pages. Les modifications concernent aussi le passage, parfois, du style indirect au dialogue, toujours pour alléger les chapitres centraux et maintenir l'intérêt du lecteur. Enfin, la version de Mme de Montolieu comporte quelques omissions, des variantes et des ajouts, surtout en fin de chapitre.

Dans la présente édition, légèrement modernisée, on a veillé à ce qu'il ne subsiste aucune des rares erreurs de traduction, mais dialogues et additions ont été conservés. Mme de Montolieu respecte d'ailleurs la psychologie des personnages. Les prénoms exacts, en revanche, ont été rétablis. Usant d'une licence admise alors, et à laquelle Joseph de Maistre fait allusion lorsqu'il traite de la traduction, Mme de Montolieu en a changé quelques-uns, estimant sans doute qu'une confusion était possible entre les deux John, Dashwood et Middleton, puisqu'elle a rebaptisé ce dernier George. Elle a d'autre part renommé Sema la petite Annamaria Middleton, le roman comportant déjà une Anne, l'aînée des sœurs Steele. (Le problème ne s'était pas posé pour Jane Austen, car, dans sa famille, les John étaient si nombreux qu'on leur attribuait des numéros !)

La transposition de Mme de Montolieu est intéressante sur le plan historique, parce qu'elle est contemporaine de Jane Austen. Si cette adaptation compte au nombre des « belles infidèles » dont parle Georges Mounin, c'est pour ne pas répugner au goût du temps. Mme de Montolieu a d'ailleurs un sens musical certain et parvient très bien à recréer ce que Valery Larbaud a appelé « l'impression esthétique voulue par le poète ». Elle rend peut-être mieux le langage, les formules de politesse, les allusions à la mode et certains comportements des personnages qu'on ne le fait aujourd'hui – où l'on procède à une autre transposition, du fait de l'évolution de la langue et de notre plus grande hardiesse d'expression.

Cette traduction a pour autre mérite d'avoir fait connaître Jane Austen de son vivant et d'avoir été lue durant un siècle et demi.

Hélène Seyrès

1

La famille des Dashwood était depuis longtemps établie dans le comté de Sussex. Leurs domaines étaient étendus, et leur résidence habituelle était à Norland Park, au centre de leurs propriétés, où plusieurs générations avaient vécu avec honneur ; aimées et respectées de leurs vassaux et de leurs voisins. Le dernier possesseur de ces biens était un vieux célibataire, qui pendant longtemps avait vécu avec une sœur chargée de diriger l'économie de sa maison, en même temps qu'elle était sa fidèle compagne. Elle mourut dix ans avant lui, et, pour réparer cette perte, il invita un neveu, qui devait hériter de ses terres de Norland, à venir vivre auprès de lui avec toute sa famille. Ce neveu, M. Henry Dashwood, était marié, et il avait des enfants. Le bon vieillard trouva dans leur société un bonheur qui lui était inconnu, et son attachement pour eux tous s'augmenta chaque jour. M. et Mme Henry Dashwood soignèrent sa vieillesse bien moins par intérêt que par bonté de cœur. La gaieté des enfants, leurs douces caresses animèrent le soir de sa vie et la prolongèrent.

M. Henry Dashwood avait un fils d'un premier mariage et trois filles de sa seconde femme. Son fils John, un jeune homme respectable et digne, était en possession d'une belle fortune provenant de sa mère, qui avait été très riche, et dont la moitié lui avait été remise à sa majorité. Économe par caractère, il ne fit aucune dépense, et se maria de bonne heure à Mlle Fanny Ferrars, jeune personne riche aussi, qui ajouta encore à sa fortune. La succession de la terre de Norland ne lui était donc pas aussi nécessaire qu'à ses trois sœurs, qui n'avaient pas les mêmes espérances ; leur mère n'avait rien à leur laisser, et leur père ne pouvait disposer que de sept mille livres sterling. Le reste de sa fortune devait revenir après lui à son fils, attendu qu'il n'avait eu pendant sa vie que la jouissance de la moitié du bien de sa première femme.

Le vieil oncle mourut ; son testament fut ouvert et, comme cela arrive presque toujours, il fit beaucoup de mécontents. Il n'avait été ni assez injuste, ni assez cruel pour priver son neveu du domaine, mais il le lui laissait à des conditions telles qu'il ôtait à son legs la moitié de sa valeur. M. Henry Dashwood n'y attachait de prix que pour faire un sort à sa femme et à ses trois filles, son fils étant déjà si avantageusement pourvu du côté de la fortune. Mais à sa grande surprise, son oncle, qui paraissait aussi les aimer tendrement, avait cependant substitué tous ses biens à ce fils et à son enfant âgé de trois ou quatre ans ; de telle sorte que M. Henry Dashwood n'avait plus le pouvoir d'en aliéner la moindre partie. Pendant les dernières années de la vie du vieillard, M. John Dashwood et sa femme avaient eu soin de lui faire beaucoup de visites, et d'amener avec eux leur petit garçon, qui caressait le vieil oncle, l'appelait « bon grand-papa », jouait autour de lui, l'amusait de son petit babil, et même de ses sottises enfantines, et finit par lui faire oublier toutes les attentions que ses nièces lui avaient prodiguées pendant des années. Il leur laissait cependant à chacune mille livres en signe d'affection, mais c'était tout ce qu'elles pouvaient prétendre de son héritage.

M. Henry Dashwood fut d'abord consterné de ces dispositions ; il se consola cependant en pensant qu'il pouvait raisonnablement espérer de vivre encore bien des années, et de faire assez d'économies pour laisser après lui une somme considérable sur les revenus d'un domaine déjà important et susceptible d'améliorations presque immédiates. Mais sur quoi peut compter l'homme mortel ? M. Dashwood ne survécut que douze mois à son oncle, et de cette fortune si longtemps attendue, il ne resta à sa femme et à ses filles que dix mille livres, y compris le legs des trois mille. Aussitôt que M. Henry Dashwood se sentit en danger, il fit venir son fils, et lui recommanda sa belle-mère et ses sœurs, avec toute la force de la tendresse paternelle.

M. John Dashwood n'avait pas la sensibilité de son père et du reste de sa famille ; cependant, ému par la solennité du moment et par les tendres supplications du meilleur des pères, il lui promit de s'occuper ardemment du bonheur des êtres si chers à son cœur. Les derniers instants du mourant furent adoucis par cette assurance ; il expira doucement dans les bras de sa femme et de ses filles, au désespoir de sa perte, alors que son fils, assis à quelques pas plus loin, réfléchissait à sa promesse, et à ce qu'il pouvait et devait faire pour la remplir.

Dans le fond, ce jeune homme était alors très bien disposé. Quoiqu'il fût naturellement froid et égoïste, il jouissait d'une bonne réputation ; il était respecté car il se conduisait toujours avec sagesse, avec prudence, et remplissait exactement les devoirs de fils, de père, de mari et ceux de société. S'il avait eu une compagne plus aimable, il aurait joui de plus d'estime encore, et l'aurait mieux méritée. Il s'était marié fort jeune ; et passionnément amoureux de sa femme, laquelle avait pris sur lui beaucoup d'empire. Un esprit très étroit, des nerfs très irritables, un cœur qui n'aimait qu'elle-même et son enfant, parce qu'il était à elle et qu'il lui ressemblait, voilà en deux mots le portrait de Mme John Dashwood.

« Allons, dit M. John Dashwood en lui-même à la suite de ces réflexions, il faut tenir ce que j'ai promis à mon père mourant ; il faut faire à mes sœurs un présent qui les dédommage de leur perte et qui augmente leur bien-être. Si je leur donnais mille livres à chacune, il me semble que ce serait fort honnête, et je ne puis faire moins ; ma fortune s'augmente à présent, par la mort de mon père, de quatre mille livres sterling par année, des biens de mon vieil oncle, sans parler de la moitié du bien de ma mère dont mon père jouissait ; et cela, ajouté à mes revenus actuels, me met en état d'être généreux envers mes sœurs... Oui, oui, je leur donnerai trois mille livres, et je crois que c'est assez beau et que l'on parlera dans le monde de ma libéralité. Trois mille livres, ajoutées aux trois mille qu'elles ont eues de leur bon oncle et aux sept mille dont leur mère jouit, les mettront complètement à leur aise. Quatre femmes ne peuvent pas dépenser beaucoup, et trois mille livres c'est une belle somme ; elles pourront faire des épargnes considérables. Allons, j'en suis bien aise, je l'ai promis à mon père mourant ; j'y suis résolu. » Il pensa de même tout le jour ; et même plusieurs jours consécutivement sans qu'il s'en repentît ; il ne leur en parla pas encore dans le premier moment de leur douleur, mais il en prit l'engagement avec lui-même.

Les funérailles ne furent pas plus tôt achevées que Mme John Dashwood, sans en avertir sa belle-mère, arriva à Norland Park avec son fils et tous leurs domestiques. Personne ne pouvait lui disputer le droit d'y venir ; puisque, au moment du décès de leur père, cette terre leur appartenait ; mais le peu de délicatesse de ce procédé aurait été senti même par une femme ordinaire, et Mme Dashwood mère, avec un sens parfait des convenances, ne pouvait qu'en être très blessée. Mme John Dashwood n'avait jamais cherché à se faire aimer de la famille de son mari ; mais jusqu'alors, ne vivant point avec eux, elle n'avait pas eu l'occasion de leur prouver combien peu elle se souciait des réactions d'autrui.

Mme Dashwood fut si aigrie de cette conduite, et désirait si vivement le faire sentir à sa belle-fille, qu'à l'arrivée de cette dernière elle aurait quitté pour toujours la maison si sa fille aînée ne lui avait fait observer qu'il ne fallait pas se brouiller avec leur frère. Elle céda à ses prières, à ses représentations, et, pour l'amour de ses trois filles, consentit à rester pour le moment à Norland Park.

Elinor, son aînée, dont les avis étaient presque toujours suivis, possédait une force d'esprit, une raison éclairée, un jugement prompt et sûr, qui la rendaient très capable d'être, à dix-neuf ans seulement, le conseil de sa mère, et lui assuraient le droit de contredire quelquefois, pour leur avantage à toutes, une vivacité d'esprit et d'imagination, qui, chez Mme Dashwood, aurait souvent conduit à l'imprudence ; mais Elinor n'abusait pas de cet empire. Elle avait un cœur excellent ; elle était douce, affectionnée ; ses sentiments étaient très vifs ; mais elle savait les gouverner ;

c'est une science bien utile aux femmes, que sa mère n'avait jamais apprise, et qu'une de ses sœurs, celle qui la suivait immédiatement, avait résolu de ne jamais pratiquer.

Pour l'intelligence, l'esprit et les talents, Marianne était sur de nombreux points l'égale d'Elinor ; mais sa sensibilité toujours en mouvement n'était jamais réprimée par la raison. Elle s'abandonnait sans mesure, sans retenue à toutes ses impressions ; ses chagrins, ses joies étaient toujours extrêmes ; elle était d'ailleurs aimable, généreuse, intéressante sous tous les rapports, et même par la chaleur de son cœur. Elle avait toutes les vertus, excepté la prudence. Sa ressemblance avec sa mère était frappante ; aussi était-elle sa favorite.

Elinor voyait avec peine l'excès de la sensibilité de sa sœur, tandis que leur mère en était enchantée, et l'excitait au lieu de la réprimer. Elles s'encourageaient l'une l'autre dans leur affliction, la renouvelaient volontairement et sans cesse par toutes les réflexions qui pouvaient l'augmenter, et n'admettaient aucune espèce de consolation, pas même dans l'avenir. Elinor était tout aussi profondément affligée, mais elle s'efforçait de surmonter sa douleur, et d'être utile à tout ce qui l'entourait. Elle prit sur elle de mettre chaque chose en règle avec son frère pour recevoir sa belle-sœur à son arrivée, et l'aider dans son établissement. Par cette sage conduite, elle parvint à relever un peu l'esprit abattu de sa mère, et à lui donner au moins le désir de l'imiter.

Sa sœur cadette, la jeune Margaret, n'était encore qu'une enfant ; mais, à treize ans, elle ne promettait guère de devenir plus tard l'égale de ses aînées.

2

Mme John Dashwood s'installa donc dame et maîtresse de Norland Park, et sa belle-mère, ses belles-sœurs furent réduites à n'y paraître plus que comme étrangères et presque par grâce. Elles étaient traitées par Mme Dashwood avec une froide civilité, et par leur frère avec autant de tendresse qu'il pouvait en témoigner à d'autres qu'à lui-même, à sa femme et à son enfant. Il les pressa, et même avec assez de vivacité, de regarder Norland comme leur demeure. Mme Dashwood accepta son invitation jusqu'à ce qu'elle eût trouvé une maison à louer dans le voisinage : rester dans un lieu où tout lui rappelait et son bonheur passé et la perte qu'elle avait faite était exactement ce qui lui plaisait et lui convenait le mieux. Dans le temps du plaisir, personne n'avait davantage qu'elle cette franche gaieté, cet enjouement qui rejette toute sensation pénible ; personne ne possédait à un plus haut degré cette confiance dans le bonheur, cet espoir dans sa durée, qui est déjà le bonheur lui-même ; mais, dans le chagrin, elle repoussait de même toute idée de consolation, et s'y livrait en entier avec une sorte de volupté.

M. John Dashwood fit part à sa femme de son projet de faire présent à chacune de ses sœurs de mille livres, et, comme on peut le penser, elle fut loin de l'approuver : trois mille livres ôtées de la fortune de son cher petit garçon n'étaient pas une bagatelle ! Elle regardait comme inconcevable que le tendre père d'un enfant aussi charmant pût seulement en avoir la pensée ; elle le supplia d'y réfléchir encore. N'était-ce pas faire un tort irréparable à son fils unique ? Sa conscience lui permettait-elle de le priver d'une telle somme ? Et quel droit avaient Mlles Dashwood, qui n'étaient que ses demi-sœurs (ce qu'elle regardait à peine comme une parenté), sur cet excès de générosité ? Il était bien connu qu'aucune affection ne pouvait être supposée entre des enfants de deux lits différents. Leur père avait déjà fait grand tort à son fils en se remariant ; trois filles étaient nées de ce second hymen ; il leur avait *injustement* donné tout ce dont il pouvait disposer.

— Vous voulez, dit-elle, encore ruiner votre pauvre petit Harry, en le privant, pour vos demi-sœurs, de tout son argent.

Ce discours eut un ton de conviction, de tendresse maternelle, qui ne manqua pas son effet sur le faible John. Cependant il ne céda pas d'abord.

— C'est, lui dit-il, à la dernière requête de mon père expirant que je prendrai soin de sa veuve et de ses filles.

— Il ne savait pas ce qu'il disait, j'en suis bien sûre, répliqua Mme Dashwood. Tous les gens à l'agonie tiennent le même langage ; ils recommandent les survivants les uns aux autres ; leur tête n'y est plus, ce n'est que leur cœur qui leur parle encore pour ceux qu'ils ont aimés, et qu'ils sont près de quitter. Si ses idées avaient été bien nettes et qu'il n'eût pas rêvé à demi, il n'aurait jamais imaginé de vous faire une demande aussi ridicule que celle d'ôter à votre enfant la moitié de sa fortune.

— Mon père, ma chère Fanny, n'a stipulé aucune somme ; il me demanda seulement de rendre la situation de sa femme et de ses filles aussi confortable qu'il était en mon pouvoir. Peut-être aurait-il mieux fait de s'en rapporter tout à fait à moi ; il ne pouvait pas supposer que je les négligerais ; mais enfin, il a exigé cette promesse ; je l'ai faite, je veux la remplir, je dois faire quelque chose pour mes sœurs avant qu'elles quittent Norland pour s'établir ailleurs.

— Eh bien ! à la bonne heure, *quelque chose,* mais il n'est pas nécessaire que ce *quelque chose* soit trois mille livres. Passe encore si vos sœurs étaient âgées et que cet argent pût revenir à votre fils ; mais considérez qu'une fois donné, vous ne le retrouverez plus. Vos sœurs sont jeunes et jolies ; si vous les dotez de cette manière, elles se marieront bientôt, et vos trois mille livres seront perdues pour toujours ; des familles étrangères en jouiront, les dissiperont, et notre cher petit Henry en sera privé ; je vous demande s'il y a là l'ombre de la justice.

— Vous avez raison, Fanny, dit gravement John Dashwood, parfaitement raison ; c'est peu de chose à présent relativement à ma fortune ; mais le temps peut venir que notre cher fils regrettera beaucoup cette somme si par exemple il avait une nombreuse famille.

— Eh ! mais sans doute.

— Peut-être bien ! Ainsi, chère amie, il vaudrait mieux, en effet, diminuer la somme de moitié, qu'en dites-vous ? Cinq cents livres à chacune, ce serait encore un prodigieux ajout à leur fortune.

— Prodigieuse, immense, incroyable ! Quel frère, dans les trois royaumes, ferait cela pour ses sœurs, même *réelles* ? mais des demi-sœurs ! Vous avez toujours été trop généreux, mon cher John.

— Il vaut mieux, dans de telles occasions, faire trop que trop peu, dit John en se rengorgeant ; personne au moins ne dira que je n'ai pas fait assez. Elles-mêmes n'en attendent sûrement pas davantage.

— On ne peut savoir ce qu'elles attendent, reprit aigrement Fanny ; ainsi il n'est pas question de se préoccuper de leurs espérances, mais de ce que vous pouvez leur donner, et je trouve…

— Certainement, je trouve aussi que cinq cents livres sont bien suffisantes, interrompit John, sans que j'y ajoute rien. En l'état actuel des choses, elles auront chacune à la mort de leur mère trois mille trois cent trente-trois livres ; fortune très considérable pour toute jeune femme.

— Oui vraiment, trois mille trois cent trente-trois ; je n'avais pas fait ce calcul, et c'est vraiment très considérable ! Trois mille trois cent trente-trois livres ! c'est énorme.

— Et quelque chose de plus, dit John en calculant sur ses doigts. Dix mille livres divisées en trois. Oui, c'est bien cela. Trois mille trois cent trente-trois et quelque chose en sus.

— Allons, mon cher, je ne conçois pas, je vous l'avoue, que vous vous croyiez obligé d'y ajouter la moindre chose. Dix mille livres à partager entre elles, c'est plus que suffisant. Si elles se marient, c'est une très belle dot, et elles épouseront sûrement des hommes riches ; si elles ne se marient pas, elles vivront très confortablement ensemble sur les intérêts des dix mille livres.

— Cela est vrai, très vrai, dit John en se promenant avec l'air de réfléchir ; ainsi dites-moi, ma chère, s'il ne vaudrait pas mieux faire quelque chose pour la mère, pendant qu'elle vit, une rente annuelle ? Mes sœurs en profiteront autant que si c'était à elles. Cent livres par année, par exemple ; il me semble que, pour une vieille femme qui vit dans la retraite, c'est bien honnête. Qu'en pensez-vous, Fanny ?

— Il est sûr, dit-elle, que cela vaut beaucoup mieux que de se séparer de quinze cents livres tout à la fois… Mais je réfléchis que si Mme Dashwood allait vivre quinze ans, alors nous serions en perte.

— Quinze ans, chère Fanny ? Vous plaisantez. Elle ne vivra pas la moitié de ce temps-là ; elle est trop sensible, trop nerveuse.

— J'en conviens, mais n'avez-vous pas observé que rien ne prolonge la vie comme une rente viagère ! C'est une affaire très sérieuse que de s'engager à payer une rente annuelle. Vous ne savez pas quel ennui vous allez vous donner, et comme on est malheureux quand le moment de l'échéance arrive. C'est précisément alors qu'on aurait une dépense indispensable à faire pour soi-même, et que cet argent qui se trouve engagé ferait plaisir ; c'est vraiment insupportable ! Ma mère payait de petites rentes à trois vieux domestiques, le testament de mon père l'y forçait ; j'ai souvent été témoin du chagrin, de l'ennui que cela lui donnait. Deux fois par an, il lui fallait payer. Et les difficultés pour leur faire parvenir ces sommes ; et puis on lui dit que l'un d'eux était mort, et par la suite, elle apprit qu'il n'en était rien. Ses revenus n'étaient plus à elle, disait-elle. Elle en était tout à fait impatientée. Aussi, j'ai pris en horreur les rentes viagères, et j'ai juré de ne jamais m'engager à en payer, quelque petite qu'elle fût. Pensez-y bien, mon cher.

— Il est sûr qu'il n'est pas du tout agréable que quelqu'un ait des droits sur notre revenu ; être obligé à un paiement régulier, tel mois, tel jour, cela blesse l'indépendance.

— Ajoutez, mon cher, qu'après tout on ne vous en sait aucun gré. Cette rente est assurée ; vous ne faites en la donnant que ce que vous devez, et on n'en a nulle reconnaissance. Si j'étais vous, je voudrais n'être lié par rien et pouvoir donner ce qu'il me plairait, et quand il me plairait. Vous serez charmé peut-être de pouvoir mettre de côté cent ou cinquante livres pour quelque dépense de fantaisie que vous ne pouvez prévoir.

— Je crois que vous parlez très sensément, ma chère Fanny, et je suivrai vos bons conseils ; ce sera beaucoup mieux en effet que de leur donner une rente fixe. Ayant un revenu plus considérable, elles augmenteraient leur train, leurs dépenses, et au bout de l'année, elles n'en seraient pas plus riches. Oui, oui, cela sera beaucoup mieux ; un petit présent de vingt, de trente livres de temps en temps, préviendra tout embarras d'argent, et j'aurais rempli la promesse que j'ai faite à mon père.

— Parfaitement bien, et je vous le répète, mon cher, je suis convaincue qu'il n'a jamais eu dans la pensée que vous dussiez leur donner de l'argent. L'assistance, les secours qu'il demandait pour elles, étaient seulement ce qu'on peut attendre d'un bon frère : comme par exemple de les aider à trouver une petite maison jolie et commode ; de leur prêter vos chevaux pour transporter leurs effets ; de leur envoyer quelquefois du poisson, du gibier, des fruits. Je parie ma vie que c'est là seulement ce qu'il entendait, et il ne pouvait vouloir autre chose. Votre belle-mère sera fort à son aise avec l'intérêt de sept mille livres, et vos sœurs avec celui de trois mille ; elles auront par an cinq cents livres de revenu, et qu'ont-elles besoin d'en avoir davantage ? Elles ne dépenseront pas cela, leur ménage sera si peu de chose ! Elles n'auront ni carrosse, ni chevaux, tout au plus une fille pour les servir ; elles ne recevront point de compagnie, et n'auront presque aucune dépense à faire. Ainsi vous voyez qu'il ne leur manquera rien. Cinq cents livres par an ! Je ne peux imaginer à quoi elles en emploieront la moitié ; leur donner quelque chose serait tout à fait absurde. Ce sont elles plutôt qui pourront vous donner quelque chose.

— Sur ma parole, dit M. John Dashwood en se frottant les mains, vous avez parfaitement raison. Mon père ne prétendait rien de plus, je le comprends à présent, et je veux strictement remplir mes engagements par toutes les preuves de tendresse et de bonté fraternelles que vous m'indiquez : car votre cœur est excellent, chère Fanny, je vous rends bien justice. Il est charmant à vous d'être aussi bonne pour mes sœurs et ma belle-mère. Quand elles iront s'établir ailleurs, je leur rendrai, et vous aussi, mille petits services : nous leur ferons quelques présents de meubles, de porcelaines. Enfin, je puis m'en rapporter à vous.

— Oh bien certainement, tout ce qui pourra leur convenir... Mais cependant, réfléchissez à une chose. Quand votre vieil oncle fit venir ici votre père et votre belle-mère, il établit chez lui. Tout le mobilier de Stanhill, la porcelaine, la vaisselle, le linge, fut soigneusement enfermé, et votre père, comme vous le savez, a légué ces objets à sa femme. Leur maison sera donc meublée et garnie au-delà de ce qu'elle pourra contenir ; ainsi, elles n'auront besoin de rien.

— Sans doute, je n'y pensais pas. C'est un très beau legs qu'elles ont eu là, en vérité ! Et la vaisselle, par exemple, nous aurait bien fort convenu pour augmenter la nôtre, à présent que nous recevrons souvent du monde.

— Et le beau service de porcelaine de Chine, combien je le regrette ! Il est beaucoup plus beau que celui qui est ici, et, suivant mon opinion, dix fois trop beau pour leur situation actuelle. Votre père n'a pensé qu'à elles ; je trouve, mon cher, que vous pourriez fort bien le leur faire sentir avec délicatesse, et les engager à nous laisser tant de choses qui vont leur devenir inutiles et qui nous conviendraient bien mieux. Mais certainement vous ne devez pas avoir beaucoup de reconnaissance pour la mémoire d'un père, qui, s'il avait pu, leur aurait laissé tout et rien à vous ; et vous leur donneriez... Ce serait, à mon avis, une duperie et une faiblesse dont je vous connais incapable. L'extrême bonté de votre cœur peut quelquefois vous entraîner trop loin ; mais la fermeté de votre caractère et la force de votre jugement vous ramènent bientôt dans le droit chemin.

L'argument était irrésistible. Ce que John Dashwood craignait le plus, c'était de passer pour un homme faible, dupé, et, sans qu'il s'en doutât, il ne faisait et ne pensait que ce que voulait Mme John Dashwood : il finit donc par déclarer que non seulement il serait inutile, mais injuste et ridicule de rien faire pour ses sœurs au-delà des petits services de bon voisinage, dont avait parlé sa femme.

3

Mme Dashwood passa plusieurs mois à Norland, mais non par la crainte de quitter un lieu qui nourrissait sa douleur ; elle s'y était livrée d'abord avec trop de violence pour qu'elle pût durer au même point. Peu à peu, elle cessa d'éprouver ces émotions déchirantes que la vue de chaque endroit où elle avait été avec son mari excitait chez elle. Son esprit redevint capable d'autre chose que de chercher, par de mélancoliques souvenirs, à augmenter son affliction. Dès qu'elle arriva à ce point, elle fut impatiente, au contraire, de quitter le château, et fut infatigable dans ses recherches pour trouver une demeure qui pût lui convenir, qui ne l'éloignât pas trop d'un séjour où elle avait été si heureuse, et où peut-être elle pourrait retrouver encore, sinon le bonheur au moins une vie tranquille avec ses chers enfants ; mais elle n'en put trouver aucune qui répondît à la fois à ses idées de bien-être et à la prudence de sa fille aînée, dont le jugement éclairé l'empêcha de louer plusieurs maisons trop grandes pour leur revenu, que sa mère aurait désirées.

Mme Dashwood, qui n'avait point quitté son mari pendant sa dernière maladie, avait appris par lui la promesse solennelle de son fils en leur faveur. Elle ne doutait pas plus de sa sincérité à la tenir qu'il n'en avait douté lui-même, et pensait avec satisfaction que ses filles trouveraient dans leur frère un appui et un bienfaiteur. Quant à elle, ayant toujours vécu dans l'aisance et sans avoir besoin de calculer ses dépenses, elle était persuadée que le revenu d'une somme bien inférieure à sept mille livres sterling la ferait vivre dans l'abondance. Pour son beau-fils aussi elle se réjouissait du plaisir qu'il aurait à servir de père à ses jeunes sœurs, à leur procurer toutes les petites jouissances dont elles avaient l'habitude, et se reprochait de ne lui avoir pas toujours rendu toute la justice qu'il méritait, lorsqu'elle l'avait quelquefois soupçonné d'avarice ou d'égoïsme. « C'est parce qu'il s'était laissé influencer par sa femme, pensait-elle, qu'il a donné lieu à ce soupçon ; mais, à présent qu'il a vécu avec nous, qu'il nous connaît, il a appris à nous aimer, elle n'aura plus le pouvoir d'altérer son amitié. Nous lui sommes chères parce que nous l'étions à son père ; sa conduite avec nous prouve combien il s'intéresse à notre bonheur ; et il s'attachera plus encore à nous par sa propre générosité. » Pendant longtemps, Mme Dashwood s'abandonna à cet espoir ; il était dans son caractère de croire aveuglément ce qu'elle désirait.

Elle avait encore un autre espoir, auquel elle donna bientôt le nom de certitude, et qui lui faisait supporter la prolongation de son séjour à Norland, la froideur presque méprisante de sa belle-fille, et tous les désagréments d'un séjour où naguère elle était maîtresse. Cet espoir, qui devint bientôt pour elle une réalité, était fondé sur l'attachement que M. Edward Ferrars, le frère de Mme John Dashwood, paraissait avoir pour sa fille aînée, la sage et prudente Elinor. Ce jeune homme avait accompagné son beau-frère à Norland ; depuis, il y avait passé la plus grande partie de son temps, et il était facile de voir ce qui le retenait.

Bien des mères auraient encouragé ce sentiment par des motifs d'intérêt, car M. Edward Ferrars était le fils aîné d'une famille très riche, et son père était mort depuis long-temps ; d'autres l'auraient réprimé par des motifs de prudence, car Edward Ferrars dépendait absolument de sa mère, à qui, à l'exception d'une très petite somme, la fortune appartenait. Elle pouvait en disposer suivant sa volonté, et Mme Ferrars n'aurait certainement pas approuvé les liaisons de son fils avec une jeune personne sans biens. Mais Mme Dashwood n'était ni intéressée ni prudente ; la richesse d'Edward et sa dépendance ne se présentèrent pas une fois à sa pensée. Elle vit seulement qu'il paraissait aimable, qu'il aimait sa fille, qu'Elinor ne repoussait pas ses soins ; il ne lui en fallut pas davantage pour décider dans sa tête qu'ils devaient être unis. Suivant ses principes, la différence de fortune était la chose du monde la plus indifférente quand les cœurs étaient d'accord, et qu'il y avait des rapports de caractère. Edward avait senti tout le mérite d'Elinor, ce qui prouve qu'il en avait lui-même, et que rien ne pourrait les séparer.

Edward Ferrars n'avait rien cependant de ce qui peut séduire au premier moment. Il n'était point beau, avait peu de grâces, et une espèce de gaucherie dans les manières, suite d'une excessive timidité ; il avait besoin d'être encouragé, et ce n'était que dans une société intime qu'il pouvait plaire ; il se défiait trop de lui-même, et avait trop de réserve, de retenue pour le grand monde ; mais quand une fois il surmontait cette disposition naturelle, il devenait très aimable, tout alors indiquait chez lui un cœur ouvert, sensible, capable de sentiments généreux ; il avait l'esprit simple, naturel et cultivé par une bonne éducation, mais il ne possédait aucun talent brillant. Rien en lui ne pouvait répondre aux vœux de sa mère et de sa sœur, qui désiraient avec ardeur qu'il se distinguât... Par quoi ? Elles n'auraient pu le dire positivement, par tout ce qui distingue un gentil-homme très riche. Elles auraient voulu qu'il fît grande figure dans le monde, qu'on parlât de lui. Mme Ferrars aurait désiré qu'il eût une opinion prononcée en politique, qu'il entrât au Parlement, ou du moins qu'il se liât avec les grands hommes du temps. Mme John Dashwood se serait contentée que son frère fût cité par son élégance, par ses talents, ne fût-ce même que par celui de conduire un caricle de manière à se faire remarquer. Mais hélas ! Edward n'aimait ni les grands hommes ni aucune des folies à la mode chez les jeunes gens. Toute son ambition, tous ses vœux se bornaient à rêver d'une vie tranquille et retirée, de bonheur domestique. Heureusement pour sa mère et pour sa sœur, il avait un jeune frère qui promettait davantage.

Edward se mettait si peu en avant qu'il avait passé plusieurs semaines à Norland sans attirer l'attention de Mme Dashwood. Tout occupée de sa douleur, elle vit seulement qu'il était tranquille, et qu'il ne cherchait pas à troubler son affliction par une gaieté importune ou par des conversations hors de propos. Elle fut ensuite prévenue en sa faveur par une réflexion d'Elinor, qui remarquait un jour combien il ressemblait peu à Fanny ; c'était la meilleure recommandation auprès de Mme Dashwood.

— Il suffit, dit-elle, qu'il ne ressemble pas à sa sœur pour faire son éloge ; c'est-à-dire qu'il est aimable, et pour cela seul je l'aime déjà.

— Je vous assure, maman, qu'il vous plaira quand vous le connaîtrez mieux.

— Je n'en doute pas, mais que puis-je faire de plus que de l'aimer ?

— Vous l'estimerez.

— Je n'ai jamais imaginé qu'on pût séparer l'estime de l'amitié.

— Ni moi, dit Elinor, et M. Edward Ferrars mérite l'une et l'autre.

De ce moment, Mme Dashwood commença à bâtir son château en Espagne, et à se rapprocher de ce jeune homme qui devait devenir son fils. Sa manière avec lui fut si tendre, si amicale, que bientôt toute réserve fut bannie et qu'il se montra tel qu'il était, avec tout son vrai mérite et son *admiration* pour Elinor. Il n'osa dire plus, mais la bonne mère acheva le reste dans sa pensée, et fut aussi convaincue de son ardent amour pour sa fille que de toutes ses vertus. Sa tranquillité, sa froideur apparente, sa gravité si peu ordinaire à son âge, devinrent même à ses yeux un mérite de plus, quand elle vit que tout cela ne nuisait point à la chaleur réelle de son cœur ni à la vivacité de ses sentiments. Elinor, pensait-elle, serait bien ingrate de ne pas aimer ce bon jeune homme autant qu'elle en est aimée. Mais Elinor ne peut avoir un tort ni un défaut ; elle n'a donc point d'ingratitude ; elle éprouve aussi le sentiment qu'elle inspire. Ils sont égaux en vertus, en amour ; que faut-il de plus ? Ils furent créés l'un pour l'autre ; et voilà sa vive imagination aussi certaine de leur mariage que si elle les avait conduits à l'autel.

— Dans quelques mois, ma chère Marianne, dit-elle un jour à sa seconde fille, dans quelques mois notre Elinor sera probablement établie pour la vie ; nous la perdrons, mais elle sera si heureuse !

— Ah ! maman, comment pourrons-nous vivre sans elle ? Elinor est notre âme, notre guide dans ce monde.

— Ma chère enfant, ce sera à peine une séparation. Nous vivrons près d'elle, et nous pourrons nous voir tous les jours ; vous gagnerez un second frère, un bon, un tendre frère ; j'ai la plus haute opinion d'Edward. – Mais vous êtes bien sérieuse, Marianne, est-ce que vous désapprouvez le choix de votre sœur ?

— J'avoue, dit Marianne, que j'en suis au moins surprise : Edward est très aimable, et comme un ami je l'aime tendrement. Mais cependant, ce n'est pas l'homme… Il manque quelque chose… Sa figure n'est point remarquable ; il n'a point ces grâces, cet attrait, que je m'attendais à trouver chez l'homme qui devait s'unir à ma sœur. Ses yeux sont grands, ils sont beaux peut-être ; mais ils n'ont pas ce feu, cette expression qui annoncent à la fois la sensibilité, l'intelligence, qui pénètrent dans le cœur. D'un autre côté, maman, je crains qu'il n'ait pas ce goût des arts qui prouve une vraie sensibilité ; la musique a peu d'attrait pour lui, et quoiqu'il admire beaucoup les dessins d'Elinor, ce n'est point l'admiration de quelqu'un qui s'y connaît. Il est évident que, malgré toute son attention pendant qu'elle dessine, il n'entend rien à cet art ; il admire au hasard plutôt son ouvrage que son talent, et comme un amoureux plutôt qu'en connaisseur : pour me satisfaire, il faudrait qu'il fût l'un et l'autre. Je ne pourrais être heureuse avec un homme qui ne partagerait pas en tout point mes sentiments, mes goûts ; il faut qu'il voie, qu'il sente, qu'il juge exactement comme moi : la même lecture, le même dessin, la même musique, doivent saisir au même instant deux âmes unies par une sympathie absolument nécessaire au bonheur. Ah ! maman, avez-vous entendu avec quelle monotonie, quel calme, Edward nous lisait hier des vers délicieux ? Je souffrais réellement pour ma sœur ; elle le supportait avec une douceur incroyable ! Moi, je pouvais à peine me contenir : entendre cette sublime poésie, qui m'a si souvent extasiée, l'entendre lire avec ce calme imperturbable, avec cette incroyable indifférence !... Non, non, je ne concevrais jamais qu'on puisse aimer un homme qui lit de cette manière !

— Eh bien ! ma chère Marianne, il aurait sans doute mieux rendu justice à une prose simple et élégante. Je me le suis dit alors. Mais c'est vous qui lui avez donné Cowper.

— Ah ! maman, ce n'est pas ainsi qu'on doit lire Cowper, et si Cowper ne l'anime pas, c'est qu'il ne peut être animé. Elinor ne sent pas comme moi sans doute, et peut-être, malgré cela, sera-t-elle heureuse avec lui ; pour moi, je ne pourrais l'être avec quelqu'un qui met si peu de feu et de sentiment dans sa lecture. Ah ! maman, plus je connais le monde, et plus je suis convaincue que je ne rencontrerai jamais un homme que je puisse réellement aimer : il me faut trop de choses. Je voudrais les vertus d'Edward, ma vive sensibilité, et, de plus, toutes les grâces, toutes les perfections dans les manières, dans l'extérieur : cela ne se trouvera jamais réuni.

— C'est difficile, il est vrai ; mais vous n'avez que dix-sept ans, ma chère enfant, il n'est pas temps encore de désespérer d'un tel bonheur. Pourquoi seriez-vous moins heureuse que votre mère ? Puisse seulement votre félicité sur la terre être plus durable que la sienne !

Elles s'embrassèrent en versant des larmes qui n'étaient pas sans douceur.

4

— Quel dommage, Elinor, dit Marianne à sa sœur, qu'Edward n'ait aucun goût pour le dessin !

— Aucun goût pour le dessin ! Pourquoi pensez-vous cela ? Il ne dessine pas lui-même, il est vrai, mais il a le plus grand plaisir à voir de bons ouvrages en dessin, en peinture, et il sait les admirer. Je vous assure même qu'il a beaucoup de goût naturel pour cet art, quoiqu'il n'ait pas eu d'occasion de l'étudier. S'il l'avait entrepris, je crois qu'il aurait eu un vrai talent ; il se défie de son propre jugement en cela comme en toute autre chose, et ne se hasarde pas à donner son opinion, mais il a un sentiment intérieur de ce qui est beau, et un goût simple, sûr, qui le dirige très bien.

Elinor défendit son ami avec plus de vivacité qu'à l'ordinaire, et Marianne, craignant de l'avoir offensée, ne dit plus rien contre le goût naturel d'Edward, mais sans en concevoir une meilleure opinion. Cette froide approbation qu'il donnait aux talents, sans en avoir lui-même, était trop loin de cet enthousiasme, de ces ravissements qui, dans son idée, étaient la marque certaine du goût ; cependant, tout en souriant de l'aveugle présomption d'Elinor, elle ne l'en admira que plus.

— J'espère, ma chère Marianne, continua Elinor, que vous ne croyez pas vous-même qu'Edward manque de goût

ou de sensibilité ? Toute votre conduite avec lui est si amicale ; et je sais que si vous aviez cette opinion de lui, à
peine pourriez-vous prendre sur vous d'être polie.

Marianne ne sut que répondre : elle ne voulait pas blesser les sentiments de sa sœur, et parler contre sa pensée lui
était impossible. Après un instant de silence, elle lui dit :

— Ne soyez point offensée, chère Elinor, si mes éloges
ne répondent pas exactement à l'idée que vous avez de
son mérite ; j'ai moins d'occasions que vous d'apprécier
toutes ses qualités, de connaître ses inclinations, ses goûts,
de lire dans son cœur, dans son esprit ; mais je vous assure
que j'ai la plus haute opinion de sa bonté, de sa raison, de
son bon sens, et je pense que personne n'est plus digne ni
plus aimable.

— En vérité, dit Elinor en souriant, ses plus chers amis
devraient être satisfaits de cet éloge, je ne vois pas ce qu'on
pourrait y ajouter.

Marianne fut contente que sa sœur fût aussi vite apaisée.

— Il est impossible, dit Elinor, lorsqu'on connaît Edward,
lorsqu'on l'a entendu parler, de douter un instant de son
jugement droit et de sa bonté ; ses excellents principes, son
esprit même sont quelquefois voilés par son excessive timidité, qui le rend trop souvent silencieux. Vous, Marianne,
vous le connaissez assez pour rendre justice à ses solides
vertus, mais ses goûts, ses inclinations, je conviens que
vous avez eu moins d'occasions que moi de les distinguer
dans les premiers temps de notre malheur. Vous vous êtes
consacrée entièrement à notre bonne mère ; pendant que
vous étiez ensemble, je l'ai vu journellement, j'ai causé avec
lui, j'ai étudié ses sentiments, entendu ses opinions sur différents sujets de littérature, de goût, et je puis vous assurer
que je ne hasarde rien en vous disant qu'il a non seulement
beaucoup d'instruction, mais un sentiment naturel très vif
pour tout ce qui est digne d'admiration. Il a fait d'excellentes lectures avec beaucoup de plaisir ; de discernement ;
son imagination est vive, ses observations justes, correctes,

et son goût délicat et pur. Son extérieur même gagne à être mieux connu. À première vue, sa figure n'a rien de remarquable, à l'exception cependant de ses yeux, qui sont très beaux, et de la douceur de sa physionomie ; mais lorsqu'on le connaît mieux, on le juge bien différemment. Je vous assure qu'à présent il me paraît presque beau, ou je trouve au moins qu'il plaît mieux que s'il était beau. Qu'en dites-vous, Marianne ?

— Je dis que je le trouverais bientôt plus que beau, si vous me disiez, Elinor, de l'aimer comme un frère et s'il faisait votre bonheur, je ne lui trouverais plus aucun défaut.

Elinor rougit beaucoup à cette déclaration et fut fâchée contre elle-même de s'être trahie en parlant d'Edward avec trop de feu. Elle sentait bien à quel point il l'intéressait ; elle était persuadée que cet intérêt était réciproque, mais elle n'en avait pas cependant une conviction assez positive pour que les propos de Marianne lui fussent agréables. Elle comprit fort bien les conjectures de sa mère et de sa sœur ; elle savait qu'avec elles tous leurs vœux étaient de l'espoir ; et tout espoir une certitude. Elinor voulut saisir cette occasion de dire à Marianne l'exacte vérité de sa situation.

— Je ne prétends point nier, lui dit-elle, en se remettant, quelle haute opinion j'ai de lui ; je l'estime, il m'intéresse, mais…

— Estime, intérêt, interrompit vivement Marianne. Insensible Elinor !… Ces expressions sont dictées par un cœur glacé ; répétez ces froides paroles, et je vous quitte à l'instant.

Elinor ne put s'empêcher de rire.

— Excusez-moi, dit-elle, je n'ai pas, je vous assure, la moindre intention de vous offenser en vous parlant avec calme de mes sentiments. Croyez-les, si vous voulez, plus forts que je ne l'avoue, et tels que son mérite, et le soupçon, l'espoir de son affection pour moi, doivent me les inspirer, sans imprudence ou folie ; mais je vous prie de ne pas aller plus loin : je n'ai pas la moindre assurance de la nature de cette affection. Il y a des moments où son existence même me semble douteuse, et jusqu'à ce que les sentiments d'Edward me soient entièrement dévoilés, vous ne devez pas être surprise que j'évite de donner aux miens quelques encouragements, d'en parler avec exagération, de les désigner autrement que par *intérêt* et *estime*. J'avoue que j'ai peu ou même point de doute sur sa préférence ; mais il y a d'autres considérations à écouter ; il ne faut pas voir en cela que son inclination et la mienne. Il est loin d'être indépendant. Je ne connais point sa mère ; mais à en juger par ce que dit Fanny, nous ne devons pas être disposées à la croire d'un caractère facile, et je suis bien trompée si Edward ne prévoit de sa part beaucoup de difficultés, s'il voulait épouser une femme qui n'eût ni rang ni fortune.

Marianne eut l'air très étonné en apprenant combien l'imagination de sa mère et la sienne propre étaient allées au-delà de la vérité.

— Réellement, s'écria-t-elle, vous n'êtes pas engagés l'un à l'autre ? Mais du moins cela ne peut tarder. Moi, je trouve deux avantages à ce délai : je ne vous perdrai pas si tôt, et pendant ce temps-là, Edward prendra plus de goût pour votre occupation favorite, la peinture, où vous réussissez si bien ; votre talent doit développer le sien. Oh ! s'il pouvait être assez stimulé par votre génie pour parvenir à dessiner lui-même : c'est cela qui serait indispensable à votre bonheur. Imaginez, Elinor, combien vous seriez heureuse. Occupés de même, à côté l'un de l'autre, comme ce serait délicieux !

Elinor sourit.

— Il y aurait peut-être, dit-elle, jalousie de talents ; j'aime autant que mon mari n'ait pas les mêmes, et qu'il aime à faire une lecture, par exemple, pendant que je dessinerai.

Marianne allait dire quelque chose sur la lecture insipide des vers de Cowper, mais elle s'arrêta à temps et sortit de la chambre.

Elinor avait tenu à sa sœur le langage de la vérité ; tout lui disait qu'Edward l'aimait, excepté lui-même. Ému, ravi à côté d'elle, suivant tous ses pas, tous ses mouvements, écoutant chaque mot qu'elle prononçait, cent fois elle l'avait cru sur le point de lui faire l'aveu de son amour, mais cet aveu n'avait jamais été prononcé. Quelquefois, elle le voyait tomber dans un tel abattement qu'elle ne savait à quoi l'attribuer ; ce ne pouvait être à la crainte de n'être pas aimé : malgré sa prudence et sa retenue, Elinor était trop franche, trop sincère pour affecter une indifférence qui n'était pas dans son cœur ; elle lui témoignait assez d'intérêt pour le rassurer et lui laisser espérer d'obtenir un jour un sentiment plus tendre. Ce n'était donc pas la cause de sa tristesse ; elle en trouvait une plus naturelle dans la dépendance de sa situation, qui lui défendait de se livrer à un sentiment inutile. Elle savait que Mme Ferrars n'avait jamais cherché à rendre sa maison agréable à son fils, ni à lui donner l'assurance qu'il pourrait s'établir ailleurs s'il ne respectait pas strictement ses propres vues. Il était donc impossible qu'Elinor fût tout à fait à son aise et qu'elle nourrît les mêmes espérances que sa mère et sa sœur. Plus ils se voyaient même, plus elle doutait que l'attachement d'Edward fût de l'amour. Elle croyait n'apercevoir en lui que les symptômes d'une tendre et simple amitié.

Mais que ce fût amour ou amitié, c'était assez pour inquiéter Mme John Dashwood dès qu'elle s'en fut doutée. Elle saisit la première occasion de parler devant sa belle-mère des grandes espérances de son frère, qui était soumis aux volontés d'une mère, des projets que Mme Ferrars formait pour la réputation de ses fils, et du danger extrême que courrait une jeune personne qui chercherait à attirer l'un d'eux dans un piège qui serait un obstacle à ces vastes projets. Mme Dashwood ne put ni feindre de ne pas la comprendre, ni l'entendre avec calme ; elle répondit avec orgueil et dignité, et sortit de la chambre à l'instant, bien décidée à quitter immédiatement une maison où sa chère Elinor était exposée à de telles insinuations, où l'on ne sentait pas tout ce qu'elle valait.

Elle allait en parler à ses filles et prendre des mesures pour leur prompt départ, sans savoir où aller, lorsqu'elle reçut par la poste une lettre qui contenait une proposition arrivée fort à propos pour la tirer de peine : c'était l'offre d'une petite maison qu'on lui cédait à un prix très modéré, et qui appartenait à l'un de ses parents, un gentilhomme, sir John Middleton, qui demeurait dans le Devonshire. La lettre était de lui-même, écrite avec la plus cordiale amitié. Il avait appris, disait-il, que ses cousines cherchaient une demeure simple et petite ; celle qu'il leur offrait n'était précisément qu'une *chaumière* ; mais, si elles voulaient l'accepter, il leur proposait de l'arranger de manière qu'elle fût agréable et commode. Il pressait vivement Mme Dashwood, après lui avoir donné une légère description de la maison et des environs, de venir avec ses filles à Barton Park, où il résidait ; que là elles pourraient juger si la *chaumière* de Barton pouvait leur convenir, et décideraient les réparations nécessaires. Il paraissait désirer vivement de les avoir dans son voisinage. Son style amical et franc plut extrêmement à Mme Dashwood ; elle n'avait point entretenu de relation suivie avec ce cousin éloigné, qui la traitait avec tant d'obligeance, pendant qu'elle souffrait de la froideur et de l'insensibilité d'une parente bien plus proche.

Mme Dashwood n'eut pas besoin de beaucoup de temps pour délibérer ; sa résolution fut prise avant que la lecture de la lettre fût achevée. La situation de Barton, et la grande distance séparant le Devonshire du Sussex, et qui, la veille encore, aurait été un motif de refus, la décidèrent alors à s'y retirer. Quitter le voisinage de Norland n'était plus un malheur ; c'était une bénédiction, et plus elle serait loin de sa méchante belle-fille, plus elle serait heureuse...

Elle annonçait donc sans différer à sir John Middleton toute sa reconnaissance de ses bontés et sa prompte acceptation ; elle se hâta ensuite d'aller lire les deux lettres à ses filles, pour avoir leur approbation, avant d'envoyer sa réponse. Elinor avait toujours pensé qu'il serait plus prudent de s'établir à quelque distance de Norland ; elle fut donc loin de s'opposer au désir de sa mère d'aller en Devonshire. La simplicité de leur demeure, le peu d'argent qu'il leur coûterait, le voisinage et la protection d'un bon parent, tout allait à merveille suivant les désirs de sa raison. Son cœur aurait voulu peut-être que la distance eût été moins grande, mais Elinor lui imposa silence et donna son plein consentement.

5

À peine la réponse fut partie que Mme Dashwood voulut se donner le plaisir d'annoncer à son beau-fils, et surtout à Fanny, qu'elle était pourvue d'une demeure et qu'elle ne les incommoderait que peu de jours encore pendant qu'on préparerait leur habitation. Fanny ne répondit pas, et son mari dit seulement qu'il espérait que ce ne serait pas loin de Norland. Mme Dashwood répliqua avec satisfaction que c'était en Devonshire. Edward, qui était présent, et déjà fort triste, fort silencieux, s'écria vivement avec l'expression de la surprise et du chagrin :

— En Devonshire, est-il possible ! Si loin d'ici ! Et dans quelle partie du Devonshire ?

— À Barton Park, répondit Mme Dashwood, c'est à quatre miles de la ville d'Exeter. La maison que mon cousin nous offre touche presque à la sienne ; ce n'est, dit-il, qu'une *chaumière* qu'il arrangera commodément pour nous ! J'espère que nos vrais amis ne dédaigneront pas de venir nous voir ; et quelque petite que soit notre demeure, il y aura toujours place pour ceux qui ne trouveront pas que la course est trop longue.

Elle conclut en invitant poliment M. et Mme Dashwood à la visiter à Barton, et demanda la même chose à Edward d'une manière plus pressante et plus amicale. Malgré son dernier entretien avec Mme John Dashwood, qui l'avait décidée à quitter Norland, l'espoir qu'elle avait conçu du mariage de sa fille aînée avec Edward ne s'était point évanoui ; elle croyait que l'amour du jeune homme et le mérite d'Elinor aplaniraient tous les obstacles, et elle était bien aise de montrer à sa belle-fille, en invitant son frère, que tout ce qu'elle avait dit à ce sujet n'avait pas produit le moindre effet ; mais elle attendait encore celui de la promesse de John à son père, et le beau présent qu'il destinait sans doute à ses sœurs. Elle attendit en vain, il fallut se contenter de compliments très polis sur le regret d'être séparé d'elles, et par une distance qui le privait même du plaisir de leur être utile pour le transport de leurs meubles et de leurs coffres, tout cela devant aller par eau. Mme John Dashwood eut le chagrin de voir partir pour Barton les porcelaines et la vaisselle qu'elle avait enviées.

Elle soupira encore à chaque objet de valeur qu'elle voyait emballer. « Il est bien dur, pensait-elle, que des personnes dont le revenu est si inférieur au mien aient une maison aussi bien fournie que la mienne. » Le pianoforte de Marianne, qui était de la première force sur cet instrument, était meilleur et plus beau que le sien. Il n'y eut que les livres d'études qu'elle vit partir sans regret.

Mme Dashwood loua la maison pour une année. Comme elle était meublée, on pouvait en prendre possession immédiatement. Rien ne s'y opposait de part et d'autre, et elle n'attendait plus pour partir vers l'ouest que d'avoir disposé des objets qu'elle possédait encore à Norland et décidé du nombre de gens qui l'accompagneraient. Et comme elle était très rapide dans l'exécution de ce qui l'intéressait, cela fut bientôt fait. Les chevaux que son mari lui avait laissés avaient été vendus peu après la mort de celui-ci, et comme l'occasion se présentait de disposer du carrosse, elle l'accepta sur les conseils de la prudente Elinor, qui lui fit sentir qu'un équipage consumerait la moitié au moins de leur revenu, et ne convenait guère dans une demeure simple et petite. Elle céda aussi pour le nombre de leurs domestiques, qui fut fixé à trois femmes et un valet de chambre ; elles les choisirent parmi leurs anciens serviteurs, qui tous auraient voulu les suivre. Le laquais et une des femmes furent envoyés avec les effets pour préparer la maison à recevoir leur maîtresse.

Comme lady Middleton était entièrement inconnue de Mme Dashwood, elle alla directement s'établir à la *chaumière* et ne voulut point se rendre, en attendant, au château de Barton Park. Il lui tardait d'être chez elle ; elle ne voulait plus avoir d'obligation à personne pour son entretien ; elle se voyait en perspective heureuse, tranquille, n'entendant plus aucun propos désagréable, et ne regrettait plus aucune de ces jouissances de luxe.

Comment aurait-elle envié quelque chose à son beau-fils ? Il ne cessait de se plaindre des dépenses excessives que lui coûtait à présent l'entretien d'une grande maison, de nombreux domestiques : « Un homme riche, répétait-il, est condamné à avoir sans cesse sa bourse à la main, et c'est très désagréable. » Pauvre John ! disait Mme Dashwood, il semble avoir bien plus d'envie d'augmenter son argent que d'en donner.

Le jour de leur départ arriva enfin, et quoique bien aise à quelques égards de s'éloigner de Norland, bien des larmes furent versées en le quittant. « Cher, cher Norland, disait Marianne en se promenant seule la veille de son départ sur le boulingrin devant la maison, demeure qui fut si longtemps celle du bonheur, quand cesserai-je de vous regretter ? Quand apprendrai-je à me trouver bien ailleurs ? Hélas ! mes pieds ne fouleront plus ce gazon, mes yeux ne verront plus cette contrée où j'étais autrefois si heureuse ! Et vous, beaux arbres, je ne verrai plus le balancement de votre feuillage, je ne me reposerai plus sous votre bienfaisant ombrage : je pars, je vous quitte, et ici tout restera de même, aucune feuille ne séchera par mon absence, aucun oiseau n'interrompra son chant ; que vous importe qui vous voie, qui vous entende ?

Désormais personne, non personne au monde ne vous verra, ne vous entendra avec autant de plaisir que vous m'en avez fait éprouver. » Ainsi Marianne excitait elle-même sa sensibilité et son chagrin, et versait des larmes amères sur tout ce qu'elle laissait, pendant qu'Elinor, qui regrettait bien autre chose que des arbres et des oiseaux, s'efforçait de surmonter, ou du moins de cacher ses regrets pour ne pas affliger sa mère.

6

La première partie de leur voyage se passa dans une disposition trop mélancolique pour ne pas être pénible ; mais, en avançant dans la contrée qu'elles devaient habiter, un intérêt, une curiosité bien naturelle surmonta leur tristesse, et la vue de la charmante vallée de Barton la changea presque en gaieté. C'est un pays cultivé, agréable, bien boisé, et riche en beaux pâturages. Après avoir suivi une route sinueuse sur plus de un mile, elles arrivèrent à leur maison : une petite cour gazonnée la séparait du chemin ; une jolie porte à claire-voie en fermait l'entrée. La maison, à laquelle sir John avait donné le nom trop modeste de *chaumière*, n'était ni grande ni ornée, mais commode et bien arrangée ; le bâtiment régulier, le toit non couvert en chaume, mais en belles ardoises ; les contrevents n'étaient pas peints en vert, ni les murailles couvertes de chèvrefeuille ; elle avait plutôt l'air d'une jolie ferme ou petite maison de campagne. Un passage, au rez-de-chaussée, traversait la maison et conduisait de la cour au jardin. De chaque côté de l'entrée, il y avait deux chambres environ de seize pieds carrés, et derrière se trouvaient la cuisine et l'escalier ; quatre chambres à coucher et deux cabinets dans le haut formaient le reste de la maison : elle était bâtie depuis peu d'années, et très propre.

En comparaison de l'immense château de Norland, c'était sans doute une chétive demeure ; mais si ce souvenir fit couler quelques larmes, elles furent bientôt séchées. En entrant dans la maison, la mère et ses filles s'efforcèrent de paraître heureuses et contentes, et bientôt elles le furent en effet ; la joie avec laquelle leurs bons domestiques les reçurent, en les félicitant de leur heureuse arrivée dans cette jolie habitation, dont ils étaient enchantés, se communiqua à leur cœur. Au grand château de Norland, ils étaient confondus dans le nombre des serviteurs ; dans cette petite maison, plus rapprochés de leurs maîtresses, ils devenaient presque des amis. La saison aussi contribuait à égayer leur établissement, septembre commençait ; le temps était beau et serein, ce qui n'est point indifférent. Un beau jour, un ciel pur et sans nuage répandent un charme de plus sur les objets qu'on voit pour la première fois ; on reçoit d'abord une impression favorable, qui ne s'efface plus par la suite.

La situation de la maison était charmante ; des collines s'élevaient immédiatement derrière et la garantissaient du vent du nord ; des deux côtés s'étendaient des plaines, les unes ouvertes et cultivées, d'autres boisées. Le beau village de Barton était situé sur une de ces collines, et donnait une vue très agréable des fenêtres de la maison ; au-devant, elle était plus étendue, commandait la vallée entière et même la contrée adjacente.

Mme Dashwood fut d'abord très satisfaite de la maison ; ce qui manquait à quelqu'un accoutumé à plus de grandeur et d'élégance était pour elle une source de jouissances. L'un de ses plus grands plaisirs était d'augmenter et d'embellir ses demeures ; comme dans ce moment elle venait de vendre son équipage et quelques meubles superflus, elle avait de l'argent pour suppléer à ce qui pouvait manquer aux appartements.

— Pour la maison elle-même, disait-elle, elle est trop petite pour notre famille, mais nous tâcherons de nous en arranger pour le moment ; la saison est trop avancée pour rien entreprendre. Si j'ai assez d'argent au printemps, et j'ose répondre que j'en aurai, nous pourrons alors penser à bâtir : ces chambres ne sont ni l'une ni l'autre assez vastes pour y rassembler tous les amis qui viendront chez moi, comme je l'espère ; mais j'ai le projet de réunir ce passage et même une partie de l'une des chambres avec l'autre, pour avoir un joli salon. Le reste servira d'antichambre, en ajoutant une aile à la maison ; on aurait de plus, dans le bas, un petit salon lorsqu'on n'est qu'en famille ; au-dessus une chambre à coucher, une de domestique dans la mansarde. Il serait à souhaiter aussi que l'escalier fût plus beau ; mais on ne peut pas tout avoir, quoique je suppose qu'il ne serait pas difficile de l'élargir. Enfin, nous verrons au printemps, et je m'arrangerai en conséquence pour l'exécution de mon plan.

En attendant que ces réparations pussent se faire, sur un revenu annuel de cinq cents livres, par une femme qui n'en avait jamais économisé une de sa vie, elles furent assez sages pour se contenter de la maison telle qu'elle était. Elinor laissa sa mère s'amuser de ses projets, et, sans la contredire, se promit bien qu'ils ne seraient pas exécutés. Chacune d'elles se mit à s'arranger de son mieux ; leurs livres et leurs jolis meubles furent placés de la manière la plus commode pour en jouir à chaque instant. Le pianoforte de Marianne dans la chambre de réunion, qui prit le nom de salon, les beaux dessins d'Elinor en ornèrent les murs recouverts d'un simple papier uni avec une jolie bordure.

Elles étaient au milieu de cette occupation, lorsqu'elles furent interrompues par la visite du propriétaire, sir John Middleton, qui venait leur souhaiter la bienvenue, et leur offrir ce qui pouvait leur être utile dans les premiers moments ; tout ce qu'il y avait dans sa maison, dans ses jardins était à leur service. Il connaissait déjà Mme Dashwood, lui ayant précédemment fait une visite à Stanhill ; mais il y avait trop longtemps pour que ses jeunes cousines pussent se le rappeler. C'était un homme d'environ quarante ans, d'une belle et bonne figure ; la joie et la santé respiraient sur sa physionomie ; sa manière franche, amicale ressemblait au style de ses lettres. L'arrivée de ses parentes paraissait lui causer la plus grande satisfaction, et leur félicité lui donner une réelle sollicitude. Il exprima avec une extrême cordialité son désir de vivre ensemble en bons voisins, amis et parents, et les pressa si instamment de venir dîner tous les jours chez lui jusqu'à ce que leur établissement fût formé, que, quoiqu'il insistât au-delà de la politesse, elles ne purent ni s'en offenser ni refuser.

Sa bonté n'était pas seulement en paroles, car une heure après les avoir laissées, elles reçurent un panier de fruits et de légumes, et il fut suivi avant la fin du jour d'un envoi de gibier. Il insista aussi pour faire chercher ou envoyer leurs lettres à la poste avec les siennes et leur faire passer chaque jour les gazettes.

Lady Middleton avait envoyé par son mari un message fort poli : son intention, disait-elle, était de les voir dès qu'elle serait sûre de ne pas les embarrasser ; et comme la réponse tout aussi polie témoignait l'impatience de faire sa connaissance, milady fit son introduction à Barton Chaumière le jour suivant.

Mme Dashwood et ses filles étaient, en effet, impatientes de voir une personne qui devait avoir tant d'influence sur leur agrément journalier, et la première apparence fut on ne peut plus favorable. Lady Middleton n'avait que vingt-six ou vingt-sept ans ; elle était belle, ses traits réguliers, sa figure gracieuse, sa taille élégante et élancée, et son maintien plein de grâce prévenait d'abord en sa faveur ; elle avait toute la mesure et l'élégance dont sir John était dépourvu ; mais on regrettait bientôt qu'elle n'eût pas un peu de sa franchise. Sa visite fut assez longue pour diminuer peu à peu l'admiration que son premier abord avait excitée. Elle était sans doute parfaitement bien élevée, mais froide, réservée, sans aucun mouvement ; sa conversation, étudiée, était insipide et peu variée.

L'entretien cependant se soutint assez bien, grâce au babil non interrompu de sir John et au soin que lady Middleton avait eu d'amener son fils aîné, beau petit garçon de six ans, qui, dans un pareil cas, est un sujet inépuisable lorsqu'on n'en a pas d'autres à traiter. On s'informe de son âge, de son nom ; on admire sa beauté ; on le retrouve grand ou petit pour son âge ; on lui fait des questions auxquelles sa mère répond pour lui, pendant que l'enfant, penché sur elle, chiffonne sa robe, baisse sa tête et ne dit mot, à la grande surprise de sa maman qui s'étonne de sa timidité en compagnie, raconte comme il est bruyant à la maison, fait l'énumération de toutes ses gentillesses. Dans les visites de cérémonie, un enfant devrait être de la partie, comme une provision de discours. Dans celle-ci, dix minutes au moins furent employées à décider si le petit ressemblait à son père ou à sa mère, en quoi il leur ressemblait : chacun était d'un avis différent, ce qui anima encore l'entretien.

Elles eurent bientôt l'occasion de discuter sur les autres enfants, milady en avait quatre.

Sir John ne voulait pas prendre congé de ces dames sans avoir leur promesse positive de dîner au Park le lendemain.

7

Barton Park était situé tout au plus à un demi-mile de la *chaumière*. Ces dames avaient passé très près en traversant la vallée, mais une colline l'avait dérobé à leur vue. Le bâtiment était grand et beau, comme doit l'être la demeure d'un riche gentilhomme qui fait un bel usage de sa fortune et qui reçoit chez lui avec hospitalité, avec élégance. Sir John tenait à avoir toujours sa maison remplie de ses amis et de ses connaissances ; et lady Middleton à ce que sa maison fût citée comme celle de tout le comté qui était montée sur le meilleur ton. La société leur était nécessaire à tous deux, quoique leur manière de recevoir fût très différente ; ils avaient cependant un grand rapport dans le manque total de talents et de moyens pour employer leur temps dans cette retraite. Sir John n'était qu'un bon vivant, un habile chasseur, et sa femme une belle dame, une mère faible, sans autre occupation que d'arranger avec élégance ses chambres, sa personne, et de gâter ses enfants d'un bout de l'année à l'autre. Les plaisirs de sir John étaient plus variés : tantôt il chassait le renard ; tantôt il tuait du gibier pour sa table et celle de ses amis ; tantôt il recevait du monde chez lui ; tantôt il allait en chercher ailleurs. Jamais ils n'étaient seuls en famille, et ce mouvement continuel du grand monde avait l'avantage d'entretenir la bonne humeur du mari, de développer les talents de la femme pour une bonne tenue de maison, de cacher leur ignorance et le rétrécissement de leurs idées.

Lady Middleton était contente au possible lorsqu'on vantait l'ordonnance de sa table, la recherche de ses meubles et la jolie figure de ses enfants ; elle ne demandait pas d'autre jouissance. Il fallait de plus à sir John que la compagnie qu'il rassemblait s'amusât beaucoup, ou du moins en eût l'air ; plus son salon était rempli de jeunes gens bien gais, plus on y faisait de bruit, plus il était content. C'était une bénédiction pour toute la jeunesse du voisinage, à laquelle il ne cessait de donner et de procurer des plaisirs. Pendant l'été, il arrangeait continuellement de charmantes parties de campagne, des haltes de chasse dans ses bois, des promenades nombreuses à cheval, en phaéton ; et, dès que l'hiver arrivait, les bals étaient assez fréquents chez lui pour satisfaire les danseurs les plus intrépides, à la tête desquels il figurait encore avec l'ardeur et la gaieté d'un homme de vingt ans.

L'arrivée d'une nouvelle famille dans les environs lui causait toujours une grande joie, surtout s'il y avait des jeunes gens en âge d'augmenter le nombre de ses convives, en sorte qu'il fut enchanté sous tous les rapports des nouveaux habitants de sa jolie *chaumière*. Trois charmantes jeunes filles, simples, naturelles, n'ayant aucune prétention, aucune affectation ; une mère bonne, indulgente, qui n'avait pas de plus grands plaisirs que ceux de ses enfants : c'était vraiment une acquisition précieuse. Elles avaient pour lui un mérite de plus, celui d'avoir été malheureuses par le changement subit de leur situation. Son bon cœur trouvait une satisfaction réelle en établissant ses cousines près de lui, et en leur rendant la vie assez douce pour qu'elles n'eussent aucun regret de leur opulence passée. Elles auront, pensait-il, une aussi bonne table et plus d'amusement qu'elles n'en avaient dans leur grand château pendant la vie de leur oncle, et sans doute elles trouveront qu'un joyeux cousin est préférable.

Dès qu'il les vit de sa fenêtre arriver à Barton Park, il courut au-devant d'elles pour les introduire, il les reçut avec sa bonhomie et sa gaieté ordinaires, en leur disant qu'il espérait qu'elles y viendraient tous les jours.

— Je n'ai qu'un chagrin, leur dit-il, en les conduisant au salon, c'est de ne pas avoir pu rassembler aujourd'hui, près de mes petites cousines, la jeunesse des environs ; on aurait pu danser dans la soirée, à votre âge cela fait plaisir. J'ai couru ce matin chez plusieurs de mes voisins dans l'espoir d'avoir un cercle nombreux, le malheur a voulu qu'ils fussent tous engagés ; vous voudrez bien m'excuser cette fois, cela n'arrivera plus, je vous le promets. Vous verrez un gentilhomme de mes intimes amis, qui passe quelque temps au Park, mais qui n'est malheureusement ni bien jeune ni bien gai. J'ai vu le moment où nous n'aurions eu absolument que lui ; mais Mme Jennings, la mère de ma femme, est arrivée il y a une heure, pour passer quelque temps avec nous, et celle-là est aussi gaie, aussi animée, aussi agréable que si elle n'avait que dix-huit ans. Ainsi j'espère que mes jeunes cousines ne s'ennuieront pas trop. Mme Dashwood trouvera là une bonne maman avec qui elle pourra s'entretenir. Demain tout ira mieux et nous serons plus nombreux.

Elles l'assurèrent qu'elles étaient enchantées qu'il n'y eût pas plus de monde.

Mme Jennings, la mère de lady Middleton, était une femme entre deux âges, avec assez d'embonpoint, aussi gaie que son gendre, parlant beaucoup, ayant l'air si content, si heureux, si amical, qu'on était avec elle aussi à son aise qu'avec une ancienne connaissance ; sa manière était un peu commune, et contrastait plaisamment avec celle de sa fille. Elle se mit d'abord sur le ton de la plaisanterie avec les jeunes Dashwood ; elle leur parla d'amour, de mariage, leur demanda si elles avaient laissé leur cœur en Sussex, et prétendit les avoir vues rougir.

Marianne souffrait pour sa sœur, et la regardait de manière à l'embarrasser beaucoup plus que les railleries de Mme Jennings.

Le colonel Brandon, l'ami de sir John, ne lui ressemblait pas plus que lady Middleton ne ressemblait à sa mère. Il était grave, silencieux ; sa figure n'avait rien de déplaisant, malgré l'opinion de Marianne et de Margaret, qui lui trouvaient toute la mine d'un vieux célibataire, il n'avait cependant que trente-cinq ans, mais c'est être vieux en effet pour une fille de dix-sept. D'ailleurs, le soleil de l'Inde, où il avait séjourné et fait la guerre, avait bruni son teint, ce qui, avec sa gravité, lui donnait l'air plus âgé qu'il ne l'était ; mais sans être beau, sa physionomie avait quelque chose de sensible qui le rendait intéressant, ses manières étaient nobles. Il plut beaucoup à Elinor, quoiqu'il fît peu attention à elle, et qu'il regardât souvent Marianne, dont la figure était en effet plus séduisante.

Il parla fort peu, mais son silence même et sa gravité étaient plus agréables aux dames Dashwood, que les plaisanteries un peu trop familières de Mme Jennings, la joie trop bruyante de son gendre, la froide insipidité de lady Middleton, qui n'était occupée que du service de sa table. Ses idées prirent un instant un autre cours par l'entrée de ses quatre enfants, qui se jetèrent tous à la fois sur elle, déchirèrent sa robe, se disputèrent, pleurèrent, firent un tapage affreux, et occupèrent à eux seuls la compagnie pendant le temps qu'ils en firent partie. À défaut d'autres amusements, leur père joua avec eux, et l'on n'eut un peu de repos que lorsque l'heure de leur coucher arriva.

Dans la soirée, on sut que Marianne était musicienne ; on la pria de se mettre au pianoforte. L'instrument fut ouvert, et chacun l'entoura en préparant d'avance ses éloges. On la pria de chanter, ce qu'elle fit très bien, et, à la requête de sir John, elle chanta à livre ouvert un morceau nouveau, dont on avait composé la musique et les paroles pour son mariage, et qui, depuis lors, était resté dans la même position sur le pianoforte. Lady Middleton raconta que, le jour de ses noces, elle avait donné un beau concert très bien exécuté ; sa mère ajouta qu'elle avait beaucoup de talent, et que c'était grand dommage qu'elle l'eût négligé. Lady Middleton répondit d'un ton glacé qu'elle aimait la musique avec passion, mais qu'une maîtresse de maison, une mère de famille n'avait plus un seul moment à y donner.

Le jeu de Marianne fut extrêmement applaudi, mais sir John exprimait son admiration si haut et frappait si fort des mains, même pendant le chant, qu'à peine on pouvait l'entendre. Lady Middleton lui imposait silence, s'étonnait qu'on pût dire un mot quand on entendait une musique aussi délicieuse, qui captivait toute son attention, et demandait ensuite à Marianne un air qu'elle venait de finir. Mme Jennings aussi fut très vive dans ses applaudissements ; mais on voyait que, sans s'y entendre du tout, elle était vraiment satisfaite, et qu'elle voulait encourager la jeune musicienne. Le colonel Brandon seul fit peu d'éloges, mais il avait l'air ému, touché. Marianne le remarqua au son de sa voix, lorsqu'il lui fit un léger compliment, et lui en sut plus gré que s'il avait exprimé, comme les autres, un ravissement exagéré sans goût ni connaissance de l'art. Elle vit qu'il aimait réellement la musique pour la musique elle-même ; et s'il n'y mettait pas l'enthousiasme qui pouvait répondre au sien, elle n'en accusa que son âge.

— Il sent encore, disait-elle à sa sœur, le charme d'une bonne musique, mais il n'en est plus transporté comme on l'est dans la jeunesse ; c'est tout simple, on se calme avec les années ; et moi-même si j'arrive un jour à l'âge de trente-cinq ans, je deviendrai peut-être plus raisonnable ; mais il reste encore bien du temps avant que j'atteigne l'âge et la froideur du colonel Brandon.

8

Mme Jennings était veuve d'un homme qui avait fait une grande fortune dans le commerce ; elle en avait eu un ample douaire ; ses deux filles, riches et jolies, furent bientôt mariées. Elle ne songeait plus qu'à marier les personnes de sa connaissance car, selon elle, il n'y avait de bonheur sur la terre que dans un bon mariage. D'après cette opinion, et la bonté de son cœur, elle n'était occupée qu'à projeter des noces entre les jeunes gens qu'elle voyait dans le monde ; elle y mettait un zèle et une activité extrêmes, et faisait tout ce qui dépendait d'elle pour mener, disait-elle, *les choses à bien.* Elle avait une habileté remarquable pour découvrir les attachements réciproques, même avant ceux qui devaient les éprouver ; elle avait plus d'une fois pris la rougeur de la vanité pour celle de l'amour, en disant à l'oreille d'une jeune personne que monsieur Untel avait une ardente passion pour elle, qu'elle en était sûre. Le jour même de son arrivée, en suivant les regards du colonel Brandon, et en l'examinant pendant que Marianne chantait, elle eut le prompt discernement de découvrir qu'il en était passionnément amoureux. Le second jour confirma cette idée. Il ne lui parlait point et la regardait souvent, signe certain d'amour ; il ne louait pas son chant, mais il écoutait avec attention, autre signe d'amour. Une fois, elle avait entendu un soupir étouffé, elle en était sûre, et alors il n'y eut plus le moindre doute. « Ce sera, se dit-elle, un charmant mariage des deux côtés, car il est riche et elle est belle. » Depuis que Mme Jennings avait appris à connaître le colonel chez son gendre, elle avait un vif désir de le marier, aussi dès qu'elle voyait une jeune fille, elle avait envie de lui procurer un bon mari. Elle trouvait ici une double jouissance pour elle-même dans le plaisir de railler le colonel quand il était au Park, et Marianne quand elle allait à la *chaumière*. Le colonel répondait peu de chose ; peut-être était-il flatté, peut-être était-il indifférent ; mais Marianne ne comprit pas d'abord ce que Mme Jennings voulait dire, et, quand enfin cette dernière se fut expliquée plus clairement, elle ne sut si elle devait rire de cette absurdité ou se mettre en colère de ce qui lui paraissait une impertinence, non pas pour elle – il lui était assez égal d'avoir fait ou non la conquête du vieux colonel –, mais elle trouvait mauvais qu'on ne respectât pas son âge, et croyait que les railleries de Mme Jennings ne pouvaient porter que sur lui.

— Ce n'est peut-être pas la faute de ce bon colonel s'il n'est pas marié, disait-elle à sa mère et à sa sœur, et c'est bien mal à Mme Jennings de se moquer ainsi de lui.

Mme Dashwood, qui n'avait que cinq ans de plus que le colonel, ne le trouvait pas aussi vieux qu'il paraissait à la jeune imagination de sa fille ; elle voulut justifier au moins Mme Jennings de l'intention de jeter du ridicule sur son âge.

— Mais au moins, maman, dit Marianne, vous ne pouvez nier l'absurdité de cette supposition, et si ce n'est pas méchanceté, c'est du moins bêtise. Le colonel Brandon est peut-être un peu moins âgé que Mme Jennings, mais il est assez vieux pour être mon père ; et même en supposant qu'un homme puisse encore être amoureux à son âge, ce n'est du moins pas le colonel qui a l'air si grave, si sérieux, et qui sent déjà les infirmités de la vieillesse.

— Les infirmités ! s'écria Elinor, où prenez-vous cela, Marianne ? Le colonel Brandon infirme ! Je peux aisément supposer qu'il vous paraisse plus vieux qu'à ma mère, mais non pas que vous le trouviez infirme, il a l'air d'avoir une santé parfaite.

— Ne l'avez-vous pas entendu se plaindre hier de rhumatisme ? N'est-ce pas la maladie la plus commune aux vieillards ? N'a-t-il pas dit qu'il voulait mettre un gilet de flanelle ? Et la flanelle n'est-elle pas le vêtement de la vieillesse ? Pour moi, je suppose qu'en portant ce gilet, il peut avoir la goutte, un rhumatisme, et tout ce qui s'ensuit.

— S'il s'était plaint d'un violent accès de fièvre, Marianne, vous auriez trouvé au contraire que cela lui aurait ôté bien des années. Convenez qu'il y a quelque chose de très intéressant dans un accès de fièvre ! Ces yeux brillants, ces joues colorées, ce mouvement accéléré du pouls vous plairaient beaucoup plus qu'un léger rhumatisme à l'épaule, dont le colonel se plaignait hier, par un jour froid et humide.

Marianne sourit d'abord de ce badinage, puis tomba dans la rêverie ; un instant après, elle demanda à sa sœur un livre que celle-ci avait dans sa chambre. Elinor sortit pour aller le chercher ; dès qu'elle fut dehors, Marianne s'approcha vivement de sa mère.

— J'ai pris ce prétexte pour renvoyer Elinor, lui dit-elle, et vous faire part d'une crainte qui m'a saisie tout à coup quand elle a parlé de fièvre. Je suis sûre qu'Edward Ferrars est très malade, ne le pensez-vous pas comme moi ? Voici quinze jours que nous sommes ici et il n'y a pas encore paru : une maladie sérieuse peut seule expliquer cette absence. Qu'est-ce qui pourrait le retenir à Norland quand Elinor est ici ? Je ne comprends pas qu'elle ne soit pas aussi malade d'inquiétude.

— Aviez-vous donc l'idée qu'il dût venir aussitôt ? répondit Mme Dashwood. Moi, je ne le croyais pas ; si j'avais eu sur lui quelque inquiétude, c'eût été en me rappelant qu'il n'avait pas eu beaucoup d'empressement à accepter mon invitation quand je le priai de venir nous voir. Elinor l'attendait-elle déjà ?

— Nous n'en avons point parlé, maman, mais il me semble que cela devait être comme je le pense.

— Vous vous trompez, ma fille ; je lui parlai hier de quelques petites réparations à faire à la chambre destinée aux visiteurs ; elle me fit observer que rien ne pressait, et que de longtemps cette pièce ne serait occupée.

— C'est bien singulier ! dit Marianne. Quelle peut être leur idée ? Au reste, toute leur conduite est inexplicable d'un bout à l'autre. Si vous aviez vu la froideur de leur dernier adieu ! si vous aviez entendu comme leur entretien était simple et presque languissant… Edward ne mit aucune distinction dans ses adieux entre Elinor et moi ; c'étaient pour toutes deux les souhaits d'un frère affectionné, et rien, rien de plus pour elle. Quelquefois, je les laissais exprès, croyant qu'ils étaient gênés par ma présence ; vous croyez peut-être qu'il était enchanté de rester auprès d'elle ? Non ! il sortait avec moi, ou immédiatement après. Et Elinor ! Elle ne pleurait pas même autant que moi en quittant Norland ; actuellement, elle paraît tout à fait consolée. La voit-on abattue, mélancolique ? Cherche-t-elle à éviter la société ? Semble-t-elle seulement distraite ou rêveuse ? Non, maman, je ne sais plus qu'en penser, elle détruit toutes mes idées sur l'amour.

— Et les miennes aussi, répliqua Mme Dashwood ; mais Elinor est si sage, si raisonnable, que nous ne pouvons nous permettre de la condamner.

9

La famille Dashwood était tout à fait établie à Barton, et s'y trouvait mieux de jour en jour. Leur habitation simple et commode, leur petit jardin, tout ce qui les entourait leur était devenu familier ; et leurs occupations journalières, qui avaient tant d'attrait pour ces jeunes personnes à Norland, avant la mort de leur bon père, et qui, depuis ce triste événement, avaient perdu plus de la moitié de leur charme, se retrouvaient en entier dans cette demeure. Elles n'éprouvaient que des sentiments doux et consolants ; la mère et les trois filles ne cessaient de se féliciter de leur changement de demeure. Sir John Middleton venait les visiter tous les matins et, n'ayant pas l'habitude de voir sa femme occupée à rien d'agréable ou d'utile, il ne pouvait assez s'étonner de les trouver toujours à travailler ou à étudier.

Elles n'avaient presque pas d'autres visites que la sienne ; car, malgré ses sollicitations réitérées de leur faire faire connaissance avec tout son voisinage, en leur disant que son équipage serait toujours à leur service, l'esprit indépendant de Mme Dashwood s'y était absolument refusé, et l'avait emporté même sur le désir de procurer quelque amusement à ses filles. Elle déclara qu'elle ne verrait que les personnes chez qui elle pourrait aller à pied en se promenant. Le nombre de celles-là était fort borné, et même la maison la plus rapprochée de la *chaumière*, après le Park, ne leur offrait pas de ressources de société. Dans une de leurs excursions du matin, les jeunes filles avaient découvert, environ à un mile et demi de la *chaumière*, dans l'étroite et charmante vallée d'Allenham qui suivait celle de Barton, un ancien et respectable château, qui, en leur rappelant celui de Norland, intéressa leur imagination, et piqua leur curiosité. Elles s'informèrent à qui il appartenait ; elles apprirent avec regret que c'était à une dame âgée, d'un très excellent caractère, nommée Mme Smith, mais malheureusement trop infirme pour vivre en société, qu'elle ne sortait jamais de chez elle, et n'y recevait personne.

Toute la contrée abondait en promenades délicieuses et variées. La vallée offrait, dans les jours de chaleur, des ombrages frais, et de presque toutes les fenêtres de la maison, on voyait des collines qui invitaient à aller respirer sur leur sommet un air pur, vivifiant, et admirer les plus beaux points de vue. Il avait plu pendant deux jours ; les habitantes de la *chaumière* avaient été retenues chez elles.

Dans la matinée du troisième jour, le temps était encore douteux, mais Marianne, ennuyée de la retraite, voulut faire une promenade : on apercevait quelques rayons de soleil à travers des nuages pluvieux. Mme Dashwood et Elinor refusèrent de l'accompagner ; l'une préféra ses livres, et l'autre ses pinceaux, au danger d'être mouillées. Marianne persista, assura que le temps serait parfait en haut de la colline, et prenant sous le bras sa petite sœur Margaret, toujours prête à courir, elles suivirent le chemin de la colline la plus rapprochée, la montèrent avec gaieté, riant de la peur de leur maman et de leur sœur Elinor, se félicitant d'avoir eu plus de courage, admirant comme le ciel devenait bleu, comme l'herbe et le feuillage étaient verts et rafraîchis, comme un air agréable soufflait autour d'elles.

— Non, disait Marianne, il n'y a point au monde de félicité supérieure ! Margaret, si tu veux, nous nous promènerons au moins pendant deux heures.

— De tout mon cœur, dit la petite, je plains bien Elinor et maman de n'être pas avec nous.

Ainsi s'encourageant l'une l'autre, elles poursuivirent leur route, quoique le ciel commençât de s'obscurcir et le vent d'être plus fort, quand soudain, les nuages réunis au-dessus de leur tête fondirent en eau et une averse de grosse pluie tomba sur elles.

Surprises et chagrines, elles s'arrêtèrent ; pas un arbre, pas un abri ! Elles étaient alors au-dessus de la colline, et la maison la plus rapprochée était leur *chaumière*.

— Nous serons bientôt en bas, dit Margaret en prenant sa course, on descend bien plus vite qu'on ne monte ; viens, Marianne, prenons le sentier qui mène directement devant notre porte.

Marianne s'élança aussi, et avec leur robe blanche, descendant aussi rapidement, elles devaient ressembler, à quelque distance, aux boules de neige qui commencent les avalanches. Marianne était sur le point d'atteindre sa sœur, lorsqu'un faux pas sur une pente rapide et glissante la fit tomber. Margaret

la voit à terre, entend son cri, mais involontairement entraînée par la vitesse de sa course, il lui est impossible de s'arrêter pour aller à son secours. Elle arrive au bas de la colline
en sûreté, et court dans la maison pour que leur domestique vienne soutenir sa sœur, si par malheur elle ne peut
marcher seule.

Un gentilhomme portant un fusil et suivi par deux chiens
avait passé sur la colline, et se trouvait à vingt pas de
Marianne quand l'accident lui arriva ; il jeta son arme et
courut pour l'aider à se relever. Elle-même l'avait essayé,
mais son pied s'était trouvé engagé et elle s'était donné une
telle entorse, qu'il lui était impossible de rester debout. Elle
venait de retomber et paraissait souffrir beaucoup quand le
chasseur arriva près d'elle. Il lui offrit ses services, mais
voyant que sa modestie refusait ce que sa situation rendait
nécessaire, il l'enleva dans ses bras sans qu'elle pût s'en
défendre, et d'un pas sûr et ferme, quoique très prompt, il
la porta au bas de la colline. La porte de leur jardin n'était
qu'à quelques pas. Margaret l'avait laissée ouverte : il y entra,
le traversa rapidement et, suivant immédiatement Margaret
qui venait d'arriver et qui ouvrait la porte de la chambre, il
y porta Marianne, et ne la quitta que quand il l'eut placée
dans un fauteuil.

Elinor et sa mère se levèrent en grande surprise lorsqu'ils entrèrent ; elles ne comprenaient rien à ce qu'elles
voyaient. Margaret et le beau jeune homme (car il était
jeune et beau) parlaient à la fois : la douleur de Marianne,
sa confusion pour la manière dont elle avait été ramenée lui
imposaient silence. Mme Dashwood fit taire Margaret, et
l'*ange gardien* de Marianne (car il ressemblait vraiment à
un ange), en demandant excuse de la manière dont il s'était
introduit, raconta ce qui en était la cause avec tant de grâce
et de sensibilité, que l'admiration déjà excitée par une
figure d'une beauté remarquable redoubla encore par le
son de sa voix et par son expression. Quand il aurait été
vieux, laid et d'une figure commune, la reconnaissance de

Mme Dashwood aurait été la même pour le service rendu à son enfant chéri ; mais l'influence de la jeunesse, de la beauté, de l'élégance, donna un intérêt de plus à cette action et réveilla tous ses sentiments.

Elle le remercia mille et mille fois, et avec cette douceur, cette politesse qui régnaient dans toutes ses manières, elle l'invita à s'asseoir ; mais il s'y refusa absolument, étant très mouillé et pensant que la malade avait besoin de soins que sa présence retardait peut-être. Il prit congé de ces dames. Mme Dashwood n'insista pas, mais le pria de lui faire au moins connaître à qui elle avait cette obligation. Il répondit que son nom était Willoughby, et sa demeure actuelle le château d'Allenham, qu'il espérait qu'on voudrait lui permettre de venir le lendemain s'informer de Mlle Dashwood ; ce qui lui fut accordé avec plaisir. Il partit alors, sans doute pour se rendre plus intéressant encore, quoique la pluie tombât à torrents.

Aussitôt que le pied de Marianne fut pansé, et même en le soignant, l'entretien ne tarit pas sur lui ; c'était à laquelle admirerait le plus sa figure mâle et d'une beauté peu commune, la grâce et la noblesse de son maintien, le choix de ses expressions, sa galanterie chevaleresque avec Marianne, que ses sœurs plaisantèrent un peu sur son embarras en se voyant enlevée par un être qu'à sa beauté elle aurait pu prendre pour le chasseur Actéon ou pour Adonis. Elle l'avait beaucoup moins regardé que les autres ; émue, interdite par sa chute, la confusion lui avait fait monter le rouge aux joues, tandis qu'il la transportait ; mais cependant elle l'avait assez vu pour joindre ses éloges à ceux de sa famille, avec ce feu, cette vivacité qui embellissaient tous ses discours. Elle avoua que c'était précisément là l'idéal qu'elle s'était toujours formé d'un héros de roman, et dans son action, quand il l'avait emportée si promptement sans lui donner ni se donner à lui-même le temps de la réflexion, il y avait une rapidité de pensée qui lui plaisait extrêmement. Chaque circonstance qui lui était relative était intéressante ;

son nom était bon, sa résidence dans leur village favori, des chiens fort beaux aussi et qui l'avaient accompagné jusque dans le salon, paraissaient très attachés à leur maître, parce que sans doute il était bon pour eux ; enfin, Marianne trouva bientôt qu'une veste de chasse était le costume qui seyait le mieux à un jeune homme. Son imagination était occupée, ses réflexions agréables, son cœur doucement agité, et la douleur de son entorse à peine sentie.

Sir John vint à la *chaumière* dès que le premier intervalle de beau temps lui permit de sortir ; il apprit l'accident de Marianne qui, avant qu'on eût achevé de le lui raconter, lui demanda vivement s'il connaissait un gentilhomme du nom de Willoughby, demeurant à Allenham.

— Willoughby ! s'écria-t-il. Quoi ! ce cher garçon est ici ! C'est une bonne nouvelle ; j'irai à Allenham demain, et je l'inviterai à dîner pour jeudi.

— Vous le connaissez donc beaucoup ? dit Mme Dash-wood.

— Si je le connais ! bien sûrement ; il vient à Allenham toutes les années.

— Et quelle opinion avez-vous de lui, sir John ?

— La meilleure du monde ; un excellent garçon, je vous assure. Il chasse bien, il danse à merveille, et il n'y a pas en Angleterre un homme qui monte à cheval plus hardiment.

— Et c'est là tout ce que vous avez à dire de lui ? s'écria Marianne indignée. Sa personne et ses manières sont, il est vrai, au-dessus de tout éloge, il n'y a qu'à le voir un moment ; mais quel est son caractère ? Quels sont ses goûts, ses talents, son génie ? Aime-t-il la littérature, les beaux-arts, la bonne compagnie ?

Sir John parut embarrassé.

— Sur mon âme, dit-il, je ne puis vous répondre un mot sur tout cela ; mais je puis vous dire qu'il est un agréable et bon camarade, et qu'il a les plus jolies petites chiennes d'arrêt que j'aie vues de ma vie. Les avait-il avec lui aujourd'hui ? Elles sont noires, le museau et les pattes marquées de feu, une tache blanche au poitrail ; deux charmantes petites bêtes, sur mon honneur.

— Il avait des chiens qui sautaient beaucoup autour de lui, dit Marianne ; mais elle n'avait pas plus remarqué leur robe et leur espèce que sir John le génie et le caractère de leur maître.

— Mais qui est-il ? dit Elinor. D'où vient-il ? A-t-il une maison à Allenham ?

Sur ce point, sir John pouvait mieux répondre. Il leur dit que M. Willoughby n'avait aucune propriété dans le comté, qu'il demeurait au château d'Allenham, chez la vieille dame Smith, qui était sa grand-tante, et dont il devait hériter.

— Oui, oui, miss Elinor, c'est une bonne *capture* à faire, je puis vous l'assurer ; et outre cet héritage, qui ne lui manquera pas car il fait bien sa cour à la vieille dame, il possède déjà une très jolie terre en Sommersetshire et, si j'étais à votre place, je ne le céderais pas à ma sœur cadette, en dépit de sa chute. Que diable ! Mlle Marianne ne peut espérer garder pour elle tous nos beaux garçons ; le colonel Brandon sera jaloux, si vous n'y prenez garde.

— Je ne crois pas, dit Mme Dashwood avec un aimable sourire, que M. Willoughby soit, comme vous feignez de le croire, en danger de perdre sa liberté, son cœur, près de mes filles ; elles n'ont pas été élevées à ce manège de coquetterie, et n'y entendent rien. Vos *beaux garçons,* de même que *les riches*, peuvent être fort tranquilles avec nous ; je suis charmée cependant d'apprendre que ce bon jeune homme est estimable et bien né, et qu'on peut le recevoir.

— Oui, oui, reprend sir John, c'est un très bon et très aimable garçon. À Noël dernier, à un petit bal au Park, je me rappelle qu'il dansa depuis huit heures du soir jusqu'à quatre heures du matin, sans s'asseoir une seule fois.

— Vraiment ! dit Marianne, les yeux étincelants ; et sans paraître fatigue ?

— Lui ! pas du tout ; à huit heures du matin, il était à cheval pour la chasse.

— Eh bien ! dit Marianne, j'aime cela ; un jeune homme doit être ainsi. Quoi qu'il fasse, il doit y être entièrement, sans se lasser, sans se rebuter. Je suis sûre qu'il ferait de même pour ses affaires, pour ses devoirs.

— Quant à cela, je l'ignore, dit sir John ; mais ce que je vois clairement, c'est qu'il a fait votre conquête, mademoiselle Marianne, et que le pauvre Brandon n'a plus qu'à se retirer.

— Je ne sais ce que vous voulez dire, répond Marianne avec un peu de fierté, je déteste cette expression de *conquête* ; je ne songe point à faire des conquêtes, je vous assure, et personne n'a fait la mienne.

Sir John éclata de rire.

— Que vous le vouliez ou non, vous en ferez, lui dit-il. Je devine ce qui arrivera…

Il s'en alla en répétant : Heureux Willoughby ! Pauvre Brandon !

10

L'ange gardien de Marianne (Margaret appelait ainsi M. Willoughby, avec plus d'élégance que de précision) arriva de bonne heure le lendemain matin. Il fut reçu par Mme Dashwood avec plus que de la politesse ; elle y mit une forte nuance d'affabilité, et sa reconnaissance et le témoignage que sir John lui avait rendu se réunissaient en sa faveur. De son côté, il put s'assurer, pendant cette visite, de tout le mérite de la famille dans laquelle le hasard l'avait introduit. Manières nobles, esprit, bonté, affection mutuelle, tout s'y trouvait réuni. Quant à leurs charmes personnels, il n'avait pas eu besoin d'une seconde visite pour en être convaincu.

Mme Dashwood avait été charmante sans être ce qu'on appelle une beauté. C'était une brune claire, aux yeux bruns ; ses traits n'avaient d'abord rien de remarquable, mais chacun avait son attrait particulier et l'accord qui fait le charme d'une physionomie. La sienne était très mobile ; tout ce qui se passait dans son âme s'y peignait à l'instant. Ses yeux étaient pleins d'expression, et son sourire annonçait la bienveillance et la bonté. Sa taille était moyenne et bien prise ; à quarante ans, elle avait conservé cet avantage, et elle marchait aussi bien, aussi légèrement que ses filles. En la voyant de loin, on l'aurait prise pour leur sœur ; mais, de près, on s'apercevait que ce visage, agréable encore, était flétri par des impressions vives, et que ses yeux, un peu éteints, avaient versé bien des larmes.

Elinor avait les cheveux, les cils, les sourcils de la même teinte que ceux de sa mère, c'est-à-dire châtain brun ; mais elle avait, ainsi que son père, les yeux d'un beau bleu foncé ; son regard était plein de douceur, de sensibilité ; une belle peau, peu colorée, sans pâleur ; et tous les traits réguliers. Elle était petite ; sa figure pleine de grâce était excessivement jolie ; tous ses mouvements étaient doux et harmonieux.

Marianne était beaucoup plus frappante de beauté, quoique ses traits ne fussent pas aussi réguliers que ceux de sa sœur ; mais sa physionomie était plus animée. Elle était grande, élancée, tous les détails charmants ; le port, le mouvement de sa tête avaient quelque chose d'enchanteur. Ses cheveux étaient noirs ainsi que ses yeux, dans lesquels brillaient une vie, une intelligence telles qu'un seul de ses regards disait toute sa pensée et pénétrait au fond de l'âme. Son teint était assez brun, mais plus coloré que celui d'Elinor, et sa peau unie, transparente, lui donnait un éclat singulier. Son sourire, qui ressemblait à celui de sa mère, avait une expression de finesse et en même temps de bonté, qui la rendait irrésistible. Son front, ombragé à demi par ses cheveux et ses sourcils d'ébène, était parfait. On ne pouvait la voir sans s'écrier : Ah ! qu'elle est belle ! Quelle charmante créature !

Margaret, à treize ans, promettait d'être aussi bien jolie à dix-huit ; elle était blonde et très blanche, gaie, vive, légère,

naïve, une figure spirituelle et gracieuse ; c'était une délicieuse enfant.

Telles étaient les quatre femmes au milieu desquelles
se trouvait le beau Willoughby ; ses yeux allaient de l'une
à l'autre, mais s'attachèrent bientôt tout à fait sur Marianne.
La veille, sa souffrance et plus encore son embarras
l'avaient empêchée de paraître à son avantage ; à peine
avait-elle osé regarder celui qui venait de la porter dans
ses bras ; mais le lendemain, rassurée par l'accueil qu'il
recevait de sa mère, par sa propre reconnaissance, par ce
qu'elle avait appris de lui, elle reprit bientôt sa vivacité, son
aisance naturelle. Elle lui parla, l'écouta et put bientôt se
convaincre par elle-même qu'il avait l'usage du monde, le
ton parfait ; qu'il unissait la politesse à la franchise, la
douceur à la vivacité ; et quand elle l'entendit déclarer
qu'il aimait la musique *avec passion*, alors ses beaux yeux
brillèrent de tout leur éclat, et il put y lire la permission de
profiter du voisinage et de revenir souvent sans avoir
besoin de prétexte.

Avec Marianne, il n'y avait qu'à nommer un de ses amusements favoris pour la faire parler avec enthousiasme ; elle
ne pouvait rester froide et silencieuse, et ne mettait ni timidité ni réserve dans ses discussions, qu'elle savait rendre
très intéressantes. Dès qu'elle eut découvert que Willoughby
avait les mêmes goûts, et que leur passion de musique et
de danse était mutuelle, leur entretien s'anima, et ils se
trouvèrent penser sur tous les points exactement à l'unisson, porter les mêmes jugements sur les compositeurs, sur
les différentes danses ; ce sujet fut longtemps inépuisable.

Encouragée par ces rapports à pousser plus loin son
examen, elle parla de littérature, de ses auteurs favoris, et
retrouva encore la même sympathie. Leur goût était exactement semblable : les mêmes livres, les mêmes passages les
avaient frappés, ou s'il y avait quelque légère différence, si
quelque objection s'élevait, c'était seulement pour que
Marianne pût déployer son éloquence irrésistible. Il eût

fallu qu'un jeune homme de vingt-cinq ans fût bien insensible pour ne pas céder à la force des arguments sortis d'une aussi belle bouche, et accompagnés d'un regard qui portait la conviction au cœur ; Willoughby finissait par acquiescer à toutes ses décisions, partager son enthousiasme, et longtemps avant la fin de la visite, ils conversaient avec la familiarité d'anciennes connaissances,

— Fort bien, Marianne, dit Elinor, aussitôt qu'il les eut laissées, pour une matinée vous êtes bien avancée dans vos découvertes sur notre nouveau voisin. Vous avez déjà pénétré son opinion sur toutes les matières importantes ; vous savez ce qu'il pense de Cowper et de Scott ; vous êtes certaine qu'il apprécie ces auteurs comme il le doit, qu'il sent comme vous leurs beautés ; vous avez reçu l'assurance de son admiration pour Pope ; mais si notre connaissance avec M. Willoughby doit se prolonger, je suis un peu en peine de vos entretiens. À la manière dont vous y allez dès le premier jour, vous aurez bientôt épuisé tous les sujets ; une visite suffira pour lui faire expliquer ses sentiments sur la peinture, une autre sur l'amour et le mariage, et vous n'aurez plus rien à lui demander.

— Elinor, s'écria Marianne, êtes-vous sincère, êtes-vous juste ? Croyez-vous donc mes idées si bornées ? Mais non, j'entends ce que vous voulez dire : ma grave Elinor, ma raisonnable sœur, trouve que j'ai été trop à mon aise, trop franche, trop heureuse ! J'ai manqué, sans doute, au décorum, j'ai été ouverte et sincère quand je devais être réservée, maussade, ennuyeuse et hypocrite. Si je n'avais parlé à M. Willoughby que du temps, des chemins, de la vue, et que je n'eusse ouvert la bouche que de dix minutes en dix minutes, ce reproche m'aurait été épargné.

— Mon cher amour, dit Mme Dashwood, vous ne devez pas être fâchée contre Elinor ; c'est un badinage. Je la gronderais moi-même si elle était capable de mal interpréter votre entretien avec notre nouvel ami ; vous avez été tous les deux très aimables.

Marianne fut adoucie et donna la main à sa mère et à sa sœur.

Willoughby, de son côté, prouva tout le prix qu'il attachait aux bontés de la famille Dashwood en venant les réclamer chaque jour, et souvent deux fois par jour. Son prétexte fut d'abord de s'informer de l'accident de Marianne, mais avant même que son pied fût guéri, il n'avait plus besoin de prétexte, et il était reçu comme un intime ami aurait pu l'être. Marianne fut obligée de rester quelques jours sans marcher ; cette contrainte lui eût été insupportable avant sa chute, à présent elle aurait voulu prolonger son mal, pour ne point sortir et avoir toujours Willoughby à côté d'elle. Chaque jour, chaque instant, il lui paraissait plus aimable. Beaucoup de connaissances et d'esprit, avec si peu de prétentions ; une imagination si vive et si brillante ; une répartie si prompte ; tant de feu dans ses expressions et de sensibilité dans son cœur ; cette exaltation qui colore tous les objets, et joint à tous ces avantages une figure si belle, si noble, une physionomie à la fois animée, régulière, et un son de voix enchanteur : voilà ce que Marianne trouvait et répétait en allant toujours en *crescendo* d'éloges. Peut-être son pinceau était-il un peu trop flatteur, mais il est sûr que ce jeune homme paraissait, à tous égards, formé pour lui plaire, l'attacher, et remplissait à merveille cette destination.

Sa société devint peu à peu absolument nécessaire au bonheur de Marianne et à son existence. Ils lisaient, ils parlaient, ils chantaient ensemble ; son talent pour la musique égalait presque celui de Marianne, et il déclamait les beaux vers de Cowper avec cette chaleur, ce sentiment de la belle poésie qui manquait si totalement au pauvre Edward Ferrars.

Mme Dashwood, qui ne voyait que par les yeux de sa chère Marianne, qui la trouvait parfaite en tout point, aimait celui qu'elle aimait et qui avait tant de rapports avec elle ; la sage Elinor même le trouvait très séduisant, mais ne pouvait s'empêcher de blâmer en lui, ainsi que dans sa sœur, cette franchise excessive, ou plutôt cette imprudence qui leur faisait dire tout ce qu'ils pensaient sur chaque sujet, sans aucune attention aux personnes et aux circonstances. Peu importait à Willoughby de blesser ou de contredire l'opinion des autres, pourvu qu'il flattât celle de l'objet d'une préférence qu'il déclarait et prouvait hautement, en n'ayant d'attention que pour Marianne, en ne voyant qu'elle seule au milieu du cercle le plus nombreux. Elinor trouvait à cette conduite un manque de délicatesse pour celle qu'il préférait et de politesse pour les autres, qu'elle ne pouvait approuver en dépit de tout ce que Marianne pouvait dire pour l'excuser.

Elle commençait à s'apercevoir, la pauvre Marianne, qu'elle avait eu tort, à son âge, de désespérer de trouver un homme qui réalisât ses idées de perfection ; Willoughby lui paraissait tout ce que son imagination pouvait créer de plus accompli. C'était sans doute son bon ange qui l'avait amené là au moment de sa chute ; la sympathie avait agi sur tous deux au même instant ; avant la création du monde, ils étaient destinés à se rencontrer, à s'aimer, à s'unir pour la vie ; leur mariage était écrit au ciel de tout temps ; ce rapport inouï dans leurs opinions, leurs goûts et leurs sentiments en était la preuve, et toute sa conduite lui assurait qu'il y pensait sérieusement.

Mme Dashwood aussi, avant que quinze jours se fussent écoulés, pensa exactement comme sa fille, mais peut-être un peu plus qu'elle aux richesses dont sir John lui avait parlé, et secrètement se félicitait d'avoir obtenu du sort deux gendres tels qu'Edward Ferrars et Willoughby.

La préférence du colonel Brandon pour Marianne, qui avait été sitôt découverte par ses amis, fut aperçue par Elinor quand tous les autres cessèrent d'y faire attention. On ne remarqua plus que son heureux rival, et Mme Jennings, voyant bien qu'il n'y avait nul espoir de mariage avec le colonel, l'abandonna complètement, et dit qu'elle s'était trompée pour la première fois de sa vie, que le colonel Brandon ne songeait pas à Marianne, qu'il était en effet trop âgé pour elle, que le jeune et charmant Willoughby lui convenait beaucoup mieux, et qu'ils étaient faits l'un pour l'autre.

Elinor pensait tout autrement sur le colonel. Elle découvrit seulement alors que son attachement pour Marianne n'était que trop réel. Le redoublement de sa tristesse, une émotion pénible qu'il cherchait à cacher et qui perçait malgré lui quand Marianne causait avec Willoughby, tout confirmait à Elinor qu'il était très amoureux et très malheureux. Quel espoir pouvait avoir un homme de trente-cinq ans, sombre et silencieux, opposé à un amant de vingt-cinq, et bien plus séduisant ? Elle sentait que ce dernier convenait mieux à Marianne sous tous les rapports ; mais elle ne pouvait s'empêcher de plaindre du fond du cœur le colonel, et de désirer qu'il pût retrouver son indifférence, puisque son amour ne devait avoir aucun succès. Elle l'appréciait ; et malgré sa gravité, sa réserve, il lui inspirait un grand intérêt. Ses manières, quoique sérieuses, étaient douces, et cette réserve paraissait plutôt être la suite de quelque peine que la disposition naturelle de son caractère. Sir John avait hasardé quelques mots qui justifiaient ses soupçons ; il avait été malheureux et, d'après cela, il lui inspirait du respect et de la compassion. Peut-être que cette estime et cette tendre pitié s'augmentèrent par la légèreté avec laquelle Marianne et Willoughby parlaient de lui ; parce qu'il n'était ni jeune ni brillant, ils paraissaient décidés à ne lui trouver aucun mérite.

— Le colonel Brandon, disait un jour Willoughby, est précisément de cette espèce d'hommes dont chacun dit du bien et que personne ne recherche ; on est, dit-on, enchanté de le voir ; et on n'a rien à lui dire.

— C'est exactement ce que je pense de lui, s'écria Marianne.

— Ne vous en vantez pas, dit Elinor, car c'est une grande injustice. Il est aimé et hautement estimé par la famille du Park, elle est charmée de l'avoir chez elle ; et moi je ne le vois jamais sans désirer de causer avec lui.

— Votre protection, mademoiselle, dit Willoughby, prouve certainement en sa faveur ; mais quant à l'estime des habitants du Park, vous me permettrez de la prendre plutôt comme un reproche. Celui qui rechercherait l'approbation de lady Middleton et de Mme Jennings ne trouverait que l'indifférence de toutes les autres femmes.

— Mais peut-être, dit Elinor, que votre critique et celle de Marianne contrebalanceraient le suffrage de lady Middleton et de sa mère : si leur éloge est une censure, votre censure est peut-être un éloge.

— Je ne reconnais pas votre douceur ordinaire à ce reproche, dit Marianne ; le désir de défendre votre protégé vous rend un peu méchante avec nous.

— N'êtes-vous pas bien aise, Marianne, que je sache défendre mes amis ? Mon protégé (comme vous l'appelez) est à la fois sensible et raisonnable, ce qui a toujours eu grand attrait pour moi ; oui, Marianne, même dans un homme de trente à quarante ans. Il a très bien vu le monde, il a voyagé avec fruit, il a lu, il a réfléchi. Je l'ai trouvé assez instruit pour m'enseigner beaucoup de choses ; il a toujours répondu à mes questions avec la politesse et la complaisance d'un homme bien né et savant sans pédanterie.

— Oui, oui, s'écria Marianne légèrement, il vous a appris que le soleil des Grandes-Indes était brûlant et que les moustiques y sont insupportables.

— Il me l'aurait dit, sans doute, si je le lui avais demandé ; mes questions n'ont pas eu pour objet ce que je sais déjà.

— Peut-être, dit Willoughby, qu'il a été en état de vous parler des nababs, des pièces d'or des Moghols, des palanquins, des éléphants, des femmes de toutes couleurs ; c'est un entretien très touchant, très intéressant et très instructif.

— Il n'est du moins pas méchant, dit Elinor ; mais, je vous en prie, monsieur Villoughby, que vous a fait le colonel Brandon, et pourquoi le tournez-vous en ridicule ?

— Moi ! en aucune manière ; j'ai beaucoup de considération pour lui, je vous assure ; je le regarde comme un homme très respectable, qui ne fait de mal à personne, qui a plus d'argent qu'il n'en peut dépenser, plus de temps qu'il n'en peut employer, et plus d'années qu'il ne le voudrait.

— Ajoutez à ce portrait, dit Marianne, qu'il n'a ni génie, ni goût, ni esprit ; que son imagination n'a rien de brillant, ses sentiments point de chaleur et sa voix point d'expression.

— Vous décidez ses imperfections en masse avec tant de vivacité, dit Elinor, que tout ce que je pourrais dire paraîtrait insipide et froid, comme il vous paraît lui-même ; je dirai donc seulement qu'il est bon, sensible, indulgent, que son esprit est assez orné pour n'avoir nul besoin de briller en dépréciant l'esprit des autres, et que son cœur ne le lui conseillera jamais.

— Ah ! mademoiselle Dashwood, s'écria Willoughby, vous en usez mal avec moi ; vous tâchez de me désarmer par la raison, mais vous n'y réussirez pas. J'ai trois grands motifs de haïr le colonel Brandon, contre lesquels vous n'avez rien à dire : il m'a menacé de la pluie un jour que je désirais du beau temps ; il a trouvé des défauts dans mon nouveau caricle, et je n'ai pu le persuader d'acheter ma jument brune. Vous conviendrez que voilà des griefs impardonnables. Je veux bien convenir avec vous cependant qu'à tout autre égard son caractère est irréprochable ; mais en faveur de cet aveu, accordez-moi de rire quelquefois un peu en parlant de lui avec Mlle Marianne.

11

Lorsque Mmes Dashwood vinrent s'établir dans ce qu'on appelait (improprement, il est vrai) une *chaumière* en Devonshire, elles ne s'attendaient guère à y trouver presque tous les plaisirs de la ville, ou du moins assez d'engagements et de visites pour qu'il leur restât trop peu de temps à donner à des occupations sérieuses ; c'est cependant ce qu'il leur arriva. Dès que Marianne fut rétablie, les plans d'amusement de sir John commencèrent avec une grande activité. Des bals à la maison du Park, des parties sur l'eau, des courses à cheval ou en caricle, se succédèrent sans interruption. Un très beau mois d'octobre favorisait les promenades du matin ; on revenait dîner chez lady Middleton, et la danse, le jeu, la musique remplissaient les soirées. Willoughby ne manquait pas l'occasion de s'y rencontrer ; et l'aisance, la familiarité que sir John établissait dans ses parties étaient exactement calculées pour augmenter l'inclinaison réciproque qui s'établissait entre lui et Marianne, pour leur faire remarquer encore davantage leurs perfections mutuelles, le rapport de leurs goûts et de leurs talents, et la préférence décidée qu'ils s'accordaient l'un à l'autre.

Elinor n'était pas du tout surprise de leur attachement ; elle aurait voulu seulement qu'ils l'eussent un peu moins manifesté, et deux ou trois fois elle usa doucement de ses droits de sœur aînée et d'amie pour adresser à ce sujet quelques tendres exhortations à Marianne et lui faire sentir la nécessité de prendre de l'empire sur elle-même. Mais Marianne détestait, abhorrait la dissimulation ; elle la regardait comme une fausseté impardonnable, et cacher des sentiments qui n'avaient rien en eux-mêmes de condamnable lui paraissait non seulement un effort inutile, mais une ridicule prétention de la raison. Willoughby pensait de même, et leur conduite à tous égards montrait clairement leur opinion. Quand il était présent, elle n'avait d'yeux que pour lui ; tout ce qu'il faisait était juste ; tout ce qu'il disait était charmant. Si dans la soirée on jouait aux cartes, il trichait pour la favoriser ; si l'on dansait, il était son cavalier la moitié du temps, et s'ils étaient obligés de se séparer pour une ou deux contredanses, ils tâchaient au moins d'être près l'un de l'autre. Lorsqu'on ne dansait pas, ils étaient toujours à causer dans un coin du salon ; si l'on se promenait, c'était Willoughby qui conduisait Marianne dans son caricle. Une telle conduite excitait, comme on le comprend, les railleries de la société, mais ils s'en embarrassaient fort peu et cherchaient plutôt à les provoquer.

Mme Dashwood, au lieu de gronder sa fille comme elle l'aurait dû, et de la retenir au moins par l'obéissance, puisque la raison n'avait pas prise sur elle, partageait tous ses sentiments avec une chaleur presque égale à celle de Marianne. Elle avait un de ces cœurs qui n'ont point d'âge et ne vieillissent jamais. Tout cela lui paraissait la conséquence très naturelle d'une forte inclination entre deux jeunes gens vifs et sensibles qui se rendaient mutuellement justice. Au lieu de retenir Marianne, elle renchérissait sur l'éloge de Willoughby ; elle le comparait à feu son époux, et sa fille à elle-même dans le temps de leurs amours.

Ah ! comme c'était pour Marianne le temps du bonheur. Qu'on se rappelle le charme d'une première passion, de ce sentiment si nouveau, si ardent, qui s'empare de l'âme entière, et celle de Marianne était formée pour l'éprouver dans toute sa force. Aussi s'attacha-t-elle à Willoughby mille fois davantage qu'à sa propre existence. Elle le voyait à chaque instant sans remords, sans contrainte, puisque c'était sous les yeux de sa mère, qui l'approuvait, et que toutes les deux trouvaient de jour en jour de nouveaux motifs de l'aimer davantage. Norland, le Sussex, toute sa vie passée étaient effacés de sa mémoire ; elle n'existait plus qu'en Devonshire, et pour Willoughby.

La pauvre Elinor n'était pas aussi heureuse ; son cœur ne goûtait pas le même bonheur. Il était encore à Norland, et rien autour d'elle ne pouvait remplacer ce qu'elle y avait laissé. Ce n'était assurément ni lady Middleton, ni Mme Jennings qui pouvaient la dédommager des entretiens dont elle gardait un si tendre souvenir. La dernière, il est vrai, était une excellente femme, mais une bavarde intarissable ; et comme au premier instant Elinor était devenue sa favorite, c'était toujours à elle qu'elle adressait ses discours. Elle lui avait déjà raconté son histoire cinq ou six fois ; Elinor savait toutes les particularités de son mariage et de celui de ses filles, tous les détails de la maladie de M. Jennings et ce que le pauvre cher homme lui avait dit en mourant. Lady Middleton plaisait mieux à Elinor, mais elle eut bientôt remarqué qu'elle ne parlait pas, parce qu'elle n'avait rien à dire, et que ce calme, qui d'abord allait assez bien à sa belle physionomie, lui donnait un grand air de décence, de retenue, n'était qu'un manque total d'idées et de sentiments. On restait toujours avec elle au même point ; et depuis sa première visite à la *chaumière*, toujours également froide et polie. Elle disait aujourd'hui ce qu'elle avait dit hier ; et presque dans les mêmes termes ; son insipidité était invariable, son humeur était toujours la même. Quoiqu'elle ne s'opposât point aux réceptions de son mari, qu'elle veillât à ce que tout fût dans les règles, et que ses deux plus grands enfants fussent toujours avec elle, elle paraissait n'y prendre pas plus de plaisir que si elle était demeurée seule chez elle. Elle ne s'ennuyait ni ne s'amusait ; il lui était égal d'être là ou ailleurs ; elle était avec son mari et sa mère de même qu'avec les étrangers, et sa présence ajoutait si peu de chose à la société qu'on l'aurait presque oubliée si des enfants bruyants et gâtés ne l'avaient entourée.

Ce n'était donc pas une ressource pour Elinor, et de toutes leurs nouvelles connaissances, le colonel Brandon était le seul qui excitât en elle l'intérêt de l'amitié, et avec qui elle pût s'entretenir avec plaisir. Willoughby lui était indifférent. Elle le trouvait assez aimable, mais il l'était rarement pour elle ; toutes ses attentions, tous ses propos s'adressaient à Marianne. Cette dernière laissait, il est vrai, le colonel Brandon entièrement à sa sœur. Il trouvait sans doute dans l'aimable entretien d'Elinor quelque consolation de la parfaite indifférence de celle qui, malgré lui, occupait son cœur et sa pensée ; mais cette indifférence redoublait sa tristesse habituelle, et sa conversation n'était rien moins que gaie. Elinor le plaignait sincèrement, d'autant qu'elle avait lieu de croire que ce n'était pas la première fois qu'il était malheureux en amour. Un soir, pendant qu'on dansait, ils voulurent se reposer, et s'assirent à côté l'un de l'autre. Les yeux du colonel étaient fixés sur Marianne, qui dansait avec Willoughby. Il dit avec un triste sourire :

— Votre sœur, à ce qu'on m'assure, n'approuve pas les seconds attachements ; elle pense qu'on ne doit aimer qu'une fois.

— Oui, répliqua Elinor, ses opinions sont un peu romanesques.

— Ou plutôt, à ce que j'imagine, elle croit qu'un second attachement ne peut exister.

— Je crois que c'est là son idée ; mais comment ne réfléchit-elle pas sur le caractère de notre bon père, qui s'est marié deux fois par inclination ? Elle est encore bien jeune, et se fait des illusions ; dans quelques années, ses opinions seront établies sur des bases plus réelles ; alors, il sera plus aisé de les définir, de les justifier.

— Oui, dit le colonel, c'est probablement ce qui arrivera ; cependant, il y a quelque chose de si aimable dans les préjugés d'un jeune cœur qu'on est presque fâché du moment où il y renonce pour adopter les opinions générales.

— Je ne puis être de votre avis, dit Elinor ; il y a des inconvénients dans la manière de voir et de sentir de Marianne que tous les charmes de l'enthousiasme et de l'ignorance du monde ne peuvent compenser. Son système a le funeste effet de nourrir son esprit de chimères qui l'égarent, et qui la rendront malheureuse quand la triste réalité les dissipera. Plus de vraie connaissance du monde lui serait, à ce que je crois, bien avantageuse.

Le colonel resta un moment silencieux, puis il reprit avec un peu d'émotion dans la voix :

— Est-ce que votre sœur ne fait aucune distinction dans ses objections contre un second attachement ? Est-ce que ceux qui ont été malheureux dans un premier choix, ou par l'inconstance de son objet, ou par l'entraînement des circonstances, doivent rester indifférents tout le reste de leur vie ?

— Je vous assure, colonel, répondit Elinor, que je ne connais pas son système en détail, je sais seulement que je ne lui ai jamais entendu admettre qu'un second amour pût être pardonnable.

— Ainsi, dit-il, il faudrait un changement total dans ses idées… Mais non, non, il ne faut pas le désirer. Quand les idées romanesques d'un jeune esprit sont forcées de s'évanouir, souvent sont-elles remplacées par des principes trop communs, hélas ! dans le monde, et trop dangereux. J'en parle d'après l'expérience. J'ai connu une jeune dame qui ressemblait extrêmement à votre sœur en tout point ; même chaleur de cœur, même vivacité d'esprit ; elle pensait et jugeait comme elle, et par un changement forcé, par une suite de circonstances malheureuses…

Ici, il s'arrêta soudain, comme s'il avait pensé qu'il en disait trop, et donna lieu ainsi à des conjectures, qui, sans cela, ne seraient jamais entrées dans la tête d'Elinor. Cette dame n'aurait nullement excité ses soupçons, mais le trouble visible du colonel, son interruption convainquirent Mlle Dashwood que ce qui la concernait était un triste secret, et de là, elle fut conduite naturellement à croire que l'émotion du colonel en parlant d'elle était relative à un tendre souvenir. Elle se tut, et ne lui fit aucune question. Avec Marianne, cela n'aurait pas fini ainsi : l'histoire entière se serait achevée dans son active imagination, si elle n'avait pu en obtenir la confidence, comme la plus mélancolique histoire d'un amour malheureux.

12

Elinor et Marianne se promenaient ensemble le matin suivant ; la dernière confia à sa sœur quelque chose qui, malgré toutes les preuves qu'elle avait de l'imprudence de Marianne et de son manque de raison, la surprit par l'excès de son extravagance.

Marianne lui apprit, avec un transport de joie, que Willoughby lui avait fait présent d'un cheval ; c'était une jument charmante qu'il avait élevée lui-même à Haute-Combe, sa maison de campagne du Sommersetshire, et qui était exactement un cheval de femme, doux, sage, vif et d'une bonne hauteur. Sans considérer qu'il n'entrait pas dans le plan de sa mère d'avoir des chevaux, que si elle y consentait en faveur de ce don, il faudrait en acheter un autre pour un domestique, puis engager un palefrenier pour en avoir soin, et, après tout cela, bâtir une écurie pour le loger ; elle avait accepté cet inconcevable présent sans hésiter, et le dit à sa sœur avec ravissement.

— Il compte, ajouta-t-elle, envoyer un de ces jours son groom en Sommersetshire pour chercher cette jument ; et quand elle sera arrivée, nous la monterons tous les jours, escortées par Willoughby ; nous irons tour à tour, vous et moi, car, ma chère Elinor, vous en userez tout comme moi. Imaginez le plaisir de galoper dans *cette plaine,* de grimper à cheval ces collines !

Elinor souffrait de faire évanouir ce songe de félicité ; il le fallait cependant. Elle rassembla son courage, et tâcha de lui faire comprendre avec tendresse et raison qu'elle devait y renoncer. Marianne ne voulait d'abord rien entendre, elle avait réponse à tout ; elle était sûre que sa maman n'y ferait nulle objection ; un domestique de plus serait une bagatelle ; tout cheval serait bon pour lui, il en emprunterait au Park, et pour écurie le plus simple hangar serait suffisant. Alors Elinor essaya d'élever quelques doutes sur l'inconvenance d'accepter un présent d'un jeune homme qu'elle connaissait aussi peu. C'en était trop, et les yeux noirs de Marianne brillèrent d'indignation.

— Vous vous trompez, Elinor, dit-elle vivement, en supposant que je connaisse peu Willoughby ; il n'y a pas longtemps, il est vrai, que je le vois, mais je le connais plus que qui que ce soit au monde, excepté vous et maman. Ce n'est ni le temps ni l'occasion qui déterminent les liaisons du cœur ; c'est uniquement la sympathie, une disposition réciproque qui entraîne irrésistiblement. Sept ans sont quelquefois insuffisants pour connaître à fond quelqu'un qu'on voit tous les jours ; et avec d'autres, sept jours, sept heures même sont plus que suffisants. Tenez, par exemple, je croirais plutôt me rendre coupable d'imprudence en acceptant un cheval de mon frère que de Willoughby. Je connais très peu John, quoique nous ayons vécu ensemble des années ; mais sur Willoughby mon jugement est formé, et je le connais comme moi-même.

Elinor crut qu'il était plus sage de ne plus dire un mot sur un sujet qui tenait si fort à cœur à sa sœur ; elle la connaissait assez pour savoir que là-dessus elle n'entendrait pas raison, et s'affermirait encore plus dans son idée ; il lui restait d'ailleurs un moyen plus sûr de réussir. Marianne avait beaucoup d'affection pour sa mère, et dès qu'Elinor lui eut représenté que Mme Dashwood ferait des sacrifices et s'imposerait à elle-même des privations pour que sa fille chérie eût ce plaisir, elle y renonça à l'instant, et promit de ne pas même tenter la bonté de sa mère et de ne pas lui parler de cette offre, qu'elle refuserait elle-même la première fois qu'elle verrait Willoughby.

Elle fut fidèle à sa parole, et quand Willoughby vint à la *chaumière* le même jour, Elinor (à sa grande satisfaction) entendit Marianne lui exprimer à voix basse tout son regret de ne pouvoir accepter le cheval qu'il voulait lui donner. Elle lui dit les motifs qui lui avaient fait changer d'avis, et avec assez de fermeté pour qu'il n'essayât pas de les détruire. Le chagrin de Willoughby fut cependant très apparent, et après l'avoir exprimé avec vivacité, il ajouta aussi à voix basse :

— Eh bien ! Marianne, ce cheval est encore à vous, quoique vous ne puissiez pas vous en servir à présent. Je vous le garderai jusqu'à ce que vous vouliez le réclamer ; quand vous quitterez Barton pour vous établir dans une plus grande maison, ma Reine Mab (c'est son nom) vous y recevra.

C'est tout ce que put entendre Elinor ; et de la manière dont ces mots furent prononcés, en nommant Marianne par son nom de baptême, elle jugea leur intimité tout à fait décidée, d'un commun accord. De ce moment, elle ne douta pas qu'ils ne fussent engagés l'un à l'autre pour se marier incessamment, et ne fut surprise, connaissant leur franchise à tous deux, que de l'apprendre par hasard.

Margaret lui raconta quelque chose, le jour suivant, qui confirma tout à fait cette idée. Willoughby passa toute la journée avec elles ; pendant que Mme Dashwood et Elinor s'habillaient, Margaret resta seule au salon avec lui et Marianne, et la petite fine mouche, sans avoir l'air de les regarder, faisait des observations, qu'elle communiqua ainsi à sa sœur aînée.

— Oh ! Elinor, j'ai un grand secret à vous dire sur Marianne ; je suis sûre qu'elle se mariera bientôt avec M. Willoughby.

— Vous avez dit ainsi, Margaret, depuis le premier jour que vous l'avez rencontré sur la colline, et il n'y avait pas une semaine qu'il était reçu chez nous, que vous étiez certaine que Marianne portait son portrait au cou, et quand vous avez un jour tiré malicieusement par-derrière le cordon qui l'attachait, c'était… la miniature de notre grand-oncle.

— Oui, c'est vrai ; mais à présent, c'est tout autre chose ; je suis sûre qu'ils vont bientôt se marier, car il a dans son portefeuille une grosse boucle des cheveux de Marianne.

— Prenez garde, Margaret, ce sont peut-être les cheveux de quelque grand-tante de Mme Smith.

— Non, non, vous dis-je, c'est bien de Marianne ; j'en suis bien sûre, car je les lui ai vu couper. Hier, quand vous et maman sortîtes de la chambre, il s'approcha tout près d'elle sur le dos de sa chaise, et ils parlèrent ensemble si bas que je ne pouvais rien entendre ; mais il me semblait qu'il lui demandait quelque chose. Elle secouait ainsi la tête, comme pour dire non : mais en même temps elle sourit en le regardant, comme pour dire oui. Alors il prit les ciseaux et coupa une longue boucle de ses cheveux, il les baisa plus de vingt fois, et les enveloppant dans une feuille de papier, il les cacha dans son portefeuille. Qu'avez-vous à dire à présent, mademoiselle Elinor ? N'est-il pas vrai qu'ils sont engagés ?

Il fallut bien croire Margaret, et d'autant plus facilement que son rapport était à l'unisson de ce qu'elle voyait chaque jour ; mais la sagacité de la petite ne s'exerçait pas toujours sur Marianne, et la prudente Elinor n'en fut pas à l'abri. La bonne Mme Jennings, dont le plus grand plaisir était de railler et d'embarrasser les jeunes filles par des questions d'amour, et de découvrir le secret de leur cœur, attaqua la petite Margaret sur le compte de sa sœur aînée.

— Il était impossible, dit-elle, qu'étant aussi jolie, elle n'eût pas un amoureux, et elle avait la plus grande curiosité de savoir son nom.

La petite rougit, et, se tournant vers sa sœur :

— Puis-je le nommer ? lui dit-elle.

Tout le monde éclata de rire ; Elinor même essaya de rire aussi, mais ce fut un effort pénible. Elle était convaincue que Margaret n'avait et ne pouvait avoir en vue qu'Edward Ferrars, dont elle n'aurait pu entendre le nom sans une émotion qui aurait excité les railleries de Mme Jennings.

Marianne sentit vivement aussi ce que sa sœur devait souffrir, mais elle augmenta plutôt que de diminuer son trouble.

Elle rougit beaucoup aussi et dit en colère à Margaret :

— Rappelez-vous, Margaret, que, quelles que soient vos conjectures, vous n'avez pas le droit de les répéter.

— Je n'ai point de conjectures, répondit la petite ; c'est vous, Marianne, qui m'avez appris le nom de l'amoureux d'Elinor.

Les éclats de rire recommencèrent. Margaret fut vivement pressée de dire ce nom ; elle s'en défendit.

— Non, non, madame ; voyez comme Marianne est fâchée ; non, non, je ne veux pas le dire, mais je sais bien qui c'est et où il est.

— Oh ! pour ce dernier point, mon enfant, j'en sais autant que vous, dit Mme Jennings, c'est à Norland, j'en suis sûre... Je parie que c'est le curé de la paroisse !

— Non, non, pas du tout, ce n'est point un curé, je vous assure.

— Non ! eh bien ! qu'est-il donc ? militaire sans doute ?

— Encore moins, il n'est rien du tout... que l'amoureux d'Elinor.

— Margaret, dit Marianne en colère, vous savez fort bien que tout cela est une invention de votre part, cette personne n'existe pas.

— Ah ! mon Dieu ! s'écria Margaret, il est donc mort dernièrement, car je sais fort bien qu'il existait, et que la première lettre de son nom était un *F*.

Elinor s'était un peu éloignée sous quelque prétexte, mais elle entendait tout et elle était au supplice. Pour la première fois, lady Middleton lui parut très aimable en observant qu'il pleuvait beaucoup, et ramenant l'attention de chacun sur le temps et les nuages. C'était moins pour obliger Elinor que pour faire cesser un entretien qui l'ennuyait ; mais le colonel Brandon saisit cette idée, parla de la pluie avec milady, puis de la gentillesse de la petite Annamaria, de la bonté du thé, de l'élégance du service, et l'amour d'Elinor fut oublié. Mais il ne lui fut pas facile de se remettre de son trouble, et jamais elle n'avait mieux senti combien ce nom l'intéressait.

Dans le cours de la soirée, sir John proposa une partie de campagne pour le lendemain ; il s'agissait d'aller voir une très belle terre à douze miles de Barton, appartenant à un beau-frère du colonel Brandon. Il était absent, et il avait laissé les ordres les plus stricts pour que personne n'entrât chez lui que ceux que le colonel amènerait. Sir John vantait excessivement toutes les beautés de cette maison et des jardins, et sans doute il pouvait en parler car, depuis dix ans, il y conduisait au moins deux fois, chaque été, les hôtes qu'il avait chez lui, il y avait entre autres une immense pièce d'eau et une grande chaloupe qui devait former un des plus grands amusements de la journée ; on devait y porter des viandes froides, des vins et aller en calèche ouverte, en phaéton, en caricle, et chaque chose fut arrangée pour une vraie partie de plaisir.

Quelques personnes de la compagnie pensaient différemment ; la saison était trop avancée, et le temps trop humide pour chercher le plaisir aussi loin ; il avait plu tous les jours depuis une quinzaine ; Mme Dashwood était déjà très enrhumée, et à la prière instante d'Elinor, elle consentit à rester chez elle.

13

L'excursion projetée à Whitwell tourna différemment qu'on ne l'avait imaginé ; les uns y voyaient un plaisir parfait, quelques-uns de l'ennui, d'autres de la fatigue. Il n'y eut rien de tout cela ; elle manqua au moment où l'on s'y attendait le moins.

À dix heures, la société était au Park, où l'on devait déjeuner amplement avant le départ. Sir John ne se possédait pas de joie. Il avait plu toute la nuit, mais le temps s'était éclairci sur le matin, les nuages se dispersaient à l'horizon et le soleil paraissait.

— Nous aurons un temps superbe, disait-il, et vous verrez Whitwell dans toute sa beauté.

Les convives étaient en train, de bonne humeur et décidés à s'amuser, quoi qu'il arrivât.

Pendant le déjeuner, on apporta les lettres ; il y en avait une pour le colonel Brandon, il la prit, regarda l'adresse, pâlit et quitta immédiatement la pièce.

— Qu'est-ce qui arrive à Brandon ? dit sir John.

Personne ne put lui répondre.

— J'espère qu'il n'a pas reçu de mauvaises nouvelles, dit lady Middleton ; mais il faut que ce soit quelque chose de bien extraordinaire pour quitter ma table si brusquement.

Cinq minutes après, il rentra.

— Point de mauvaise nouvelle, j'espère, lui dit Mme Jennings, au moment où il ouvrit la porte.

— Non, madame, aucune ; je vous remercie de l'intérêt que vous me témoignez.

— Il est très vif en vérité. Est-ce d'Avignon ? J'espère que votre sœur n'est pas plus malade ?

— Non, madame, ma lettre est de Londres, et c'est simplement une lettre d'affaires.

— Mais comment se fait-il que la seule vue de l'écriture vous ait autant troublé ? Venez, venez à côté de moi, cher colonel, racontez-moi ce que c'est.

— Ma chère maman, dit lady Middleton, laissez de grâce le colonel achever son déjeuner. Voilà votre tasse, colonel.

Il la prit et la but rapidement sans s'asseoir.

— Peut-être est-ce pour vous dire que votre cousine Fanny se marie. Est-ce cela ? dit Mme Jennings, sans prêter attention au reproche de sa fille.

— Non, madame.

— Eh bien donc ! je sais ce que c'est, et qui vous écrit, colonel ; j'espère qu'elle se porte bien.

— Qui, madame ? dit le colonel en rougissant un peu.

— Oh ! vous savez très bien de qui je veux parler.

Le colonel impatienté ne répondit pas ; il s'adressa à lady Middleton.

— Je suis très fâché, milady, lui dit-il, d'avoir reçu cette lettre ce matin ; elle m'oblige à partir de suite pour Londres.

— Pour Londres ! s'écria Mme Jennings. Quelle folie ! Et que peut-on avoir à faire à Londres en cette saison ?

— C'est moi qui perds le plus, dit-il, en étant forcé de quitter une société aussi agréable ; mais ce qui me chagrine surtout, c'est que je crains de faire manquer la partie de ce matin, et que ma présence ne soit absolument nécessaire pour être admis à Whitwell.

Tout le monde fut consterné.

— Mais si vous écriviez un billet à l'intendant, monsieur Brandon, dit vivement Marianne, ne serait-ce pas suffisant ?

— Je crains que non, mademoiselle.

— Il faut absolument que vous veniez avec nous, s'écria sir John ; il n'y a point d'affaire plus importante au monde que de ne pas déranger une partie sur le point de commencer. Renvoyez votre départ pour la ville à demain.

— Je voudrais que cela me fût possible, dit-il avec fermeté ; mais je ne puis retarder mon départ d'un jour.

— Si vous vouliez seulement nous dire de quoi il est question, dit Mme Jennings, et nous conter votre affaire, nous déciderions si elle est pressée.

— Vous ne perdriez que cinq ou six heures, dit Willoughby, si vous vouliez seulement différer jusqu'à notre retour.

— Je ne puis perdre seulement une heure, répondit le colonel.

Elinor entendit Willoughby, qui disait à voix basse à Marianne :

— Il est de ces gens maussades qui ne peuvent supporter une partie de plaisir ; il avait peur de s'enrhumer, ou d'être mouillé, j'en suis sûr, et il a inventé cela pour faire manquer celle-ci. Je voudrais parier cinquante guinées que cette lettre est de sa main.

— Je n'en doute pas, dit Marianne.

— Il n'y a pas moyen de vous persuader de changer d'avis, dit sir John, une fois que vous vous êtes mis quelque chose en tête ; je sais cela depuis longtemps ; voyez cependant combien vous nous contrariez. Voyez donc, les deux demoiselles Carey sont venues de Newton, les trois demoiselles Dashwood sont venues à pied de leur *chaumière*, et

M. Willoughby s'est levé deux heures plus tôt qu'à son habitude, et tous pour aller à Whitwell.

Le colonel exprima encore tout son chagrin de déranger des projets si agréables, mais déclara que son départ était inévitable.

— Eh bien donc ! quand vous reverra-t-on ?

— Bientôt, j'espère, ajouta lady Middleton, et nous remettrons la partie de Whitwell à votre retour.

— Vous êtes très obligeante, madame ; mais mon retour est si incertain que je n'ose prendre aucun engagement.

— Je vous assure, dit sir John, que si vous n'êtes pas ici à la fin de la semaine, j'irai vous chercher.

— Oui, oui, sir John, faites cela, s'écria Mme Jennings ; vous saurez alors ce que c'est que cette affaire, et vous me le direz.

On vint avertir le colonel que son cheval était prêt.

— Vous n'allez pas à cheval jusqu'en ville ? dit sir John.

— Non ; seulement jusqu'à la première poste, Honiton.

— Eh bien ! je vous souhaite un bon voyage, entêté que vous êtes ; allons, un effort de complaisance ; renvoyez ce cheval.

— Je vous jure que cela n'est pas en mon pouvoir.

Il prit congé de toute la compagnie, qui lui rendit son salut avec humeur, à l'exception d'Elinor, qui n'avait pas dit un mot pour le retenir, et qui le salua avec affection.

— N'y a-t-il aucun espoir, mademoiselle Elinor, lui dit-il, de vous voir à Londres cet hiver avec votre sœur ?

— Je crains que non.

— Je vous dis donc adieu pour plus longtemps que je ne voudrais, reprit-il avec émotion.

Il lui serra doucement la main et fit un simple salut à Marianne.

Mme Jennings voulait encore le retenir pour lui faire dire son secret ; mais il lui souhaita le bonjour et sortit avec sir John.

Les plaintes, les regrets, les lamentations, les reproches, les sarcasmes, les conjectures, que la politesse avait retenus, éclatèrent à la fois dès qu'ils furent sortis, lorsque Mme Jennings fit taire tout le monde en disant :

— Je crois que j'ai deviné l'*importante* affaire qui nous a tous rendus si malheureux.

— Quoi donc, madame ! Qu'est-ce que vous croyez ? Dites vite, s'écria chacun.

— Je suis sûre que c'est pour Mlle Williams.

— Et qui est Mlle Williams ? demanda Marianne.

— Quoi ! vous ne connaissez pas Mlle Williams ! Vous en avez au moins entendu parler ?

— Pas du tout, je vous jure.

— Eh bien ! Mlle Williams, dit-elle avec un sourire fin, est une proche parente du colonel, très proche en vérité ; je ne veux pas dire en toutes lettres à quel degré, pour ne pas blesser les oreilles des jeunes dames ; et baissant un peu la voix, elle dit à Elinor : c'est sa fille naturelle.

— Vraiment ! vous me surprenez.

— Oui, comme je vous le dis, et le colonel l'aime comme ses yeux ; je suis sûre qu'il lui laissera toute sa fortune.

Sir John rentra, et se joignit de grand cœur au regret général ; mais il finit par observer que, puisqu'on était rassemblé, il fallait au moins faire quelque chose d'aussi divertissant que la partie projetée. Après quelques consultations, on convint qu'on irait courir de côté et d'autre, chacun selon sa fantaisie, puis qu'on reviendrait dîner au Park. Lady Middleton trouva que c'était beaucoup plus convenable que de dîner en plein air. Elinor fut du même avis pour d'autres motifs. Les voitures furent ordonnées ; l'élégant caricle de Willoughby fut prêt le premier. On comprend qu'il devait conduire Marianne, et jamais celle-ci n'avait paru plus heureuse qu'en se plaçant à côté de lui ; et vraiment c'était le plus beau couple qu'il fût possible de voir. Ils disparurent comme l'éclair à travers le Park, et furent bientôt hors de vue, et l'on n'entendit plus parler d'eux jusqu'au retour général. Ils étaient partis les premiers, ils revinrent les derniers. Tous deux paraissaient enchantés de leur promenade, dont ils ne donnèrent aucun détail ; ils dirent seulement que pour rouler plus vite, ils étaient restés dans la plaine. Les autres, pour jouir de la vue, s'étaient promenés sur les hauteurs.

Sir John avait décidé, pour se consoler du départ du colonel, qu'on s'amuserait toute la journée et qu'on danserait après dîner. Il y avait, outre la compagnie ordinaire, la nombreuse famille Carey de Newton. On était vingt à table, ce que sir John remarqua avec grand plaisir. Willoughby prit sa place accoutumée entre Elinor et Marianne. Il n'y avait pas longtemps qu'ils étaient assis lorsque Mme Jennings, se penchant entre Elinor et Willoughby, prit le bras de Marianne, et lui dit assez haut pour être entendue de tous deux :

— Je sais où vous êtes allés ce matin, mademoiselle Marianne ; je l'ai découvert malgré tous vos beaux mystères.

Marianne rougit et dit vivement :

— Où donc, madame ?

— Vous saviez, dit Willoughby, que nous nous étions promenés dans mon caricle.

— Oui, oui, monsieur l'impertinent, mais j'étais décidée à savoir aussi où ce caricle vous avait menés, et je le sais. J'espère, mademoiselle Marianne, que votre future maison est de votre goût ? Elle est à mon gré une des plus grandes et des plus belles que je connaisse, et quand je viendrai vous voir, j'espère que je la trouverai arrangée et meublée à neuf. Les meubles actuels sont trop antiques, n'est-ce pas ? C'est la seule chose qui m'ait déplu quand j'y fus il y a six ans.

Marianne se détourna avec une grande confusion. Mme Jennings rit aux éclats, et conta ensuite à Elinor qu'elle avait chargé sa femme de chambre Betty, adroite autant que gentille, de savoir du groom de M. Willoughby où son maître avait conduit Mlle Dashwood, et qu'ainsi elle avait appris qu'il l'avait menée au château d'Allenham, et qu'ils avaient passé toute la matinée à se promener dans la maison et dans les jardins.

Elinor pouvait à peine le croire ; il lui semblait également inouï à M. Willoughby de l'avoir proposé et à Marianne d'avoir consenti d'aller dans la maison où vivait une femme respectable, qu'elle ne connaissait point, et chez qui elle ne pouvait être admise.

Aussitôt qu'on fut sorti de table, elle prit sa sœur à part et, à sa grande surprise, apprit que tout ce que Mme Jennings avait dit était vrai. Marianne était tout à fait revenue de son premier moment de trouble, et se fâcha presque de ce que sa sœur en doutât.

— Qu'est-ce qui vous étonne donc, Elinor ? lui dit-elle ; pourquoi ne serais-je pas allée voir Allenham, puisque j'avais une si belle occasion ? Ne vous ai-je pas entendu dire vous-même que vous auriez grande envie de connaître cette résidence ?

— Oui, Marianne, mais j'aurais attendu que Mme Smith n'y fût plus ou voulût m'y recevoir, et je n'y serais surtout pas allée seule avec M. Willoughby.

— M. Willoughby est cependant la seule personne qui ait quelque droit de m'y introduire, et qui puisse me montrer en détail la maison et les jardins. Son caricle ne contient que deux places, je ne pouvais avoir personne avec moi. Je vous assure, Elinor, que de toute ma vie je n'ai passé une plus délicieuse matinée.

— Il est fâcheux, reprit doucement Elinor, que le plaisir et la convenance n'aillent pas toujours ensemble.

— Au contraire, Elinor, cela vaut beaucoup mieux, et ce que vous dites est la plus forte preuve en ma faveur. Si j'avais blessé le moins du monde les convenances ou la décence, j'en aurais eu le sentiment : on sent toujours quelque chose de pénible quand on fait ce qui n'est pas bien, et avec cette conviction je vous assure que je n'aurais eu nul plaisir.

— Mais, ma chère Marianne, dit Elinor avec une extrême tendresse, ne pensez-vous pas aussi qu'un sentiment plus vif encore peut aveugler ? Vous vous êtes déjà trop exposée peut-être à de malicieuses remarques ; ne commencez-vous pas à vous douter que vous y avez peut-être donné lieu, et que votre promenade peut les augmenter ? Mme Jennings…

— Mme Jennings et ses sottes railleries, interrompit Marianne, me sont très indifférentes ; tout le monde, vous-même Elinor, vous y êtes sans cesse exposée ; je n'attache pas plus de prix à sa censure qu'à son approbation. Je n'ai point du tout le sentiment d'avoir fait quelque chose de mal en me promenant dans les jardins de Mme Smith, ou en voyant sa maison ; elle doit un jour appartenir à M. Willoughby, et...

— Lors même qu'elle devrait aussi vous appartenir, dit Elinor, cela ne justifie point ce que vous avez fait.

Marianne rougit beaucoup, mais plutôt de plaisir que de peine. Après quelques minutes de silence, elle passa un bras autour de sa sœur et lui dit avec son charmant sourire :

— Peut-être, Elinor, ai-je fait une étourderie en allant à Allenham, pardonnez-la-moi, je ne puis m'en repentir, M. Willoughby avait le désir de me la montrer, et c'est une charmante habitation : il y a surtout un petit salon au premier étage, précisément comme il le faut. Lorsqu'il sera meublé avec élégance, il sera délicieux ; il est situé à l'angle de la maison, et il y a deux vues différentes, d'un côté sur le boulingrin, et au-delà sur un grand bois ; de l'autre côté, c'est l'église et le village, et derrière, cette belle colline que nous avons si souvent admirée. Encore n'ai-je pas vu le salon à son avantage, les meubles sont si antiques ! Mais, comme dit Willoughby, avec quelques centaines de guinées nous en ferons... on peut en faire le plus joli appartement d'été de toute l'Angleterre.

Ainsi finit le sermon d'Elinor ; elle ne dit plus rien, et Marianne allait continuer sa description d'Allenham avec le même feu, quand elle fut appelée pour la danse. C'était Willoughby ; elle lui donna la main, et dansa toute la soirée avec lui sans se rappeler un mot de ce que lui avait dit sa sœur.

14

Le départ soudain du colonel Brandon et la fermeté qu'il avait mise à en cacher la cause excitèrent la plus vive curiosité chez Mme Jennings, et pendant trois ou quatre jours, elle fut occupée au point que la course de Marianne et de Willoughby fut tout à fait mise de côté.

Elle avait deviné juste ; elle était contente et n'y pensait plus. Elle était trop bonne pour se plaire à tourmenter ces pauvres jeunes gens, qui s'aimaient comme on doit s'aimer à leur âge, qui rivalisaient tous deux en beauté : rien de plus naturel, et il n'y avait pas un mot à dire.

— Mais ce colonel, que peut-il lui être arrivé ?

Elle errait de conjecture en conjecture ; c'était sûrement quelque chose de très fâcheux ; elle avait vu cela sur son visage ; et la voilà à penser à toutes les espèces de maux et de malheurs qui pouvaient tomber sur lui.

— Pauvre cher homme ! J'en suis vraiment effrayée ! disait-elle. C'est peut-être une affaire dangereuse, une banqueroute, que sais-je ? Il est possible qu'à ce moment il soit entièrement ruiné. Sa belle terre de Delaford n'a jamais rendu plus de deux mille livres par an, et son frère lui a laissé beaucoup de dettes, je sais cela. Mais que ne donnerais-je pas pour connaître le vrai but de ce voyage à Londres, si pressé qu'il n'a pu le retarder d'une heure ? Peut-être que cela regarde Mlle Williams, et en rassemblant toutes les circonstances, je sais que c'est cela même. Il rougit quand je la nommai ; ne l'avez-vous pas remarqué ? Moi j'étais en face de lui, je le regardais dans le blanc des yeux, et je ne me trompe pas. Peut-être est-elle malade à Londres, peut-être est-elle morte ; rien au monde de plus vraisemblable ; elle était très délicate. Je parie que cette lettre regardait Mlle Williams. Non, non, ce n'est pas une banqueroute ; il est trop prudent et trop sage ! À moins, quoi qu'il en dise, que ce ne soit sa sœur qui le demande à Avignon ; il est très bon frère, et cela expliquerait ce départ précipité. Enfin, qu'est-ce que cela me fait à moi ? Quoi qu'il en soit, on le saura un jour. Je souhaite de tout mon cœur apprendre qu'il soit heureux enfin, et qu'il ait une bonne femme.

C'était à Elinor que Mme Jennings adressait toutes ces conjectures, en s'étonnant beaucoup qu'elle ne partageât pas son inquiétude. Elinor s'intéressait infiniment au colonel, mais elle ne voyait aucune raison de s'alarmer pour lui ; elle était d'ailleurs trop occupée des amours de sa sœur et de Willoughby, et du silence extraordinaire que tous les deux gardaient sur leur projet de mariage, pour s'inquiéter d'autre chose.

Elle ne savait comment expliquer ce mystère, incompatible avec leur caractère, tandis qu'ils n'en mettaient pas même assez dans leur inclination réciproque. Pourquoi ne pas s'ouvrir entièrement soit à elle, soit à Mme Dashwood ? Cette dernière ne se conduisait pas de manière à faire craindre un refus à Willoughby, qu'elle comblait d'amitiés comme s'il eût déjà été son beau-fils ; et quand toute sa conduite disait qu'il aspirait à le devenir, pourquoi continuait-il à se taire ? Elinor ne pouvait l'imaginer.

Elle comprenait bien cependant qu'il était possible que, quoique Willoughby fût très amoureux de Marianne, il ne fût pas le maître de l'épouser immédiatement ; il était indépendant, il est vrai, mais tant que Mme Smith vivrait, il n'était pas assez riche pour s'établir. Sa terre de Haute-Combe ne lui rapportait, d'après sir John, que six ou sept cents livres par an, qui lui suffisaient à peine pour sa vie de garçon, et souvent il s'était plaint devant elle de sa pauvreté. Malgré cela, il était singulier qu'avec l'extrême franchise dont il faisait profession, et que Marianne plaçait sans cesse au nombre des plus précieuses qualités, il ne leur échappât jamais un mot ni à l'un ni à l'autre sur un projet d'union qu'ils formaient bien certainement. Mais étaient-ils réellement engagés ? Toute leur conduite l'affirmait, et surtout cette course à Allenham ; cependant, quelquefois un doute traversait l'esprit d'Elinor et l'empêchait d'avoir une explication avec sa sœur. Si vive, si sensible, si peu raisonnable, lui pardonnerait-elle de soupçonner celui qu'elle aimait si passionnément ? Souvent aussi, Elinor reprenait en lui une entière confiance. Toute sa conduite était si franche, si ouverte, qu'il croyait peut-être n'avoir pas besoin de s'expliquer plus clairement. Il était avec Marianne le plus tendre et le plus attentif des amants, et avec sa mère et ses sœurs, le fils et le frère le plus affectionné ; il avait l'air de les regarder toutes comme ses parentes, et la *chaumière* comme sa maison. Il y passait bien plus de temps qu'à Allenham, et lorsqu'il n'y avait pas d'engagement général au Park, il y restait pendant des jours entiers à côté de Marianne, lisant, faisant de la musique, son chien favori à leurs pieds, comme s'il eût fait déjà partie de la famille.

Un soir pourtant, environ une semaine après le départ du colonel, son cœur sembla s'ouvrir avec plus d'abandon et d'attachement pour tous les objets qui l'entouraient, il était, comme à l'ordinaire, seul avec la mère et les trois sœurs, quand Mme Dashwood parla de ses projets d'agrandir et d'embellir la maison, au printemps suivant. Aussitôt, il rejeta cette idée avec beaucoup de feu, comme ne pouvant supporter la pensée d'aucun changement dans un lieu qui lui était si cher tel qu'il était, et qui lui paraissait parfait.

— Quoi ! s'écria-t-il, embellir cette chère demeure ! Non, non, je n'y consentirai jamais ; pas une pierre ne doit être ajoutée à ces murs, pas un coin ne doit être changé, si vous ajoutez le moindre prix aux sentiments que m'inspire ce fortuné séjour.

Mme Dashwood sourit et lui tendit la main en silence, mais avec l'air attendri.

— Ne soyez pas alarmé, mon cher Willoughby, dit Elinor gaiement ; maman fait beaucoup de projets, cela ne coûte rien, mais il n'en est pas de même de l'exécution, et nous ne serons jamais assez riches pour bâtir.

— J'en suis charmé, s'écria-t-il ; puissiez-vous toujours être pauvres, si vous ne savez pas mieux employer vos richesses !

— Bien obligée du souhait, Willoughby, dit Mme Dashwood ; mais soyez assuré que je sacrifierais sans peine tous mes projets d'embellissement au touchant sentiment d'affection pour ces lieux que vous venez d'exprimer. Fiez-vous à moi là-dessus ; quelque riche que je devienne, je ne dépenserai pas mon argent d'une manière qui vous serait aussi pénible. Mais êtes-vous réellement assez attaché à cette maison pour n'y voir aucun défaut ?

— Aucun, je vous le jure, dit-il avec feu ; je vous dirai plus, je le regarde comme le seul endroit sur la terre qui me donne l'idée du parfait bonheur domestique, et si j'étais, moi, assez riche pour bâtir, je jetterais bas ma grande maison de Haute-Combe pour la reconstruire exactement sur le plan de votre *chaumière*.

— Sans oublier cet étroit et sombre escalier, et la cuisine enfumée ? dit Elinor.

— Oui, même les petits inconvénients ; ils tiennent aussi des souvenirs, et la moindre variation m'avertirait que ce n'est pas la *chaumière* de Barton. Oh ! je pourrais peut-être alors être aussi heureux à Haute-Combe que je l'ai été ici !

— J'espère, reprit Elinor, que, même avec le désavantage d'un grand escalier et d'un beau salon, vous trouverez aussi le bonheur dans votre maison.

— Il y a certainement, dit Willoughby, des circonstances qui pourraient aussi me la rendre bien chère ; mais cette demeure-ci aura toujours des droits sur mon affection qu'aucune autre ne peut avoir.

Oh ! qui rendra l'expression de plaisir, de bonheur, de tendresse, de passion qui se peignit alors dans les yeux de Mme Dashwood et de Marianne ? C'étaient l'amour maternel et l'autre amour dans toute leur force. Toutes les deux regardèrent l'aimable enthousiaste de la *chaumière*, de manière à lui dire qu'on l'avait entendu.

— Combien de fois ai-je souhaité, ajouta-t-il, quand je venais à Allenham, que cette charmante demeure fût habitée ! Jamais, dans mes promenades, je n'ai passé devant sans admirer sa situation, sans regretter que personne n'y vécût. Avec quel plaisir j'appris, en arrivant cette année chez Mme Smith, que ce vœu était exaucé ! J'éprouvai une satisfaction, un tel intérêt pour cet événement qui m'était si étranger, que je ne puis l'expliquer que comme un pressentiment du bonheur qui m'attendait : ne le pensez-vous pas aussi, Marianne ? dit-il un peu plus bas en se penchant de son côté, et continuant plus haut, il dit vivement : Et vous voudriez gâter cette demeure, madame Dashwood ; vous voudriez lui ôter le charme de sa simplicité, et ce cher petit salon, où notre connaissance a commencé, où j'apportai Marianne dans mes bras, où j'ai passé au milieu de vous tous tant d'heures délicieuses, vous voudriez le dégrader, en faire un passage que tout le monde traverserait pour entrer dans un salon plus grand, plus beau peut-être, mais qui n'aurait jamais pour moi le prix de celui-ci, où tout parle à mon cœur, où l'on est si bien, si agréablement établi !

Mme Dashwood lui promit encore que rien n'y serait changé.

— Vous êtes la meilleure des femmes et des mères, lui dit-il en serrant sa main entre les siennes ; cette promesse commence déjà à me rendre heureux. Étendez-la plus loin (le cœur d'Elinor battit), dites-moi que non seulement votre maison restera toujours la même, mais que j'y trouverai toute ma vie cette affection, cette bonté avec laquelle vous m'avez reçu, et qui m'a rendu cette demeure si chère.

Il n'en dit pas davantage. Elinor aurait voulu quelques mots de plus ; mais Marianne avait l'air si content qu'elle le fut aussi. Mme Dashwood lui fit la promesse qu'il demandait, et Willoughby, pendant toute cette soirée, témoigna son affection et son bonheur.

— Venez dîner demain avec nous, mon cher Willoughby, lui dit Mme Dashwood quand il sortit, sans cela nous ne nous verrions pas de la journée ; nous voulons aller au Park faire une visite à lady Middleton, mais nous reviendrons de bonne heure.

Il accepta et promit d'être chez elle avant quatre heures le lendemain.

15

Mme Dashwood et deux de ses filles, l'aînée et la cadette, partirent après déjeuner pour leur visite projetée au Park ; Marianne refusa de les suivre, sous quelque léger prétexte d'occupation. Sa mère présuma que Willoughby avait à lui parler et lui avait promis de venir pendant leur absence ; elle le trouva très naturel au point où ils en étaient, et ne fit nulle objection.

— Ai-je deviné ? dit Mme Dashwood à Elinor en riant, lorsqu'à leur retour, environ sur les trois heures, elles trouvèrent en effet le caricle et le domestique du jeune homme devant la porte de la *chaumière*.

Elle se hâta d'entrer avec gaieté, et croyait aussi trouver les jeunes amoureux bien contents ; mais à peine eut-elle ouvert la porte du passage qui conduisait au petit salon, qu'à sa surprise elle en vit sortir Marianne, qui paraissait dans une grande affliction. Son mouchoir couvrait ses yeux, et l'on entendait des sanglots ; sans faire aucune attention à sa mère et à ses sœurs, elle traversa rapidement l'allée et monta l'escalier.

Surprises et alarmées, elles entrèrent dans la chambre qu'elle venait de quitter : elles y trouvèrent Willoughby assis près du feu, la tête appuyée contre le chambranle de la cheminée, et leur tournant le dos. Il se leva quand il les entendit entrer, et sa contenance abattue et ses yeux aussi pleins de larmes témoignèrent assez qu'il partageait fortement l'affliction de Marianne.

— Qu'a donc ma fille ? dit vivement Mme Dashwood en entrant. Lui serait-il arrivé quelque accident ?

— J'espère que non, madame, dit Willoughby en essayant de sourire ; c'est moi qui éprouve la plus cruelle contrariété.

— Vous, monsieur ! quoi donc ?

— Oui, madame. Je ne puis avoir l'honneur de dîner avec vous. Mme Smith use du pouvoir des riches sur un pauvre cousin ; elle m'envoie à Londres pour une affaire pressée. J'ai reçu mes dépêches, pris congé d'Allenham ; je suis venu, madame, m'excuser auprès de vous, et vous faire mes adieux.

— À Londres ! Vous allez à Londres ce matin ?

— Dans ce moment.

— C'est précisément comme le colonel Brandon, dit Margaret ; mais au moins M. Willoughby ne fait pas manquer une partie de plaisir en allant à Londres.

— Le plaisir n'est plus fait pour moi, reprit-il en soupirant ; non, plus de bonheur !…

— Pour peu de temps, j'espère, dit Mme Dashwood, mais peu c'est quelquefois beaucoup. Terminez promptement les affaires de Mme Smith, et revenez près de vos amis. Quand peut-on espérer de vous revoir ?

Il rougit et répondit avec embarras :

— Madame, je n'ai aucun espoir… Je ne crois pas revenir en Devonshire cette année ; l'année prochaine peut-être… je ne fais à Mme Smith qu'une visite dans l'année.

— Est-ce que Mme Smith est votre seule amie ? dit Mme Dashwood avec un sourire mêlé de reproche et d'amitié ; est-ce qu'Allenham est la seule maison en Devonshire où vous soyez sûr d'être bien reçu ? Est-ce chez moi, cher Willoughby, que vous attendrez une invitation ?

Sa rougeur augmenta, des larmes remplirent de nouveau ses yeux, et la tête baissée, sans regarder Mme Dashwood, il lui dit seulement :

— Vous êtes trop bonne.

Mme Dashwood, surprise, regarda Elinor, et vit dans ses yeux qu'elle ne l'était pas moins. Durant quelques moments, tout le monde garda le silence ; Mme Dashwood le rompit la première.

— Je vous répète encore, mon jeune ami, lui dit-elle, qu'en tout temps vous serez le bienvenu à la *chaumière* de Barton ; je ne vous presse plus d'y revenir immédiatement, c'est à vous seul de juger de ce qui peut plaire ou déplaire à Mme Smith. Sur ce point, je ne veux pas plus douter de votre jugement que de votre inclination. Dites-moi seulement que nous nous reverrons le plus tôt que vous le pourrez.

— Mes engagements sont pour le moment si nombreux, madame, et d'une telle nature, que je... je n'ose me flatter... Je ne puis dire...

Il s'arrêta, et tout témoignait son embarras et sa confusion.

Mme Dashwood était trop étonnée pour pouvoir parler. Un autre silence suivit ; il fut cette fois rompu par Willoughby, qui dit avec une gaieté forcée :

— Allons, il faut partir, il faut s'arracher de cette chère *chaumière*. C'est une folie de prolonger son tourment en restant plus longtemps en des lieux qu'on regrette et avec une société dont on ne peut plus jouir. Adieu !

Il fit un salut de la main et sortit promptement. Elles le virent de la fenêtre monter lestement dans son caricle, et en une minute il fut hors de vue.

Mme Dashwood ne put prononcer que ces mots :

— Ma pauvre Marianne !

Elle sortit aussi en faisant signe de la main à ses deux filles de ne pas la suivre.

L'inquiétude d'Elinor était égale au moins à celle de sa mère, et peut-être même plus profonde. Tous ses doutes sur les sentiments ou plutôt sur les intentions de Willoughby lui revinrent à l'esprit. Cet inconcevable départ, ses adieux bien plus inconcevables encore, son embarras, son affectation de gaieté, la manière marquée dont il avait repoussé l'invitation amicale de sa mère ; toute sa conduite, si différente de celle de la veille, la confondait d'étonnement. Ne sachant que penser, elle eut l'idée que quelque querelle d'amant avait eu lieu entre sa sœur et lui ; la tristesse avec laquelle Marianne avait quitté la chambre avant son départ, et le laissant seul, pouvait autoriser l'idée d'une brouillerie. Mais d'un autre côté, quand elle se rappelait avec quelle passion Marianne l'aimait, adoptait à l'instant toutes ses idées, ne voyait, ne pensait que d'après lui, une querelle lui semblait presque impossible.

Mais enfin, quels que fussent le motif et les particularités de leur séparation, l'affliction de sa sœur était indubitable ; elle pensait avec la plus tendre compassion au violent chagrin auquel Marianne se livrait par sentiment, et qu'elle regardait même comme un devoir. Elle aurait voulu aller auprès d'elle pour essayer de l'adoucir ; mais sa mère y était sans doute et y réussirait mieux encore, leurs âmes étant tout à fait à l'unisson. Elle attendit son retour avec impatience.

Mme Dashwood ne revint qu'au bout d'une demi-heure et quoique ses yeux fussent rouges, sa physionomie était plus sereine.

— Vous avez vu Marianne, maman ? lui dit Elinor.

— Non ; elle est enfermée dans sa chambre, pleure, et m'a conjurée de la laisser seule quelque temps. Pauvre enfant ! ses larmes sont naturelles ; laissons passer ce premier moment sans lui offrir d'inutiles consolations.

Elinor ne répondit rien ; elle aurait voulu que les larmes de sa sœur se fussent séchées sur le sein de sa mère, qu'elle eût ouvert sa porte. Elles prirent leur ouvrage et s'assirent en silence. Margaret, sur ordre de sa mère, sortit pour prendre ses leçons.

— Notre Willoughby est déjà à quelques miles de Barton, dit Mme Dashwood après quelques minutes, et Dieu sait, Elinor, comme il voyage tristement !

Elinor étouffait, elle avait besoin qu'un mot de sa mère l'encourageât à ouvrir son cœur.

— Tout cela est bien étrange ! répondit-elle ; s'en aller si subitement ! Ce départ a l'air d'un mauvais songe. Aujourd'hui à quelques milles de nous, et hier il était là à cette place, si heureux, si gai, si affectionné, comme s'il devait y passer sa vie ; pourtant il part sans projet de retour, sans savoir s'il nous reverra, et il nous quitte d'une manière si singulière, avec un embarras si marqué ! Il faut qu'il soit arrivé depuis hier quelque chose qu'il n'a pas voulu dire ; ce n'était plus le sincère, le tendre Willoughby d'hier. Vous avez sûrement senti cette différence tout comme moi, maman ! Peut-être se sont-ils querellés ? Sur quoi ? Je ne puis le concevoir, ni cependant expliquer autrement son peu d'empressement d'accepter votre invitation.

— Ce n'est pas l'inclination qui lui manquait, Elinor ; je l'ai vu bien clairement. Il ne dépendait pas de lui de l'accepter. Au premier moment, je trouvais toutes ses manières aussi singulières que vous les trouvez vous-même ; mais je viens d'y réfléchir avec calme, et je puis vous assurer que je le comprends à merveille et que je puis tout expliquer.

— Vous le pouvez, maman ?

— Oui, ma fille ; je me suis tout expliqué à moi-même de la manière la plus satisfaisante ; mais vous, Elinor, qui doutez toujours de l'amour, vous ne serez pas satisfaite : je vous prie cependant de ne pas me dire un mot contre ma confiance en Willoughby ; elle est entière et complète. Je suis donc persuadée que Mme Smith, qu'il a un si grand intérêt à ménager, soupçonne son attachement pour Marianne et le désapprouve, peut-être parce qu'elle a d'autres vues pour lui. Elle a donc désiré de l'éloigner, et elle a inventé quelque affaire pressée, pour lui faire quitter le voisinage de Barton. Voilà, je crois, ce qui est arrivé. Il n'a sans doute pas encore osé lui avouer ses engagements avec Marianne, et il est obligé, bien à contrecœur, de lui obéir pour le moment, et de quitter quelque temps le Devonshire. Vous me direz, je le sais, que cela peut ne pas être ;

mais je ne veux écouter aucun doute, à moins que vous ne puissiez m'expliquer la chose d'une manière aussi satisfaisante. À présent, Elinor, qu'avez-vous à dire ?

— Rien, ma mère ; vous aviez prévu ma réponse ; ce que vous croyez peut être vrai, peut être faux, nous n'en savons rien, mais, dans tous les cas, mes inquiétudes sont les mêmes.

— Fille insensible ! dit Mme Dashwood avec un peu de dépit, vous voulez croire le mal plutôt que le bien ; vous préférez voir Willoughby coupable et votre sœur à jamais malheureuse, plutôt que d'admettre ce qui peut le justifier, il a pris congé de nous, dites-vous, avec moins d'affection qu'à l'ordinaire : n'accordez-vous donc rien au chagrin qui l'oppressait ? Le pauvre garçon ne savait ce qu'il disait ni ce qu'il nous entendait dire ; à mes yeux, la singularité de sa conduite dans cet instant est plutôt une preuve de son amour et de sa sincérité.

— De son amour peut-être, dit Elinor ; je connais peu les effets de l'amour ; mais de sa sincérité ! Ah ! ma mère, ne pensez-vous pas qu'un entier aveu de son amour, des difficultés qui se présentaient pour le moment et de ses intentions de les surmonter, nous l'aurait encore mieux prouvé ? Sans doute il est des cas où le secret est nécessaire ; mais encore je ne puis m'empêcher d'être surprise que lui, Willoughby, en ait été capable. Peut-être, en effet, est-il obligé de cacher ses engagements avec ma sœur (si du moins ils sont engagés) à Mme Smith ; mais je ne vois aucune raison pour nous les cacher à nous.

— Pour les cacher, Elinor ! ai-je bien entendu ? est-ce bien vous qui reprochez la dissimulation à Willoughby et à Marianne, quand chaque jour, chaque instant, vos regards leur reprochaient de n'en avoir pas assez ?

— Je ne manque pas de preuves de leur amour, maman, mais bien de leurs engagements.

— Je suis aussi sûre de l'un que de l'autre.

— Alors je me tais et je suis contente ; mais, pardon, j'ai cru que ni l'un ni l'autre ne vous en avaient parlé.

— Ni l'un ni l'autre, il est vrai ; mais qu'ai-je besoin de paroles quand les actions parlent si ouvertement ? Est-ce que toute la conduite de Willoughby avec Marianne et avec nous n'a pas prouvé positivement qu'il l'aimait et la considérait comme sa future compagne, et nous comme ses parentes de cœur et de choix ? N'a-t-il pas demandé tous les jours mon consentement par ses regards, ses attentions, son tendre respect ? Ne le lui ai-je pas donné tacitement en souffrant ses assiduités auprès de ma fille ? Ô mon Elinor ! comment pouvez-vous douter qu'ils ne soient solennellement engagés l'un à l'autre par des promesses positives ? Comment pouvez-vous supposer que Willoughby, persuadé de l'amour de votre sœur, comme il doit l'être, pourrait la quitter, et pour longtemps peut-être, sans s'assurer de la retrouver un jour pour la vie ? Pourquoi penserions-nous mal d'un homme que nous avons tant de motifs d'aimer, quoique nous ne le connaissions pas depuis longtemps ? Il n'est pas étranger ici ; et qui nous a dit un seul mot à son désavantage ? Vous voyez comme il est aimé de mon cousin, sir John, qui s'intéresse assez à nous pour nous avoir averties s'il y avait quelque chose à dire contre lui. Au contraire, ne cherche-t-il pas toujours dans ses parties à le rapprocher de Marianne ? Non, non, je n'ai aucun doute, aucune crainte ; il reviendra, j'en suis convaincue. En attendant, Elinor, je vous prie de ne pas déchirer davantage le cœur de votre pauvre sœur en ayant l'air de douter de lui. La pauvre enfant aura bien assez de peine à supporter son absence.

— Je me tairai avec elle, maman, et je désire de tout mon cœur de m'être trompée ; j'aime Willoughby, et un soupçon sur son intégrité ne peut vous être plus pénible qu'à moi. S'il nous écrit, si une correspondance s'établit entre lui et ma sœur, je n'aurai plus aucun doute.

— Vraiment, vous accordez cela ! quand vous les verrez devant l'autel, vous vous douterez alors qu'ils vont se marier.

Elles furent interrompues par l'entrée de Margaret.

Elinor put réfléchir sur leur entretien ; elle voulait tenter d'être admise auprès de sa sœur ; mais Mme Dashwood l'en empêcha. Il fallait, disait-elle, laisser au moins cette matinée à son affliction ; après, l'espoir de l'avenir la calmerait.

Elles ne la virent donc qu'au moment du dîner. Marianne entra dans la salle à manger sans dire une parole ; ses yeux étaient rouges et humides ; elle semblait retenir ses larmes avec difficulté ; elle évitait les regards, et ne pouvait ni parler ni manger. Après quelques moments, sa mère lui pressa tendrement la main. Marianne voulut lever les yeux sur elle, mais ils se tournèrent sur la place que Willoughby aurait occupée ; son faible courage l'abandonna ; elle fondit en larmes et sortit.

Elle rentra un quart d'heure après ; mais l'oppression de son cœur continua de même toute la soirée. Elle était sans pouvoir sur elle-même, parce qu'elle ne voulait même pas commander à son affliction ; la plus légère mention de ce qui pouvait avoir quelque rapport à Willoughby la décomposait entièrement, et quoique sa mère et ses sœurs eussent la plus tendre attention de ne rien lui dire qui pût renouveler sa douleur, il aurait fallu ne pas parler du tout pour l'éviter. Elle avait tellement identifié sa vie, ses penchants, ses actions avec Willoughby, qu'on ne pouvait parler de rien qui n'y eût quelque rapport.

16

Marianne se serait trouvée impardonnable si elle eût été capable de fermer l'œil la première nuit après le départ de Willoughby. Elle aurait été honteuse le matin de se présenter à sa famille avec un teint reposé, et n'ayant pas autant besoin de repos qu'avant de se mettre au lit ; mais il n'y avait point de danger qu'elle eût le tort de dormir dans cette circonstance. Elle ne ferma pas l'œil de toute la nuit, et en passa une grande partie dans les larmes. Elle se leva avec un grand mal de tête, toujours incapable de parler, ne prenant de nourriture que ce qu'il fallait pour ne pas mourir de faim, donnant par-là beaucoup de chagrin à sa mère et à ses sœurs, et rejetant toutes leurs consolations. Marianne sans doute était très *sensible*.

Quand elle eut fini de déjeuner ou de voir déjeuner, elle alla se promener seule, erra dans le village d'Allenham ou sur la colline où elle avait rencontré Willoughby, se nourrissant des souvenirs de son bonheur passé, et pleurant amèrement sur son malheur actuel. Voilà quel fut le principal emploi de sa matinée, et la soirée se passa à peu près de même à rêver, appuyée sur sa main, ou ses regards attachés sur la colline. Quelquefois elle allait à son pianoforte, et jouait tous les airs que Willoughby aimait, où leurs voix avaient été si souvent réunies ; elle suivait chaque ligne de musique qu'il avait écrite pour elle, jusqu'à ce que son cœur fût près de se rompre. Elle passa ainsi les jours suivants des heures entières devant son pianoforte, chantant et pleurant alternativement, sa voix souvent totalement arrêtée par les sanglots. Dans ses lectures aussi bien que dans sa musique, elle ne cherchait que ce qui pouvait nourrir son chagrin et ses regrets ; elle ne lisait rien qu'ils n'eussent lu ensemble, et le moindre passage relatif à sa situation renouvelait et augmentait sa douleur.

Une telle violence d'affliction ne pouvait, il est vrai, durer toujours au même point ; quelques jours plus tard, sans s'affaiblir, elle se calma et sombra dans une profonde mélancolie. Mais ses occupations, ses promenades solitaires, ses méditations furent les mêmes et produisirent encore des effusions de larmes.

Aucune lettre de Willoughby n'arriva, et Marianne ne paraissait point en attendre. Sa mère était surprise et Elinor, inquiète ; mais Mme Dashwood trouvait toujours des explications pour tout ce qui pouvait accuser Willoughby d'indifférence.

— Rappelez-vous, Elinor, dit-elle, combien de fois sir John va prendre lui-même nos lettres à la poste et nous les apporte. Willoughby, devant qui il nous les a souvent remises, le sait très bien. Nous avons supposé, vous et moi, que le secret était peut-être nécessaire ; et peut-il y en avoir dans leur correspondance, si elle passe par les mains de sir John, qui connaît sans doute l'écriture de son jeune ami ?

Elinor en convint, et tâcha d'y trouver un motif suffisant pour expliquer son silence. Mais il y avait un moyen si simple, si naturel de savoir exactement le fond de cette affaire et s'ils étaient engagés ensemble ou non, qu'elle ne put s'empêcher de le suggérer à sa mère.

— Pourquoi, maman, lui dit-elle, ne le demandez-vous pas à Marianne ? De la part d'une mère si tendre, si indulgente, cette question ne peut l'offenser ; elle est le résultat naturel de votre affection pour Marianne. Elle est, par caractère, franche, candide, disposée à la confiance, surtout avec vous.

— C'est précisément pour cela que je ne voudrais pas lui poser une telle question, répondit Mme Dashwood. Supposons qu'il soit possible (ce que je ne crois pas) qu'ils ne soient point engagés et qu'elle ait des doutes sur lui, combien cela ajouterait à sa douleur d'être forcée d'en convenir ? je ne mériterais pas sa confiance, si je voulais l'obliger à confesser ce qu'elle voudrait peut-être qui fût ignoré de tout le monde. Je connais le cœur de Marianne, je sais combien elle m'aime ; je serai la première à savoir ce qui la touche, quand elle pourra me le dire. Ou elle n'a aucun doute sur la constance de Willoughby, alors je dois être tranquille ; ou elle en a, et il serait affreux pour elle de me le dire. Je ne tenterai jamais de forcer la confiance de personne, et moins encore celle de mon enfant, à qui le devoir fait une loi de ne pas me la refuser, lors même qu'elle le voudrait.

Elinor trouvait que cette générosité était poussée trop loin avec une fille aussi jeune, et qui avait un tel besoin de guide et de conseil ; elle le dit à sa mère, mais ce fut en vain. Le sens commun, la prudence, la raison, tout cédait le pas chez Mme Dashwood devant une délicatesse romanesque et son faible pour Marianne.

Il se passa bien des jours avant que le nom même de Willoughby fût prononcé devant Marianne par quelqu'un de sa famille. Sir John et Mme Jennings n'étaient pas aussi discrets, et la firent souffrir doublement plus d'une fois par leurs sarcasmes sur sa tristesse. Mais un jour, Mme Dashwood prit par hasard un volume de Shakespeare, et s'écria sans penser :

— Ah ! c'est *Hamlet*, que nous n'avions pas fini. Notre cher Willoughby avait commencé à nous le lire, j'attendais son retour pour l'achever ; mais comme il se passera peut-être des mois avant qu'il ne revienne…

— Des mois ! s'écria Marianne avec l'accent de la terreur, le ciel m'en préserve ! non, non, des semaines tout au plus.

Mme Dashwood fut fâchée de ce qui lui avait échappé ; Elinor, au contraire, en fut charmée ; la réponse de Marianne montrait une confiance entière en Willoughby et une connaissance de ses intentions.

Un matin, environ douze ou quinze jours après son départ, Elinor obtint de Marianne de se promener avec elle comme elles faisaient précédemment, avant que le chagrin lui fît préférer la solitude. Elle évitait avec soin la compagnie de ses sœurs ; si elles allaient sur les collines, elle s'échappait dans la plaine et grimpait bien vite les collines lorsqu'elle les voyait descendre. Il était donc très difficile de la trouver ; mais Elinor, qui blâmait ce goût pour l'isolement, fit si bien que Marianne n'osa l'éviter. Elles se promenèrent dans la vallée, appuyées amicalement l'une sur l'autre, mais se parlant peu. Marianne aimait mieux rester à ses pensées, et Elinor, contente d'avoir obtenu qu'elle l'accompagnât, ne voulait rien exiger de plus. Elles arrivèrent insensiblement à un endroit où la contrée était plus ouverte et présentait une vue plus étendue ; elles s'arrêtèrent pour la contempler ; leurs promenades ne les ayant point encore conduites en ce lieu. Au-devant d'elles se dessinait au loin la route de Londres, qui, par ses sinuosités, faisait un effet agréable dans le paysage.

Elles en firent la remarque ensemble, Elinor avec admiration, Marianne avec un redoublement de tristesse : c'était celle que Willoughby avait traversée et qui conduisait à la capitale.

Au milieu des objets de cette scène, elles en découvrirent un qui paraissait animé ; peu d'instants après, elles distinguèrent un homme à cheval, suivi d'un domestique, qui s'avançait de leur côté ; elles le virent ensuite plus distinctement, mais sans pouvoir cependant le reconnaître. Les yeux de Marianne étaient attachés sur lui et sur chacun de ses traits ; on voyait son émotion, qui s'augmentait à mesure que le cavalier approchait. Enfin, levant ses mains jointes au ciel, elle s'écria tout à coup avec ravissement :

— C'est lui, c'est bien lui, je le reconnais ; qui serait-ce sinon mon Willoughby ?

Quittant le bras de sa sœur, elle courut à sa rencontre. Elinor la suivit plus doucement, en lui criant :

— Arrêtez ! Marianne, que faites-vous ? Vous vous trompez, ce n'est point Willoughby ; ce cavalier n'est pas aussi grand, il n'a pas du tout sa tournure.

— C'est lui, c'est bien lui, disait Marianne en courant, j'en suis sûre ; c'est la couleur de ses cheveux, c'est son habit, son cheval. Ah ! je le savais bien qu'il ne tarderait pas à revenir.

Elle doubla le pas. Elinor, convaincue que ce n'était point Willoughby, effrayée de voir sa sœur courir ainsi au-devant d'un étranger, marcha plus vite pour la rejoindre et l'arrêter. Elles furent bientôt à trente pas du gentilhomme à cheval. Marianne regarda encore, se sentit près de défaillir en voyant alors clairement qu'elle s'était trompée, que ce n'était pas son ami, et se retournant brusquement, voulut s'enfuir.

Elinor au contraire s'arrêta, en conjurant Marianne de s'arrêter aussi. Une autre voix presque aussi connue d'elles que celle de Willoughby le lui demanda. Elle se retourna avec surprise, et vit tout près d'elle Edward Ferrars.

C'était la seule personne au monde à qui, dans ce moment, elle pût pardonner de n'être pas Willoughby, le seul qui pût obtenir une parole d'elle ; aussi s'efforça-t-elle de sourire en lui souhaitant la bienvenue, et le bonheur de sa sœur lui fit oublier un instant son désappointement.

Il descendit de son cheval, qu'il remit à son domestique, et revint avec les deux sœurs à Barton Chaumière où il venait leur rendre visite. Elles lui témoignèrent leur plaisir de le revoir ; principalement Marianne, qui mit plus de chaleur dans sa réception qu'Elinor. La conduite de cette dernière, dans un moment aussi intéressant que le retour de celui qu'elle aimait, aurait étrangement surpris Marianne, si elle n'avait été une continuation de son inconcevable froideur quand elle l'avait quitté à Norland.

Edward l'étonnait plus encore, elle savait combien Elinor était prudente et réservée ; mais un homme, un amoureux aussi glacé lui paraissait un être contre nature ; elle ne pouvait en revenir, et vraiment, sans être aussi vive, aussi sensible que Marianne, on pouvait en être surpris. Passé le premier instant, où il avait témoigné un peu d'émotion en les retrouvant, rien dans sa manière n'annonçait ses sentiments pour Elinor ; il ne la distinguait par aucune marque d'affection ; à peine paraissait-il sensible au plaisir de la revoir ; à peine ses regards se portaient-ils sur elle. Il était plutôt triste que content ; il ne parlait que lorsqu'il était obligé de répondre à leurs questions. Marianne l'examinait avec une surprise qui s'augmentait à chaque instant ; il était cependant à peu près tel qu'il avait toujours été, mais Willoughby avait tout fait oublier à Marianne ; elle pensait que tous les amoureux devaient être comme lui. L'extrême contraste de la conduite d'Edward la révolta, et elle retomba dans le cours habituel de ses pensées.

Après un court silence qui succéda à la surprise et aux premières questions, Marianne demanda à Edward s'il venait directement de Londres.

— Non, répondit-il avec un peu de confusion, il y a environ quinze jours que je suis en Devonshire.

— En Devonshire, quinze jours ! répéta Marianne, surprise comme on peut le penser qu'il eût été quinze jours dans le voisinage d'Elinor sans chercher à la voir. Il répondit avec un air très peiné qu'il avait passé ce temps-là près de Plymouth avec quelques amis.

— Avez-vous été dernièrement à Norland ? demanda Elinor.

— Il y a environ un mois. Votre frère et ma sœur étaient fort bien.

— Et ce cher, cher Norland, dit Marianne, comment est-il à présent ? bien beau, n'est-ce pas ?

— Je suppose, dit Elinor, que votre cher, cher Norland est comme il l'est toujours à l'automne, les bois et les sentiers couverts de feuilles mortes.

— Oh ! s'écria Marianne, avec quels transports je voyais tomber les feuilles ! Quelles délices, quand je me promenais, de les voir tourbillonner autour de moi, emportées par le vent ou entraînées dans le ruisseau ! Quel sentiment de douce mélancolie m'inspiraient ces arbres effeuillés, cet air sombre d'automne, ces feuilles jaunes et flétries qui résonnaient sous mes pas ! Maintenant personne ne les admire, personne ne les regarde, on les dédaigne, et l'on se hâte de les balayer ; de les ôter.

— Tout le monde, dit Elinor, n'a pas la même passion que vous pour les feuilles mortes.

— Non, il est vrai, mes sentiments sont rarement partagés et compris ; mais quelquefois ils l'ont été, dit-elle, avec un profond soupir. Il suffit d'un seul être qui sente comme moi...

Elle se tut et tomba pour quelques instants dans une profonde rêverie. Elle en sortit tout à coup et, reprenant toute sa vivacité :

— Arrêtez-vous, Edward, dit-elle, regardez, et restez calme si vous le pouvez. Voilà la vallée de Barton, plus loin la délicieuse vallée d'Allenham ; regardez ces collines, ce mouvement de terrain, avez-vous jamais rien vu qui fût égal à ceci ? À gauche, c'est le parc de Barton au milieu de ses bois et de ses plantations ; et là, derrière cette colline qui s'élève et se dessine avec tant de grâce, est notre *chaumière*.

— C'est une belle contrée, dit tranquillement Edward ; mais ces fonds doivent être bien boueux en hiver.

— Grand Dieu ! comment pouvez-vous penser à la boue avec de tels objets sous vos yeux ?

— C'est, dit-il en souriant, parce que je vois au milieu de ces objets un chemin étroit et impraticable.

— Quel étrange homme vous êtes ! dit-elle avec un mouvement d'indignation.

— Avez-vous, reprit-il, un agréable voisinage ? Les Middleton sont-ils aimables ?

— Rien moins que cela, dit Marianne, et à cet égard nous ne pouvions plus mal tomber.

— Marianne ! s'écria Elinor, comment pouvez-vous parler ainsi ? C'est une famille très respectable, monsieur Ferrars, qui se conduit avec nous de la manière la plus amicale. Avez-vous donc oublié combien de jours agréables nous leur devons ?

— Non, dit Marianne à voix basse, ni combien de pénibles moments !

Elinor n'eut pas l'air de l'entendre, et dirigea toute son attention sur leur ami, tâchant de cacher son trouble intérieur en soutenant la conversation sur tous les objets qui se présentaient à son esprit. Sa froideur, sa réserve la mortifiaient intérieurement au moins autant que Marianne ; elle était blessée, presque en colère, mais résolue de régler sa conduite avec lui plutôt sur le passé que sur le présent. Pour ne pas troubler le plaisir que cette visite ferait à sa mère, elle évita avec soin de montrer aucune apparence de chagrin ou de ressentiment, et le traita comme elle pensait qu'il devait l'être, vu leurs relations de famille.

17

Mme Dashwood ne fut pas du tout surprise en voyant entrer Edward. Dans son opinion, rien n'était plus naturel que sa visite à Barton, elle l'était bien plus qu'il n'y fût pas encore venu ; aussi le reçut-elle avec de telles expressions de joie et d'amitié que sa réserve et sa froideur ne purent tenir contre un tel accueil. Elles avaient déjà diminué avant d'entrer dans la maison, la manière toute naturelle d'Elinor l'avait un peu ranimé ; celle de Mme Dashwood si bonne, si amicale, le mit entièrement à son aise. Elle était si parfaitement aimable qu'un homme ne pouvait être amoureux de l'une de ses filles sans l'être aussi de la mère ; et il n'eut pas causé une demi-heure avec elle qu'Elinor eut la satisfaction de le voir aussi bien à son gré qu'elle l'avait toujours vu. Son affection pour toute la famille se réveilla en entier, ainsi que son tendre intérêt pour leur bonheur.

Il n'était pas gai cependant, un poids semblait peser sur son cœur ; il fit l'éloge de leur habitation, il en admira la vue, il fut attentif, bon, aimable ; mais il avait un fond de tristesse qu'elles remarquèrent toutes. Mme Dashwood l'attribua à quelque manque de libéralité de sa mère, et s'indigna intérieurement contre les parents avares.

— Quelles sont à présent les vues de Mme Ferrars sur vous, Edward ? lui dit-elle, lorsqu'après dîner ils causaient autour du feu. Devez-vous être encore un grand orateur en dépit de vous-même ?

— Non, madame, ma mère est à présent convaincue que je n'ai pas plus de talents que d'inclination pour la politique.

— Mais comment donc deviendrez-vous célèbre ? Car il faut absolument qu'on parle de vous dans le monde pour satisfaire votre famille ; et, mon cher Edward, il faut vous rendre justice, n'ayant aucun goût de dépense, aucun désir d'obtenir une place, aucune envie de briller et de faire parade de votre savoir, cela vous sera difficile.

— Vous dites très vrai, madame ; je n'ai, comme vous le dites, aucun désir d'être distingué, et j'ai toutes les raisons possibles d'espérer que je ne le serai jamais. Grâce au ciel, on ne peut m'obliger d'avoir du génie et de l'éloquence !

— Vous en auriez autant et plus que beaucoup de gens qui s'en vantent, si vous vouliez vous mettre en avant ; mais vous n'avez point d'ambition et tous vos désirs sont modérés.

— Comme ceux de tout le monde, madame ; je désire autant que qui que ce soit d'être parfaitement heureux, mais je veux l'être à ma manière, et chacun je crois en dit autant. Ni la richesse ni les grandeurs ne peuvent faire mon bonheur.

— Je le crois bien, dit Marianne, qu'est-ce que la richesse et les grandeurs ont à démêler avec le bonheur ?

— Les grandeurs fort peu, dit Elinor, mais l'argent beaucoup plus.

— Elinor ! est-ce bien vous qui dites cela ? s'écria Marianne, l'argent ne peut donner le bonheur qu'à ceux qui n'ont pas d'autre moyen d'être heureux. Tout ce qui est au-dessus du nécessaire est inutile, et ne peut donner aucune satisfaction réelle.

— Peut-être, dit en souriant Elinor, nous arriverons au même point ; votre nécessaire et ma richesse seront, je crois, à peu près semblables. Voyons, à combien fixez-vous votre nécessaire ?

— À dix-huit cents ou deux mille livres de revenu, pas plus que cela.

Elinor rit.

— Deux mille livres de revenu ! je me croirais riche avec mille.

— Et cependant deux mille font un revenu très modeste, dit Marianne ; une famille de gens comme il faut ne peut s'entretenir à moins. Je suis sûre qu'il n'y a nulle extravagance dans ma demande ; ce qu'il faut de domestiques, une voiture, un caricle, un train de chasse n'exigent pas moins.

Elinor sourit encore en la voyant décrire d'avance sa vie de Haute-Combe.

— Un train de chasse ! dit Edward, au nom du ciel, pour quoi voulez-vous en avoir un ? êtes-vous devenue la Diane de ces bois ?

Marianne rougit.

— Non… je ne chasse pas… mais…

— Ah ! j'entends, le possesseur de vos deux mille livres peut être un chasseur.

— Je voudrais, dit Margaret, qu'une bonne fée nous rendît toutes riches.

— Et moi aussi ! s'écria Marianne avec ses yeux brillants de plaisir, en pensant avec qui elle partagerait ses richesses.

— J'accepte aussi le don de la fée, dit Elinor avec la même pensée secrète.

— Ah ! que nous serions heureuses, dit la petite Margaret en frappant les mains de joie ; mais je ne sais à quoi j'emploierais mon argent !

— Pour moi, dit la bonne maman, je ne sais ce que je ferais d'une grande fortune, si mes enfants étaient toutes riches sans mon secours.

— Votre cœur, maman, dit Elinor, trouverait assez d'enfants pour qui vous seriez la bonne fée ; et puis les embellissements de notre *chaumière*.

— Moi, dit Edward, je vous vois, mesdames, adresser de magnifiques commandes à Londres. Ah ! quel heureux jour pour les libraires, les magasins de musique, de gravures ! Vous, Elinor, vous vous feriez d'abord un cabinet des plus beaux tableaux ; pour Marianne, il n'y aurait pas assez de bonne musique à Londres, elle ferait arriver toute celle d'Italie, ses livres et les fameux poètes ; elle achèterait des éditions entières de Thomson, Cowper, Scott, pour qu'elles ne tombassent pas entre des mains indignes…

Pardon, Marianne, je n'ai pas, comme vous le voyez, oublié nos anciennes disputes.

— J'aime tout ce qui me rappelle le passé, Edward, lui dit-elle ; que ce soit gai ou mélancolique, vous ne m'offenserez jamais en me le rappelant. Vous avez raison d'ailleurs en supposant que j'achèterais beaucoup de livres et de musique ; mais ma fortune cependant ne serait pas tout employée à cet usage, je vous assure.

— Vous en donneriez une partie, je parie, à l'auteur qui prendrait la défense de votre maxime favorite, et qui prouverait qu'on ne peut aimer qu'une fois en la vie ; car votre opinion n'est pas changée, je suppose.

— Moins que jamais. À mon âge, les opinions sont fixées.

— Marianne, dit Elinor, est ferme dans ses principes ; comme vous le voyez, elle n'a pas du tout changé.

— Seulement, dit Edward, je la trouve un peu plus grave.

— Je puis vous faire le même reproche, dit-elle, vous n'êtes pas trop gai vous-même.

— Pourquoi pensez-vous cela ? répondit-il en étouffant un soupir. La gaieté n'a jamais fait partie de mon caractère.

— Ni de celui de Marianne, dit Elinor ; elle sent très vivement, et s'exprime de même. Quand un sujet l'anime, elle en parle avec feu, mais le plus souvent elle n'est pas réellement disposée à la gaieté.

— Je crois que vous avez raison, dit Edward. Cependant elle passera toujours pour une jeune personne très vive et très animée.

— On se trompe bien souvent, reprit Elinor, en jugeant le caractère ou l'esprit de ceux que l'on ne voit que dans le monde ; on est quelquefois entraîné, ou par ce qu'on dit soi-même, ou par ce qu'on entend dire aux autres. Marianne est très franche, et se laisse aller à dire tout ce qui lui passe dans la tête sans se donner le temps de réfléchir ; c'est là notre querelle habituelle. Quelquefois, avec un cœur excellent, elle dit des choses qui feraient douter de sa bonté ; et moi qui sais comme elle est bonne dans le fond, je n'aime pas à la voir mal jugée.

Marianne embrassa sa sœur et lui dit :

— Il me suffit que vous et tous ceux que j'aime me rendiez justice. L'opinion des êtres qui me sont indifférents m'est aussi très indifférente. Je suis sûre, Edward, que vous êtes de mon avis ; car vous ne vous donnez pas grand-peine non plus pour paraître aimable envers ceux dont vous ne vous souciez pas.

— J'en conviens, répondit-il, et je m'en blâme ; je suis tout à fait, dans le fond, de l'avis de votre sœur. Cette politesse générale, qui rend si agréable en société, est bien préférable à votre franchise et à ma maussaderie, je le sens ; mais il ne dépend pas de moi d'être autrement ; je suis si ridiculement timide que cela me rend souvent négligent et presque impoli, quoique je n'aie jamais l'intention d'offenser personne. Je crois que j'étais destiné par la nature à la vie simple et retirée, tant je suis mal à mon aise dans le grand monde.

— Marianne ne peut pas donner sa timidité pour excuse, dit Elinor.

— Elle connaît trop bien ses avantages pour être timide, répliqua Edward ; la timidité est toujours l'effet du sentiment de son infériorité. Si je pouvais me persuader que mes manières sont aisées et gracieuses, je ne serais pas timide.

— Vous seriez toujours réservé, dit Marianne, et c'est encore pis.

— Réservé ! Marianne, qu'entendez-vous par là ?

— Caché, mystérieux, si vous l'aimez mieux, renfermant vos sentiments en vous-même.

— Je ne vous entends pas davantage, dit-il en rougissant ; caché, mystérieux, en quelle manière ? Qu'ai-je donc à confier ?… pouvez-vous supposer…

— Je ne suppose rien, monsieur, répliqua Marianne dédaigneusement.

L'émotion d'Edward n'échappa point à Elinor ; elle en fut surprise, mais s'efforça de rire de cette attaque.

— Ne connaissez-vous pas assez ma sœur, lui dit-elle, pour comprendre ce qu'elle vient de dire ? Ne savez-vous pas qu'elle appelle être *réservé*, lorsqu'on n'est pas toujours dans l'enthousiasme et le ravissement ?

Edward ne répondit rien, mais il redevint sérieux, préoccupé, et resta quelque temps absorbé dans ses pensées.

18

Elinor vit avec une grande inquiétude l'abattement de son ami ; sa visite ne put lui procurer une satisfaction complète, puisque lui-même ne paraissait pas en éprouver. Il était évident qu'il avait une peine secrète au fond de l'âme ; elle aurait voulu du moins voir aussi clairement qu'il conservait pour elle cette tendre affection qu'elle croyait lui avoir inspirée. Mais jusque-là rien ne lui paraissait plus incertain ; et l'extrême réserve de ses manières contredisait presque aussitôt ce qu'un regard plus animé, une inflexion de voix plus tendre lui avaient fait espérer un instant auparavant.

Il les rejoignit elle et Marianne le jour suivant au déjeuner, avant que les deux autres dames fussent descendues. Marianne, persuadée que plus il était silencieux, en général, plus il désirait d'être seul avec Elinor, les quitta sous quelque prétexte. Mais avant qu'elle fût à la moitié de l'escalier, elle entendit ouvrir la porte de la pièce ; curieuse, elle se retourna et, à son grand étonnement, elle vit Edward prêt à sortir de la maison ; elle ne put retenir un cri de surprise :

— Mon Dieu ! Où allez-vous donc ? lui cria-t-elle.

— Comme vous n'êtes pas encore rassemblées pour le déjeuner, je vais voir mes chevaux au village, et je reviendrai bientôt.

Marianne leva les yeux au ciel et rentra près d'Elinor ; elle la trouva debout devant la fenêtre. Si Marianne l'eût bien regardée, peut-être aurait-elle surpris quelques larmes dans ses yeux, mais elles rentrèrent bientôt au salon, et le déjeuner fut préparé comme à l'ordinaire.

Edward revint plein d'une admiration renouvelée pour les environs. Dans sa course au village, il avait vu plusieurs parties de la vallée à leur avantage, et le village lui-même, situé plus haut que la *chaumière,* présentait un point de vue qui l'avait enchanté. C'était un de ces sujets de conversation qui électrisaient toujours Marianne. Elle commença à décrire avec feu sa propre admiration, et à dépeindre avec un détail minutieux chaque objet qui l'avait particulièrement frappée, quand Edward l'interrompit.

— N'allez pas trop loin, Marianne, lui dit-il ; rappelez-vous que je n'entends rien au pittoresque, et que je vous ai souvent blessée, malgré moi, par mon ignorance de ce qu'il faut admirer. Je suis très capable d'appeler *montueuse* et *pénible* une colline que je devrais nommer *hardie* et *majestueuse* ; *raboteux* ce qui doit être *irrégulier,* ou d'oublier qu'un lointain que je ne vois pas est voilé par la brume. Il faudrait apprendre la langue de l'enthousiasme, et j'avoue que je l'ignore. Soyez contente de l'admiration que je puis donner ; je trouve que c'est un très beau pays. Les collines sont bien découpées ; les bois me semblent pleins de beaux arbres ; les vallées sont agréablement situées, embellies de riches prairies, et de plusieurs jolies fermes répandues çà et là. Il répond exactement à toutes mes idées d'un beau site, parce qu'il unit l'agréable à l'utile, et j'ose dire aussi qu'il est très *pittoresque,* puisque vous l'admirez ; je puis croire aisément qu'il est plein de rocs mousseux, de bosquets épais, de petits ruisseaux murmurants ; mais tout cela est perdu pour moi. Vous savez que je n'ai rien de pittoresque dans mes goûts.

— Je crains que ce ne soit que trop vrai, dit Marianne, mais pourquoi vous en glorifier ?

— J'ai peur, dit Elinor, que pour éviter un genre d'affectation, Edward ne tombe dans un autre. Parce qu'il a vu quelques personnes prétendre à l'admiration de la belle nature bien au-dessus de ce qu'elles sentaient, dégoûté de cette prétention, il donne dans l'excès contraire, et affecte plus d'indifférence pour ces objets qu'il n'en a réellement.

— Je n'ai, je vous assure, nulle prétention à l'indifférence pour les vraies beautés de la nature, je les aime et je les admire, mais non pas peut-être d'après les règles *pittoresques ;* je préfère un bel arbre bien grand, bien droit, bien formé à un vieux tronc tordu, penché, rabougri, couvert de plantes parasites ; j'ai plus de plaisir à voir une ferme en bon état qu'à voir une ruine ou une vieille tour.

Marianne regarda Edward avec étonnement et sa sœur avec compassion.

La conversation tomba, Marianne demeura pensive et silencieuse, jusqu'à ce qu'un nouvel objet réveillât son attention. Elle était assise près d'Edward, et celui-ci, en prenant sa tasse de thé, passa sa main si directement devant elle, qu'elle ne put s'empêcher de remarquer à son doigt un anneau avec une natte de cheveux.

— Je ne vous ai jamais vu porter de bague, Edward, lui dit-elle, montrez-moi celle-là ; sont-ce des cheveux de Fanny ? Je me rappelle qu'elle vous en avait promis, mais ses cheveux me paraissent plus foncés.

Marianne, comme à son ordinaire, avait parlé sans réfléchir ; mais quand elle vit combien elle avait fait de peine à Edward, elle fut plus fâchée que lui-même de son étourderie. Il rougit jusqu'au blanc des yeux, jeta un regard rapide sur Elinor, et dit enfin :

— Oui, ce sont des cheveux de ma sœur ; le travail change toujours les nuances.

Elinor avait rencontré son regard, il pénétra au fond de son âme ; ce seul regard lui avait dit que ces cheveux étaient les siens ; Marianne en était tout aussi persuadée.

La seule différence, c'est qu'elle croyait que c'était un don d'Elinor ; et que celle-ci, qui savait en conscience qu'elle ne lui avait point donné de ses cheveux, crut qu'il s'en était procuré par quelque moyen inconnu, ou qu'il les avait coupés par-derrière sans qu'elle s'en fût aperçue, lorsqu'elle avait quitté Norland. La couleur était bien la même, et la rougeur et le regard d'Edward avaient porté dans son cœur cette douce conviction. Elle était bien loin de lui en vouloir, et n'ayant plus l'air d'y faire attention, elle parla d'autre chose.

L'embarras d'Edward dura quelque temps, et finit par une tristesse encore plus marquée, qui dura la matinée entière. Marianne se reprocha vivement ce qui lui était échappé ; elle aurait été plus indulgente pour elle-même, si elle avait pu savoir combien peu sa sœur était offensée, et le plaisir secret qu'elle lui avait procuré.

Avant le milieu du jour, on eut la visite de sir John et de Mme Jennings qui, ayant entendu dire qu'un gentilhomme était arrivé à la *chaumière*, venaient savoir qui c'était. Avec le secours de sa belle-mère, sir John ne fut pas long à découvrir que le nom d'Edward Ferrars commençait par un *F*, et que c'était là l'amoureux d'Elinor dont la petite Margaret avait parlé. Cette découverte aurait valu beaucoup de railleries à la pauvre Elinor, si la présence d'Edward, qu'ils connaissaient aussi peu, ne les avait retenus ; mais ni les coups d'œil significatifs ni les sourires malins ne lui furent épargnés.

Sir John ne venait jamais chez les Dashwood sans les inviter à prendre le thé au Park dans la soirée, ou à dîner le lendemain. Cette fois, en l'honneur du nouveau venu, qu'il était fier de contribuer à amuser, l'invitation fut pour le soir et pour le lendemain.

— Venez tous prendre le thé avec nous ce soir, dit-il, nous sommes tout à fait seuls ; mais demain nous avons beaucoup de monde, et il vous faut absolument venir dîner au Park, car nous serons très nombreux.

Mme Jennings les pressa d'accepter.

— On dansera peut-être dans la soirée, dit-elle, et cela doit tenter Mlle Marianne.

— Danser! s'écria-t-elle, impossible; qui peut penser à danser?

— Qui? Vous-même, ma belle, la petite Margaret, les Carey, les Whitakers. Comment, ma chère! vous pensez de bonne foi que personne ne peut danser, parce que quelqu'un... que je ne nomme pas est parti?

— Je voudrais de toute mon âme, dit sir John, que Willoughby fût encore avec nous.

Ces mots et la rougeur de Marianne donnèrent de nouveaux soupçons à Edward.

— Qui donc est ce Willoughby? demanda-t-il à voix basse à Elinor, près de qui il était assis.

Elle le lui dit en peu de mots; mais la contenance, la physionomie de Marianne parlaient plus clairement. Edward en vit assez pour comprendre ce qu'il en était, et quand les visiteurs furent partis, il s'approcha d'elle et lui dit à demi voix:

— J'ai deviné; dois-je vous dire ce que j'ai deviné?

— Quoi donc?... Qu'entendez-vous?

— Dois-je le dire?

— Certainement.

— Eh bien! j'ai deviné que M. Willoughby chasse.

Marianne fut surprise et confuse; cependant, elle ne put s'empêcher de rire de sa douce et fine raillerie, et après un moment de silence, elle lui dit:

— Oh! Edward, comment pouvez-vous... Mais le temps viendra, j'espère... Je suis sûre que vous l'aimerez.

— Je n'en doute pas, répondit-il avec amitié.

Cet aveu naïf de Marianne le toucha. S'il n'avait cru qu'il y avait une plaisanterie sans conséquence établie sur elle et sur Willoughby et que Marianne s'en défendrait ou en plaisanterait elle-même, il n'aurait osé y faire allusion.

19

Edward passa une semaine à la *chaumière*; il fut vivement pressé par Mme Dashwood d'y rester plus longtemps, mais il prit tout à coup la résolution de quitter ses amis au moment où il sentait le plus le bonheur de les revoir. Son humeur, dans les derniers jours, quoique toujours inégale, était cependant beaucoup plus agréable. Il paraissait chaque jour plus content de l'habitation et des environs; il ne parlait jamais de son départ qu'avec un soupir; il avouait que rien ne l'appelait ailleurs; il était même incertain de l'endroit où il irait en les quittant, mais cependant il voulait partir. Jamais semaine de sa vie ne lui avait paru plus courte, jamais il n'avait été plus complètement heureux répétait-il. Ses paroles, ses regards, des attentions légères, mais qui de sa part disaient beaucoup, tout devait rassurer Elinor sur ses sentiments; mais cependant sa conduite devait la surprendre. Libre de protéger son séjour auprès d'elle, pourquoi cette obstination à partir? Aucun plaisir ne l'attendait à Norland; il détestait Londres, mais il voulait aller à Norland ou à Londres. Il appréciait leurs bontés, leur amitié au-delà de tout; son plus grand bonheur était d'en jouir, et cependant il voulait les quitter à la fin de la semaine, malgré elles et malgré lui, et sans avoir rien à faire qui fût un obstacle à leurs désirs mutuels.

Mais Elinor mit sur le compte de Mme Ferrars tout ce qui l'étonnait dans la conduite de son fils. Il était heureux qu'Edward eût une mère dont le caractère lui était si peu connu qu'il pouvait servir d'excuse pour tout ce qui paraissait étrange dans sa manière d'être. Sa réserve, sa froideur, ses inégalités d'humeur, son départ, tout fut mis sur le compte de sa mère. Elle en estima davantage son ami de ne pas lui résister ouvertement, et d'attendre en silence le moment où il serait maître de déclarer ses sentiments et ses intentions. Elle ne craignait pas de grandes difficultés de la part d'une famille déjà alliée à la sienne ; elle aurait bien sûrement l'appui de son frère, et sa belle-sœur n'oserait pas faire autrement que son mari. Edward était assez riche pour n'écouter que le choix de son cœur en se donnant une compagne lorsque à tout autre égard ce choix était honorable. Si Mme Ferrars avait l'air de s'y opposer, c'était moins par rapport à elle, que pour tenir son fils dans sa dépendance tant qu'elle en avait le droit ; et sans doute il jugeait plus sage, plus prudent de ne pas la heurter encore, de temporiser avec elle et, par sa condescendance actuelle, de mériter la sienne quand le moment serait arrivé. Ainsi rassurée sur sa conduite, Elinor chercha et trouva la consolation de son départ dans le souvenir de chaque preuve de son affection, de chaque regard pendant cette semaine si vite écoulée, et surtout de cet anneau qu'il portait au doigt, et qui, plus que le reste, l'assurait de sa constance. Quand il lui serait resté quelques doutes, ils se seraient tous évanouis au moment de son départ. Il était l'image vivante de la tristesse et des regards ; à peine pouvait-il retenir ses larmes, et cacher combien son cœur était oppressé. Marianne fut enfin contente de lui, et lui exprima aussi, à sa manière animée, ses regrets de le voir partir. Elinor avait assez à faire à garder bonne contenance, et Mme Dashwood essayait de remonter un peu son futur gendre.

— Vous êtes mélancolique, mon cher Edward, lui dit-elle au petit déjeuner, le dernier matin ; sans doute il est toujours triste de se séparer de ses amis, mais il n'y a d'ailleurs nulle circonstance affligeante, vous pouvez revenir quand vous le voudrez, et nous désirons tous que ce soit bientôt, n'est-ce pas, Elinor ?… Vous êtes à tout égard un heureux jeune homme, il ne vous manque qu'un peu de patience ou, si vous voulez lui donner un nom plus doux, de l'espoir. Votre mère vous gêne peut-être dans ce moment ; mais enfin celui de votre indépendance viendra bientôt. Mme Ferrars assurera votre bonheur, c'est son devoir ; et sans doute sa volonté.

— Je ne suis pas né pour le bonheur, dit-il en secouant la tête tristement.

C'était le moment du départ, sa tristesse augmenta la peine que chacun en ressentait et laissa surtout une forte impression dans l'âme d'Elinor ; mais elle était déterminée à la surmonter. Elle employa toutes les forces dont elle était capable à cacher ce qu'elle souffrait ; elle n'adopta pas la méthode dont Marianne s'était servie avec tant de succès dans une occasion semblable, pour augmenter et fixer son chagrin par le silence, la solitude, l'oisiveté.

Dès qu'Edward fut parti, Elinor se mit à son dessin, employa utilement, agréablement la journée sans chercher à parler de lui et sans éviter d'en parler, prenant intérêt à tout ce qui se disait. Si, par cette sage conduite, elle ne diminua pas ses peines, elle prévint au moins qu'elles ne s'augmentassent inutilement, et sa mère, ses sœurs n'eurent aucune inquiétude sur son compte.

Sans se séparer de sa famille, sans les quitter pour se promener seule, sans passer des nuits blanches, Elinor trouvait encore le temps de s'occuper d'Edward et de sa conduite, avec les variations de la disposition de son âme, avec tendresse, pitié, blâme, approbation, confiance ou doute. Elle pouvait commander à ses actions, à son maintien, mais non à ses pensées ; et le passé, le futur se présentaient successivement à son imagination. Marianne, qui pouvait à peine lui pardonner le calme avec lequel elle supportait l'absence d'Edward, et qui l'attribuait à une sorte d'apathie de caractère qui la rendait incapable d'éprouver une forte passion, aurait été bien étonnée si elle avait pu lire dans le cœur de sa sœur, de le trouver rempli d'un sentiment pour le moins aussi vif et peut-être plus tendre que le sien pour Willoughby.

Peu de jours après le départ d'Edward, Elinor était seule dans le salon, devant sa table à dessiner, et plongée dans ses rêveries, lorsqu'elle en fut tirée par un bruit de voix dans la petite cour verte. Elle leva les yeux, regarda par la fenêtre et vit beaucoup de monde près de la petite porte. C'étaient sir John, sa femme, sa belle-mère et, avec eux, un gentilhomme et une dame qu'elle ne connaissait point. Elle était assise près de la fenêtre et, dès que sir John l'eut aperçue, il laissa les autres frapper à la porte et, traversant la pelouse, il l'obligea d'ouvrir la fenêtre pour lui parler, quoique la distance entre la fenêtre et la porte fût si petite qu'il était impossible qu'ils ne fussent pas entendus.

— Eh bien ! dit-il, je vous amène des visiteurs qui vous feront plaisir, j'en suis sûr : devinez qui.

— Je ne le puis… Mais chut ! on nous entendra.

— À la bonne heure ! Ce sont seulement mon beau-frère et ma belle-sœur Palmer. Mme Jennings a, comme vous savez, marié sa fille cadette, il y a six mois, à M. Palmer, un très aimable jeune homme comme vous le verrez. Charlotte est très jolie, je vous assure, avancez un peu la tête, vous pourrez la voir.

Comme Elinor était certaine de la voir tout à son aise dans quelques minutes, elle ne voulut pas prendre cette liberté et déclina l'invitation.

— Où est Marianne ? dit sir John. S'est-elle sauvée quand elle nous a vus ? Son pianoforte est ouvert.

— Je crois qu'elle se promène.

Ils furent rejoints par Mme Jennings, qui n'eut pas la patience d'attendre qu'on eût ouvert la porte pour causer avec sa chère Elinor.

— Bonjour, ma chère enfant ! Comment vous portez-vous ? Un peu triste, je présume, c'est tout simple ; et votre mère, vos sœurs ? C'est mal à elles de vous laisser ainsi à vos regrets ; mais nous voici pour vous distraire. Je vous amène ma fille cadette et mon gendre Palmer ; vous en serez charmée. Ce n'est pas pour la vanter, mais c'est un vrai bijou que ma Charlotte ! Ils sont arrivés hier au soir au moment où nous les attendions le moins. Nous étions à prendre le thé ; j'entends le bruit d'un carrosse ; je pensais que c'était le colonel Brandon qui revenait ; je dis à sir John : « J'entends une voiture, je parie que c'est Brandon. Il faudra bien qu'il nous conte ce qu'il est allé faire à Londres. » Sir John se lève et…

Elinor fut obligée de lui tourner le dos au milieu de son intéressante histoire, pour recevoir le reste de la compagnie. Lady Middleton présenta sa sœur et son beau-frère. Mme Dashwood et Margaret descendirent en même temps, et tout le monde s'assit. On se regarda mutuellement avec curiosité, on dit quelques lieux communs. Mme Jennings rentra avec sir John et continua son histoire.

Mme Charlotte Palmer était de quelques années plus jeune que lady Middleton, et totalement différente et pour la figure et les manières, quoiqu'elle fût dans le fond tout aussi insipide, mais dans un autre genre ; ce qui prouve que l'insipidité même peut varier. Elle était petite et rondelette, son teint était beau, tous ses traits jolis et gracieux, une expression de gaieté, de contentement ne l'abandonnait jamais. Ses manières n'avaient pas l'élégance de celles de sa sœur, mais elle était beaucoup plus prévenante. Elle entra en souriant, elle sourit tout le temps de sa visite, et sourit encore en s'en allant.

Son mari formait avec elle un parfait contraste. C'était un homme de vingt-cinq à vingt-six ans, d'une assez belle figure, aussi grand et mince qu'elle était courte et ronde, aussi brun qu'elle était blanche, aussi grave et sérieux qu'elle était gaie et riante, aussi important tant qu'elle était affable ; enfin, au physique et au moral, c'étaient deux êtres d'une nature différente. Il entra dans la chambre d'un air assez dédaigneux, salua légèrement les dames sans dire un seul mot, s'assit auprès d'une table, jeta un regard rapide sur elles et sur l'appartement, prit une gazette qui était sur la table, et la parcourut tout le temps de la visite.

Mme Palmer, au contraire, fut à peine assise que son admiration pour tout ce qu'elle voyait éclata.

— Ah ! mesdames, quelle délicieuse habitation ! Que ce salon est commode et bien arrangé ! Voyez, maman, combien tout ceci est embelli depuis que je ne l'ai vu ! J'ai toujours trouvé le site agréable ; mais vous en avez fait tout ce qu'il y a de plus charmant. Vous ne m'aviez pas dit, ma sœur, avec quel goût ceci est arrangé. Ah ! combien j'aimerais avoir une maison semblable ! Cela n'est-il pas possible, mon cher amour ?

M. Palmer ne répondit rien, et ne leva pas les yeux du journal.

— C'est à vous que je parle, mon amour. (Même silence.) M. Palmer ne veut pas m'entendre, dit-elle en riant ; cela lui arrive souvent. Il est si drôle quelquefois, M. Palmer ! C'est qu'il a beaucoup d'esprit, il est absorbé dans ses pensées. Elle rit encore. Mme Dashwood les regarda tous deux d'un air étonné.

Mme Jennings, de son côté, achevait l'histoire de sa surprise de la veille et ne la finit que lorsqu'il n'y eut plus rien à dire. Mme Palmer rit aux éclats de l'étonnement qu'on avait eu au Park, en les voyant arriver ; et lady Middleton prit sur elle de dire bien froidement que c'était une agréable surprise.

— Vous pouvez penser combien j'étais charmée de les voir, reprit Mme Jennings ; mais, ajouta-t-elle en se penchant vers Elinor, j'étais fâchée qu'ils eussent fait un si long voyage, car ils sont venus de Londres tout d'une traite, et… une jeune mariée… vous comprenez…, il y avait du danger dans sa situation. Je voulais au moins qu'elle se reposât tout le jour ; mais retenez ces jeunes femmes ! Elle a absolument voulu venir avec nous, elle languissait de vous voir.

Mme Palmer rit, baissa les yeux, dit que ce qui faisait plaisir n'était jamais dangereux.

— Elle n'entend rien encore à cela, reprit sa mère ; une première grossesse… Vous comprenez. Elle doit, je pense, accoucher en février.

Lady Middleton, excédée d'une conversation aussi triviale, l'interrompit pour demander à M. Palmer s'il y avait quelque chose de nouveau dans les papiers.

— Rien du tout, madame ; ennuyeux à périr ; et il continua de les lire.

— Ah ! je vois venir la belle Marianne, dit sir John. Je vous conseille de cesser votre lecture, Palmer, si vous voulez connaître une des plus belles personnes que vous ayez jamais vues.

Il alla au-devant d'elle, la prit par la main et la fit entrer. À peine eut-elle paru que Mme Jennings lui demanda si elle venait d'Allenham. Mme Palmer éclata de rire à cette question, et prouva par là qu'elle la comprenait. M. Palmer se leva, la regarda pendant quelques minutes, puis se rassit et reprit sa gazette. Mme Palmer ne se rassit pas ; elle alla examiner les dessins qui garnissaient les murs, et son déluge d'admiration recommença.

— Ah ! que c'est beau ! que c'est délicieux ! Regardez donc, maman, je n'ai jamais rien vu de si charmant ; je serais toute une journée à les regarder.

Après en avoir examiné un ou deux, elle se rassit sans penser qu'il y en avait encore une douzaine à voir.

Bientôt après, lady Middleton donna le signal du départ. Alors M. Palmer se leva d'un air important, posa le journal, étendit les bras en bâillant, et regarda avec distraction autour de lui.

— Avez-vous dormi, mon amour ? lui dit sa femme en haut ; on dirait que vous vous réveillez.

Il ne fit aucune réponse, et après avoir examiné la chambre, il observa judicieusement qu'elle était trop basse et que le plafond était voûté. Ce furent les seuls mots qu'il prononça. Il salua comme en entrant, et sortit avec les autres.

Sir John avait été très pressant pour que les habitantes de la *chaumière* vinssent passer toute la journée du lendemain au Park.

Mme Dashwood avait là-dessus sa petite fierté et ne se souciait pas de dîner au Park plus souvent qu'on ne dînait à la *chaumière* ; elle refusa donc pour elle et laissa ses filles maîtresses de faire ce qui leur faisait plaisir. Mais elles n'avaient plus de curiosité de voir rire Mme Palmer, bâiller son mari, et d'entendre les éternelles histoires de Mme Jennings ; elles essayèrent aussi de s'en dispenser.

Le temps était incertain ; elles ne voulaient pas quitter leur mère. Sir John avait réponse à tout et ne voulut entendre aucune excuse. Mlle Margaret resterait ; il enverrait son carrosse. Mmes Jennings et Palmer se joignirent à ses supplications, lady Middleton même les pressa d'y aller. Ils avaient tous l'air de craindre également de rester en famille. Elles furent obligées de céder.

— Pourquoi nous invitent-ils ? dit Marianne lorsqu'ils furent partis. Le loyer de la *chaumière* est modique ; mais, en vérité, nous payons trop cher encore, s'il faut aller amuser tous ceux qui viennent chez eux, ou leur mener tous ceux qui viennent chez nous.

— Ils pourraient avoir telles visites que vous seriez bien aise de voir, dit Elinor, et nous ne pouvons reconnaître leurs bontés pour nous que par notre complaisance.

20

Le lendemain, il pleuvait à verse. Elinor et Marianne espéraient que ce temps les dispenserait du dîner du Park ; mais de très bonne heure arriva l'équipage de sir John : il fallut sortir. Toutes les deux auraient mieux aimé rester à leurs occupations et à leurs pensées habituelles.

À peine furent-elles entrées au salon que la petite Mme Palmer, aussi joyeuse que la veille, vint à elles les bras ouverts comme si elles eussent été amies intimes, et riant aux éclats, elle leur exprima de sa manière affable et triviale sa joie de les revoir. Elles s'assit entre elles et, leur prenant à chacune une main, leur dit :

— Que je suis enchantée que vous soyez venues ! J'en désespérais quand j'ai vu ce temps, et puis j'ai pensé que c'était une raison de plus pour ne pas rester seules chez soi à regarder tomber la pluie. À votre âge, le temps ne fait rien quand il s'agit de s'amuser, et nous nous amuserons beaucoup. Il eût été bien cruel que vous ne fussiez pas venues, car nous repartons demain, à ce que M. Palmer vient de me dire ; je croyais rester au moins quatre jours, et j'en étais charmée. Je ne m'attendais pas à faire ce voyage-ci ; M. Palmer me dit tout à coup : « Charlotte, je vais à Barton, voulez-vous y venir ? » Il est si drôle M. Palmer ! Jamais il ne me dit rien qu'au moment même. Ce matin, il m'a dit en se levant : « Charlotte, nous repartons demain. » Vous ne sauriez croire combien il est enchanté d'avoir fait votre connaissance ; moi, je suis désolée de vous quitter déjà, mais nous nous retrouverons cet hiver à Londres. (Et sa désolation s'exprima par un éclat de rire.)

Mlles Dashwood lui dirent qu'elles n'iraient sûrement pas à la ville.

— Ne pas venir à la ville ! Rester à la campagne après Noël ! Mais c'est impossible, il faut absolument y venir. Je vous arrêterai une charmante maison tout près de la nôtre, à Hanover Square ; je vous servirai de chaperon partout où vous voudrez aller quand votre maman voudra rester, vous savez que les femmes mariées ont ce privilège. Un éclat de rire suivit cette remarque.

Elles la remercièrent et répétèrent leur intention de ne point aller à Londres.

M. Palmer entra avec sa mine importante et renfrognée.

— Ah ! mon amour, lui dit sa femme, venez vous joindre à moi pour persuader ces dames d'aller cet hiver à Londres ; on ne peut rien vous refuser.

Son *amour* ne fit aucune réponse, salua légèrement ; puis allant à la fenêtre, il regarda les nuages en étendant les bras et bâillant.

— Quel horrible temps ! dit-il, il fait paraître tout insupportable. La pluie, à cet excès, est aussi ennuyeuse au-dedans qu'au-dehors. Aussi, pourquoi diable sir John n'a-t-il pas un billard dans sa maison ? Que veut-il qu'on fasse chez lui quand il pleut ? À quoi veut-il qu'on s'amuse ? Combien peu de gens savent s'arranger chez eux ! Sir John est aussi désagréable que le temps.

Il s'enfonça dans un fauteuil avec l'air de très mauvaise humeur.

Le reste de la compagnie entra.

— Je crains, mademoiselle Marianne, dit sir John, que vous n'ayez pas pu faire aujourd'hui votre pèlerinage à Allenham.

Elle prit un air de dignité et ne répondit rien.

— Ah ! ne soyez pas si mystérieuse avec nous, chère Marianne, dit Mme Palmer, nous savons tout, je vous assure, et j'admire votre bon goût, car il est très bel homme. Notre terre n'est pas très loin de la sienne, pas plus de dix miles, je crois.

— Plutôt trente, dit son mari.

— Oh ! bien, c'est à peu près de même. Je n'ai jamais vu sa maison, mais on dit qu'elle est très jolie.

— C'est la plus laide et la plus abominable maison que j'aie jamais vue de ma vie, dit M. Palmer.

Marianne garda le silence ; mais toute sa contenance trahissait l'intérêt qu'elle prenait à cet entretien.

— Mon amour, dit Mme Palmer en riant, vous êtes en humeur de contredire aujourd'hui.

— Aujourd'hui comme toujours, répondit-il, quand on dit devant moi des bêtises ou des faussetés.

Charlotte éclata de rire. Il était impossible d'avoir une gaieté plus soutenue, d'être plus décidée, en dépit de tout, de se trouver parfaitement heureuse ; l'indifférence étudiée de son mari, son insolence, son mécontentement, son dédain ne lui donnaient aucun chagrin : plus il était dur avec elle, plus elle riait de bon cœur.

— M. Palmer est si drôle ! disait-elle à voix basse à Elinor, il est toujours de mauvaise humeur.

Certainement il ne se montrait pas d'une manière aimable ; mais sous cette apparence rude et grossière, Elinor, dont le tact était parfait pour démêler le fond des caractères, crut remarquer, par plusieurs petites observations, qu'il n'était ni aussi rude ni aussi mal élevé qu'il voulait le paraître. Son caractère s'était peut-être aigri en découvrant, après quelques mois de mariage, qu'il était enchaîné pour la vie avec une femme assez jolie, très bonne enfant, mais n'ayant pas une idée et niaise dans toute l'étendue du terme. Son rire éternel finissait par l'impatienter à ne pouvoir le cacher. Il avait de plus cet amour-propre qu'on retrouve chez certains hommes, souvent même à côté de l'esprit, quoiqu'il n'en soit pas une preuve, et qui les persuade qu'ils sont supérieurs à la plupart de ceux qu'ils rencontrent. Sa supériorité sur sa femme était trop décidée pour qu'on pût la contester. Il s'accoutuma bientôt à l'étendre sur tous ceux qu'il voyait ; et c'est de là que venait l'air de dédain et d'ennui qu'il portait dans le monde. Il croyait se distinguer par là des autres hommes, et c'était son plus ardent désir. Mais Elinor n'en fut pas moins convaincue que s'il pouvait consentir à se laisser aller à son naturel, il pourrait être fort aimable. Elle sentit déjà qu'elle préférait l'inégalité de son humeur, qui n'était pas sans originalité, à la bonne humeur de sa femme, à ses éclats de rire sans sujet qui revenaient à chaque instant, à son ton commun, et à son manque total d'esprit et de tact.

— Ah ! chères demoiselles Dashwood, leur dit-elle au bout de quelques instants, il me vient une charmante pensée ; il faut absolument que vous veniez passer quelque temps chez moi, à Cleveland, aux fêtes de Noël. Vous savez bien, ma chère Marianne, que nous sommes voisins de Haute-Combe ; ce sera délicieux ! Vous y serez si heureuse, et moi aussi de vous y voir ! Mon amour, ne désirez-vous pas beaucoup d'avoir les dames Dashwood à Cleveland ?

— Certainement, répliqua-t-il d'un ton ironique, je n'avais pas d'autres vues en venant à Barton.

— Vous voyez à présent, dit Charlotte, que M. Palmer compte sur vous, ainsi vous ne pouvez refuser.

Toutes deux la remercièrent et refusèrent résolument son invitation.

Charlotte en parut très surprise.

— Je ne comprends pas, dit-elle, qu'on puisse refuser quelque chose à M. Palmer. Ne le trouvez-vous pas l'homme du monde le plus aimable ? dit-elle bas à Elinor. Il est quelquefois des jours entiers sans me parler ; mais avec vous ce ne sera pas ainsi. Vous lui plaisez beaucoup, je vous assure ; et il sera tout à fait de mauvaise humeur si vous ne venez pas à Cleveland. Je ne comprends pas quelle objection vous pouvez faire.

— Une seule, dit Elinor, c'est que cela ne se peut pas.

Pour éviter de nouvelles persécutions, elle changea de conversation. Elle avait envie d'en savoir davantage sur Willoughby, sur son caractère, sur son genre de vie. Mme Palmer étant sa voisine de campagne et aimant beaucoup à causer pouvait lui donner des détails qui intéresseraient Marianne. Elle lui demanda donc si M. Willoughby venait souvent à Cleveland et s'ils le connaissaient particulièrement.

— Ô mon Dieu, oui ! je le connais extrêmement bien, dit Mme Palmer ; il est vrai que je ne lui ai jamais parlé, mais je suis sûre que je le reconnaîtrais entre mille : il est si beau ! Je l'ai rencontré quelquefois à Londres ; je me suis aussi trouvée une fois ici quand il était à Allenham. Ah ! non, je me rappelle que c'était maman qui l'avait vu et qui m'en a parlé. Nous l'aurions sûrement vu souvent à Cleveland ; mais il vient très peu à Haute-Combe, je crois ; et puis M. Palmer ne lui a jamais fait de visite, parce qu'il est de l'opposition. Vous voyez que je le connais très bien. Je sais aussi pourquoi vous vous informez de lui : c'est qu'il doit épouser votre sœur, j'en suis transportée de joie car elle sera ma voisine.

— Je vous assure, dit Elinor, que vous en savez plus que moi là-dessus. Qui donc vous a parlé de ce projet de mariage ?

— Qui ? Tout le monde ; je n'ai pas entendu autre chose en passant à Londres.

— À Londres ! c'est impossible, chère madame Palmer.

— Sur mon honneur, rien n'est plus vrai. J'ai rencontré le colonel Brandon lundi matin, à Bond Street, comme nous allions partir et il me l'a dit.

— Vous me surprenez beaucoup. Le colonel Brandon vous l'a dit ? Assurément vous vous êtes trompée. Lors même que ce serait vrai, je ne puis croire que le colonel Brandon l'ait dit à quelqu'un qui n'y prenait nul intérêt.

— Mais je vous assure qu'il me l'a dit ; tenez, je vais vous conter tout ce qui s'est passé à cette occasion. Quand nous nous rencontrâmes, il nous aborda ; nous commençâmes à parler de notre voyage à Barton. Je lui dis : « Maman m'écrit, colonel, qu'il y a une nouvelle famille à la *chaumière*, des demoiselles excessivement jolies, et que la plus jolie des trois doit épouser M. Willoughby de Haute-Combe. Est-ce vrai, je vous en prie, colonel ? vous devez le savoir puisque vous avez été dernièrement en Devonshire. »

— Et que vous répondit le colonel ?

— Oh ! rien, presque rien ; mais il devint rouge, et puis pâle. J'ai bien vu cela ; c'est comme s'il avait dit que c'était bien vrai, et de ce moment j'en ai été certaine. Comme ce sera délicieux ! Ce mariage aura-t-il lieu bientôt ?

Elinor dédaigna de répondre.

— M. Brandon se portait bien, j'espère ? dit-elle, après un instant de silence.

— Oh ! oui, très bien, et il était si plein de vos mérites que je ne sais ce qu'il ne m'a pas dit de vous.

— J'en suis flattée. Il me paraît un excellent homme et il me plaît beaucoup.

— Et à moi aussi, je vous assure ; c'est un charmant homme que le colonel Brandon. C'est seulement grand dommage qu'il soit si sombre et si ennuyeux. Maman dit qu'il est également amoureux de votre sœur. Moi je ne puis le croire, il est si grave ! Je ne l'ai jamais vu amoureux de personne.

— Est-ce que M. Willoughby est bien connu dans la bonne société de Sommersetshire ? dit encore Elinor.

— Oh ! oui, très connu ; je ne crois pas cependant que beaucoup de gens le fréquentent ; Haute-Combe est si loin et il y est si peu ! Mais on le trouve très agréable, je vous assure ; personne n'est plus aimé que lui parmi les femmes. Vous pouvez le dire à votre sœur. Elle est bien heureuse d'avoir fait sa connaissance ; il est si riche ! Au reste, elle est très jolie, et rien n'est trop beau pour elle. Cependant, je vous assure que je vous trouve, moi, presque aussi bien qu'elle, et M. Palmer aussi ; car il disait hier au soir qu'il ne pouvait pas vous distinguer. Quant à moi, je vous admire beaucoup toutes les deux ; je suis charmée d'avoir fait votre connaissance et j'espère vous revoir souvent. Il me vient une charmante pensée ; il faut à présent que vous épousiez le colonel Brandon, ne le voulez-vous pas ? Cela peut fort bien aller à présent.

Elinor ne put s'empêcher de rire.

— Pourquoi à *présent* ? demanda-t-elle.

— Pourquoi ? Ah ! je sais bien pourquoi je dis cela ; c'est qu'à présent je suis mariée : voyez, c'est l'intime ami de mon beau-frère. Sir John et maman s'étaient mis dans la tête qu'il devait m'épouser, ma sœur aussi le désirait beaucoup ; c'était une affaire arrangée. Mais le colonel n'en parla point ; sans quoi, on nous aurait mariés immédiatement. Maman dit cependant que j'étais trop jeune ; aussitôt après, M. Palmer me fit la cour ; je l'aime beaucoup mieux ; il est si drôle, M. Palmer ! c'est justement le mari qu'il me fallait pour être heureuse.

Elinor cessa l'entretien sans avoir rien appris de ce qu'elle voulait savoir ; et fatiguée de tout ce qu'elle avait entendu.

21

Les Palmer repartirent le jour suivant ; et la famille de Barton Park et celle de Barton Chaumière restèrent seules chacune chez soi, à la grande satisfaction de la dernière ; mais ce ne fut pas pour longtemps. Ces dames avaient à peine eu le temps d'oublier la joyeuse Mme Palmer et son rude *amour*, et de réfléchir à la différence d'humeur de ce couple (ce qui ne se trouve au reste que trop souvent dans le mariage), que sir John et Mme Jennings leur procurèrent matière à d'autres observations.

Il leur était impossible de ne pas chercher une société nouvelle ; et, pour se désennuyer dans leur solitude, ils firent un matin une excursion à Exeter ; ils rencontrèrent là, par hasard, deux parentes éloignées de Mme Jennings ; mais ce fut assez pour que sir John les invitât tout de suite à venir passer quelque temps au Park. Extrêmement flattées d'être appelées cousines par un baronnet et de faire la connaissance de leur illustre parente, lady Middleton, elles n'eurent rien de plus pressé que d'accepter l'invitation pour le lendemain, et de laisser les amis obscurs chez qui elles logeaient.

Lady Middleton fut au désespoir, au retour de son mari, d'apprendre qu'elle allait avoir chez elle, à sa table, dans son élégant salon, deux provinciales qu'elle ne connaissait point, qui sans doute seraient gauches, mal mises et qui auraient mauvaise tournure. En vain son mari, sa mère la rassuraient en lui disant que les demoiselles Steele étaient deux charmantes personnes. Elle se défiait de leur goût et tremblait de les voir arriver. Ce titre de *cousine,* qui n'était point du bon ton, et qu'elles lui donneraient sans doute à tout propos, la faisait frémir.

Mais qu'y faire ? Elles étaient invitées, elles avaient accepté, il fallait bien les recevoir ; lady Middleton s'y résigna. Elle connaissait trop bien l'usage pour manquer à la politesse ; mais elle se promit seulement d'y joindre toute la dignité et la froideur convenables ; elle fut d'ailleurs un peu consolée en apprenant que Mlles Steele étaient jeunes encore, qu'on pouvait au moins les faire danser et les lier avec Mlles Dashwood, qui ne lui plaisaient pas infiniment.

Elles arrivèrent, lady Middleton en fut beaucoup plus contente qu'elle ne se l'était imaginé. Leur toilette n'était pas trop éloignée de la mode ; leur abord fut poli sans trop d'empressement ; et le terrible mot de *cousine* ne sortit pas de leur bouche. En échange, celui de *milady* fut souvent répété, avec des extases sans fin sur le goût de ses appartements, sur la beauté des meubles. Quand vint le tour des enfants, ce fut un enchantement dont on ne peut se faire d'idée. Jamais elles n'avaient vu d'aussi charmantes petites créatures ; c'étaient vraiment de petits anges. Enfin le hasard les servit si bien pour prendre lady Middleton par ses faibles que, avant une heure, elle avait fait réparation entière aux protégées de sa mère et de son mari, à qui elle déclara que c'étaient les deux plus charmantes jeunes filles qu'il y eût au monde, et les remercia de les avoir invitées.

L'éloge et l'hyperbole étaient si rares dans sa bouche que sir John en fut aussi fier que si cela l'eût regardé lui-même, et que, pressé de faire parade de ses aimables cousines et de son discernement, il partit à l'instant pour la *chaumière*. Il fallait, toute affaire cessante, apprendre à Mlles Dashwood l'arrivée des *deux plus charmantes filles qu'il y eût au monde*. Dans sa joie de l'approbation de sa femme, il mettait ses parentes avant les siennes propres. Elinor sourit à cet éloge, qui allait toujours en croissant.

— Venez, venez, disait-il, vous serez enchantées, ravies ! Elles ont gagné le cœur de lady Middleton au premier moment ; ce sera de même avec vous, vous verrez. Lucy la cadette, qui est très belle, est aussi gaie qu'agréable ; mes enfants sont déjà autour d'elle comme autour de leur maman. Elles ont rempli leur voiture de joujoux, de bonbons : n'est-ce pas une charmante attention ? Elles languissent de vous voir, et vous êtes proches parentes ; elles sont les cousines de ma femme, et vous, les miennes. On leur a dit, à Exeter, que vous étiez aussi les plus belles personnes du monde. Je le leur ai confirmé, et j'ai ajouté bien d'autres choses, en sorte qu'elles meurent d'impatience de se lier avec vous… Vous riez, Elinor ?

— Oui, sir John, j'admire le hasard étonnant qui rassemble à Barton les cinq plus belles personnes de l'univers.

— Eh bien ! vous verrez si je mens. Venez donc, vous regretterez ensuite les moments où vous n'aurez pas été ensemble.

Tout ce qu'il put obtenir ce fut la promesse d'aller le lendemain faire visite aux nouvelles venues. Il s'en alla surpris de cette indifférence. Tout autre que lui aurait soupçonné qu'elle avait pour motif la rivalité de perfections ; mais sir John n'imaginait jamais le mal, et n'en eut pas l'idée. De retour chez lui, il vanta ses cousines aux demoiselles Steele avec le même feu, en sorte que chacune d'elles devait s'attendre à voir des êtres parfaits. Mais Elinor, qui connaissait l'optimisme du baronnet et son enchantement pour les nouvelles connaissances, rabattait beaucoup de ses éloges, et Marianne ne s'en occupait point.

Quand elles arrivèrent le lendemain au Park pour faire leur visite, sir John les présenta les unes aux autres avec la même emphase qu'il avait mise à faire leurs éloges, et l'on comprend qu'elles s'examinèrent avec attention.

L'aînée des demoiselles Steele, Mlle Anne, avait près de trente ans, assez d'embonpoint, un de ces visages insignifiants, sans expression, dont on n'a rien à dire ni en bien ni en mal. Lucy, le prodige de beauté de sir John, n'avait que vingt-deux ou vingt-trois ans et était, en effet, très jolie ; ses traits étaient réguliers, son regard perçant. Elle avait dans sa tournure quelque chose qui n'était ni de la grâce ni de l'élégance, mais qui la faisait remarquer. Leur abord fut très poli. Avec lady Middleton, c'était plus que de la politesse, c'étaient des attentions recherchées, de la souplesse, une flatterie adroite, quoique continuelle, et qui persuada Elinor qu'elles ne manquaient pas d'une sorte d'esprit. Elles parlaient avec ravissement des enfants, de leur beauté, de leur intelligence ; elles jouaient avec eux, supportaient tous leurs caprices, répondaient sans se lasser à leurs questions importunes ; avec milady, elles admiraient l'arrangement de la maison, la bonté des mets, le goût de sa parure, lui demandaient des patrons de ses broderies, des modèles de ses chiffons, lui offraient de l'aider dans ses ouvrages ; ou de faire mille bagatelles pour amuser les enfants. Lady Middleton écoutait complaisamment toutes ces flatteries, et trouvait ses nouvelles cousines toujours plus aimables et d'une affection inépuisable. Les enfants, en général, tourmentent en proportion de ce qu'on les gâte, et ceux qui s'occupent sans cesse d'eux et qui cèdent à toutes leurs fantaisies en sont les premières victimes. Mais les demoiselles Steele souffraient tout avec une patience qui leur gagna en entier le cœur de la faible mère.

Les rubans de leur ceinture dénoués, leurs cheveux défaits, leurs boucles d'oreilles tordues, leurs bracelets décrochés, toutes leurs bagues tirées de leurs doigts et roulant sur le plancher ; leur corbeille d'ouvrage renversée, leurs ciseaux perdus : tout cela était charmant. Ils avaient une activité adorable, une grâce parfaite dans leurs petits mouvements. On les laissait grimper sur les genoux, chiffonner les robes ; tout était délicieux ! la maman applaudissait par un sourire, et ne s'étonnait que de l'apathie de Mlles Dashwood, qui ne prenaient nulle part à ces jeux. Pour l'ordinaire, elles caressaient les enfants, mais sans s'en laisser tourmenter. Ce jour-là, les nouvelles venues s'en emparèrent tellement et les rendirent si insupportables qu'elles se tinrent prudemment à l'écart.

— John est très gentil, très animé aujourd'hui, dit lady Middleton en voyant son fils aîné prendre le mouchoir de Mlle Anne et le jeter par la fenêtre ; c'est un petit malicieux. William sera votre petit amoureux, Mlle Lucy ; je vois cela.

L'enfant lui pinçait le bras de manière à y laisser une marque noire ; il eut un baiser pour récompense de la souffrante Lucy.

— Et voici ma chère petite Annamaria, dit cette dernière, en prenant sur ses genoux une petite fille de trois ans, l'idole de sa mère, et par conséquent la plus méchante.

Elle resta par hasard sans bouger pendant deux minutes.

— Charmante enfant ! est-elle toujours si douce, si tranquille ? reprit-elle.

— C'est un modèle de sagesse.

Malheureusement, en l'embrassant, une des épingles de Lucy toucha le cou de la petite, et ce modèle de sagesse poussa de tels cris et donna des coups si violents de sa petite main sur celle de Lucy, que cette dernière fut obligée de la mettre à terre ; mais elle s'y mit aussi à côté d'elle et la couvrit de baisers en jetant la coupable épingle et en demandant mille et mille pardons à l'enfant et à sa mère, qui avait couru chercher de l'eau, et qui bassinait la plaie, qu'à peine on pouvait voir. Cependant Lucy, toujours à genoux, donnait à la petite des morceaux de sucre l'un après l'autre. Mais l'enfant, voyant ce que lui procuraient ses cris, n'avait garde de se taire ; au contraire, elle les redoublait et battait tout le monde avec un de ses petits poings fermés : l'autre main était pleine de morceaux de sucre. Ses frères voulurent lui en prendre, ils eurent chacun un coup de pied. Enfin, rien ne pouvant l'apaiser, sa mère se rappela que la chère petite Annamaria, qui souffrait sûrement beaucoup, aimait passionnément la marmelade d'abricot ; et l'enfant, à ce mot, ayant cessé ses cris une seconde, elle lui en promit et l'emporta pour lui donner de cet excellent remède. Ses frères, qui espéraient en avoir leur part, la suivirent, quoique leur mère leur ordonnât de rester ; et pendant quelques instants, les jeunes dames furent tranquilles.

— Charmante petite créature, dit Mlle Anne, cet accident aurait pu être affreux !

— Je ne crois pas qu'il y ait danger de mort, dit Marianne en souriant ironiquement ; elle en reviendra.

— Je ne me consolerai jamais d'avoir été la cause de cet accident, dit Lucy ; une enfant si aimable, et que sa mère aime si passionnément ! Quelle femme enchanteresse que lady Middleton ! Si belle, si élégante et si sensible ! Ne trouvez-vous pas, mademoiselle ?

Marianne garda le silence ; il lui était impossible de dire ce qu'elle ne pensait pas. Elinor, toujours prête à réparer ses impolitesses, loua les grâces et l'air noble de lady Middleton.

— Et sir John, dit l'aînée, quel homme aimable ! je le crois plein d'esprit ; du moins il en annonce beaucoup.

— C'est le meilleur des hommes, dit Elinor, toujours de bonne humeur, excellent mari, bon père et bon ami.

— Et quelle charmante petite famille ! Je n'ai jamais vu de plus beaux enfants. On comprend facilement l'excessive tendresse de leur mère pour ces angéliques créatures. On pourrait peut-être les trouver un peu gâtés, un peu turbulents ; mais j'aime les enfants pleins de vie et de feu ; je ne puis les supporter timides et tranquilles : aussi j'adore ceux-ci.

— C'est ce qui m'a paru, dit Elinor, et je vous trouve heureuse d'avoir ce goût à Barton Park.

On se tut sur ce sujet. Après une pause, Mlle Steele l'aînée demanda brusquement à Elinor :

— Aimez-vous le Devonshire ? Je suppose que vous avez bien regretté le Sussex ?

Un peu surprise de la familiarité de cette question, Elinor répondit seulement :

— Oui, mademoiselle.

— Je comprends cela. Norland est une magnifique demeure ; et passer de là dans une *chaumière*, c'est assez triste.

— Une *chaumière* telle que celle où notre parent sir John Middleton a bien voulu nous placer ne donne lieu à aucun regret, dit vivement Marianne.

Lucy lança à sa sœur un regard terrassant, et se hâta de dire que dans tout ce que sir John et milady arrangeaient, on reconnaissait leur goût ; mais qu'ils leur avaient dit que

Norland était l'une des plus belles campagnes de l'Angleterre.

— Elle est très belle en effet, dit Elinor ; mais je crois qu'il y en a de plus belles encore, et il n'y a que peu ou point de *chaumière* comme la nôtre.

— Mais aussi pourquoi lui donner ce nom ? dit Mlle Anne, cela présente une idée...

— Ne voyez-vous pas, ma sœur, dit Lucy, que c'est un nom de fantaisie, un nom romanesque ?

Anne se tut humblement, puis elle reprit bientôt ainsi :

— Aviez-vous des élégants en Sussex ? Je suppose qu'ici ils sont assez rares, et quant à moi, je trouve que rien n'embellit plus un séjour que d'y voir beaucoup d'élégants. Cela anime la vie ; ne le trouvez-vous pas aussi ?

Un regard de Lucy fit baisser les yeux à sa sœur.

— Que voulez-vous dire, Anne ? Et pourquoi pensez-vous qu'il n'y ait pas des jeunes gens très bien à tous égards en Devonshire comme en Sussex ?

— Je sais bien, Lucy, qu'il y a de très jolis garçons à Exeter, dit Anne ; mais ils ne sont pas reçus ici, et je crains que les demoiselles Dashwood ne s'ennuient à Barton, si elles n'en voient point ; c'est pourquoi je leur demande si à Norland... Je voudrais, par exemple, qu'elles puissent rencontrer M. Rose d'Exeter, le clerc de M. Simpson, vous savez bien, Lucy ; c'est un beau jeune homme, celui-là, et tout à fait élégant. Je pense que si votre frère vous ressemble, il devait être charmant avant d'être marié, et il était si riche ! C'était un merveilleux, n'est-ce pas ? Un véritable élégant ? J'aurais bien voulu le rencontrer.

— Je ne puis, en vérité, vous répondre, dit Elinor ; je ne comprends pas parfaitement ce que vous entendez par « un merveilleux ». Tout ce que je puis vous dire, c'est que si mon frère en était un avant son mariage, il l'est encore, car il n'est pas du tout changé.

— Ah ! mon Dieu, quelle idée ! Un homme marié élégant ! Je ne puis me représenter cela. Les hommes mariés me sont à moi très indifférents.

— Mais, Anne, lui dit sa sœur, n'avez-vous rien d'autre à dire ? Mlles Dashwood vont croire que vous n'avez autre chose dans l'esprit.

Alors, changeant de propos, elle parla de chiffons, de modes et d'autres objets aussi intéressants.

Les *deux plus charmantes personnes du monde* étaient jugées dans l'esprit d'Elinor et de Marianne. La commune familiarité de l'aînée et son mauvais ton la déconsidéraient.

La cadette était mieux, certainement ; mais comme Elinor n'était ni aveuglée par sa beauté, ni prévenue en sa faveur par son regard, elle ne trouva rien chez elle qui pût lui plaire. Elles quittèrent donc la maison sans désirer de les mieux connaître.

Il n'en était pas de même pour les demoiselles Steele. Elles arrivaient d'Exeter décidées à trouver parfaits les maîtres, la maison, les enfants, les chevaux, les chiens, les meubles, les belles cousines : tout était l'objet des éloges les plus outrés. Il était difficile d'exagérer sur Mlles Dashwood ; aussi furent-elles déclarées les personnes les plus belles, les plus élégantes, les plus accomplies en tout point qu'il fût possible de voir, et celles dont elles désiraient le plus passionnément devenir les intimes amies. Sir John ne le désirait pas moins, et fit tout ce qui dépendait de lui pour resserrer ces liens. Elinor vit qu'elle ne pouvait s'y refuser tout à fait, et qu'il fallait au moins se soumettre à être assises à côté les unes des autres quelques heures dans la journée. Sir John n'en demandait pas plus : pour lui, il suffisait de se voir en société et de causer ou de danser ensemble pour être intimes. De son côté, pour accélérer cette intimité, il confia aux demoiselles Steele tout ce qu'il savait ou supposait de la situation des dames de la *chaumière* ; et dès leur troisième rencontre, Mlle Steele l'aînée félicita Elinor sur ce que sa sœur avait fait la conquête du beau, de l'élégant Willoughby.

— Il est sûr, lui dit-elle, que c'est une chose très agréable que de se marier jeune avec un si bel homme ; car on m'assure qu'il est vraiment d'une figure remarquable, que c'est un véritable élégant ; et votre sœur est bien heureuse ! J'espère que vous trouverez aussi bientôt un bon parti, car il n'est point agréable, je vous assure, de voir passer ses cadettes avant soi ; mais peut-être votre choix est-il déjà fait en secret ?

Elinor se sentit rougir ; elle ne pouvait se flatter que sir John fût plus discret dans ses soupçons et dans ses conjectures sur elle que sur sa sœur ; il la plaisantait même de préférence depuis la visite d'Edward. Ils n'avaient jamais dîné ensemble sans qu'il bût à la lettre *F*, depuis le commencement du dîner jusqu'à la fin, en regardant Elinor. Dès que les demoiselles Steele eurent entendu cette plaisanterie, elles furent très curieuses d'en savoir davantage, et tourmentèrent sir John pour qu'il leur dît en entier le nom de l'heureux mortel au sujet duquel il raillait Elinor ; il se fit peu prier, et il eut autant de plaisir à le dire que Mlle Anne à l'entendre.

— Son nom est Ferrars, dit-il à mi-voix ; mais, je vous en prie, n'en parlez pas, c'est encore un secret.

— Ferrars ! répéta Anne, est-il possible ? Le jeune Ferrars, le frère de votre belle-sœur, mademoiselle Elinor, est donc l'heureux mortel dont parle sir John ? Eh bien ! j'en suis charmée pour plusieurs raisons : c'est un très agréable jeune homme, je le connais très bien, c'est un élégant.

Cette dénomination ne convenait nullement à Edward ; mais c'était le mot favori d'Anne pour parler d'un jeune homme de bon ton. Elinor, émue de l'entendre nommer comme son amant avoué, fit peu attention à ce mot ; elle fut plus surprise d'entendre Lucy dire assez aigrement à sa sœur qu'elle contrariait sans cesse :

— Comment pouvez-vous dire, Anne, que nous le connaissons très bien ? Nous l'avons vu par hasard une fois ou deux chez mon oncle, et ce n'est pas le connaître. Vous savez fort bien que je ne connais pas du tout M. Ferrars.

Elinor écoutait avec attention. Qui était cet oncle ? Où demeurait-il ? Comment Edward le connaissait-il ? Elle aurait voulu que l'entretien continuât sans pourtant s'y joindre elle-même ; mais on ne dit rien de plus, et pour la première fois elle trouva Mme Jennings bien peu curieuse ou bien discrète. La manière dont Lucy avait parlé d'Edward l'avait frappée, et lui donnait l'idée qu'elle savait ou croyait savoir quelque chose à son désavantage.

Sa curiosité ne fut point satisfaite ; le nom de M. Ferrars ne fut plus prononcé ni par les deux sœurs ni par sir John.

22

Marianne, qui ne pouvait avoir la moindre indulgence pour des personnes aussi communes, aussi peu instruites, et qui n'avait avec elles aucune espèce de rapport d'esprit et de goût, les écoutait à peine, ne leur parlait jamais, et par sa froideur soutenue leur ôta bientôt tout espoir de liaison. Elles se retournèrent entièrement du côté d'Elinor, plus affable, et qui faisait plus encore montre de savoir-vivre pour réparer les torts de Marianne. Lucy, surtout, parut s'attacher véritablement à elle et chercha toutes les occasions de s'en rapprocher, de l'engager dans des conversations particulières, afin de lui témoigner une amitié à laquelle un bon cœur, tel que celui d'Elinor, n'est jamais insensible. Lucy Steele, d'ailleurs, ne manquait pas d'une sorte d'esprit naturel ; ses remarques étaient souvent justes et amusantes, et pour une demi-heure elle pouvait être une compagne assez agréable ; mais elle n'avait aucune des ressources que donne une bonne éducation. Elle était ignorante autant qu'on peut l'être ; toute sa littérature se bornait à quelques mauvais romans ; elle ne pouvait parler sur aucun sujet un peu relevé, et malgré tous ses efforts pour paraître à son avantage et se mettre autant que possible au niveau d'Elinor, qui tâchait, de son côté, de se mettre au sien, il y avait trop de distance entre elles pour que Mlle Dashwood pût jamais s'en faire une amie. Le manque d'éducation et de connaissances n'aurait peut-être pas été un obstacle insurmontable ; un bon cœur, un caractère aimable lui auraient bien vite fait pardonner son ignorance ; mais Elinor eut bientôt remarqué chez Lucy un manque de délicatesse, de sincérité et de cette rectitude de principes, qui sont la première base d'une intime liaison. Il lui fut impossible alors de trouver quelque plaisir dans la société d'une personne qui joignait la fausseté à l'ignorance, dont le manque d'instruction rendait l'entretien insipide, et qui, par ses basses adulations pour les habitants du Park, dont elle se moquait ensuite devant Elinor, ôtait à celle-ci toute espèce de confiance dans l'amitié qu'elle lui témoignait. Elle aurait voulu, en conséquence, l'éloigner un peu plus ; mais Lucy mettait tant de zèle et d'activité à se rapprocher d'elle que cela n'était pas facile.

Un jour, Lucy l'avait accompagnée du Park à la *chaumière* ; elles étaient seules, et après quelque hésitation, Lucy lui dit :

— Vous allez trouver ma question bizarre : dites-moi, je vous en prie, si vous connaissez particulièrement la mère de votre belle-sœur, Mme Ferrars ?

Elinor trouva, en effet, la question extraordinaire, et sa contenance l'exprima en répondant qu'elle n'avait jamais vu Mme Ferrars.

— En vérité, dit Lucy, c'est étonnant, je pensais que vous l'aviez vue au moins quelquefois à Norland, et que vous pourriez me donner quelques détails sur sa manière, sur sa tournure, sur son caractère.

— Non, répondit Elinor en s'efforçant de cacher son opinion réelle sur la mère d'Edward, et n'ayant aucune envie de satisfaire ce qui lui paraissait une impertinente curiosité ; non, je ne sais rien d'elle.

— Je vois, lui dit Lucy en la regardant attentivement, que vous me trouvez fort étrange de vous questionner ainsi sur cette dame ; mais peut-être ai-je mes raisons. Je voudrais pouvoir vous les dire ; cependant, j'espère que vous me rendrez la justice de croire que ce n'est point une sotte curiosité.

Elinor répondit quelques mots polis. Elles se promenèrent un instant en gardant le silence. Il fut rompu par Lucy qui renouvela l'entretien en disant avec hésitation :

— Je ne puis souffrir que vous me soupçonniez d'être d'une curiosité impertinente ; tout, tout au monde plutôt que d'être mal jugée par une personne dont j'ai une si haute opinion. Et comme je suis sûre de n'avoir rien à risquer en me confiant entièrement à vous, je m'y décide. Je serais charmée aussi d'avoir votre avis sur la manière dont je dois me conduire dans une situation très délicate, très critique ; je suis très fâchée que vous ne connaissiez pas Mme Ferrars.

— J'en suis fâchée aussi, dit Elinor toujours plus étonnée, si mon opinion sur elle pouvait vous être de quelque utilité ; mais je ne puis le comprendre. Je n'ai jamais entendu dire que vous eussiez la moindre relation avec cette famille, et je suis, je l'avoue, un peu surprise de votre excessive curiosité sur le caractère de cette dame.

— Votre surprise est fort naturelle, reprit Lucy, et je ne m'en étonne pas ; mais elle cesserait bientôt si j'osais tout vous dire. Mme Ferrars ne m'est certainement rien à présent, mais le temps peut venir... et... cela dépend d'elle, où nos relations seront très intimes.

Elle baissa les yeux avec l'air d'une aimable confusion, mais les releva bientôt sur Elinor pour observer l'effet de sa demi-confidence.

— Mon Dieu ! s'écria Elinor, que voulez-vous dire ? êtes-vous engagée avec M. Robert Ferrars ?

Elle ne pouvait imaginer autre chose ; mais elle n'était pas du tout flattée de l'idée d'avoir Lucy Steele pour belle-sœur.

— Non, répliqua Lucy, non pas à *Robert* Ferrars, que je n'ai jamais vu, mais... à son frère aîné.

En disant cela, son regard perçant était attaché sur Elinor, comme pour lire au fond de son âme.

Que sentit Elinor en cet instant ? Une surprise qui aurait été aussi pénible que violente, si une incrédulité presque complète ne l'avait suivie. Elle regarda Lucy en silence, incapable de deviner le motif d'une telle confidence ; et quoiqu'elle eût pâli et qu'elle se sentît très émue, elle n'eut aucune crainte de s'évanouir ou d'avoir une attaque de nerfs, et persista dans sa défiance de la véracité de Lucy.

— Je vois et je comprends votre surprise, lui dit cette dernière, car vous ne pouviez en avoir aucune idée. Jamais il ne m'est échappé un seul mot ni avec vous ni avec personne, qui ait pu trahir notre secret ; il a été si fidèlement gardé par moi que pas un seul de mes parents ni de mes amis, excepté Anne, ne peut s'en douter ; et jamais je ne vous l'aurais confié si je n'avais eu la certitude de votre discrétion, et si je n'avais été entraînée par la crainte que mes questions sur Mme Ferrars ne vous parussent trop ridicules. Quant à M. Ferrars, je ne crains nullement qu'il soit fâché de ma confiance envers une personne qu'il estime autant ; je connais la haute opinion qu'il a de toute votre famille, et je sais qu'il vous regarde, vous et Marianne, comme des sœurs…

Elle s'arrêta… Elinor aussi garda quelque temps le silence ; son étonnement était trop grand pour pouvoir lui répondre ; mais, enfin, elle s'efforça de parler tranquillement et dit avec assez de calme :

— Puis-je vous demander si votre engagement existe depuis longtemps ?

— Oh ! bien longtemps ; il y a quatre ans.

— Quatre ans !

— Oui, j'étais bien jeune alors, et c'est mon excuse.

— Je ne me serais pas doutée, dit Elinor, que vous le connaissiez, si l'autre jour votre sœur n'en eût parlé.

— Oui, la pauvre Anne ; je tremble toujours dès qu'elle ouvre la bouche. Notre connaissance est cependant de vieille date ; elle a commencé lorsqu'il était près de Plymouth, chez mon oncle.

— Chez votre oncle !

— Oui, M. Pratt, son tuteur ; chez qui sa mère l'avait placé. Est-ce qu'il ne vous a jamais parlé de M. Pratt ?

— Oui, oui, je me le rappelle, répondit Elinor avec une force d'esprit qui s'augmentait ainsi que son émotion.

— Il a vécu près de cinq ans à Longstaple, depuis l'âge de quinze ans jusqu'à vingt ans ; c'est là que notre connaissance a commencé. Ma sœur et moi, nous étions souvent chez notre oncle ; notre engagement s'est formé une année après qu'il fut hors de tutelle, et il avait alors vingt et un ans. Il en a vingt-cinq à présent, nous ne sommes pourtant pas plus avancés, parce que, quoiqu'il soit majeur et que son engagement soit valable, il dépend entièrement de sa mère pour la fortune. Sans doute j'eus tort de consentir à ce qu'il s'engageât sans l'aveu de sa mère ; mais j'étais trop jeune et je l'aimais trop pour être aussi prudente que je l'aurais dû. Quoique vous ne le connaissiez pas aussi bien que moi, mademoiselle Elinor, vous l'avez vu assez souvent pour convenir qu'il a tout ce qu'il faut pour attacher sincèrement une femme qui préfère les qualités de l'âme et de l'esprit aux avantages frivoles.

— Certainement, dit Elinor sans réfléchir ; parce qu'elle était entraînée par la vérité de cette assertion ; mais cette vérité même renouvela ses doutes sur la sincérité de Lucy, et sa confiance en l'honneur et l'amour d'Edward. Engagée avec M. Ferrars ? reprit-elle. Je vous avoue que je suis tellement surprise de ce que vous me dites, que… je vous demande mille pardons ; mais il y a sûrement quelque erreur de nom ; nous ne parlons sûrement pas du même M. Ferrars.

— Nous ne pouvons parler d'un autre, dit Lucy en souriant. M. Edward Ferrars, le fils aîné de Mme Ferrars de Park Street, le frère de votre belle-sœur Mme Fanny Dashwood : voilà celui que j'entends, et vous vous persuaderez, je pense, que je ne puis me tromper sur le nom de l'homme de qui mon bonheur dépend.

— Il est étrange, dit Elinor, que je ne l'aie jamais entendu parler ni de vous ni de votre sœur.

— Mais non ! Pas du tout ! Si vous considérez notre position, rien n'est moins étrange. Notre premier soin à tous deux était de cacher entièrement notre secret ; vous ne connaissiez ni moi ni ma famille ; il n'avait donc aucune occasion de me nommer devant vous. Il avait surtout un extrême effroi que sa sœur n'eût quelque soupçon ; il valait mieux laisser ignorer et mon nom et mon existence, jusqu'à ce qu'elle fût tout à fait liée à la sienne.

La sécurité d'Elinor commença à diminuer ; mais non son empire sur elle-même.

— Vous êtes donc engagée avec lui depuis quatre ans ? dit-elle d'une voix assez ferme.

— Oui, et le ciel sait combien nous attendrons encore ! Ce pauvre Edward ! Il est près de perdre patience.

Sortant alors de sa poche une miniature, elle ajouta :

— Pour prévenir tout soupçon d'erreur, et vous prouver que c'est bien votre ami Edward que j'aime et dont je suis aimée, ayez la bonté de regarder cette miniature ; sans doute est-elle moins bien que lui, mais il est cependant très reconnaissable ; il me l'a donnée il y a environ trois ans.

Elle la mit en parlant entre les mains d'Elinor, qui ne put alors conserver aucun doute. C'était bien Edward ; c'étaient ses traits si bien gravés dans son cœur et dans son souvenir. Elle le rendit en étouffant un profond soupir et en convenant de la ressemblance.

— Je n'ai jamais pu, continua Lucy, lui donner la mienne en retour, ce qui me chagrine beaucoup, car il la désire passionnément ; mais je suis décidée à présent à saisir la première occasion de me faire peindre pour lui. Vous, chère Elinor, qui avez un si beau talent, si, sous le prétexte de le faire pour vous-même, vous étiez assez bonne…

— Je ne me suis jamais appliquée à la ressemblance, dit Elinor ; mais vous trouverez sûrement d'autres personnes…

Elles marchèrent quelque temps en silence. Lucy parla la première.

— Je ne doute pas, lui dit-elle, de votre fidélité à garder un secret dont vous devez sentir toute l'importance. Nous serions perdus si sa mère venait à l'apprendre ; elle ne consentira jamais volontairement à cette union ; je n'ai ni rang ni fortune, et je la crois très fière et fort avare.

— Je n'ai certainement pas recherché vos confidences, répondit Elinor, et vous me rendrez justice en croyant que je ne les trahirai pas. Votre secret est en sûreté avec moi ; mais pardonnez-moi d'exprimer ma surprise devant une communication aussi peu nécessaire. Vous auriez dû sentir que de me le dire n'ajoutait rien à cette sûreté, et vous ne connaissez pas depuis assez longtemps la *belle-sœur de Mme John Dasbwood* pour être parfaitement sûre qu'elle ne soit pas indiscrète. À présent, je puis vous rassurer, mais je ne le pouvais pas avant de le savoir.

En disant cela, elle regardait fixement Lucy, espérant découvrir quelque chose dans son regard, peut-être la fausseté d'une grande partie de ce qu'elle avait dit ; mais sa physionomie ne changea pas ; elle serra doucement la main d'Elinor.

— Je crains, lui dit-elle, que vous ne trouviez que j'aie pris avec vous une trop grande liberté, en vous confiant ma situation ; je ne vous connais pas depuis longtemps, il est vrai, pas du moins personnellement ; car je vous connaissais parfaitement, ainsi que votre famille depuis bien des années, par tout ce que m'en avait dit Edward. Aussi, dès le premier instant où je vous ai vue, il m'a semblé que je voyais une ancienne connaissance ; et puis, pensez comme je suis malheureuse ! Je n'ai pas une amie à qui je puisse demander des conseils ; Anne est la seule personne qui sache ma position, et vous avez pu vous apercevoir qu'elle n'a aucun jugement. Elle m'est plutôt à charge qu'utile, car j'ai continuellement peur qu'elle ne trahisse notre secret. J'eus une affreuse émotion l'autre jour quand sir John nomma Edward ; je crus qu'elle allait tout dire. En vérité, je m'étonne que je vive encore après tout ce que j'ai souffert pour lui pendant ces quatre années ! Toujours en suspens, en crainte, en incertitude. Le voyant si rarement, nous nous rencontrons à peine deux fois l'an ; je ne comprends pas que mon cœur ne se soit pas brisé.

Ici, elle mit son mouchoir sur ses yeux ; mais Elinor, à l'ordinaire si bonne, si compatissante, ne se sentit pas la moindre pitié.

— Quelquefois, continua Lucy, je pense qu'il vaudrait mieux pour tous deux rompre entièrement ; mais je n'en ai pas le courage. Je ne puis supporter la pensée de le rendre si malheureux et je sais que cette idée seule aurait cet effet ; d'ailleurs il m'est si cher ! Je ne crois pas que cela me soit possible... Quelle est là-dessus votre pensée, mademoiselle Dashwood ? Que feriez-vous à ma place ?

Et toujours ce regard perçant était attaché sur elle.

— Pardonnez-moi de grâce, répondit Elinor ; il m'est impossible de vous donner de conseil dans de telles circonstances. Votre propre jugement doit vous diriger.

— Il est sûr, dit Lucy après quelques minutes, que sa mère ne l'abandonnera jamais entièrement. Elle est si riche que, même en diminuant sa fortune de moitié, il lui resterait encore de quoi vivre, et pourvu que je vive avec lui, il m'est bien égal qu'il en ait plus ou moins. Mais le pauvre Edward se désole de ce que rien ne se décide : ne l'avez-vous pas trouvé bien triste quand il est venu ici ? Il était si abattu, si malheureux quand il me quitta à Longstaple, que je tremblais que vous ne le crussiez très malade.

— Venait-il de chez votre oncle quand il nous a rendu visite ?

— Oh ! oui, sans doute. Il a passé quinze jours avec nous. Avez-vous cru qu'il venait de Londres ?

— Non, répliqua Elinor, toujours plus frappée des preuves de la véracité de Lucy ; je me souviens qu'il nous a dit qu'il avait passé quinze jours avec des amis près de Plymouth.

Elle se rappela aussi sa propre surprise, à l'époque, de ce qu'il n'eût pas davantage parlé de ses amis, et qu'il eût semblé même éviter de prononcer leur nom.

— Avez-vous remarqué son abattement ? dit Lucy.

— Oui, en vérité, surtout à son arrivée.

— Je l'avais supplié cependant de surmonter sa douleur de peur de vous donner des soupçons ; mais il était si triste de ne pouvoir passer plus de quinze jours avec nous, et il me voyait si affectée ! Pauvre Edward ! Je crains qu'il ne soit encore dans le même état. Ses lettres sont tout à fait mélancoliques ; j'en ai reçu une de lui la veille de mon départ d'Exeter : elle la tira d'un portefeuille, et négligemment laissa voir l'adresse à Elinor. Vous connaissez sûrement sa main, lui dit-elle ; son écriture est charmante, mais elle n'est pas aussi soignée qu'à l'ordinaire. Il était fatigué, car le papier est complètement rempli.

Elinor vit que c'était bien de la main d'Edward, et ne put plus conserver de doutes. Le portrait pouvait avoir été obtenu par quelque hasard ; mais une correspondance suivie était une preuve de leur attachement. Aucune autre raison ne pouvait l'autoriser. Durant quelques instants, elle fut sur le point de se trahir ; son cœur battait avec violence, elle pouvait à peine marcher, mais elle combattit avec tant de force ses sentiments que le succès fut prompt et complet, et que même le regard perçant de sa compagne ne put pénétrer son âme.

— Nous écrire continuellement l'un à l'autre, dit Lucy en refermant sa lettre, est le seul moyen de nous consoler de nos longues séparations. Moi, cependant, j'en ai un autre avec son portrait ; mais le pauvre Edward en est privé. Il dit que s'il avait le mien il serait moins malheureux. Je lui ai du moins donné dernièrement une boucle de mes cheveux renfermée dans le cristal d'une bague : c'est un dédommagement, mais non pas tel qu'un portrait. N'avez-vous fait aucune attention à cet anneau ? Le portait-il à Barton ?

— Oui, dit Elinor d'une voix ferme, avec laquelle elle cherchait à cacher une émotion et une souffrance telles qu'elle n'en avait point encore éprouvées.

Elle était à la fois désolée, blessée, mortifiée, confondue ; elle éprouvait tout ce qu'il y a de plus cruel et de plus déchirant.

Heureusement, elles arrivèrent à la *chaumière*, et la conversation prit fin. Après s'être reposée quelques minutes,

Mlle Steele retourna au Park et la malheureuse Elinor put enfin se livrer à ses tristes réflexions.

23

Quelque peu de confiance qu'eût, en général, Elinor dans la véracité de Lucy, il lui était impossible de la suspecter dans cette occasion, ni de comprendre quel motif aurait pu l'engager d'inventer cette histoire. Il y avait non seulement des probabilités, mais des preuves ; et rien ne contredisait Lucy, excepté son propre désir. Leur liaison presque au sortir de l'enfance dans la maison de M. Pratt ; la visite d'Edward près de Plymouth ; sa mélancolie, l'inégalité de sa conduite envers Elinor ; la grande connaissance que Mlles Steele avaient de Norland, de toutes les relations de la famille Dashwood, ce qui l'avait souvent surprise ; et le portrait, la lettre, l'anneau : tout cela lui fournissait des preuves si convaincantes que sa raison ne pouvait se refuser à la croire. Au premier moment, lorsqu'elle fut forcée d'admettre la parfaite vérité de tout ce que Lucy venait de lui dire, son ressentiment contre Edward, son indignation d'avoir été trompée l'emportèrent même sur sa douleur.

Mais bientôt d'autres idées, d'autres considérations s'élevèrent. Edward avait-il eu l'intention de la tromper ? Avait-il feint avec elle un sentiment qu'il n'avait pas ? Son cœur était-il de moitié dans ses engagements avec Lucy ? Non ; mais s'ils avaient été dictés par un amour de jeunesse, elle ne pouvait croire que cet amour existât encore à présent ; elle avait trop bien vu que c'était elle qu'il aimait pour n'en être pas convaincue. Un homme peut tromper avec de fausses paroles, Edward n'avait pas prononcé un mot d'amour devant Elinor ; mais tout chez lui avait prouvé son affection, son trouble, ses regards, le son tremblant de sa voix, ses attentions si soutenues. Non, ce n'est point une erreur ; ni son cœur ni son amour-propre ne l'ont égarée. Sa mère, ses sœurs, Fanny, tout ce qui l'entourait à Norland s'en est aperçu. Certainement, elle était aimée ; cette persuasion consola son cœur, calma ses peines et la disposa à pardonner. Il était blâmable cependant, hautement blâmable d'être resté à Norland lorsqu'il avait senti qu'il l'aimait plus qu'il ne devait l'aimer. À cet égard, elle ne pouvait le justifier ; mais s'il lui avait fait du mal par imprudence, combien ne s'en était-il pas fait davantage à lui-même ! La situation d'Elinor était triste sans doute, mais celle d'Edward était sans espoir. Elle était bien malheureuse dans ce moment, mais la raison guérirait peut-être la plaie de son cœur ; tandis qu'Edward, en détachant le sien de la femme à qui il était engagé, s'était privé lui-même de tout espoir de bonheur. Elle retrouverait sa tranquillité, mais lui serait pour la vie livré à l'infortune. Pouvait-il espérer d'être heureux avec une femme telle que Lucy Steele ? À présent que le bandeau de l'amour était levé, même en mettant son inclination pour Elinor hors de question, pouvait-il, avec sa loyauté, sa délicatesse, son esprit cultivé, être heureux avec une compagne ignorante, artificieuse, sans éducation, vaine, flatteuse, intéressée ? À dix-huit et dix-neuf ans, il est si facile à un homme d'être entraîné par la beauté, par les prévenances d'une jeune fille qui peut-être cherche à l'attirer, et d'être aveugle sur ses défauts ! Mais les quatre années suivantes, pendant lesquelles il avait acquis chaque jour plus de connaissances, plus d'expérience, une raison plus éclairée, devaient avoir ouvert ses yeux sur les vices de caractère de cette jeune personne, augmentés sans doute par la pauvre société où elle avait vécu, par un goût vif de plaisir et de frivolité, qui peut-être lui avait ôté cette simplicité de la première jeunesse, qui donne un caractère si intéressant à une jolie figure. Si, comme Elinor avait été amenée à le croire d'après les insinuations de sa belle-sœur, la mère d'Edward avait fait des difficultés, s'il avait voulu l'épouser, combien elle en élèverait davantage lorsqu'il serait question d'une personne qui lui est aussi inférieure par la naissance, la bonne éducation, et probablement même la fortune ! Ces difficultés, il est vrai, ne devaient pas l'effrayer beaucoup ; mais quel triste sort que d'attendre peut-être sa liberté du mécontentement de sa mère et de son opposition à ses volontés !

Ces pensées, ces réflexions, qui se succédaient les unes aux autres, augmentèrent beaucoup sa tristesse. Elle pleura sur lui plus que sur elle-même. Soutenue par la conviction de n'avoir rien fait pour mériter son malheur, et consolée par la croyance qu'Edward était encore digne de son estime, elle espéra qu'elle pourrait à présent supporter ce cruel chagrin avec courage, et prendre assez de force sur elle-même pour le cacher à sa mère et à sa sœur. Elle en était si capable que, deux heures après avoir perdu pour jamais tout espoir d'être unie à celui qu'elle aimait tendrement, elle parut à dîner avec un tel calme qu'on n'aurait jamais soupçonné, en la voyant à côté de la mélancolique Marianne, que c'était elle qui était séparée pour toujours de l'objet de son amour ; et que Marianne, convaincue de posséder en entier les affections de celui qu'elle aimait, espérait le voir arriver d'un moment à l'autre.

La nécessité de cacher à sa famille l'important secret que Lucy lui avait confié fut un motif de plus pour elle de s'exercer à cacher en même temps le sien. Ce fut aussi une consolation de leur épargner ce qui leur aurait sûrement causé beaucoup d'affliction, et à elle-même celle d'entendre blâmer Edward.

Elles ne l'aimaient pas comme elle. Il n'aurait pas trouvé autant d'indulgence auprès d'elles ; et prendre son parti, le défendre présentait bien aussi des dangers.

Elle voulait chercher peu à peu à s'en détacher, au lieu de nourrir son sentiment ; elle savait qu'elle ne trouverait près de sa mère et de Marianne ni conseils ni aide pour une peine de cette nature. Leur chagrin, leur colère ajouteraient à son malheur ; et son courage ne pourrait que s'affaiblir.

Elle était plus forte seule ; sa propre raison la servait mieux ; et sa fermeté la soutint si bien qu'on n'aperçut pas chez elle le moindre changement, qu'elle fut invariablement aussi gaie, aussi sereine en apparence, quoique ses regrets et sa douleur intérieure fussent chaque jour plus poignants.

Mais plus elle avait souffert de sa première conversation avec Luc ; plus elle désirait connaître en détail les particularités de leurs engagements, découvrir ce que Lucy sentait réellement au fond de son cœur, si son amour pour Edward était vraiment tendre et sincère, et s'il y avait pour lui quelque chance de bonheur dans cette union. Alors, elle l'aurait mieux supporté.

Elle voulait aussi prouver à Lucy par sa promptitude à parler d'Edward la première avec calme, qu'elle ne le regardait que comme un ami. Elle craignait que son agitation involontaire, lors de leur entretien du matin, n'eût découvert en entier à Lucy ce qui jusqu'alors avait du moins été incertain. Il lui paraissait tout à fait probable que Lucy fût jalouse d'elle.

Sans doute, Edward lui avait parlé d'Elinor avec éloge, et intérêt ; Lucy elle-même en était convenue. Les railleries de sir John sur les lettres initiales de son nom devaient aussi avoir éveillé les soupçons ; et d'ailleurs, Elinor était elle-même trop sûre d'être aimée d'Edward pour ne pas redouter la jalousie de Lucy ; dont la confiance était une preuve. Quel autre motif donner pour excuser la révélation d'un secret important, et jusqu'alors si bien gardé, que celui de lui apprendre que Lucy avait des droits anciens et plus sacrés, et de l'engager à éviter à l'avenir la société d'Edward ?

Il était facile à Elinor de comprendre les intentions de sa rivale. Mais, décidée comme elle l'était à se conduire d'après les principes que l'honneur et la délicatesse lui dictaient, elle résolut de combattre son affection pour Edward, de le voir aussi peu qu'il lui serait possible.

Elle ne pouvait se refuser la consolation de tâcher de convaincre Lucy que ce sacrifice lui coûtait peu, et qu'elle ne regardait M. Ferrars que comme un ami de la famille. Elle ne pouvait plus rien entendre qui lui fît davantage de peine que ce qu'elle avait déjà entendu ; elle n'aurait plus l'émotion de la surprise, et elle se croyait capable d'apprendre sans trop d'agitation ce qu'elle ignorait encore.

Mais il lui fut impossible de satisfaire immédiatement sa curiosité, quoique Lucy fût aussi bien disposée à parler encore qu'elle-même l'était à l'entendre. Le mauvais temps les empêcha de se rejoindre lors de la promenade, et quoiqu'elles se vissent tous les jours, soit au Park, soit à la *chaumière*, c'était au salon, en présence de tout le monde. Elles n'avaient aucun prétexte pour se retirer à l'écart ; sir John et lady Middleton ne l'auraient pas permis, à peine toléraient-ils quelques moments de conversation générale. On se réunissait pour manger et rire ensemble, pour jouer aux cartes, chanter, danser, faire du bruit et des folies.

On s'était déjà rencontré plusieurs fois de cette manière, sans qu'Elinor eût eu la moindre occasion d'engager avec Lucy une conversation en particulier, quand sir John vint un matin à la *chaumière* et demanda aux dames Dashwood, comme un service, de venir dîner avec lady Middleton. Il était obligé pour affaire d'aller à Exeter, et lorsqu'il n'était pas là, tout languissait au Park et ces dames couraient le risque de mourir d'ennui. Elinor espérant trouver plus de moyens d'arriver à son but et de causer avec Lucy, en l'absence de sir John, accepta d'abord l'invitation.

Margaret fit de même, avec la permission de sa mère, et Marianne, qui aurait préféré rester aussi dans sa romanesque solitude, ne put refuser d'accompagner ses sœurs.

Elles allèrent donc au Park et lady Middleton fut heureusement préservée de l'effrayante solitude qui la menaçait. L'insipidité de cette journée fut telle que Mlles Dashwood l'avaient prévu. Comme il ne se disait rien sur l'amour et le mariage, Mme Jennings fut plus silencieuse qu'à l'ordinaire et Mlles Steele encore plus prodigues de flatteries. Les enfants vinrent au dessert faire leur tapage accoutumé, et tout le temps où ils furent là, Lucy s'en occupa seule. Ils restèrent après le thé, jusqu'à l'installation de la table de jeu. Elinor commençait à désespérer d'être un instant seule avec Lucy. On proposa un jeu général et toutes les dames se levèrent pour se placer autour de la table.

— Je suis heureuse, dit lady Middleton à Lucy, que vous ne finissiez pas le panier de ma pauvre petite Annamaria ce soir ; vous seriez fatiguée en travaillant à ce petit filigrane à la lumière des bougies. La chère petite pleurera peut-être un peu demain matin lorsqu'elle ne le trouvera pas fini, mais nous lui donnerons autre chose pour qu'elle se console.

Ce mot était assez pour faire sentir à l'humble cousine ce que la faible mère attendait d'elle ; aussi répondit-elle à l'instant :

— Vous vous trompez, milady, je ne manquerai pas de parole à ma chère petite amie. J'attendais avec impatience que tout le monde fût au jeu pour me mettre à l'ouvrage : je ne voudrais pas chagriner mon doux petit ange, pour tous les plaisirs possibles. Il n'y en a pas de plus vif pour moi que de travailler pour elle, et j'ai résolu de finir ce soir son panier.

— Vous êtes trop bonne, chère Lucy. Sonnez, je vous prie, pour qu'on vous donne des lumières ; ménagez vos yeux, je vous en conjure. Combien ma petite fille sera contente ! Je lui ai dit que je ne croyais pas qu'il fût fini ; et elle m'a répondu, en secouant sa petite tête, que je ne savais pas ce que je disais, et que sa chère Lucy lui ferait sûrement son panier.

Lucy courut auprès de la table d'ouvrage avec vivacité et gaieté, comme si le plus grand bonheur de sa vie eût été de faire un panier de filigrane pour une enfant gâtée.

Lady Middleton proposa alors de faire un rob de casino[1].

Personne ne fit d'objection que Marianne, qui, avec son impolitesse ordinaire, demanda qu'on voulût bien l'excuser.

— Milady, dit-elle, sait que je déteste le jeu ; je préfère, si vous le permettez, toucher du pianoforte.

---

1. Jeu de cartes à la mode à cette époque.

Et sans attendre la réponse, sans aucune cérémonie, elle alla s'asseoir devant l'instrument. Lady Middleton leva les yeux au ciel comme pour le remercier de ce qu'elle était plus polie et mieux élevée que Marianne. Elinor avait espéré pouvoir se dispenser de jouer pour causer avec Lucy ; le refus de sa sœur la contrariait donc plus que personne et, cependant, elle chercha à l'excuser auprès de lady Middleton.

— Marianne, lui dit-elle, ne sait pas résister, quand elle vient au Park, au plaisir de jouer sur votre pianoforte ; c'est le meilleur, dit-elle, qu'elle ait jamais rencontré.

Lady Middleton, enchantée d'avoir le meilleur pianoforte, fut tout à fait remise.

La partie allait s'engager avec cinq joueuses.

— Si je suis mise hors jeu, dit Elinor, je m'offrirai bien volontiers pour aider Mlle Lucy Steele, en roulant des papiers. Il reste tant à faire sur cet ouvrage qu'il me semble impossible qu'elle le finisse seule ce soir. J'aimerais beaucoup faire ce travail si elle acceptait de m'en donner une partie.

— Eh bien ! ma chère, nous vous laisserons libre, dit lady Middleton, qui tremblait que sa petite Annamaria n'eût pas ce dont elle avait envie. N'est-ce pas, mesdames, nous jouerons fort bien ? Puisque vous voulez bien aider Lucy, ma chère Elinor, Annamaria en sera fort reconnaissante. Je n'aime pas la faire pleurer ; cela dérange sa jolie physionomie… Ne le trouvez-vous pas ?

Les choses s'arrangèrent ainsi ; la partie commença gaiement. Marianne touchait son pianoforte comme si elle eût été seule dans le salon. La table d'ouvrage était assez éloignée pour qu'Elinor pût espérer n'être pas entendue ; les deux belles rivales s'assirent donc à côté l'une de l'autre dans la plus touchante harmonie, pour travailler ensemble au panier d'Annamaria.

24

Elinor rassembla toutes ses forces et commença ainsi :

— Je ne mériterais pas la confidence dont vous m'avez honorée, mademoiselle, si je n'avais aucun désir de la voir se poursuivre, et si je ne m'intéressais davantage à son objet. Je ne vous fais donc nulle excuse de reprendre l'entretien de l'autre jour.

— Je vous remercie, dit vivement Lucy, de m'en parler la première ; vous me mettez tout à fait à mon aise. Je craignais de vous avoir offensée avec ce que je vous avais dit lundi dernier.

— M'offenser ! dit Elinor, comment pouvez-vous le supposer ?

— Je vous assure, reprit Luc, ses petits yeux plus perçants que jamais fixés sur Elinor, qu'il m'a semblé que vous aviez reçu cette confidence avec une froideur et un déplaisir qui me firent un vrai chagrin. Vous aviez l'air d'être fâchée contre moi, et je me suis vivement reproché depuis de vous avoir ennuyée avec mes affaires ; mais je suis enchantée de voir que cette crainte était imaginaire et que je n'ai pas encouru votre blâme. Si vous saviez quelle consolation j'éprouve à vous ouvrir mon cœur ; à pouvoir vous parler de ce qui m'occupe sans cesse ! Je connais assez votre bonté pour être sûre de votre indulgence.

— Je comprends très bien, dit Elinor, le plaisir qu'on trouve à parler de ce qu'on aime, et soyez assurée que vous n'aurez jamais sujet de vous en repentir. Votre situation est malheureuse ; vous semblez entourée de difficultés, et vous avez besoin de votre mutuelle affection pour la supporter. M. Ferrars, à ce que je crois, dépend entièrement de sa mère.

— Il a seulement deux mille livres à lui. Ce serait une folie de se marier avec cela ; pourtant je me résignerais à renoncer à la fortune de sa mère. Je suis accoutumée à vivre sur un mince revenu, et supporterais même la pauvreté avec lui ; mais je l'aime trop pour vouloir le priver de tout ce que sa mère fera pour lui, si l'on peut lui faire approuver notre mariage. Il nous faut donc attendre, et peut-être plusieurs années. Avec tout autre homme qu'Edward ce délai serait inquiétant, mais je me repose entièrement sur son amour, sur sa constance.

— Cette conviction doit être tout pour vous, et sans doute M. Ferrars compte également sur vous ? Si la constance de l'un des deux se démentait, comme cela arrive souvent, l'autre serait bien à plaindre !

Lucy la regarda encore de manière à la déconcerter, si Elinor n'avait pas rassemblé d'avance toutes ses forces pour que sa contenance ne pût donner aucun soupçon.

— L'amour d'Edward, dit Lucy, a été mis à grandes épreuves par de bien longues absences depuis notre engagement, et il les a si bien soutenues que je serais impardonnable d'en douter un instant ; je puis affirmer qu'il ne m'a jamais donné une minute d'alarme ou d'inquiétude, et je ne redoute rien pour l'avenir.

Elinor sourit et soupira à cette assertion ; Lucy n'eut pas l'air de s'en apercevoir et continua.

— Je suis jalouse de caractère, dit-elle, et du fait de notre situation qui est bien différente, puisque Edward vit beaucoup plus dans le monde que moi, si retirée, et de notre continuelle séparation, j'étais assez encline aux soupçons. Aussi la plus légère altération dans sa conduite envers moi, une tristesse dont je n'aurais pu deviner la cause, s'il eût parlé d'une femme avec plus d'intérêt qu'à d'autres, ou si je l'avais vu moins heureux à Longstaple que par le passé, tout m'aurait mise en un instant sur le chemin de la vérité. Je ne veux pas dire par-là que je suis particulièrement observatrice ou perspicace, mais je suis sûre, très sûre qu'il lui serait impossible de me tromper.

Elinor garda encore quelques instants le silence ; elle se rappelait confusément toutes les preuves d'affection tendre et sincère qu'elle avait remarquées chez Edward ; enfin, elle se reprit autant qu'il lui fut possible.

— Quels sont donc vos projets ? lui dit-elle. N'en avez-vous point d'autre que celui d'attendre la mort de Mme Ferrars ? Ce serait une extrémité bien triste et bien cruelle ! Ou son fils est-il décidé à se soumettre à l'ennui de plusieurs années d'attente, et à vous exposer aux mêmes désagréments plutôt que de courir le risque de lui déplaire en lui avouant la vérité ?

— Si seulement nous pouvions être certains que cela ne durera qu'un temps ! Mais Mme Ferrars est orgueilleuse, intéressée, opiniâtre, et dans le premier moment de sa colère, il est à craindre qu'elle ne donne tout à son fils Robert, qui est son favori. Cette seule idée m'effraie pour Edward, au point de ne pouvoir me déterminer à prendre un parti décisif.

— Mais je trouve que, dans cette occasion, Lucy, vous vous oubliez trop vous-même ; votre désintéressement passe les bornes de la raison.

Lucy chercha encore à lire avec son regard pénétrant jusqu'au fond de l'âme d'Elinor, et il y eut un grand moment de silence.

— Connaissez-vous M. Robert Ferrars ? reprit Elinor.

— Non, je ne l'ai jamais vu, mais je le crois bien différent de son frère. Avec une plus belle figure, qu'il ne songe qu'à parer, c'est un petit maître, un élégant dans toute la force du terme.

Marianne finit alors une des parties de son concerto, et Anne Steele entendit la dernière phrase :

— Un petit maître, un élégant ! dit-elle ; tout en faisant leur panier, ces dames se font leurs confidences ; elles parlent de leurs amoureux.

— Je puis répondre pour Elinor, dit Mme Jennings en éclatant de rire, et vous dire que vous vous trompez ; son amoureux, loin d'être un petit maître, est le jeune homme le plus simple, le plus modeste, le plus réservé que j'aie vu de ma vie. Pour Lucy je ne connais pas le sien ; mais à en juger par ses yeux, je crois qu'il lui en faut un plus gentil, plus empressé, plus éveillé, n'est-ce pas?

— Eh bien! madame, vous vous trompez aussi, reprit Anne; je puis assurer que l'amoureux de Lucy ressemble en tout point à celui de Mlle Elinor

Elinor se sentit rougir en dépit d'elle-même. Lucy se mordit les lèvres et jeta sur sa sœur un regard foudroyant. Le jeu recommença, le pianoforte aussi; et les deux rivales, après un peu de silence, poursuivirent leur entretien. Lucy rapprocha sa chaise de celle d'Elinor et lui dit à mi-voix:

— Je vais donc, chère mademoiselle Dashwood, puisque vous êtes assez bonne pour y prendre quelque intérêt, vous dire le plan que j'ai formé depuis quelque temps; j'espère qu'Edward l'approuvera, et je désire d'autant plus vous en parler, que vous pourrez nous servir. J'ose tout attendre de votre amitié pour lui et de votre bonté pour moi. Voici ce qu'il en est: vous connaissez Edward pour avoir remarqué que, dans le choix d'une vocation, son goût aurait été pour l'Église, et que si sa mère l'avait permis, il aurait préféré cet état à tout autre. Je désirerais donc qu'il se décidât à entrer dans les ordres et à se faire consacrer aussitôt qu'il pourrait; alors, j'ose croire que vous useriez de tout votre pouvoir sur votre frère pour l'engager à donner à Edward le bénéfice de sa terre de Norland, qu'on dit très considérable. Le plus grand obstacle à notre mariage serait levé, et nous aurions un revenu suffisant.

— Je serais heureuse, dit Elinor, de pouvoir donner à M. Ferrars des preuves de mon estime et de mon amitié; mais je ne vois pas en vérité que vous avez besoin de moi dans cette occasion, je vous serais tout à fait inutile. M. Ferrars est le frère de Mme John Dashwood, sa recommandation vaudra mieux que la mienne auprès de son mari.

— Mais Mme John Dashwood n'approuverait pas plus que sa mère que son frère entrât dans les ordres.

— Alors je soupçonne que ma recommandation aurait peu de poids.

Il y eut un assez long silence ; Lucy le remplit par un profond soupir.

— Je crois, dit-elle, oui, je crois que ce qu'il y aurait de plus sage serait de finir cette affaire en rompant d'un mutuel accord notre engagement. Nous sommes entourés de tant de difficultés que, quoique cette rupture nous rendît bien malheureux, nous serions peut-être moins à plaindre tous les deux par la suite… Qu'en pensez-vous, mademoiselle Dashwood, voulez-vous me donner votre avis ?

— Non, répondit Elinor avec un sourire qui cachait l'agitation de son cœur, non, sur un tel sujet cela ne m'est pas possible ; vous savez très bien que mon opinion n'aurait aucun poids, à moins qu'elle ne fût conforme à vos désirs.

— En vérité, vous me faites tort, dit Lucy d'un ton de dignité ; je ne connais personne dont j'estime autant le suffrage et dont le jugement me paraisse aussi sûr que le vôtre. Je crois de bonne foi que si vous me disiez : « Je vous conseille de rompre tout engagement avec Edward Ferrars », je me déciderais…

Elinor était si convaincue du contraire qu'elle rougit de la fausseté de la future femme d'Edward.

— Ce compliment, dit-elle, augmenterait ma répugnance à vous dire mon opinion, si j'en avais une. Vous élevez beaucoup trop mon influence. Le pouvoir de désunir deux êtres si tendrement attachés l'un à l'autre est beaucoup trop grand pour une personne indifférente.

— C'est parce que vous êtes absolument étrangère à cette affaire, dit Lucy d'un ton un peu piqué, que votre opinion aurait sur moi beaucoup d'influence ; si l'on pouvait supposer que vous eussiez en cela le moindre intérêt personnel, elle n'aurait plus aucun poids.

Elinor crut plus sage de ne rien répondre : elle se trouvait entraînée par cet entretien dans une espèce de réserve qui lui semblait toucher à la dissimulation avec une personne qui n'en avait point pour elle. D'ailleurs, elle n'en avait que trop appris, et se promit bien de ne plus renouveler cette pénible et inutile confidence ; elle parla de leur ouvrage, de quelques autres sujets indifférents, et Lucy lui demanda du ton de la plus tendre amitié si elles comptaient passer une partie de l'hiver à Londres.

— Certainement non, dit Elinor.

— J'en suis très fâchée, reprit Lucy pendant que ses yeux brillaient de plaisir, j'aurais été si heureuse de vous y rencontrer ! Mais je suis sûre que vous y viendrez ; votre frère et votre belle-sœur vous inviteront sûrement.

— Il ne me sera pas possible d'accepter leur invitation.

— Combien c'est malheureux pour moi ! je m'étais réjouie d'avance de vous y revoir. Anne et moi comptons y aller à la fin de janvier chez des parents à qui nous avons promis depuis bien des années ; mais moi, j'y vais seulement pour voir Edward, qui doit y être en février : sans cet espoir, Londres n'aurait aucun attrait pour moi.

Ici l'entretien confidentiel fut interrompu ; Elinor fut appelée à la table de jeu dès la fin du premier rob. Lady Middleton, ayant envie de voir faire le joli panier de sa petite Annamaria, pria Elinor de prendre sa place, ce qu'elle accepta avec plaisir. Elle n'avait plus rien à dire à Lucy, de qui elle n'avait pas pris une idée plus avantageuse ; elle s'était au contraire bien convaincue qu'Edward ne pouvait aimer la femme qu'il avait promis d'épouser ; et qu'il n'avait aucune chance de bonheur dans son union avec une personne qui serait repoussée de toute sa famille, et qui avait assez peu de délicatesse pour vouloir, malgré cela, forcer un homme à tenir ses engagements, quand elle paraissait elle-même persuadée qu'il en était las.

De ce moment, elle ne chercha plus les confidences de Lucy ; mais cette dernière ne laissait échapper aucune occasion de les continuer, de lui parler de son bonheur quand elle avait reçu une lettre d'Edward. Quand Elinor ne pouvait les éviter, elle les recevait avec une tranquillité et un calme apparents, sans faire de réflexions, sans allonger un entretien dangereux pour elle-même et inutile à Lucy, dont elle trouvait chaque jour le caractère moins agréable.

La visite des demoiselles Steele chez leurs parents de Barton Park se prolongea bien au-delà du temps qu'on lui avait d'abord fixé. Leur faveur croissait au point qu'on ne pouvait penser à se séparer Annamaria jetait les hauts cris quand Lucy feignait de vouloir la quitter, et sa maman lui demandait alors en grâce de rester ; en sorte que, malgré leurs nombreux engagements à Exeter, elles restèrent au Park plus de deux mois, et y passèrent les fêtes de Noël, que sir John rendit aussi brillantes et aussi animées qu'il lui fut possible.

25

Mme Jennings s'attachait tous les jours davantage aux habitants de la *chaumière*, et surtout à Elinor. La parfaite bonté du caractère de cette femme, l'amitié qu'elle leur témoignait si franchement, leur faisaient oublier ses petits défauts, si légers en comparaison de ses excellentes qualités. Mme Dashwood, qui voyait en elle la meilleure, la plus indulgente des mères, lui pardonnait bien volontiers son ton un peu trop trivial et ses manières un peu vulgaires ; Margaret s'amusait de sa franche et grosse gaieté ; Elinor, toujours bonne, toujours simple, indulgente par caractère, disposée à la bienveillance et à trouver que les qualités du cœur valent bien celles de l'esprit, aimait beaucoup la bonne Jennings, et ne s'apercevait presque plus de ce qui lui manquait ; mais Marianne, la sensible, la délicate Marianne ne pouvait s'accoutumer à son langage, à ses manières, et tout en convenant cependant qu'elle avait assez de chaleur dans les sentiments et de complaisance pour ceux des jeunes gens, elle ajoutait toujours :

— Quel dommage que son esprit et son goût n'y répondent pas !

Elle fuyait sa société autant qu'il lui était possible.

Aux approches de la fin de l'année, Mme Jennings commença à tourner ses pensées vers Londres et désirer d'y retourner. Après la mort de son mari, qui s'était enrichi dans le commerce, elle avait quitté la City et pris une très élégante maison près de Portman Square. Ses filles avaient épousé, l'une un baronnet, l'autre un bon gentilhomme ; elle passait toute la belle saison chez l'une ou chez l'autre, et l'hiver les réunissait à la ville. Cette année, elle avait prolongé son séjour à Barton en faveur du voisinage ; mais lorsque enfin elle se fut décidée à partir, elle demanda un jour aux demoiselles Dashwood de l'accompagner à Londres et d'y demeurer quelque temps avec elle, en les assurant, avec sa cordialité accoutumée, qu'elle ne pouvait plus se passer de leur société. Marianne rougit de plaisir à cette invitation, et ses yeux s'animèrent. Elinor n'y fit nulle attention ; et croyant que sa sœur pensait là-dessus comme elle, elle exprima sa reconnaissance à Mme Jennings en l'accompagnant d'un refus poli, mais net. Le motif qu'elle alléguait était leur résolution de ne point quitter leur mère, surtout pendant l'hiver.

Mme Jennings parut surprise et répéta son invitation, en les pressant vivement de l'accepter.

— Vous comprenez bien, jeunes filles, dit-elle, que j'ai déjà demandé l'avis de la maman, il est tout à fait conforme au mien. Elle est charmée que vous alliez un peu respirer l'air de Londres : ainsi c'est tout arrangé. Vous ne me gênerez pas du tout ; ma maison est assez grande à présent que j'ai marié Charlotte ; et quant au voyage, j'envoie Betty la première par le coche pour nous recevoir. Nous pouvons très bien tenir trois dans ma chaise ; une fois en ville, tout ira de soi-même. Si vous me trouvez trop vieille, si vous vous ennuyez chez moi ou dans ma société, vous pourrez toujours aller avec l'une de mes filles. Vous voyez comme je les ai bien mariées ; si je n'en fais pas autant pour l'une de vous au moins, ce ne sera pas ma faute, et peut-être avant la fin de l'hiver le serez-vous toutes les deux.

— J'ai l'idée, dit sir John, que si l'on consulte Mlle Marianne, elle n'aura aucune objection contre ce projet ; mais sa sœur aînée sen plus difficile à gagner. Ai-je deviné, mademoiselle Marianne ? Je parie que oui.

— Et vous avez raison, dit-elle avec sa franchise ordinaire ; oui, je l'avoue, je serais parfaitement contente d'aller à Londres cet hiver ; ce serait un si grand bonheur pour moi, qu'à peine puis-je l'exprimer ! C'est vous dire, madame, que votre invitation vous assure pour jamais ma plus tendre reconnaissance.

Elinor entendit très bien ce que sa sœur voulait dire et ce qui l'attirait si puissamment à Londres. Elle devait y trouver Willoughby ; que fallait-il de plus ? Elinor aimait Marianne trop tendrement pour pouvoir se résoudre à l'affliger en mettant trop d'obstacles à ce qu'elle désirait avec ardeur ; et pressée de nouveau par Mme Jennings, elle se contenta cette fois de s'en remettre à la décision de leur mère qui, par bonté pour ses filles, disait-elle, avait cédé à l'envie de leur procurer un plaisir ; mais qui souffrait certainement de se séparer d'elles. À peine eut-elle achevé cette phrase que Marianne reprit la parole avec plus de vivacité encore que la première fois en s'écriant :

— Ah ! mon Dieu, ma sœur, croyez-vous réellement que notre départ lui serait si pénible ? Alors, il n'y faut pas songer. Ma bonne, ma tendre mère ! Non, non, nous ne devons pas la quitter, si notre absence la chagrine, si elle est moins heureuse, entourée de moins de soins. Ah ! non, non, rien au monde ne pourrait me forcer à la laisser ; n'est-ce pas, Elinor, il n'en est plus question ?

Elinor embrassa tendrement sa sœur, et reconnut là cette chaleur de sentiment qui l'entraînait également d'un côté ou d'un autre suivant l'avis de son cœur ; mais elle n'osa se flatter qu'elle persistât longtemps dans cette sage résolution.

En effet, lorsqu'elles rentrèrent chez elles, elles trouvèrent leur bonne maman transportée à l'idée de ce voyage et des plaisirs que ses filles auraient à Londres ; et sans doute aussi son orgueil maternel était-il flatté, en pensant combien elles seraient admirées. Marianne reprit bien vite alors son envie de partir, dès qu'elle se crut sûre de ne plus chagriner sa mère ; et aussitôt que celle-ci vit combien sa fille chérie le désirait, elle devint plus pressante et finit par l'ordonner. Elle ne voulut entendre aucune objection, insista pour le départ, et peignit, avec sa vivacité ordinaire, tous les avantages qui devaient en résulter.

— C'est précisément, dit-elle, ce que je souhaitais le plus au monde sans oser le demander à cette bonne Mme Jennings ; mais les cœurs de mère s'entendent, et le sien a deviné mon désir. Margaret a été un peu trop dissipée cet été, son éducation en a souffert. Seule avec elle, je m'en occuperai uniquement, je lui donnerai des leçons. Nous lirons ; nous ferons de la musique ensemble ; et lorsque vous reviendrez, vous serez, j'en suis sûre, surprises de ses progrès. J'ai aussi l'envie de faire quelques réparations dans vos chambres pendant votre absence ; et je suis charmée que vous ayez l'occasion de voir et de connaître les manières et les amusements de la bonne société de Londres, où peut-être votre goût et vos talents se perfectionneront. Vous entendrez de la musique excellente, Marianne. Vous verrez des collections de superbes tableaux, Elinor, et, ce qui vaut mieux encore, vous retrouverez là votre frère. Quels que soient ses torts, ou plutôt ceux de sa femme, quand je songe qu'il est le fils de mon cher Henry, je ne puis supporter que vous soyez entièrement étrangers les uns aux autres. Vous n'avez pas l'air aussi content que je le voudrais, ma chère Elinor ?

— Je l'avoue, maman, dit-elle ; quoique votre extrême bonté pour nous vous fasse lever tous les obstacles à ce voyage, j'en vois encore un cependant qui me paraît presque insurmontable.

Marianne fit un mouvement de dépit et baissa la tête d'un air boudeur.

— Eh ! quoi donc ? dit Mme Dashwood, qu'est-ce que ma prudente Elinor trouve à redire à ce plan ? Quel formidable obstacle sa raison va-t-elle mettre en avant ? Je vous prie au moins de ne pas dire un mot sur la dépense ; je pourvoirai à tout ce qu'il faudra ; et les filles de M. Henry Dashwood paraîtront dans le monde comme elles doivent y paraître. Allons, parlez, sage Elinor, reprit-elle avec son charmant sourire, quelles sont vos objections ?

— Mon objection, ma mère, me coûterait à dire, si ce n'était pas absolument entre nous. Je tiens Mme Jennings pour une femme de cœur ; j'ai la meilleure opinion d'elle et de son caractère ; je sais que nous pouvons compter sur des soins vraiment maternels. Mais son ton, et peut-être ses relations de société ne sont pas ce que vous désirez pour vos filles. Elle ne peut ni nous protéger ni nous donner aucune considération dans le monde ; et mon frère lui-même trouvera mauvais peut-être, ou du moins ma belle-sœur, que nous demeurions chez elle.

— C'est vrai, répliqua sa mère ; mais vous serez très peu dans sa société, et vous paraîtrez toujours en public avec lady Middleton. D'ailleurs Mme Jennings est riche, tient une bonne maison, est belle-mère d'un baronnet ; il n'en faut pas davantage à Fanny, et même à John, pour la trouver de très bonne compagnie.

— Si Elinor est effrayée d'aller à Londres avec Mme Jennings, dit Marianne, elle peut rester ici. Moi, je n'ai point de tels scrupules, et il m'en coûtera peu de me mettre au-dessus de cet inconvénient.

Elinor ne put s'empêcher de sourire en pensant combien elle avait eu de peine à persuader Marianne d'être seulement polie avec cette femme, qu'elle avait déclarée, dès le premier abord, être la personne la plus commune et la plus ennuyeuse qu'elle eût jamais rencontrée. Son indulgence actuelle était une si forte preuve de son envie de rejoindre Willoughby, que, malgré toute la répugnance qu'Elinor avait pour ce voyage, où elle pouvait rencontrer Edward, elle prit la résolution de ne pas abandonner à elle-même une jeune personne aussi passionnée, et de ne pas laisser à la pauvre Mme Jennings le soin de veiller sur elle et l'ennui de n'avoir pas même l'agrément de sa société ; car elle était convaincue que Marianne passerait seule dans sa chambre tous les moments où elle ne serait pas avec Willoughby, pour penser à lui en liberté. Elle se décida donc à être du voyage, d'autant plus qu'elle se rappela que Lucy lui avait dit qu'Edward ne serait à la ville qu'au mois de février, et qu'elle espérait être alors de retour à la *chaumière*.

— Allons, c'est arrangé, dit Mme Dashwood ; vous irez toutes deux à Londres, et vous verrez que vous vous y amuserez extrêmement. Elinor, d'ailleurs, y trouvera un grand avantage, en ayant l'occasion de faire la connaissance de la famille de sa belle-sœur et de voir Mme Ferrars.

Elinor rougit ; elle avait eu souvent le désir de prévenir sa mère de l'état des choses, pour que le coup fût moins frappant quand elle apprendrait la vérité ; mais c'était le secret de Lucy, qu'elle ne pouvait trahir. Elle se contenta de dire avec beaucoup de calme :

— J'aime bien Edward Ferrars, et je serai toujours charmée de le voir ; mais quant aux autres membres de sa famille, il m'est complètement indifférent de les connaître ou non.

Mme Dashwood sourit et ne dit rien. Marianne leva les yeux au ciel avec l'air étonné ; Elinor se dit qu'elle aurait mieux fait de garder le silence. La chose étant décidée, Mme Jennings reçut dans la journée les remerciements de la mère et la promesse de ses filles, ce qui la mit dans une grande joie ; elle donna toutes les assurances imaginables des soins qu'elle en aurait, ce dont Mme Dashwood n'avait aucun doute. Sir John aussi fut enchanté, c'étaient deux personnes de plus pour ses dîners, ses bals et ses assemblées. Lady Middleton leur dit en termes choisis et civils qu'elle serait charmée de les retrouver à Londres. Les deux demoiselles Steele, et surtout Lucy, assurèrent que la nouvelle les rendait tout à fait heureuses.

Elinor prit enfin son parti de ce voyage ; quoique très raisonnable, elle n'était pas insensible au plaisir de voir Londres pour la première fois. D'ailleurs, sa mère en était si contente, et sa sœur, si transportée de joie, qu'elle ne put se défendre de partager leur plaisir. Marianne n'était plus pensive, plus soupirante, plus mélancolique ; elle reprit toute sa gaieté, tout son enthousiasme, et redevint plus belle, plus brillante qu'elle ne l'avait jamais été. Elle attendait le moment de partir avec une grande impatience, mais quand le jour si désiré arriva, quand il fallut dire adieu à sa mère, son cœur parut près de se rompre ; elle était baignée de larmes, et dans cet instant, elle aurait volontiers consenti à rester, quitte à pleurer pendant le reste de l'hiver. Mme Dashwood était aussi très affectée. Elinor fut la seule qui, par son courage, adoucit le chagrin de la séparation, en répétant combien elle serait courte, et en parlant du retour.

On partit dans les premiers jours de janvier. Les Middleton devaient se mettre en route une semaine après, et les chères cousines Steele rester au Park, jusqu'au jour du départ.

26

La prudente Elinor ne pouvait se trouver dans l'équipage de Mme Jennings, commençant un voyage sous sa protection et devant vivre chez elle, sans s'étonner beaucoup de cette situation. Une si courte connaissance, tant de différence dans leurs âges, dans leurs manières, dans leur état, lui auraient paru des objections insurmontables. Mais ces objections avaient cédé, sans la moindre difficulté, à la passion de sa sœur ; au désir de sa mère. La bonne Elinor, en dépit de ses réflexions et de ses doutes sur la constance de Willoughby, ne pouvait être témoin du ravissement de

Marianne, de l'espoir du bonheur qui brillait dans ses yeux, sans se rappeler douloureusement combien son sort était différent, et que tout espoir, tout bonheur étaient anéantis pour elle. Il ne lui restait pas même le doute. Elle excusait d'autant plus volontiers Marianne, qu'elle sentait combien ce voyage aurait eu aussi de charmes pour elle, s'il avait été animé par la même perspective ; elle était aussi bien aise d'accompagner sa sœur ; ou pour partager son bonheur, si Willoughby était fidèle et lui offrait sa main, ou pour adoucir ses peines dans le cas contraire. La chose devait être bientôt décidée ; suivant les apparences, il était à Londres, puisque Marianne était si pressée de s'y rendre. Elinor, qui n'avait plus d'autre objet en vue et qui prenait un si vif intérêt au bonheur de sa sœur, était bien décidée à tâcher d'acquérir toutes les lumières possibles sur le vrai caractère d'un homme qui avait autant d'influence sur sa sœur, et de surveiller sa conduite avec le zèle de l'amitié. Si le résultat de ses observations n'était pas favorable à Willoughby, elle voulait à tout prix éclairer sa sœur sur les dangers de son attachement ; si au contraire elle l'en jugeait digne, elle voulait se préserver elle-même de faire des comparaisons et d'envier son sort, et pouvoir se livrer entièrement à la satisfaction de la voir heureuse.

Leur voyage dura trois jours. La conduite de Marianne pendant ce temps fut la preuve de ce que Mme Jennings aurait eu à attendre d'elle, si elles avaient été en tête-à-tête. Dans ses regards animés brillaient, il est vrai, la joie et l'espérance ; mais tout entière à ses sentiments, à ses pensées, plongée dans ses tendres méditations, elle n'ouvrait la bouche que pour s'informer de la distance où l'on était de Londres, dire au cocher d'aller plus vite, ou s'extasier sur quelques points de vue romantiques ; elle ne s'adressait alors qu'à sa sœur. En échange, Elinor prit le parti d'être polie pour deux, et de tâcher, à force d'attentions, que Mme Jennings ne remarquât pas la conduite de sa sœur ; elle causait, riait avec elle, écoutait des histoires triviales cent fois répétées. Mme Jennings, de son côté, témoignait aux deux sœurs toute la bonté imaginable, était en continuelle sollicitude pour leur bien-être et leur plaisir, consultait leurs goûts pour commander leur dîner aux auberges, et ne se fâchait contre Marianne que lorsqu'elle se refusait à le dire ou qu'elle ne mangeait pas.

Elles arrivèrent à Londres le troisième jour, à trois heures de l'après-midi, charmées de sortir de leur voiture, où elles étaient fort serrées, et de se reposer auprès d'un bon feu.

La maison était belle ; les appartements meublés avec élégance ; tout annonçait le bien-être d'une riche veuve. Mlles Dashwood furent mises en possession des chambres que lady Middleton et Mme Palmer occupaient avant leur mariage. Elles étaient encore ornées de paysages brodés en soie, en chenille, preuve évidente de la bonne éducation qu'elles avaient reçue dans les meilleures pensions de Londres. Comme le déjeuner chez Mme Jennings était fixé à cinq heures, Elinor voulut employer cet intervalle à écrire à sa mère, et s'assit devant une table. Marianne vint bientôt la joindre et se plaça vis-à-vis d'elle, en prenant aussi une feuille de papier et en choisissant une plume.

— J'écris à maman, lui dit Elinor, qui avait déjà commencé ; ne feriez-vous pas mieux, Marianne, de différer votre lettre d'un jour ou deux ?

— Je ne veux pas écrire à la *chaumière*, dit Marianne, en commençant très vite comme pour éviter les questions.

Elinor n'en fit point, persuadée, sans qu'elle l'eût demandé, qu'elle écrivait à Willoughby, et concluant par-là qu'une mystérieuse correspondance existait, que Marianne était sûre de ses intentions, et vraisemblablement engagée avec lui. Cette idée, qui traversa rapidement sa pensée, lui fit un grand plaisir et anima son style. Elle voulut le faire partager à sa bonne mère. « Marianne, lui dit-elle, vous écrira par le premier courrier, et vous dira sans doute combien elle est heureuse, etc. » Sa lettre se remplissait des détails de leur voyage et de leur arrivée. Celle de Marianne, qui n'était qu'un billet, fut bientôt finie, pliée et cachetée. Elinor jeta un regard sur l'adresse, et distingua un grand W, qui ne lui laissa plus de doute. Marianne sonna et pria le laquais qui vint de porter cette lettre à la petite poste ; elle continua à être très animée ; mais c'était plutôt de l'agitation que de la gaieté, et cette agitation s'augmentait graduellement. Elle put à peine manger, et quand elles furent rentrées dans le salon, elle n'écouta pas même ce qu'on disait, n'étant attentive qu'au roulement des carrosses ; elle courait sans cesse du coin du feu à la fenêtre, où elle restait debout, pour voir tout ce qui se passait dans la rue. Elinor était charmée que Mme Jennings, occupée ailleurs, n'y fît attention.

L'heure du thé les réunit. Marianne était alors dans un état d'émotion presque douloureux à force d'être vif, Chaque coup de marteau dans les maisons voisines la faisait rougir et pâlir lorsqu'elle voyait qu'elle s'était trompée. Enfin, un coup beaucoup plus fort fut l'annonce d'une visite. Aucune autre personne que celle à qui elle avait écrit ne pouvait savoir encore leur arrivée. Elinor ne douta pas qu'on ne vînt annoncer M. Willoughby. Marianne s'approcha de la porte par un mouvement involontaire, l'ouvrit, écouta au-dessus de l'escalier et entendit une voix d'homme demander si Mmes Dashwood étaient au logis ; elle rentra dans un trouble qui tenait presque du délire, et s'approchant d'Elinor, elle lui dit en se jetant dans ses bras :

— Oh ! c'est lui ! c'est bien lui !

Elinor lui avait à peine dit : « Au nom du ciel ! chère Marianne, calmez-vous… », que la porte s'ouvrit… et le colonel Brandon parut. Marianne, au désespoir, sortit de la chambre, sans même le saluer. Il la suivit des yeux avec un étonnement douloureux ; mais se remettant promptement, il s'approcha d'Elinor et lui souhaita le bonjour ayant l'air content de la revoir.

Elinor était fâchée sans doute du désappointement de sa sœur ; mais elle l'était encore plus de son impolitesse pour un homme aussi estimable. Il était cruel pour lui d'être reçu de cette manière par une femme à qui il était si tendrement

attaché. Elle espéra que peut-être il n'y avait pas fait attention ; mais à peine l'eut-elle salué avec l'air de l'amitié, qu'il
lui demanda d'une voix altérée si Mlle Marianne était
malade.

— Oui, monsieur, lui dit-elle en saisissant cette idée,
elle est sujette à des vertiges ; et la fatigue du voyage a augmenté cette disposition, c'est sans doute ce qui l'a obligée à
sortir.

Il l'écouta avec la plus grande attention, tomba dans une
sorte de rêverie, dont il sortit tout à coup en parlant à Elinor
de leur séjour à Londres, du plaisir qu'il avait eu à l'apprendre, et il lui demanda des nouvelles de Mme Dashwood,
de Margaret et de ses amis du Park.

Ils continuèrent à s'entretenir en apparence avec calme,
et tous les deux occupés de toute autre chose que de leur
conversation. Elinor mourait d'envie de lui demander si
Willoughby était à Londres, mais elle craignait d'augmenter
sa peine, en lui parlant de son rival ; enfin, pour amener
peut-être l'entretien sur ce sujet, elle lui demanda si lui-
même avait toujours habité Londres depuis qu'il avait quitté
Barton Park.

— Oui, répliqua-t-il avec quelque embarras, presque
toujours ; j'ai été deux ou trois fois à Delaford pour peu de
jours, mais bien malgré moi, je vous assure, je n'ai pu retourner au Park.

La manière de répondre triste, embarrassée, rappela à
Elinor le moment de son départ et toutes les conjectures de
Mme Jennings. Elle craignait d'avoir témoigné une curiosité
indiscrète et se tut.

Mme Jennings entra et salua le colonel avec sa gaieté
accoutumée.

— Je suis enchantée de vous voir, cher colonel, et bien
fâchée de ne m'être pas trouvée là quand vous êtes entré ;
j'avais, comme vous devez le comprendre, mille choses à
faire, à ranger chez moi après une si longue absence ; mais
à présent, je puis sortir de mon salon quand je voudrai, on

ne le trouvera pas vide, et personne ne s'apercevra que la vieille maman Jennings n'est pas là. N'est-ce pas, colonel, que j'ai fait de jolies recrues ? Mais, je vous en conjure, comment avez-vous appris que nous étions à la ville ? Je n'ai pas encore vu une âme.

— J'ai eu le plaisir de l'apprendre chez Mme Palmer, où j'ai dîné.

— Ah ! ah ! chez ma Charlotte : donnez-m'en bien vite des nouvelles. Aurai-je bientôt un petit-fils ?

— Mme Palmer est très bien ; et je suis chargé de vous dire qu'elle viendra sûrement vous voir demain,

— Je l'espère. Où donc est Marianne ? Vous ne l'avez pas vue encore, colonel ? Ne suis-je pas bonne de vous l'avoir amenée ? Mais comment vous arrangerez-vous avec M. Willoughby ? J'ai grand peur pour vous, colonel ! Ah ! la charmante chose que d'être jeune et belle ! J'ai été jeune aussi, et si je n'étais pas belle comme Marianne, ni jolie comme Elinor, je n'en ai pas moins eu un bon mari, qui m'aimait de tout son cœur. Qu'aurais-je pu avoir de mieux avec la plus grande beauté ? Ah ! s'il vivait encore ! Depuis huit ans, je le pleure (sa physionomie, épanouie de joie comme à l'ordinaire, prit une expression un peu moins animée, ses yeux brillants de gaieté s'humectèrent). Allons, allons, ne parlons plus de cela, c'est inutile, les larmes ne me le rendront pas ; songeons plutôt aux vivants. Vous êtes-vous bien amusé, colonel, depuis que vous nous avez quittés si cruellement à Barton ? Eh bien ! après avoir bien crié contre vous, on prit son parti de votre absence, et l'on s'amusa tout autant ; demandez à Mile Marianne si elle s'en aperçut. Je devinai à l'instant où elle était allée avec son beau conducteur ; mais pour votre affaire si pressante, je n'ai que des conjectures : à présent que tout est fini, dites-moi ce qu'il en était. Point de secret entre amis.

Il répondit avec sa douceur et sa politesse accoutumées, mais sans satisfaire en rien sa curiosité. Elinor s'occupa à préparer le thé. Mme Jennings fit appeler Marianne, qui fut obligée de paraître. Elle salua le colonel avec une profonde tristesse et une parfaite indifférence. Il devint peu à peu tout aussi triste et aussi absorbé qu'elle et, malgré les persécutions de Mme Jennings pour qu'il passât la soirée avec ces dames, il s'en alla immédiatement après le thé.

Aucune autre visite ne se présenta. L'abattement de Marianne augmentait à mesure qu'elle perdait l'espoir, et de très bonne heure on alla se coucher.

Marianne se leva le lendemain rayonnante d'espérance ; son désappointement de la veille était oublié. Il était impossible que cette journée ne fût pas plus heureuse. Le déjeuner était presque fini quand Mme Palmer entra en riant aux éclats, et pouvant à peine dire et répéter combien elle était contente de revoir sa bonne mère et ses chères amies. Elle était à la fois surprise de leur arrivée, en colère de ce qu'elles avaient refusé son invitation, mais bien aise qu'elles eussent accepté celle de sa mère.

— Et M. Palmer, ajouta-t-elle, comme il s'impatiente de vous voir ! Il n'a jamais voulu venir quoiqu'il n'eût rien d'autre à faire ; mais il était de mauvaise humeur. Il est toujours si drôle, M. Palmer !

Après une heure ou deux passées à causer sans rien dire, à rire sans sujet, à parler de plusieurs individus dont les demoiselles Dashwood ne connaissaient même pas le nom, Mme Palmer leur proposa de les mener dans quelques magasins pour faire leurs emplettes. Marianne aurait préféré rester ; mais enfin, désirant aussi acheter quelques parures, espérant faire quelque heureuse rencontre, elle se laissa entraîner. Partout où elles allèrent, son unique occupation fut de veiller à la porte des magasins où elles entraient sur tout ce qui passait dans les rues. Ses yeux étaient sans cesse en activité, attachés sur les trottoirs, et pénétraient au fond des voitures. Lorsqu'elle était forcée de venir donner son opinion sur quelque objet de mode, c'était avec une telle distraction qu'il était facile de voir qu'elle pensait à toute autre chose. Les couleurs de son teint variaient à chaque instant. Sa sœur souffrait presque autant qu'elle de la voir dans cette agitation. On ne put obtenir son avis sur aucune emplette ; rien ne lui plaisait, rien n'attirait son attention. Elle ne témoignait qu'une extrême impatience de retourner à la maison. Elinor, qui voyait à regret sa sœur se donner en spectacle, aurait aussi désiré la ramener ; mais il n'était pas facile de l'obtenir de Mme Jennings et de sa fille. La première causait avec tous les marchands, s'informait des modes, des nouvelles ; l'autre se faisait tout montrer, essayait tout, admirait tout, n'achetait rien et riait sans cesse. Il était donc assez tard lorsqu'elles rentrèrent au logis. Marianne courut à perdre haleine ; et quand Elinor entra, elle la trouva avec un air attristé, qui montrait que Willoughby n'était pas passé.

— Est-ce qu'il n'est venu aucune lettre pour moi ? dit-elle au laquais qui apportait les journaux.

— Non, madame.

— En êtes-vous sûr ? Informez-vous s'il n'est venu personne me demander.

Il ressortit, et revint bientôt en disant :

— Non, madame, personne.

— C'est étonnant, dit-elle à voix basse, en retournant vers la fenêtre.

Elinor la regarda avec inquiétude. Oh ! ma mère, pensait-elle, combien vous avez eu tort de permettre un engagement de cœur entre une fille si jeune et si passionnée et un jeune homme si peu connu et si mystérieux !

— Chère Marianne, dit-elle à sa sœur, vous êtes mal à votre aise, je le vois, et je le comprends.

— Pas du tout, dit Marianne en s'efforçant de sourire, je n'éprouve qu'une impatience très naturelle en vérité ; mais je n'ai pas le moindre doute, et je serai très blessée qu'on me témoignât la moindre défiance sur un ami que j'estime autant que je l'aime, et qui m'expliquera sûrement aujourd'hui ce qui m'étonne sans me fâcher.

Elinor se tut ; qu'aurait-elle pu dire ? Mais elle se promit, si Willoughby ne paraissait pas de quelques jours, de faire sentir à sa mère la nécessité de parler à Marianne.

Mme Palmer et une amie intime de Mme Jennings, qu'elle avait rencontrée, vinrent dîner et passer la soirée avec elles. La complaisante Elinor consentit à faire un whist avec ces dames. Marianne ne savait aucun jeu, et n'était pas complaisante. Sa soirée, bien plus pénible que celle de sa sœur, s'écoula dans le trouble, l'anxiété et le tourment d'une attente sans cesse trompée. Elle essaya de lire, mais sans le pouvoir ; son ouvrage de broderie n'eut pas plus de succès. Elle rêva au coin du feu, se promena de la porte à la fenêtre, soupira beaucoup et fit pitié à sa sœur.

27

— Si le temps continue d'être aussi beau pour la saison, dit Mme Jennings en déjeunant, sir John ne quittera pas encore Barton ; il lui en coûterait trop de perdre un jour de chasse.

— Ah ! c'est vrai, s'écria Marianne avec gaieté et en courant à la fenêtre pour examiner le temps, je n'y avais pas pensé. Ces beaux jours d'hiver doivent inviter tous les chasseurs à rester à la campagne.

Cette idée releva ses esprits et lui rendit tout son espoir. Willoughby, chasseur déterminé, n'était sûrement pas à Londres ; il n'avait pas reçu sa lettre. Son absence, son silence étaient expliqués ; et tous les nuages élevés dans l'âme de Marianne furent dissipés. Mme Jennings avait eu là une heureuse idée.

— Il est sûr, poursuivit Marianne en s'asseyant à la table du déjeuner et en prenant une tartine qu'elle mangea avec appétit, il est sûr qu'il fait un temps délicieux pour la chasse ; comme ceux qui l'aiment doivent être heureux ! Mais j'espère cependant… je crois, veux-je dire, qu'il ne durera pas ; en cette saison, c'est impossible. Nous aurons bientôt de la neige, de la gelée, qui rappellera les chasseurs en ville. Cette extrême douceur dans la température ne peut pas durer ; demain, après-demain peut-être, il y aura du changement : voyez comme le jour est clair ! Il peut geler cette nuit et…

— Et nous aurons sir John et lady Middleton, dit Elinor pour détourner l'attention de Mme Jennings.

Je suis sûre, pensait-elle, que Marianne écrira à Haute-Combe par le courrier de ce soir.

Écrivit-elle en effet ? C'est ce qu'il fut impossible de découvrir. Mais elle continua d'être de très bonne humeur ; heureuse de penser que Willoughby était à la chasse, plus heureuse encore d'espérer qu'il arriverait bientôt.

La matinée se passa en courses chez des marchands, ou à laisser des cartes chez les connaissances de Mme Jennings, pour les informer de son retour en ville. Marianne, qui n'avait plus la crainte de manquer Willoughby en sortant, ou l'espoir de le rencontrer dehors, alla où l'on voulut et fut assez aimable. Mais sa principale occupation était d'observer la direction du vent et les variations de l'atmosphère.

— Ne trouvez-vous pas qu'il fait beaucoup plus froid qu'hier, Elinor ? lui dit-elle. Cela augmente sensiblement ; je suis sûre qu'il gèlera cette nuit, et…

Elle se taisait, mais Elinor achevait intérieurement sa phrase :

— Et les chasseurs reviendront. Elle était en même temps amusée et peinée de cette vivacité de sentiment, qui faisait passer tour à tour sa sœur du désespoir à la joie, et rapporter tout à l'unique objet dont elle était occupée.

Quelques jours se passèrent sans gelée et sans Willoughby ; et Marianne les trouva longs et ennuyeux. Ni elle ni Elinor ne pouvaient cependant se plaindre en aucune manière de leur genre de vie chez Mme Jennings ; il était beaucoup plus libéral qu'Elinor ne l'avait imaginé. La maison, située dans le beau quartier de Berkeley Street, était montée sur un grand ton d'aisance. À l'exception de quelques vieilles connaissances de la City, dont lady Middleton n'avait pu obtenir l'expulsion, toute la société de Mme Jennings lui permettait de présenter ses jeunes amies sans qu'elles éprouvent aucune gêne et de manière à leur attirer mille politesses. La figure très remarquable de Marianne, les grâces d'Elinor leur gagnèrent bientôt l'admiration et l'amitié de tous ceux à qui Mme Jennings les présentait. Mais dans les premiers temps de leur séjour à Londres, leurs plaisirs se bornèrent à quelques rassemblements peu nombreux, soit chez Mme Jennings, soit ailleurs, où Elinor faisait tous les soirs un grave whist, tandis que Marianne s'ennuyait à mort, en comptant les jours et les heures, en soupirant après les frimas qui devaient lui ramener son ami.

Le colonel Brandon, ayant reçu une invitation permanente de la part de Mme Jennings, ne laissait point passer de jour sans venir prendre le thé avec ces dames, lorsqu'elles restaient à la maison. Il regardait Marianne ; il parlait à Elinor, qui le trouvait chaque jour plus aimable et plus intéressant, et qui voyait avec un vrai chagrin que son amour pour Marianne, loin de diminuer, augmentait visiblement. Il lui parlait peu ; mais ses regards ne l'abandonnaient pas ; il suivait tous les mouvements de cette figure si belle, si expressive, paraissait heureux lorsqu'elle lui adressait la parole, et tombait dans une sombre mélancolie quand elle ne lui parlait pas.

Environ une semaine après, en rentrant un matin après une promenade en voiture, elles trouvèrent une carte sur la table avec le nom de Willoughby. Marianne la saisit avec une émotion qui fit craindre à sa sœur qu'elle ne se trouvât mal.

— Mon Dieu ! s'écria-t-elle, quel bonheur ! Il est enfin à Londres ! Mais quel chagrin qu'il soit venu pendant notre absence ! Et que je suis fâchée que nous soyons sortis ce matin !

Des larmes remplirent ses beaux yeux. Elinor, très touchée, lui dit qu'il reviendrait sûrement le lendemain.

— J'en suis sûre à présent, dit Marianne en pressant contre son cœur la précieuse carte.

Mme Jennings entra ; Marianne s'échappa en emportant avec elle la carte et le nom qui lui annonçait un bonheur si passionnément désiré.

Elinor fut contente et de la joie de Marianne et de pouvoir enfin étudier Willoughby. Mais l'agitation de Marianne augmenta au plus haut degré ; elle n'eut plus un instant de tranquillité. L'attente de voir d'un moment à l'autre entrer l'être aimé la rendait incapable de tout. Elle ne parlait ni n'écoutait plus, et dès le lendemain, elle refusa sur un léger prétexte, d'accompagner Mme Jennings et sa sœur à la promenade accoutumée du matin.

Elinor n'insista pas et n'osa refuser à Mme Jennings d'aller avec elle ; mais, malgré tous ses efforts, elle fut presque d'aussi mauvaise compagnie que l'aurait été sa sœur. Elle ne pouvait détourner ses pensées de la visite de Willoughby, dont elle n'avait aucun doute ; elle voyait, elle sentait l'émotion de Marianne, et regrettait de n'être pas avec elle pour la soutenir, et pour juger avec plus de calme les dispositions de Willoughby.

À son retour, qu'elle pressa autant qu'il lui fût possible, elle vit, au premier regard qu'elle jeta sur sa sœur, que Willoughby n'était pas revenu. Marianne était l'image parlante d'un abattement proche du désespoir. Elinor la regardait avec la plus tendre compassion, lorsque le laquais entra en tenant un billet. Marianne courut au-devant de lui, le lui arracha des mains, en disant vivement :

— Pour moi ! Est-ce qu'on attend ?

— Non, madame, c'est pour ma maîtresse.

Elle avait déjà lu l'adresse et jeté le billet avec dépit sur la table.

— Pour Mme Jennings, en effet ! C'est désespérant, en vérité, c'est à en mourir !

— Vous attendiez donc une lettre ? dit Elinor, incapable de garder plus longtemps le silence.

Marianne répondit, les yeux pleins de larmes :

— Oui, un peu… mais pas vraiment.

— Vous n'avez aucune confiance en moi, chère Marianne, continua Elinor, après une courte pause.

— Ce reproche est singulier de votre part, Elinor, vous qui n'avez de confiance en personne.

— Moi ! répondit Elinor avec quelque embarras, je n'ai rien à confier.

— Ni moi, sans doute, répondit Marianne avec énergie ; nos situations sont donc tout à fait semblables. Nous n'avons rien à nous dire l'une à l'autre, vous, parce que vous cachez tout, moi, parce que je ne cache rien. Mais quand vous me donnerez l'exemple d'une confiance plus particulière, alors je le suivrai.

Elinor se tut en étouffant un soupir : qu'aurait-elle pu dire ? Le secret qui oppressait son cœur n'était pas le sien ; elle ne pouvait le trahir ; et pourquoi parler d'un homme qu'elle voulait oublier d'un sentiment dont elle voulait triompher ? Mais elle sentit qu'elle ne pouvait pas dans de telles circonstances exiger la confiance de Marianne.

Mme Jennings entra, ouvrit son billet et le lut tout haut. Il était de sa fille, lady Mary Middleton, qui lui annonçait leur arrivée à Londres, la veille, et la priait, ainsi que ses belles cousines, de venir passer la soirée chez elle, à Conduit Street. Les occupations de sir John, et de son côté un peu de rhume, les empêchaient de venir à Berkeley Street. L'invitation fut acceptée ; mais quand l'heure d'y aller arriva, Elinor eut beaucoup de peine à persuader Marianne qu'elle ne pouvait honnêtement s'en dispenser. Willoughby n'avait point paru, n'avait point écrit ; et le tourment d'une attente continuelle et toujours trompée avait tellement irrité les nerfs de cette pauvre jeune fille qu'elle assurait, sans en dire la cause, n'être pas en état de sortir. Mais un motif plus fort de rester au logis était la crainte de manquer encore la visite tant désirée. Mme Jennings vint de nouveau au secours d'Elinor par ses sages réflexions.

— Il faut bien que vous veniez, Marianne, lui dit-elle, car je parie que sir John aura rassemblé tous les amis de Barton Park.

Marianne rougit et courut chercher son châle.

Elles furent reçues à Conduit Street comme elles l'étaient au Park, avec l'élégante cérémonie et la froide politesse de lady Middleton, et avec la bruyante cordialité et la bonne humeur de sir John,

— Soyez les bienvenues, mes belles voisines, dit-il en leur serrant la main ; j'ai invité pour ce soir une dizaine de couples de jeunes gens. J'aurai deux violons et nous danserons. Ce n'était pas trop l'avis de ma femme ; mais le mien a prévalu, et je pense que vous serez de mon parti. J'ai bien couru ce matin pour arranger cela. À Londres, c'est plus difficile qu'à Barton ; il y a plus de monde, mais aussi plus de plaisirs.

En effet, lady Middleton, quoiqu'elle aimât la danse, aimait encore mieux une belle représentation ; elle trouvait qu'à la campagne un bal impromptu pouvait passer ; mais à Londres, elle craignait de compromettre sa réputation d'élégance, sous prétexte de faire plaisir à quelques jeunes filles, lorsque l'on saurait que l'on avait dansé chez lady Middleton avec deux violons seulement et qu'elle n'avait offert qu'une simple collation.

M. et Mme Palmer étaient de la partie. Mlles Dashwood n'avaient point vu le premier depuis leur arrivée, non plus que sa belle-mère, qu'il traitait avec une indifférence mal déguisée sous un air de dignité et d'importance. Il les salua légèrement lorsqu'elles entrèrent, sans avancer d'un pas et sans les regarder, pendant que sa femme les étouffait de caresses, et riait aux éclats de ce que son *cher amour* n'avait pas l'air de les reconnaître.

Marianne en faisait bien autant. En entrant, elle parcourut le salon d'un regard ; *il* n'y était pas, et pour elle, il n'y avait personne. Elle s'assit tristement dans un coin, aussi mal disposée à prendre du plaisir qu'à en donner. Il y avait environ une heure qu'ils étaient rassemblés, lorsque M. Palmer, sortant de sa rêverie, s'avança en bâillant auprès d'Elinor, exprima sa surprise de les voir en ville, quoique ce fût chez lui que le colonel Brandon eût appris leur arrivée.

— D'honneur, je croyais que vous passiez tout l'hiver en Devonshire.

— Vraiment ? dit Elinor en riant.

— Quand y retournez-vous ?

— Je l'ignore.

Les violons arrivèrent ; la conversation prit fin ; on se prépara à danser. Jamais Marianne n'avait été si peu en train. Enfin, cette mortelle soirée finit sans qu'elle ait vu Willoughby.

— Je n'ai de ma vie été plus fatiguée, dit Marianne en entrant dans la voiture ; le parquet n'a point d'élasticité.

— Ne cherchez pas chicane à ce pauvre parquet, dit en riant Mme Jennings ; vous l'auriez trouvé assez bon si vous l'aviez parcouru avec quelqu'un que je ne veux pas nommer ; vous ne seriez alors pas du tout fatiguée. À dire vrai, ce n'est pas trop honnête à lui de ne pas venir danser avec vous, quand il était invité.

— Invité, s'écria Marianne, il était invité ?

— Oui, ma fille me l'a dit, et sir John aussi, qui l'a rencontré ce matin et l'a fort pressé de venir.

Marianne ne dit plus rien ; mais sa contenance annonçait combien elle était blessée. Elinor l'était aussi, et résolut d'écrire à sa mère le lendemain, d'éveiller ses craintes sur la santé de Marianne, et de l'engager à lui poser les questions qu'elle avait tant tardé à lui faire. Elle fut confirmée dans cette résolution en s'apercevant le lendemain, après déjeuner, que Marianne écrivait à Willoughby, car à quelle autre personne pouvait-elle écrire ?

Avant le dîner, Mme Jennings sortit pour affaires. Elinor commença sa lettre. Marianne, trop inquiétée pour lire, trop agitée pour travailler, allait d'une fenêtre à l'autre, ou se promenait dans la chambre les bras croisés, ou assise devant le feu dans une attitude mélancolique.

Elinor se fit très pressante dans ses supplications à leur mère ; elle lui raconta tout ce qui s'était passé depuis leur arrivée, ses soupçons sur l'inconstance de Willoughby, et la conjura, au nom de ses devoirs de mère et de sa tendresse pour Marianne, d'exiger d'elle l'aveu de sa véritable situation.

La lettre était à peine finie qu'un coup de marteau annonça une visite. Marianne, lasse d'espérer, se hâta de sortir pour ne pas entendre annoncer une autre personne que Willoughby. Un regard amical sur Elinor fut interprété par cette dernière comme une prière muette de la faire demander si c'était *lui*. Ce n'était pas *lui* ; c'était encore le bon colonel Brandon. Il paraissait plus triste qu'à l'ordinaire. Après avoir exprimé à Elinor sa satisfaction de la trouver seule, comme s'il avait quelque chose de particulier à lui dire, il s'assit à côté d'elle en silence, et comme oppressé par ses pensées. Elinor, persuadée qu'il avait quelque chose à lui communiquer qui concernait sa sœur, attendait impatiemment qu'il commençât. Ce n'était pas la première fois qu'elle avait cette conviction. Souvent déjà, quand Marianne sortait ou restait rêveuse dans un coin du salon, le colonel s'approchait d'Elinor et lui disait avec l'air du plus grand intérêt : « Mlle Marianne n'est pas bien aujourd'hui », ou bien : « Votre sœur est bien absorbée... » Il s'arrêtait ; il hésitait. Elle voyait dans son regard qu'il avait quelque chose à dire de plus qu'il n'osait pas prononcer. Cette fois, après quelques instants d'hésitation, après s'être levé et rassis, il lui demanda d'une voix tremblante quand il pourrait la féliciter de l'acquisition d'un frère. Elinor n'était pas préparée à cette question ; elle fut obligée de dire comme on dit toujours :

— Je n'entends pas... je ne comprends pas... parlez-vous de mon frère John ? Sont-ils arrivés ?...

Il essaya de sourire et répliqua avec d'effort :

— Vous ne voulez pas me comprendre. J'entends... les engagements de votre sœur avec M. Willoughby de Haute-Combe. Ils sont connus généralement, et j'ai cru...

— Ils ne peuvent être connus, dit Elinor, puisque la famille les ignore.

Il parut très surpris.

— Je vous demande mille pardons, dit-il ; je crains à présent que mes questions n'aient été très indiscrètes ; mais je ne pouvais imaginer qu'il y eût du mystère, puisqu'ils correspondent ouvertement et que tout le monde parle de leur mariage.

— Tout le monde en parle, dites-vous ? Vous me surprenez toujours davantage. Dites-moi, je vous en prie, qui vous en a informé.

— Plusieurs personnes. Il y en a que vous ne connaissez pas, d'autres avec qui vous êtes très liée, comme par exemple Mme Jennings, les Palmer, les Middleton. Malgré cela, je ne l'aurais pas cru, parce qu'on cherche toujours à douter de ce que l'on craint ; mais l'autre jour, en entrant ici, je vis accidentellement une lettre entre les mains du domestique, qui ne cherchait pas à la cacher. Elle était adressée à M. Willoughby et de l'écriture de votre sœur. Je vous ai demandé si elle se mariait, mais j'en étais déjà convaincu. Est-ce que tout est conclu définitivement ? Ne me reste-t-il aucun espoir ? Mais non. Lors même qu'il y aurait des obstacles insurmontables, je n'ai aucun droit, aucun espoir de jamais succéder… De grâce, excusez-moi, mademoiselle Dashwood. J'en dis trop sans doute et j'ai grand tort, mais je ne sais que faire et je me confie entièrement en votre prudence. Dites-moi que tout est arrangé, quoiqu'il faille encore garder le secret quelque temps. Ces paroles qui équivalaient à un aveu direct de son amour pour Marianne affectèrent beaucoup Elinor, au point même de l'empêcher de parler ; et quand elle se sentit un peu remise, il succéda à ce trouble un extrême embarras à y répondre convenablement. L'état réel des choses entre sa sœur et M. Willoughby lui était trop peu connu pour qu'elle ne craignît pas de la compromettre en disant trop ou trop peu. Cependant, comme elle était convaincue de l'affection de sa sœur pour Willoughby, qui ne laissait aucun espoir au colonel, quel que fût l'événement, étant bien aise d'ailleurs d'épargner à Marianne le blâme auquel elle donnait lieu si souvent, elle jugea plus prudent d'en avouer davantage qu'elle n'en croyait elle-même : elle lui dit donc que, quoiqu'elle n'eût jamais été informée par eux-mêmes des termes où ils en étaient, elle n'avait aucun doute de leur affection mutuelle, et qu'elle n'était pas surprise d'apprendre leur correspondance.

Le colonel l'écouta avec une silencieuse attention ; et quand elle eut cessé de parler, il se leva et dit d'une voix émue :

— Je souhaite à votre sœur tous les bonheurs imaginables. Puisse-t-elle, puisse Willoughby mériter la félicité qui leur est destinée !

Il la salua de la main, leva les yeux au ciel avec l'expression la plus douloureuse et partit.

Elinor resta triste et pensive. Cet entretien, loin de lui avoir apporté quelque consolation, laissait un poids sur son cœur. Ses espérances du mariage de sa sœur s'étaient, il est vrai, renouvelées ; mais serait-elle heureuse ? Les vœux du colonel avaient quelque chose de sombre ; il semblait en douter. Le malheur de cet homme intéressant l'affligeait aussi. Elle déplorait la fatalité qui l'avait entraîné dans un amour sans espoir, et cette conformité dans leur situation redoublait encore l'intérêt qu'il lui inspirait. « Pauvre Brandon ! » s'écriait-elle ; et son cœur oppressé disait aussi : « Pauvre Elinor ! » Elle ne savait plus ce qu'elle devait désirer ; et sur quelque objet qu'elle arrêtât sa pensée, c'était avec un sentiment douloureux.

28

Trois ou quatre jours s'écoulèrent sans qu'Elinor eût à regretter d'avoir averti sa mère. Willoughby ne vint ni n'écrivit. L'inquiétude de Marianne se calma peu à peu et fut remplacée par un abattement, un découragement complets. Elle restait des heures entières assise à la même place, presque sans mouvement, ne faisant plus nulle attention aux coups de marteau, ni à ceux qui entraient, ni à ce qu'on disait autour d'elle ; elle aurait oublié de manger, de s'habiller, de se coucher, de se lever, si Elinor n'y avait pensé pour elle, et ne l'eût avertie absolument de tout ce qu'il fallait faire : alors, sans dire oui ou non, elle obéissait machinalement à sa sœur ; elle sortait ou restait avec une égale indifférence, et sans avoir jamais une expression de plaisir ou d'espoir. Sur la fin de la semaine, elles étaient engagées dans une grande assemblée, où lady Middleton devait les conduire. Mme Palmer, très avancée dans sa grossesse, était indisposée, et sa mère restait auprès d'elle ; elle avait prié ses jeunes amies de ne pas manquer à cet engagement. Elinor désirait aussi faire sortir Marianne de son apathie ; et cette réunion chez une femme très riche et très à la mode devait être fort belle. Comme à l'ordinaire, la triste Marianne ne se mit en peine de rien, se laissa parer par sa sœur sans même se regarder au miroir, s'assit dans le salon jusqu'au moment de l'arrivée de lady Middleton, penchée sur sa main sans ouvrir la bouche, perdue dans ses pensées, et sans paraître s'apercevoir de la présence d'Elinor ; quand on l'avertit que lady Middleton les attendait dans sa voiture, elle tressaillit, comme si elle n'eût attendu personne.

Après avoir eu assez de peine à s'approcher de la maison où se tenait l'assemblée, à cause de la foule des équipages qui obstruaient la rue, elles firent leur entrée dans un salon splendide, très illuminé et si rempli de monde qu'on pouvait à peine respirer, et que la chaleur était insupportable. Lady Middleton les amena auprès de la dame qui les avait invitées. Elles la saluèrent, et il leur fut permis de se mêler dans la foule et de prendre leur part de la presse et de la chaleur, que leur arrivée augmentait encore. Après quelques moments employés à se promener avec grand-peine d'un coin du salon à l'autre, lady Middleton s'assit pour faire une partie de casino, qui était son jeu favori. Mlles Dashwood préférèrent ne pas jouer et s'installèrent à peu de distance de la table de jeu.

Marianne retomba dans ses sombres rêveries ; Elinor s'amusait à regarder cette quantité d'individus qui se rassemblaient avec l'espoir du plaisir, et qui, plus ou moins, avaient tous l'air ennuyé et fatigué. En promenant ses regards de côté et d'autre, ils tombèrent sur un objet qui lui donna une forte émotion... C'était Willoughby, debout, devant une jeune personne mise dans toute la recherche de la mode, et avec qui il tenait une conversation très animée. Dans un mouvement, ses yeux rencontrèrent ceux d'Elinor ; il la salua, mais sans faire un pas pour se rapprocher d'elle et de Marianne, qu'il voyait aussi très bien ; il continua à parler à la jeune dame. Involontairement, Elinor se tourna vers sa sœur pour la prévenir ; si elle ne l'avait pas encore vu, de peur qu'elle ne se donnât en spectacle ; mais c'était trop tard, elle venait de l'apercevoir. Toute sa physionomie exprimait un bonheur qui tenait presque du délire.

— C'est lui ! s'écria-t-elle, et elle se serait levée pour courir à lui, si sa sœur ne l'eût retenue. Mon Dieu ! il est là, dit-elle à Elinor, il est là ; oh ! s'il pouvait me voir ! Pourquoi ne me regarde-t-il pas ? Pourquoi m'empêchez-vous d'aller lui parler ? Oh ! laissez-moi.

— Je vous en prie, dit Elinor à voix basse, soyez plus calme, ne trahissez pas ainsi vos sentiments devant tout le monde : est-ce à vous, Marianne, à faire le premier pas ? Laissez-le venir. Peut-être ne vous a-t-il pas encore vue ?

Être calme dans un tel moment, ah ! c'était bien plus qu'elle ne pouvait l'espérer de Marianne. Aussi, voyant qu'elle l'écoutait à peine, elle lui serra tendrement la main.

— Pour l'amour de moi, Marianne, reprit-elle, demeurez assise ; si vous m'aimez, je vous en demande cette preuve. Marianne, à l'instant même, lui rendit son serrement de main, mais avec un mouvement convulsif ; elle avait un tremblement général ; ses joues et ses lèvres étaient pâles comme la mort et tous ses traits étaient altérés.

Enfin, Willoughby, après les avoir regardées encore toutes deux, s'approcha lentement. Alors, Marianne prononça son nom ; ses yeux se ranimèrent et un faible sourire parut sur ses lèvres. Il s'avança et s'adressa plutôt à Elinor qu'à Marianne sans regarder cette dernière ; il cherchait visiblement à éviter son regard ; il s'informa de Mme Dashwood, de Mlle Margaret, demanda s'il y avait longtemps qu'elles étaient en ville. Toute la présence d'esprit d'Elinor l'avait abandonnée. Elle était incapable de prononcer une parole, et s'attendait à ce que Marianne tombât sans connaissance. Celle-ci reprit au contraire toute sa vivacité ; un rouge vif colora ses joues ; et d'une voix très altérée, elle dit :

— Mon Dieu ! Willoughby, est-ce bien vous ? Que vous ai-je fait ? N'avez-vous pas reçu ma lettre ? Ne voulez-vous pas me regarder, me parler ? N'avez-vous rien à me dire ?

Elinor examinait avec soin la physionomie et la contenance de Willoughby pendant que Marianne lui parlait. Il changea plusieurs fois de couleur et parut très mal à l'aise ; il faisait des efforts inouïs pour paraître tranquille ; il y parvint et répondit avec politesse :

— J'ai eu l'honneur, mesdames, de me présenter chez vous jeudi passé ; j'ai beaucoup regretté de n'avoir pas eu le bonheur de vous trouver non plus que Mme Jennings. Vous avez dû trouver ma carte.

— Mais n'avez-vous pas reçu mes billets ? s'écria Marianne dans la plus grande anxiété, il y a entre nous quelque erreur, j'en suis sûre, quelque terrible erreur ! Quelle peut être la cause de cette inconcevable froideur ? Willoughby, pour l'amour du ciel, dites-le-moi, expliquez-vous.

— Pour l'amour du ciel, parlez plus bas, dit Elinor, qui craignait qu'on ne l'entendît. Ou plutôt taisez-vous, ce n'est pas le moment.

Ce conseil ne pouvait regarder Willoughby, qui ne répondait pas un mot. Il pâlit et reprit sa contenance embarrassée. Elinor jeta les yeux sur la jeune dame à qui il avait parlé précédemment ; elle rencontra un regard inquiet, curieux, impératif. Willoughby le vit aussi : alors, se retournant vers Marianne, il lui dit à mi-voix :

— Oui, mademoiselle, j'ai eu le plaisir de recevoir la nouvelle de votre arrivée à Londres, avec bien de la reconnaissance.

Et les saluant toutes deux assez légèrement, il alla rejoindre sa compagne.

Marianne, qui s'était levée pour lui parler, fut obligée de se rasseoir, si pâle, si tremblante, qu'Elinor s'attendait à chaque instant à la voir s'évanouir. Elle avait dans son sac un flacon de sels qu'elle lui donna, en se penchant vers elle pour empêcher qu'elle ne fût remarquée.

— Allez auprès de lui, chère Elinor, dit Marianne dès qu'elle put articuler un mot ; je ne puis me soutenir ; mais vous, vous qui êtes si bonne, allez, exigez de lui de venir me parler, me dire un seul mot, un seul. Je ne puis rester ainsi, je ne puis avoir un instant de paix jusqu'à ce qu'il m'ait expliqué... Quelque affreux malentendu, quelque calomnie... Oh ! qu'il vienne, qu'il parle, ou je meurs.

— C'est impossible, chère Marianne, dit Elinor, tout à fait impossible ! Il n'est pas seul ; nous ne pouvons nous expliquer ici. Quelques heures de patience ; attendez seulement à demain.

Si l'émotion de Marianne ne l'avait pas retenue sur son siège, jamais sa sœur n'aurait pu obtenir qu'elle y restât ; mais heureusement, après quelques minutes, elle vit Willoughby sortir de la pièce ; elle le dit à Marianne. Jusqu'alors, l'excès de son agitation, le désir, l'espoir de lui parler avaient retenu ses pleurs ; mais lorsqu'elle sut qu'il avait quitté la salle, elle sentit qu'elle allait ou se trouver mal, ou fondre en larmes ; elle supplia sa sœur d'aller prier lady Middleton de la ramener à Berkeley Street : elle ne pouvait pas, elle, rester une heure de plus.

Quoique lady Middleton fût au milieu d'un rob, elle était trop polie pour ne pas quitter sa partie au moment où elle apprit que Marianne n'était pas bien ; elle remit son jeu à une amie et partit dès qu'on put avoir le carrosse. Elinor prit pour prétexte que la chaleur avait incommodé Marianne. Celle-ci ne dit pas un mot ; ce ne fut qu'à des soupirs qu'on s'apercevait qu'elle était là. A leur arrivée à la maison, Elinor apprit avec plaisir que Mme Jennings n'était pas encore entrée ; elle se hâta de conduire Marianne dans leur chambre ; elle la déshabilla, la mit au lit, lui donna quelques calmants pour ses nerfs, qui étaient très attaqués, ne lui fit ni question ni reproches, et, à sa prière, la laissa seule. Elle alla au salon attendre le retour de Mme Jennings et eut le loisir de méditer sur ce qui venait de se passer.

Elle ne pouvait plus douter qu'il n'y eût quelque espèce d'engagement entre sa sœur et Willoughby, et il lui paraissait tout aussi certain que ce dernier avait changé et voulait rompre. Sa conduite ne pouvait avoir pour excuse aucune erreur, aucun malentendu, puisqu'il avouait avoir reçu ses lettres.

Seul, un changement total dans ses sentiments ou dans ses intentions pouvait l'expliquer. L'indignation d'Elinor contre lui aurait été à son comble, si elle n'avait pas été témoin de son extrême embarras, de sa rougeur, de sa pâleur : ce qui prouvait au moins qu'il reconnaissait ses torts et empêchait qu'on le crût un homme sans principes de morale et d'humanité, qui aurait cherché à gagner l'affection d'une pauvre jeune fille, sans amour et sans une intention honorable. Bonne Elinor ! Elle ignorait encore combien un tel caractère est commun dans le grand monde ; combien d'hommes vraiment cruels se font un jeu d'inspirer un sentiment qu'ils ne partagent pas, de blesser à mort un cœur innocent et sensible, et d'assimiler ainsi, dans leurs plaisirs criminels, l'imprudente jeune fille qui les écoute au gibier qu'ils poursuivent et qu'ils blessent ou tuent sans remords ! Elinor n'avait pas cette idée de Willoughby ; elle se rappelait cet air de franchise et de bonté qui, dès le premier moment, les avait toutes captivées ; elle voyait encore ses regards pleins d'amour fixés sur Marianne, et ses paroles si tendres, si pleines d'un sentiment honnête, vrai, délicat, lorsqu'il conjurait Mme Dashwood de ne rien changer à la *chaumière*. Non, non, Willoughby ne pouvait les avoir trompées ; il aimait passionnément Marianne ; elle n'avait là-dessus aucun doute. Mais l'absence avait pu affaiblir cet amour ; un autre objet pouvait l'avoir entraîné. Peut-être était-il forcé d'agir comme il le faisait, par quelque circonstance impérieuse. Il lui en coûtait au moins beaucoup ; elle l'avait vu dans chacun de ses traits ; et l'excellente Elinor, dans son désir de le trouver moins coupable, lui savait presque gré d'avoir le courage d'éviter sa sœur, s'il ne l'aimait plus, et de ne pas chercher à entretenir un sentiment inutile.

Mais pour le moment, Marianne n'en était pas moins très malheureuse. Elinor ne pouvait penser, sans le plus profond chagrin, à l'effet que cette rencontre si désirée et si cruelle devait avoir sur un caractère aussi peu modéré, et qui s'abandonnait avec tant de violence à toutes les impressions.

Sa propre situation gagnait à présent en comparaison ; elle était aussi séparée pour toujours d'Edward, mais elle pouvait encore l'estimer entièrement, elle pouvait au moins se croire encore aimée tendrement comme *une amie*. Puisqu'un autre titre lui était interdit, celui-là et l'idée de pouvoir encore être quelque chose pour lui, consolaient un peu son cœur ; mais toutes les circonstances aggravaient le sort de Marianne, et plus que tout encore son caractère. Une immédiate et complète rupture avec Willoughby devait avoir lieu, et comment la supporterait-elle ?

Lorsqu'elle rentra dans leur appartement, Marianne était assoupie ou feignait de l'être. Elinor se jeta tout habillée sur son lit, laissant la porte de communication ouverte pour voler à son secours au moindre bruit. La nuit fut passablement tranquille. Elinor, lasse de réfléchir, s'était endormie, lorsqu'elle fut réveillée par des sanglots.

Le jour d'une sombre matinée de janvier commençait à poindre ; elle se leva promptement et passa dans la chambre de Marianne ; elle la trouva levée aussi, à moitié habillée, à genoux dans l'embrasure de la fenêtre pour avoir plus de clarté, et devant un siège sur lequel elle écrivait aussi vite qu'un déluge de larmes qui coulaient sur son papier pouvait le lui permettre. Elinor la considéra quelque temps en silence avec le cœur déchiré ; puis elle lui dit avec l'accent le plus tendre :

— Chère Marianne, combien je m'afflige de vous voir dans cet état ! Le temps du mystère est passé, ne voulez-vous pas me confier…

— Non, non, Elinor, répondit-elle, ne me demandez rien en ce moment ; bientôt, vous saurez tout.

Elle continua d'écrire et de pleurer avec une telle violence qu'elle était souvent obligée de poser sa plume pour se livrer à l'excès de son chagrin.

Elinor s'était assise à quelque distance ; et si sa douleur était plus concentrée, elle n'en était pas moins vive. Ces mots : *Bientôt, vous saurez tout,* la glaçaient de terreur. Grand Dieu ! que lui restait-il encore à apprendre ? Cependant, ses craintes vagues, obscures, incertaines, ne portaient pas sur la conduite de Marianne ; Elinor avait elle-même l'âme trop pure pour concevoir une pareille idée ; elle connaissait d'ailleurs la noblesse du caractère de Marianne, ses sentiments élevés, son enthousiasme de la vertu, et ne put imaginer même un instant qu'elle les eût oubliés.

Lorsque Marianne eut fini sa lettre, elle sonna pour qu'une femme de chambre vînt allumer le feu. Pendant ce temps, elle acheva de s'habiller, cacheta sa lettre et la lui remit pour l'envoyer à l'instant à son adresse, puis vint s'asseoir sur le sofa à côté d'Elinor et, la tête enfoncée sur un des coussins, recommença à s'abandonner à son désespoir. Elinor fit tout ce qui dépendait d'elle pour la tranquilliser, la calmer ; elle ne se permit aucune question et lui dit seulement qu'elle ne désirait connaître ses peines que pour les adoucir. Mais lorsque Marianne pouvait parler, c'était pour la conjurer de ne lui rien demander encore, et véritablement ses nerfs étaient dans un tel état d'irritabilité qu'elle n'aurait pu avoir une conversation suivie.

— Je vous fais un mal affreux, chère Elinor, lui dit-elle ; il vaut mieux nous séparer jusqu'à ce qu'il me soit possible… Ma tête… mes yeux… j'ai besoin d'un peu d'air.

Elle ouvrit la fenêtre, y resta quelque temps, sortit de la chambre, rentra, ressortit encore ; elle était dans une agitation qui ne lui permettait pas de rester en place ; mais ce mouvement parut la calmer assez pour pouvoir descendre avec Elinor, lorsqu'on vint les avertir que le déjeuner était servi.

29

Marianne descendit appuyée sur le bras de sa sœur, s'assit à la table du déjeuner, mais ne but ni ne mangea ; toute l'attention d'Elinor était employée, non à la plaindre ou à la presser ; mais à détourner entièrement sur elle-même celle de Mme Jennings.

Comme le déjeuner était le repas favori de la maîtresse de maison, il durait longtemps ; quand il fut fini, elles s'assirent autour d'une table à ouvrage. Elinor montrait le sien à Mme Jennings et cette dernière lui montrait autre chose ; Marianne travaillait pour avoir un prétexte de baisser les yeux et de se taire, lorsque le domestique entra et lui remit une lettre. Elle s'en saisit vivement, regarda l'adresse, devint pâle comme la mort et se hâta de sortir de la pièce. Elinor comprit de qui elle était, comme si elle avait vu la signature, et fut si émue qu'elle craignit de ne pouvoir le cacher à Mme Jennings.

La bonne dame vit seulement que Marianne avait reçu une lettre de Willoughby et l'en plaisanta ; mais comme elle était très occupée à mesurer des aiguillées de laine pour le morceau de tapisserie qu'elle brodait, elle ne s'aperçut pas du trouble d'Elinor. Aussitôt que Marianne fut sortie, elle dit en riant :

— En vérité, ma chère Elinor, je n'ai encore vu de ma vie une tête de jeune fille aussi complètement tournée que celle de Marianne ; la pauvre enfant se meurt d'amour ! Si elle n'en devient pas folle tout à fait, elle sera bien heureuse. J'espère qu'on ne la fera pas attendre trop longtemps ; car il est vraiment triste de la voir ainsi rêveuse, mélancolique, si abattue. Dites-moi, je vous prie, quand le mariage aura lieu, et pourquoi Willoughby ne vient pas ici tous les jours pour l'égayer ? A-t-il peur de moi ? Il a tort ; j'aime beaucoup les jeunes gens bien amoureux, quand le mariage doit suivre, et il serait le bienvenu.

Jamais Elinor n'avait été moins en train de causer que dans ce moment ; mais la question était trop directe pour n'y pas répondre ; elle essaya donc de sourire.

— Êtes-vous donc réellement persuadée, madame, lui dit-elle, que ma sœur est engagée avec M. Willoughby ? J'ai toujours cru que vous plaisantiez ; mais une question si nette n'est plus un badinage ; il faut que j'y réponde sérieusement et que je vous assure que rien au monde ne surprendrait plus que ce mariage : il n'en est pas question.

— Fi donc ! mademoiselle Dashwood, dit toujours en riant Mme Jennings, comment pouvez-vous parler ainsi ? Est-ce que nous n'avons pas tous vu que leur mariage était arrêté ? N'avons-nous pas été témoins de la naissance de leur passion au premier moment où ils se sont rencontrés et de ses progrès ? Ne les ai-je pas vus à Barton tous les jours ensemble, n'ai-je pas vu le consentement de Mme Dashwood, qui traitait déjà Willoughby comme un fils ? Allons, allons, vous ne me ferez pas croire qu'elle se fût conduite ainsi, si elle n'avait pas été sûre de son fait. J'aime l'amour, moi, dans le cœur des jeunes gens, c'est de leur âge ; mais j'aurais bien voulu voir que sir John et M. Palmer eussent affiché ainsi mes filles avant d'avoir dit en toutes lettres : « Nous voulons les épouser. » Non, non, cela n'est pas possible ! Et quand je demandai à votre maman de vous emmener avec moi : « C'est précisément, me dit-elle, ce que je désirais le plus au monde, que mes filles apprissent à connaître le genre de vie de Londres avant leur mariage, qui ne peut tarder. » Et le jour du départ elle me dit : « Je vous recommande ma chère Marianne. Elinor est assez prudente pour que je n'en sois pas en peine ; mais je vous prie, madame Jennings, d'aider Marianne dans ses emplettes ; je veux qu'elle s'achète ce qui lui sera nécessaire, et j'y pourvoirai, mais non tout ce qui lui passera par la tête. » N'est-il pas clair qu'elle entendait les emplettes de noce ? Et à présent, vous allez me nier qu'il soit question de mariage ; parce que vous êtes mystérieuse pour vous-même, vous croyez que personne n'a ni yeux ni oreilles ; mais quant à moi, j'en suis si sûre que je l'ai dit à tout le monde, et Charlotte en a parlé comme moi.

— En vérité, madame, dit Elinor sérieusement, vous êtes dans l'erreur. Vous avez mal fait de répandre une nouvelle dont vous n'aviez point l'assurance ; vous en conviendrez vous-même, quoique vous ne vouliez pas me croire, à présent.

Mme Jennings rit encore, appela Elinor une petite mystérieuse. Mais Elinor n'était pas d'humeur de plaisanter, et très impatiente d'ailleurs de savoir ce que Willoughby avait écrit, elle se tut et sortit. En ouvrant la porte de la chambre de Marianne, elle la vit couchée à demi sur son lit, anéantie par la douleur, tenant une lettre ouverte et deux ou trois autres autour d'elle. Elinor s'approcha sans parler, s'assit sur le lit, prit la main de sa sœur ; la baisa plusieurs fois avec la plus tendre affection et versa elle-même des larmes presque aussi abondantes que celles de Marianne.

Cette dernière, quoique incapable de parler, semblait sentir parfaitement la tendresse de cette conduite. Elle pressait la main d'Elinor contre son pauvre cœur déchiré, comme pour en adoucir la blessure. Après quelque temps ainsi passé dans une affliction mutuelle, elle mit la lettre qu'elle tenait entre les mains d'Elinor, et, couvrant son visage de son mouchoir, jeta presque des cris de désespoir. Elinor, qui pensait qu'un chagrin aussi violent devait avoir libre cours, et que sa sœur souffrirait bien davantage si l'on tentait de le réprimer, quand bien même cela aurait été possible, la laissa s'y livrer, et ouvrant vivement la lettre de Willoughby, lut ce qui suit :

Mademoiselle,

Je viens de recevoir à l'instant la lettre dont vous avez bien voulu m'honorer et dont je vous témoigne toute ma reconnaissance. Je suis consterné d'apprendre qu'il y ait eu quelque chose hier au soir dans ma conduite avec vous qui n'ait pas mérité votre approbation, quoiqu'il me soit impossible de découvrir en quoi j'ai eu le malheur de vous déplaire ; je vous en demande mille pardons, et je vous assure que c'était absolument sans intention. Je n'ai jamais pensé à mon séjour en Devonshire et à mes relations avec votre famille sans le plus grand plaisir et j'ose me flatter que ce léger malentendu n'y portera nulle atteinte. Mon estime pour toutes les dames Dashwood est très sincère ; mais si j'ai été assez malheureux pour avoir donné lieu de croire à quelques sentiments plus vifs ou particuliers, je me reprocherais beaucoup d'avoir peut-être témoigné trop vivement cette estime. Vous serez bien convaincue, mademoiselle, qu'il m'était impossible d'aller au-delà, quand vous apprendrez que depuis longtemps mes affections étaient engagées ailleurs, et que dans quelques semaines, ma main suivra le don de mon cœur.

C'est avec grand regret que j'obéis à vos ordres en vous rendant toutes les lettres dont vous m'avez honoré, et la boucle de vos beaux cheveux que vous avez bien voulu me donner avec tant de complaisance.

Je suis, mademoiselle, avec une parfaite estime, votre très humble et très obéissant serviteur.

John Willoughby

Il est facile de comprendre avec quelle profonde indignation Elinor lut cette étrange lettre, écrite avec cette froideur, cette dureté, à celle dont il connaissait si bien les qualités distinguées, l'excessive sensibilité, et qu'il blessait si cruellement. Oh ! combien son intérêt, sa tendre pitié redoubla pour son innocente Marianne, qui n'avait à se reprocher que des imprudences presque autorisées par sa mère et la noble confiance d'un cœur trop tendre, trop crédule, dont elle était si punie. En commençant à lire cette lettre, Elinor était déjà bien convaincue qu'elle contenait l'aveu de l'inconstance de Willoughby ; mais jamais elle ne l'aurait soupçonné capable d'un tel manque de délicatesse, d'un tel oubli de toute espèce de procédés, en écrivant une lettre aussi cruelle, qui non seulement n'exprimait aucun regret, aucun aveu d'inconstance ou d'obstacles insurmontables, mais par laquelle il niait même avoir eu pour sa victime aucune espèce d'affection, une lettre dont chaque ligne était une insulte et prouvait combien celui qui l'avait écrite était méprisable.

Elle resta quelque temps dans un muet étonnement et ne pouvait à peine en croire ses yeux. Elle la relut encore et cette lecture ne servit qu'à augmenter sa haine contre cet homme. L'amertume de ce sentiment était telle qu'elle n'osait essayer de parler de peur d'enfoncer plus avant le poignard dans le cœur de la pauvre Marianne. Elle regardait cependant comme un bonheur qu'elle eût échappé à l'horreur d'être liée pour la vie à un être sans principes, sans honneur, sans délicatesse, enfin tel qu'il lui paraissait, le plus faux, le plus dur des hommes ; mais ce n'était pas le moment de le faire sentir à Marianne.

Ses méditations sur le contenu de cette lettre et sur l'insensibilité et la fausseté de celui qui l'avait écrite la conduisirent naturellement à réfléchir sur le caractère d'autres personnes qui, sans être peut-être aussi dépravées que Willoughby, ne pouvaient non plus que rendre malheureux ceux à qui elles seraient liées pour la vie. Elle oublia quelques instants les peines de sa sœur pour s'occuper des siennes, ou plutôt elles se confondirent et formèrent une masse de pensées douloureuses qui l'absorbèrent tellement qu'elle ne songea pas à lire les trois autres lettres que Marianne avait posées sur ses genoux, et qui, sans doute, étaient celles que Willoughby lui avait renvoyées. Les sanglots de Marianne avaient cessé, mais elle avait encore la tête dans les coussins, elle était toujours incapable de parler et d'entendre. Elinor, perdue dans ses réflexions, ne savait pas elle-même combien il y avait de temps qu'elle était là, quand elle entendit rouler un carrosse devant la porte. Elle regarda à la fenêtre pour savoir qui pouvait venir de si bonne heure : c'était la voiture de Mme Jennings avec qui elle devait sortir. Décidée à ne pas quitter Marianne, quoique sans espoir de la soulager, elle courut s'excuser auprès de leur bonne hôtesse en lui disant que sa sœur était indisposée. Mme Jennings accepta cette excuse et sortit seule ; Elinor retourna près de Marianne. Elle la trouva essayant de se lever, mais ses jambes tremblantes ne pouvaient la soutenir ; et sa sœur vint fort à propos pour l'empêcher de tomber sur le plancher ; ce qui n'eût pas été étonnant, car depuis plusieurs jours elle ne mangeait presque rien et ses nuits se passaient sans sommeil. Beaucoup de faiblesse et de vertiges en étaient la suite inévitable. Jusqu'alors, elle avait été soutenue par la fièvre de l'attente et de l'espérance ; tout était fini pour elle, plus d'espoir, pas même celui de revoir celui qui remplissait encore en entier son cœur ; elle succombait sous le poids du chagrin. Un mal de tête violent, des crispations d'estomac et plusieurs faiblesses alarmèrent Elinor. Elle eut recours à tout ce qu'elle put imaginer pour la remettre et la ranimer ; elle y parvint avec peine. Marianne reprit ses sens et put lui témoigner combien elle était touchée de sa bonté.

— Pauvre Elinor, lui dit-elle, combien je vous rends malheureuse ! Combien de peines je vous donne !

— Je voudrais seulement, lui répondit Elinor, savoir comment je pourrais vous donner quelques consolations.

Ce mot était trop pour Marianne ; mais quelque chose qu'Elinor eût pu lui dire, il en eût été de même.

— Ah ! non, non, dit-elle, plus de consolation pour moi ! Je suis trop malheureuse !

Sa voix s'éteignit de nouveau dans les sanglots et les larmes. Elinor ne pouvait presque plus supporter de la voir dans cet état.

— Tâchez de vous calmer, chère Marianne, lui dit-elle, si vous ne voulez pas vous tuer vous-même et tous ceux qui vous aiment. Pensez à votre mère, pensez combien vos souffrances l'affligeraient. Pour elle, vous trouverez des forces dans votre cœur.

— Je ne le puis, je ne le puis, s'écria Marianne ; laissez-moi, si je vous tourmente ; laissez-moi, haïssez-moi, abandonnez-moi, mais ne me torturez pas en exigeant l'impossible. Oh ! combien il est facile à ceux qui n'ont aucune peine personnelle de parler d'effort et de courage ! Heureuse ! Mille fois heureuse Elinor ! Vous ne pouvez avoir aucune idée de ce que je souffre.

— Vous me croyez heureuse, Marianne, ah ! si vous saviez...

Marianne la regarda avec un tel effroi, qu'elle se hâta d'ajouter :

— Si vous saviez combien je sens votre douleur ! Pouvez-vous me croire heureuse quand je vous vois aussi souffrante ?

— Pardonnez-moi, oh ! pardonnez-moi, lui dit Marianne en jetant ses bras autour du cou de sa sœur, je connais votre cœur, je sais qu'il souffre pour moi, mais je voulais dire que vous seriez sûrement heureuse un jour. Edward vous aime, il n'a jamais aimé que vous seule au monde. Ah ! qu'est-ce qu'un tel bonheur ne peut compenser ? Rien ne peut vous l'ôter.

— Rien, Marianne ! Mille circonstances peuvent le détruire à jamais.

— Non, non, non, s'écria Marianne avec véhémence, il vous aime, vous serez à lui pour la vie ; le malheur ne peut vous atteindre.

— Le malheur, chère Marianne, va presque toujours avec la vie. Je ne puis avoir aucun plaisir tant que je vous verrai dans cet état.

— Jamais vous ne me verrez autrement ; mon malheur durera autant que moi. Oh ! puissions-nous bientôt finir ensemble !

— Vous ne devez pas parler ainsi, Marianne. N'avez-vous point de réconfort ? N'avez-vous donc point d'amis ? L'amour est-il tout pour vous ? Est-ce que vous ne voyez autour de vous nulle consolation à votre perte ? Pensez, Marianne, que vous auriez souffert mille fois plus encore, si vous aviez quelque chose à vous reprocher de vraiment répréhensible ; si cet homme faux et cruel s'était amusé à prolonger votre erreur, à ne dévoiler son odieux caractère qu'après vous avoir entraînée dans une suite d'imprudences. Chaque jour de confiance en sa foi, en son honneur, augmentait le danger et aurait rendu le coup plus cruel, lorsqu'il aurait enfin, comme aujourd'hui, rompu ses engagements et trahi ses serments et sa foi.

— Ses serments, ses engagements ? dit Marianne. Que voulez-vous dire, Elinor ? Il ne m'a point fait de serment, il n'y avait nul engagement entre nous.

— Nul engagement ! s'écria Elinor.

— Non, non, il n'est pas aussi indigne, aussi méprisable que vous paraissez le croire ; il n'a trahi nul serment ; il n'a pas manqué de foi.

Et, au milieu de sa douleur, une expression de joie brilla dans les yeux de Marianne : elle pouvait justifier celui qu'elle adorait encore.

— Mais, du moins, il vous a dit qu'il vous aimait.

— Oui... non... jamais entièrement. Vous l'avez vu, vous l'avez entendu. Jamais il ne m'a parlé plus clairement, plus positivement en particulier que devant vous et ma mère. Tout, dans sa conduite, semblait me le prouver... mais sa bouche n'a rien confirmé. C'est moi, moi seule qui me suis trompée et jamais il ne m'a aimée !

Un nouveau déluge de larmes suivit cette déchirante pensée.

— Cependant, vous lui aviez écrit ; vous saviez par lui sans doute que vous le trouveriez à Londres ?

— Il me dit en me quittant qu'il y serait, *s'il vivait encore*, dans les premiers jours de janvier. Ah ! pouvais-je croire, pouvais-je penser que celui qui supposait que la douleur de se séparer de moi pouvait le faire mourir ne m'avait jamais aimée ? Il me dit qu'il ne m'écrirait pas, dans la crainte que sir John ne vît ses lettres, mais il me donna son adresse. Je n'ai pas osé lui écrire de la *chaumière*, puisque nos lettres partaient du Park ; mais je lui écrivis d'ici à l'instant de mon arrivée. Oh ! Elinor, pouvais-je faire autrement ? Les voilà mes lettres, méprisées, ah ! Dieu, Dieu !

Elle cacha encore son visage sur le coussin. Elinor prit les trois lettres et lut ce qui suit.

Berkeley Street, janvier

Comme vous allez être surpris, mon cher Willoughby ! Ah ! laissez-moi me flatter que ce n'est pas seulement de la surprise que vous éprouverez, en apprenant que je suis à Londres. Une invitation de la bonne Mme Jennings était un bonheur auquel je n'ai pu résister, non plus qu'à vous l'apprendre à l'instant même de mon arrivée. Je suis bien sûre que si mon billet vous parvient à temps, vous viendrez dès ce soir et que vous partage- rez mon impatience ; du moins, je vous verrai bien sûrement demain. Croyez qu'à Londres, comme à la chaumière, *vous trouverez toujours une fidèle et tendre amie.*

M. D.

Son second billet avait été écrit le lendemain du petit bal des Middleton et contenait ce qui suit :

Je ne puis vous exprimer mon chagrin de vous avoir manqué avant-hier lorsque j'ai trouvé votre carte au retour d'une promenade ; mais enfin, vous êtes en ville, et vous savez où je suis. Pourquoi n'ai-je pas reçu un seul mot de vous en réponse au billet que je vous ai écrit il y a huit jours, au moment de mon arrivée ? D'une heure à l'autre, j'espérais vous voir entrer ou du moins avoir une lettre. Je vous en conjure, Willoughby, ne prolongez pas ce supplice, revenez le plus tôt qu'il vous sera possible ; venez m'expliquer ce que je ne puis comprendre. Venez plutôt le matin ; Mme Jennings sort toujours à une heure, et je n'ose lui refuser de l'accompagner ; quoique je l'aie déjà fait dans un vain espoir. Ce même espoir, toujours trompé, m'avait engagée d'aller hier chez lady Middleton, où nous eûmes un petit bal. On m'assure que vous y étiez invité, mais je ne puis le croire, puisque vous n'y êtes pas venu. Il faudrait que vous fussiez étrangement changé depuis notre séparation, si vous refissiez volontairement l'occasion de revoir vos amies de la chaumière ; mais je ne veux pas même le supposer ; et j'espère que je recevrai bientôt de votre bouche l'assurance que vous êtes toujours le même pour votre M. D.

La troisième, datée du matin même, était ainsi conçue :

Que dois-je pense, Willoughby ? À quoi dois-je attribuer votre étrange conduite d'hier au soir ? Je vous en demande encore l'explication. J'étais préparée à vous revoir avec tant de plaisir après une absence qui m'avait paru si longue, à vous retrouver tel que vous étiez au moment de notre séparation, aimable, tendre, affectionné, enfin ce que vous étiez à Barton du matin au soir, et ce que vous n'êtes plus à Londres. Quelques semaines peuvent-elles avoir changé à ce point vos sentiments ? Qu'est-il arrivé ? Que vous ai-je fait,

moi qui n'ai cessé de penser à vous, de hâter par mes vœux
le moment de vous revoir ce moment qui devait être si doux,
et que vous avez su rendre si cruel ? J'ai passé une nuit
entière sans sommeil, tâchant en vain de comprendre ou
d'excuser une conduite aussi barbare, aussi contraire à ce
que j'attendais de vous ; je n'ai pu découvrir aucun motif,
rien qui pût me l'expliquer ; mais je n'en suis pas moins
prête à entendre votre justification, à croire encore qu'elle
dépend de vous. Peut-être qu'on m'a calomniée ; je ne
croyais pas avoir d'ennemis, et je croyais encore moins que
Willoughby pût ajouter foi à des rapports contre moi ; mais
comment puis-je expliquer autrement votre inconcevable
froideur ? Dites-moi ce que c'est avec cette franchise dont
vous faites profession et que j'aimais tant à trouver en vous ;
dites-le-moi, et j'aurai la satisfaction inexprimable de vous
rassurer sur tous les points. Je serais bien malheureuse, en
vérité, si j'étais forcée de penser mal de vous d'apprendre
que vous n'êtes pas ce que j'ai cru, que vous n'avez pas été
sincère dans vos expressions d'attachement pour ma famille,
et pour moi particulièrement ; mais s'il en est ainsi, je veux
aussi le savoir, je suis actuellement dans un état d'indéci-
sion et de trouble plus affreux mille fois que la certitude du
malheur, je désire bien vivement que vous puissiez vous jus-
tifier ; mais ce que je demande, c'est la vérité. Si vos senti-
ments ne sont plus ce qu'ils étaient, renvoyez-moi seulement
mes billets et la boucle de cheveux que vous avez emportée ;
je vous comprendrai et… Ah ! Willoughby, il est impossible
que vous ne vouliez plus être l'ami de M. D.

30

Elinor avait tremblé de lire ces lettres, elle s'attendait à
ce qu'elles fussent écrites avec tout le feu de la passion qui

dévorait sa pauvre sœur, et à trouver peut-être dans l'excès de cette passion la cause, si ce n'est l'excuse de la conduite de Willoughby. Les hommes trop souvent incapables de ressentir la passion qu'ils inspirent en sont ennuyés lorsque le goût léger qui les a entraînés n'existe plus. Mais ces lettres si simples, si tendres, si pleines d'affection et d'une confiance illimitée ; et celle de Willoughby si dure, si glacée, si insultante, redoublèrent sa tendre pitié pour sa sœur ; cependant, elle n'en blâmait pas moins son imprudence d'avoir donné de telles preuves de tendresse à un homme qui ne les demandait pas, qui avait à peine prononcé le mot d'amour ; et qui leur était connu depuis si peu de temps. Sir John leur avait fait l'éloge de ses talents pour la chasse, pour la danse, mais n'avait pas dit un mot de son caractère. Lui-même, il est vrai, s'était annoncé d'une manière aimable : mais tout jeune homme qui veut plaire, qui en a les moyens, s'annonce de même ; et certainement, il avait voulu plaire à Marianne et n'avait pu se faire illusion sur la nature du sentiment qu'il lui inspirait, qu'il avait si bien l'air de partager, que la prudente Elinor même y avait été trompée, et que la crédulité de la vive et sensible Marianne était bien excusable. Son seul tort était de s'être trop livrée à son sentiment, à ses espérances. Certes, elle en était trop punie pour pouvoir le lui reprocher.

Lorsque Marianne vit que sa sœur avait fini sa lecture et réfléchissait en silence, elle lui fit observer que ses lettres ne contenaient rien que toute autre qu'elle n'eût écrit dans la même situation.

— Je me regardais, dit-elle, comme étant aussi solennellement engagée envers lui que si un contrat légal nous eût liés. Cette sympathie qui nous avait entraînés l'un vers l'autre au premier instant, ce rapport de goûts, de caractère ; tout enfin me persuadait que le ciel nous avait destinés à nous unir.

— Malheureusement, dit Elinor, il ne voyait ni ne sentait de même.

— Elinor, pendant tout le temps qu'il a passé près de nous, il voyait, il sentait comme moi, j'en suis aussi sûre que de mon propre cœur. Sans doute le sien a changé, mais ce n'est pas sa faute ; l'art le plus diabolique a été employé pour le détacher de moi. Quand il me quitta, je lui étais aussi chère que mon cœur pouvait le désirer, et qu'il m'était cher à moi-même ! Cette boucle de cheveux qu'il m'a renvoyée si vite à ma première demande, par combien d'instances réitérées ne l'avait-il pas obtenue. Si vous aviez vu son regard ; si vous aviez entendu le son de sa voix lorsqu'il me suppliait de la lui laisser couper ! Et la dernière soirée de la *chaumière*, l'avez-vous oubliée, Elinor ? Et le matin quand il vint prendre congé de moi, son désespoir, ses larmes ! Les hommes peuvent-ils en répandre à volonté ? Cette espèce de soulagement que la nature accorde aux femmes, n'est-elle pas chez eux la preuve d'un cœur vraiment touché ? Oh ! si vous aviez vu son affliction à la seule pensée de se séparer de moi pour quelques semaines ! Non jamais, jamais je ne l'oublierai.

Elle fut quelques instants sans pouvoir parler ; mais quand son émotion fut un peu calmée, elle ajouta avec fermeté :

— Elinor, on m'a traitée cruellement, mais ce n'est pas Willoughby.

— Chère Marianne, quel autre que lui faut-il en accuser ? Par qui peut-il avoir été influencé ?

— Par tout le monde, et non par son propre cœur. Je croirais plutôt que tous ceux que je connais se sont ligués contre moi, que de le supposer coupable d'une telle cruauté. Cette femme de qui il parle, peut-être… ou toute autre, je n'excepte que vous, maman, Margaret et Edward, tous les autres peuvent m'avoir calomniée, et je les accuse plutôt que Willoughby, dont le cœur m'est si bien connu. On s'est vengé sans doute de ce que je préférais la société de l'homme du monde le plus aimable à des sots, à des gens sans goût, sans esprit. Je me suis fait des ennemis par la franchise de mon caractère, qui ne peut ni dissimuler ni flatter.

Elinor ne voulut pas dans ce moment se disputer avec sa sœur, elle lui dit seulement :

— Chère Marianne, si vous croyez avoir des ennemis assez méchants pour vous nuire par des calomnies, qu'ils soient frustrés de leur indigne triomphe, et que le sentiment de votre innocence et de vos bonnes intentions relève votre âme. C'est un louable et raisonnable orgueil que celui qui nous donne le sentiment de notre propre dignité et qui nous élève au-dessus des gens qui mettent leur bonheur à exploiter la calomnie.

— Non, non, s'écria Marianne, un malheur tel que le mien ne laisse aucun orgueil ; il m'est égal que tous ceux qui me connaissent sachent combien je souffre. Que m'importe leur triomphe ? Il ne peut rien ajouter à ma misère. Elinor, Elinor, il est bien faible le chagrin qui peut s'adoucir par la fierté, qui peut s'élever au-dessus de l'insulte et de la mortification ; il peut alors s'effacer entièrement, tandis que le mien ne s'effacera jamais ; je ne puis le surmonter. On peut jouir du mal qu'on m'a fait tant qu'on voudra, sans l'augmenter ni l'affaiblir. Je n'ai plus aucun sentiment de fierté ; je n'ai, je ne puis avoir que celui de mon malheur.

— Mais pour l'amour de ma mère, pour le mien, Marianne, ne pouvez-vous rien sur vous-même ?

— Ah ! pour vous deux je voudrais faire tout ce qui dépendrait de moi ; mais paraître heureuse quand je suis au désespoir ; ah ! qui pourrait l'exiger ?

Elles retombèrent quelque temps dans le silence. Elinor se promenait de la cheminée à la fenêtre et de la fenêtre à la cheminée, les bras croisés, les yeux baissés, absorbée dans ses pensées, sans sentir la chaleur du feu et sans rien voir au travers des vitres. Marianne, assise sur le pied de son lit, la tête appuyée contre une des colonnes, tenant dans ses mains la lettre de Willoughby, la relisant phrase par phrase, s'écria enfin tout à coup :

— Ah ! c'est trop, c'est trop cruel ! Ah ! Willoughby, Willoughby, est-ce bien vous qui m'écrivez ainsi ? Ne fais-je

214

pas un songe affreux ? Non, rien, rien ne peut vous justifier ; non, rien, Elinor, quoi qu'on ait pu lui dire contre moi. Ne devait-il pas suspendre son jugement ? Envoie-t-on un criminel au supplice sans l'entendre ? Ne devait-il pas me le dire quand je le lui demandais instamment, et me donner les moyens de me justifier ? (Elle reprit la lettre.) Cette boucle de cheveux *que vous* m'aviez donnée avec tant de complaisance. *Ah ! cela seul est impardonnable, Willoughby.* Est-ce votre cœur ; est-ce votre conscience qui ont dicté cette insolente phrase ? Non, Elinor, rien ne peut l'excuser.

— Non, Marianne, je le pense aussi.

— Mais cette femme, cette femme à qui il va, dit-il, donner son cœur et sa main, cette heureuse femme ! Qui sait par quel art, quelle séduction elle l'aura enchaîné ? Il l'aimait déjà, dit-il, et depuis longtemps. Ah ! sans doute quand elle a vu qu'il allait lui échapper et combien il m'était attaché, elle aura tout fait pour le retenir pour me bannir de son cœur ; mais qui peut-elle être ? Jamais je ne l'ai entendu parler d'une seule femme jeune, belle, séduisante : l'est-elle, Elinor ? Vous l'avez vue ; moi je n'ai vu que Willoughby. Est-elle mieux, beaucoup mieux que la pauvre Marianne ? Ah ! sans doute, puisqu'il m'abandonne pour elle ; mais peut-elle l'aimer comme moi ? Ah ! Willoughby, pourquoi ne m'avoir jamais parlé d'elle ? Alors j'aurais respecté ses droits sur vous ; mais jamais, jamais, il ne m'a parlé que de moi-même.

Il y eut une autre pause. Marianne était très agitée ; elle se leva et s'approcha d'Elinor, elle lui saisit la main.

— Chère Elinor, lui dit-elle, je veux retourner à Barton auprès de notre mère, pour la réconforter. Ne pouvons-nous partir demain ?

— Demain, Marianne !

— Oui, demain. Pourquoi resterai-je ici ? Je n'y suis venue que pour Willoughby ; qu'y ferai-je ? Qui m'intéresse à Londres ? Ah ! personne, personne, j'y suis comme dans un désert.

— Il serait, je crois, impossible de partir demain, dit Elinor ; nous devons à Mme Jennings plus que de la politesse ; et la quitter aussi brusquement après les bontés qu'elle a pour vous, ce serait malhonnête.

— Eh bien ! donc, dans deux jours ; mais en vérité, je ne puis rester plus longtemps. Je ne puis m'exposer aux remarques, aux questions de tous ces gens, les Middleton, les Palmer : comment supporter leur pitié ? La pitié de lady Middleton !... Ah ! que dirait-il lui-même, s'il le savait ?

— Je crois, chère Marianne, qu'un si prompt départ ferait beaucoup plus causer encore. Mais, pour le moment, tâchez de trouver un peu de repos ; couchez-vous ; soyez physiquement tranquille, et vos esprits se calmeront.

Marianne suivit un instant ce conseil, mais reprit bientôt toute son agitation. Aucune place, aucune attitude ne lui convenaient. Sa sœur ne put obtenir d'elle qu'elle restât couchée. Elle eut encore une attaque de nerfs assez violente. Elinor craignait d'être obligée d'appeler quelqu'un à son secours ; mais elle craignait encore plus qu'on ne la vît dans cet état. Quelques gouttes de lavande la remirent peu à peu ; elle resta assez faible pour être tranquille sur un sofa jusqu'au retour de leur hôtesse. Mme Jennings entra immédiatement dans leur chambre sans se faire annoncer. Elle entrouvrit la porte et regarda avec l'air affligé.

— Comment allez-vous, ma chère ? dit-elle à Marianne, sur le ton de la compassion.

Celle-ci détourna la tête sans répondre.

— Comment est-elle, mademoiselle Elinor ? Pauvre petite ! Elle a l'air bien malade, et cela n'est pas étonnant. Hélas ! il n'est que trop vrai, il se marie bientôt, ce grand vaurien. Je viens de l'apprendre ; Mme Taylor me l'a dit il n'y a pas une demi-heure ; elle le tenait d'une intime amie de Mlle Grey elle-même, sans quoi je n'aurais pu le croire. « Eh bien ! lui ai-je dit, tout ce que je sais, et ce qui est la vérité même, c'est qu'il s'est conduit abominablement avec une jeune dame de ma connaissance, à qui il a fait croire qu'il l'aimait avec passion, tandis qu'il en courtisait une autre. Je désire de tout mon cœur, pour le bien que je lui veux, que sa femme le rende malheureux. Je n'avais aucune idée qu'un homme pût se conduire de cette manière. Et qu'il ne me démente pas, car j'ai vu de mes propres yeux comme Mlle Marianne l'aimait, comme il l'aimait aussi ; j'aurais parié ma tête qu'il n'épouserait qu'elle. Ah ! si jamais je le rencontre, fût-ce à côté de sa femme, je lui reprocherai sa conduite, je vous en réponds. » Mais, consolez-vous, chère Marianne, ce n'est pas le seul homme qui méritât d'être aimé, et avec votre jolie mine vous ne manquerez pas d'admirateurs. Allons, courage, ma pauvre petite ! Je ne veux pas vous troubler plus long-temps ; vous vous retenez de pleurer pour moi, je parie ; il vaut mieux pleurer tout à la fois, et que cela soit fait. J'ai invité pour ce soir les Parry et les Sanderson ; ils sont gais, comme vous savez, ils vous distrairont.

Elle s'en alla doucement sur la pointe des pieds, comme si le bruit avait pu augmenter l'affliction de sa jeune amie.

Le reste de la matinée s'écoula assez tranquillement.

Marianne était sombre, parlait peu, soupirait beaucoup, mais fut plus calme, et, à la grande surprise de sa sœur, elle voulut descendre pour le dîner. Elinor s'y opposait, mais elle insista. Elinor l'habilla, tandis que Marianne demeurait aussi bien qu'elle put sur le lit, et se tint prête pour la conduire à la salle à manger quand on les appellerait.

Elles descendirent ; Marianne, appuyée sur sa sœur, pâle, abattue et les yeux rouges, se mit à table et plus calme qu'Elinor ne l'avait espéré. Si elle avait essayé de parler ; ou qu'elle eût entendu la moitié de tout ce que Mme Jennings disait, son calme ne se serait pas aussi bien soutenu ; mais pas un mot n'échappa de ses lèvres, et la concentration de ses pensées l'empêcha de faire attention à ce qui se passait autour d'elle.

La bonne Mme Jennings ne pensait pas que ses attentions, poussées jusqu'au ridicule, la tourmentaient plutôt que de lui faire du bien : Elinor, qui rendait justice à ses bonnes intentions, lui en témoignait sa reconnaissance et faisait son possible pour qu'elle laissât Marianne tranquille ; mais elle ne pouvait la persuader que les peines de l'âme ne doivent pas être traitées comme une migraine ou des maux purement physiques. Mme Jennings voyait Marianne malheureuse, et la traitait avec l'indulgente tendresse d'une mère pour un enfant chéri, le dernier jour des vacances. Marianne devait avoir la meilleure place vers le feu, le meilleur mets, le meilleur vin, le meilleur fauteuil ; elle cherchait tout ce qu'elle pouvait imaginer pour l'amuser ou la tenter de manger en lui présentant une variété d'entremets, de desserts, de confitures de toute espèce. Si Elinor n'avait vu, par la contenance de sa sœur, que toute plaisanterie lui serait insupportable, elle n'aurait pu s'empêcher de rire avec elle des recettes de la bonne dame contre un chagrin d'amour. À la fin cependant, elle fut si pressante et lui répéta si souvent que tout ce qu'elle lui présentait lui ferait sûrement du bien, que Marianne, ne pouvant ni l'accepter ni s'en défendre, prit le parti de retourner dans sa chambre ; elle se leva avec une expression douloureuse et fit signe à sa sœur de ne pas la suivre.

— Pauvre enfant ! s'écria Mme Jennings aussitôt qu'elle fut loin, combien je suis peinée de la voir ainsi ! Voyez, elle s'en est allée sans finir ses cerises à l'eau-de-vie ; rien ne l'aurait mieux fortifiée ; mais plus rien ne lui fait plaisir. Si je pouvais découvrir quelque chose qu'elle aimât, j'irais le lui chercher au bout de la ville. N'est-ce pas odieux qu'un homme abandonne ainsi une aussi jolie personne ? Mais voilà ce que c'est : quand il y a tant d'argent d'un côté et presque point de l'autre, la balance l'emporte. Dieu vous bénisse ! Ils ne se soucient plus de telles choses !

— Mlle Grey, n'est-ce pas ainsi que vous l'appelez, est donc très riche ? interrompit Elinor.

— Cinquante mille livres, ma chère ; on est toujours belle avec une telle dot. L'avez-vous vue à l'assemblée ? Elle est élégante, bien faite, mais point jolie. Je me souviens très bien de sa tante, Biddy Henshawe ; elle avait épousé un homme très fortuné. Mais toute cette famille est riche à millions, et cela tente un jeune homme qui aime la dépense, les chiens, les chevaux, les caricles, les équipages et la bonne table. Je veux bien cela ; mais il ne faut pas tourner la tête à une pauvre jeune fille qui n'a rien, lui faire espérer le mariage, puis la planter là quand on en trouve qui veut payer sa belle figure et toutes ses fantaisies.

— Savez-vous, madame, si Mlle Grey est aimable ?

— Je n'ai jamais entendu faire d'elle d'autre éloge que d'être riche et élégante ; elle a toujours les premières modes ; seulement Mme Taylor m'a dit aujourd'hui que M. et Mme Ellison ne seraient pas fâchés du tout qu'elle se mariât, parce qu'elle et Mme Ellison ne s'accordaient point ensemble.

— Et qui sont ces Ellison ?

— M. Ellison est son tuteur, ma chère, chez qui elle vit ; mais dès qu'elle a vu le beau Willoughby, elle n'a plus voulu donner le bras à son tuteur ; elle ne parle, n'agit que par Willoughby. Le joli choix qu'elle a fait là ! Elle le paiera, sur ma parole.

Elle s'arrêta un moment.

— Elle est allée dans sa chambre, la pauvre petite, je suppose ; il faut retourner auprès d'elle, ce serait cruel de la laisser seule, la pauvre enfant ! J'ai quelques amis ce soir, il faut qu'elle vienne ; on jouera à tout ce qu'elle voudra ; elle n'aime pas le whist, c'est trop sérieux, je comprends cela ; nous ferons un vingt-et-un, un trente et quarante, une macédoine, enfin tout ce qui pourra l'amuser.

— Chère dame, dit Elinor, votre bonté est tout à fait inutile ; ma sœur n'est pas en état de quitter sa chambre, ce soir. Je vais la persuader de se mettre au lit de bonne heure ; un parfait repos est ce qui convient le mieux à ses nerfs.

— Oui, oui, je crois que c'est le mieux ; il faut qu'elle ordonne elle-même son souper et qu'elle dorme. C'est donc cela qui la rendait si triste ces dernières semaines ? Je suppose qu'elle s'en doutait, la pauvre enfant, quand elle ne voyait point venir son infidèle ; moi je n'y comprenais rien, et lorsqu'il ne vint pas au bal chez ma fille, j'aurais bien pu alors me douter de quelque chose. Mais ce sont des querelles d'amants, pensai-je en moi-même ; ils se raccommoderont et ne s'en aimeront que mieux. C'est donc cette lettre qu'elle a reçue ce matin qui a tout fini ? Pauvre petite ! si j'avais pu deviner ce que c'était, je me serais bien gardée de la railler ; mais qui pouvait penser une telle chose ? Ah ! combien sir John et Mary vont être étonnés quand ils l'apprendront ! Je suis fâchée de n'être pas allée chez eux, en revenant, pour le leur dire, mais j'irai demain sûrement.

— Il est inutile, madame, de vous recommander de prier vos filles et vos gendres de ne pas nommer M. Willoughby devant ma sœur ; de ne faire aucune allusion à ce qui s'est passé ; leur bon cœur et le vôtre suffiront pour prévenir ce qui serait vraiment une cruauté. Pour moi-même, moins on m'en parlera, plus on m'épargnera de peine. Vous devez le comprendre, vous qui êtes la bonté même.

— Mon Dieu ! cela va sans dire. Il serait terrible pour vous et pour votre pauvre sœur d'en entendre parler ; on la ferait tomber en faiblesse, j'en suis sûre ; je ne lui en dirai pas un mot. Vous avez bien vu à dîner que j'ai parlé de tout autre chose. J'en avertirai sir John et sa lemme, et ils se tairont aussi : à quoi sert de parler ?

— Souvent à faire beaucoup de mal, dit Elinor, à dire plus qu'on ne sait, plus qu'il n'y a. Le public juge sur l'événement, ignore les circonstances et parle de ce qu'il ne sait qu'imparfaitement. Dans ce cas, par exemple, tous nos amis, je suppose, blâmeront beaucoup M. Willoughby ; et sans doute, il a eu des torts, mais non pas celui dont on l'accusera sûrement. Je dois lui rendre la justice que, s'il a manqué aux procédés, il n'a pas manqué à ses serments ; il n'avait nul engagement positif avec ma sœur.

— Mon Dieu ! ma chère, vous n'allez pas à présent le défendre ! Point d'engagement positif ; dites-vous ? Après l'avoir menée au château d'Allenham et lui avoir montré l'appartement qu'ils devaient habiter un jour ?

Pour l'amour de sa sœur, Elinor ne voulut pas presser cette discussion. Marianne pouvait y perdre, et Willoughby y gagnait très peu. Après un court silence, Mme Jennings reprit la parole avec son ton de gaieté ordinaire.

— Eh bien ! ma chère, il n'y a pas grande perte dans le fond, et le colonel Brandon n'en sera pas fâché. Voulez-vous parier qu'il épousera Marianne vers le milieu de l'été ? Mon Dieu ! quelle joie va lui donner cette nouvelle ! J'espère qu'il viendra ce soir, j'aime à voir des gens heureux. C'est un bien meilleur parti pour votre sœur ; deux mille livres de revenu valent mieux que six cents : c'est, je crois, tout ce que rapporte Haute-Combe, et Mme Smith n'est pas encore morte ! Delaford, la terre du colonel, est bien autre chose que Haute-Combe et même que Barton. Il y vient les meilleurs fruits possibles ; il y a un canal délicieux, une grande route, une jolie église, qui n'est pas à un quart de mile, et le presbytère à côté, qui peut faire un bon voisinage. Je vous assure que c'est une charmante terre ; je me réjouis d'y aller voir Marianne quand elle y sera établie, et cela ne peut manquer. Il y a bien l'obstacle de sa fille, de cette enfant de l'amour, Mlle Williams, mais il la mariera ; une bonne dot en fera l'affaire, et il n'en sera pas moins un excellent parti, si nous pouvons mettre Willoughby hors de la tête de votre sœur.

— J'espère bien que nous y parviendrons, madame, et même sans le colonel, dit Elinor. Alors elle se leva et alla rejoindre Marianne, qu'elle trouva, comme elle s'y attendait, rêvant à ses chagrins, à côté d'un feu à demi éteint, et sans autre lumière.

— Pourquoi revenir, Elinor ? vous feriez mieux de me laisser.

Ce fut tout ce qu'elle lui dit.

— Je vous laisserai, lui répondit-elle, si vous voulez vous coucher.

Elle s'y refusa d'abord ; mais Elinor ne se rebuta pas, la pressa doucement, l'aida à se déshabiller, et soit par persuasion, soit par complaisance, Marianne y consentit. Sa sœur eut la consolation de voir sa pauvre tête fatiguée de pleurs sur son oreiller, et de la laisser sur le point de trouver un peu de repos et d'oubli de ses peines dans un doux sommeil. Elle alla rejoindre Mme Jennings, et la rencontra tenant un gobelet à moitié plein.

— Ma chère, lui dit-elle, je me suis rappelé que j'avais encore une bouteille de vieux vin de Constance, je suis allée la chercher pour votre sœur. Mon pauvre mari en faisait un grand usage quand il avait une goutte remontée ; il assurait que rien ne lui faisait plus de bien. Faites-en prendre à votre sœur ; j'allais lui en porter.

— Chère madame, dit Elinor en souriant de l'efficacité d'un remède contre la goutte dans cette circonstance, vous êtes trop bonne, en vérité. Je viens de faire mettre Marianne au lit, elle dort peut-être en ce moment, et rien ne peut lui faire plus de bien que le repos. Si vous voulez me le permettre, dit-elle en prenant le gobelet, c'est moi qui boirai cet excellent vin à la santé de la meilleure des femmes et des amies.

— Et à celle de la pauvre petite malade d'amour, dit la bonne dame. N'est-il pas bon ? Je vous le dis, il la guérira et fortifiera son cœur ; nous lui en donnerons demain, et tout ira à merveille.

Quelques moments après, la société attendue arriva. Mme Jennings les reçut, et Elinor alla présider à la table à thé.

31

Ainsi que Mme Jennings l'avait prévu, le colonel Brandon entra pendant qu'Elinor préparait le thé, et par sa manière de regarder autour de la chambre, elle comprit à l'instant qu'il s'attendait à n'y pas trouver Marianne, qu'il ne le désirait pas, et qu'il savait déjà ce qui occasionnait son absence. Mme Jennings n'eut pas la même idée, car dès qu'il fut entré, elle traversa la chambre, vint près de la table à thé où Elinor présidait, et lui dit à l'oreille :

— Le colonel a l'air bien sérieux, ma chère, sûrement il ne sait rien de l'affaire. Dites-la-lui bien vite ; vous verrez comme il changera de physionomie.

Quelques moments après, le colonel s'approcha d'Elinor, et avec un regard qui lui confirma qu'elle n'avait rien à lui apprendre, il s'assit à côté d'elle et lui demanda des nouvelles de sa sœur.

— Marianne n'est pas bien, dit-elle, elle a été indisposée tout le jour ; et nous l'avons persuadée de se mettre au lit.

— Peut-être, dit-il en hésitant beaucoup, ce que j'ai entendu dire ce matin... est plus vrai que je n'ai d'abord voulu le croire ?

— Qu'avez-vous entendu dire ?

— Qu'un gentilhomme que j'avais de fortes raisons de penser... de croire... d'être sûr même qu'il était engagé... avec votre sœur. Mais pourquoi me le demander ? vous le savez, j'en suis certain. Je l'ai vu en entrant à l'altération de vos traits, à l'absence de votre sœur ; épargnez-moi la peine de le dire.

— Eh bien donc ! dit Elinor, je suppose que vous voulez parler du mariage de M. Willoughby avec Mlle Grey ; il paraît que c'est aujourd'hui le jour des révélations, car nous l'avons appris ce matin. M. Willoughby est incompréhensible. Où l'avez-vous entendu dire ?

— Dans un magasin, à Pall Mall, où j'avais affaire. Deux dames en parlaient ensemble si haut qu'il m'était impossible de ne pas les entendre. Le nom de John Willoughby fréquemment répété attira mon attention ; celui de Mlle Grey s'y joignit, et fut suivi d'une assertion positive de leur mariage, qui doit avoir lieu dans quelques semaines. Aussitôt que la cérémonie sera faite, a ajouté l'une d'elles, ils partiront pour Haute-Combe, la terre que M. John Willoughby possède en Sommersetshire... Ah ! mademoiselle Elinor, mon étonnement à cette nouvelle... Mais il me serait impossible d'exprimer ce que j'ai senti. Cette dame, à ce que j'ai appris, se nomme Ellison, son mari est tuteur de Mlle Grey ; aussi doit-elle être bien informée, et l'on ne peut en douter.

— Nous n'en doutons nullement, dit Elinor ; mais vous a-t-on dit aussi qu'elle a cinquante mille livres ? Il me semble que ce mot explique tout.

— Peut être, mais n'excuse rien, dit le colonel, et Willoughby est capable, du moins je le crois...

Il s'arrêta un moment, et sans achever sa phase commencée, il ajouta en changeant de ton :

— Et votre sœur, comment est-elle ?

— Elle a beaucoup souffert, mais j'ai l'espoir que plus son chagrin a été violent, plus il sera court ; elle a été, et elle est encore dans une cruelle affliction. Jusqu'à hier, elle n'avait eu, je crois, aucun doute sur ses sentiments et même à l'heure actuelle, elle voudrait encore pouvoir le justifier. Quant à moi, je suis presque convaincue qu'il ne lui a jamais été réellement attaché. Mais combien il a été trompeur, artificieux... et en dernier lieu il a montré une dureté de cœur qui m'a excessivement surprise.

— Ah ! c'est vrai, reprit le colonel... Mais ne disiez-vous pas que votre sœur ne voit pas sa conduite sous le même jour que vous ?

— Vous connaissez l'extrême sensibilité de Marianne, colonel ; il lui en coûte trop de le condamner.

Il ne répondit rien. Le thé était fini, on arrangea les parties de jeu, et l'entretien fut interrompu. Mme Jennings, tout en jouant, regardait le colonel avec surprise. Elle s'était attendue à ce que la nouvelle du mariage de son rival le transportât de joie, et qu'elle aurait le plaisir de le voir aussi gai, aussi animé que s'il n'avait que vingt ans ; or, il lui paraissait, au contraire, plus sérieux encore qu'à l'ordinaire. Il se dispensa de jouer et sortit bientôt.

— On ne comprend plus rien aux hommes, dit-elle, le soir, à Elinor, j'aurais juré aussi qu'il aimait Marianne.

La nuit fut meilleure pour cette dernière qu'Elinor ne l'avait espéré ; son abattement lui procura un peu de sommeil ; mais en s'éveillant le lendemain, elle retrouva le même poids sur son cœur.

Elinor, pour la soulager, l'engagea à parler du triste sujet qui l'oppressait, et avant qu'on les appelât pour le déjeuner, elles avaient traité à fond ce sujet, avec la même conviction du côté d'Elinor, les mêmes tendres et raisonnables conseils, et du côté de Marianne avec les mêmes sentiments impétueux et les mêmes variations d'opinion.

Parfois, elle croyait Willoughby aussi malheureux et aussi innocent qu'elle ; à d'autres moments, elle repoussait toute consolation et toute excuse, et le voyait le plus coupable des hommes ; parfois encore, elle était absolument indifférente au jugement du public et voulait se montrer avec toute sa douleur ; l'instant d'après, elle voulait s'isoler pour toujours : tantôt abattue à ne pouvoir presque parler ni faire un mouvement, tantôt se relevant avec énergie. Sur un seul point, elle ne changeait jamais, c'était d'éviter autant que possible la présence de Mme Jennings, et quand elle ne le pouvait, de garder un opiniâtre silence. Il fut impossible à sa sœur de la persuader que Mme Jennings entrait dans ses peines avec une vraie compassion.

— Non, non, répondait-elle, c'est impossible ; la sensibilité n'est pas dans sa nature. Vous le voyez, elle connaît et sent si peu mon chagrin qu'elle croit pouvoir l'adoucir par des boissons ou par des mets plus recherchés. Elle me plaint comme elle plaindrait son chat, si on lui avait marché sur la patte, et rien de plus. Tout ce qu'elle aime c'est de causer, de raconter, et elle n'est pas fâchée, au fond, d'en avoir un nouveau sujet.

Quoiqu'il y eût là-dedans quelque vérité, Elinor connaissait trop bien l'excellent cœur de Mme Jennings pour ne pas repousser ce qu'elle appelait une injustice ; mais elle ne put convaincre Marianne, qui était presque toujours influencée dans ses jugements par la trop grande importance qu'elle accordait à une sorte de délicatesse raffinée et de sensibilité romanesque, au bon goût, au bon ton, aux grâces. Marianne, de même que bien des personnes, avec un caractère bon, généreux, un esprit élevé, une sincérité parfaite, n'était ni juste ni raisonnable, et paraissait quelquefois exactement le contraire de ce qu'elle était réellement lorsqu'elle se laissait aller à ses impressions exagérées.

Elle exigeait des autres les mêmes sentiments, les mêmes opinions qu'elle avait, et jugeait de leurs motifs par l'effet immédiat de leurs actions sur son esprit. Sa mère, fière de trouver chez une fille aussi jeune cet esprit vif et pénétrant, ce sentiment du beau, cet enthousiasme qui la rendait si éloquente et qui animait si bien sa charmante physionomie, avait plutôt encouragé cette disposition qu'elle n'avait cherché à l'affaiblir ou à la régler. Lorsque Marianne allait trop loin, sa mère riait et disait : « Mon Elinor est raisonnable pour deux et cela se calmera avec les années », oubliant que les années ne changent point le caractère ; et peuvent tout au plus le modifier : et Mme Dashwood elle-même en était la preuve.

Une légère circonstance vint encore mettre Mme Jennings plus bas dans l'estime de Marianne, en lui causant une nouvelle source de peines, et cependant cette bonne femme n'était guidée que par l'impulsion de son excellent cœur et de sa bonne volonté.

Les deux sœurs étaient remontées dans leur chambre après déjeuner ; elles discutaient encore sur Mme Jennings, lorsque celle-ci entra avec une lettre sortant à demi de ses mains, et la figure aussi gaie, aussi contente, aussi riante, que si elle rapportait à Marianne tout son bonheur.

— Que me donnerez-vous, lui dit-elle en entrant, pour ce que je vous apporte ? Voilà le meilleur des remèdes, ajouta-t-elle en montrant la lettre dans sa main tendue.

Le cœur de Marianne battait au point de lui ôter la force d'aller arracher des mains de Mme Jennings la lettre précieuse. Son imagination mettait devant elle une lettre de Willoughby, pleine de tendresse, de repentir, expliquant tout ce qui s'était passé, satisfaisante, convaincante, et bientôt suivie de Willoughby lui-même, se précipitant dans la chambre, tombant à ses pieds, et confirmant par l'éloquence de son regard les assurances qu'il lui donnait.

Hélas ! ce tableau si rapide et si charmant fut bientôt effacé. La lettre est posée devant elle d'un air triomphant, et déjà Marianne reconnaît sur l'adresse l'écriture de sa mère, qui, pour la première fois de sa vie, serre douloureusement son cœur. Son espérance a été si complète et si vive que l'instant qui la détruit est l'un des plus cruels qu'elle ait encore passés ! Il lui sembla n'avoir pas souffert avant ce moment.

La cruauté de Mme Jennings en la trompant ainsi (car elle lui supposa une intention qu'elle n'avait jamais eue) lui parut au-dessus du reproche ; elle n'eut d'autre expression qu'un déluge de larmes, qui ne furent pas interprétées comme telles par celle qui les faisait couler.

Mme Jennings crut au contraire que c'était un excès d'attendrissement causé par la vue d'une lettre de sa mère, et après avoir répété : « Pauvre enfant, pauvre enfant ! Elle est si nerveuse que le plaisir même la fait pleurer », elle sortit sans avoir le moindre sentiment de sa maladresse.

Passé le premier moment, Marianne éprouva un sentiment de remords d'avoir aussi mal reçu une lettre de sa mère. Elle la reprit, la pressa contre ses lèvres, essuya ses yeux et la lettre même mouillée de ses larmes, et l'ouvrit avec un tendre respect ; hélas ! elle n'y trouva aucune consolation. Le nom de Willoughby remplissait chaque page ; Mme Dashwood, confiante encore en son amour, en son honneur, ne croyait pas possible qu'on pût se lasser d'aimer sa Marianne, mais, réveillée par les craintes et les soupçons d'Elinor, elle cherchait à relever l'espérance de sa fille chérie, demandant seulement qu'elle s'ouvrît davantage devant l'une et l'autre ; elle témoignait une affection si sincère pour Willoughby et une telle conviction de leur bonheur lorsqu'ils seraient unis que le désespoir de Marianne devint une espèce d'agonie.

Elle cessa enfin de pleurer et témoigna alors la plus vive impatience de retourner auprès de sa mère ; elle seule entrerait dans ses sentiments, comprendrait sa douleur ; elle seule avait senti combien Willoughby méritait d'être aimé ; elle seule lui pardonnerait de l'aimer encore malgré sa perfidie. Elle voulait partir le matin même, et pria Elinor de sonner pour demander une voiture.

Ce départ si prompt, si soudain, n'était pas du tout de l'avis d'Elinor ; outre l'émotion affreuse que ce retour inattendu donnerait à leur mère, qu'il fallait au moins en prévenir, et ses doutes sur le bien qu'il ferait à Marianne, elle craignait avec raison qu'une absence si brusque dans un tel moment ne nuisît à sa réputation, et redoutait même les soupçons et les propos de Mme Jennings, excitée par la colère où ce départ la mettrait sûrement : elle tâcha donc, sans lui dire les motifs qui l'auraient encore plus exaspérée, de faire entendre raison à sa sœur. Elle lui dit qu'il fallait au moins avoir le consentement de leur mère ; que leur frère, étant attendu tous les jours à Londres, trouverait fort mauvais qu'elles partent au moment de son arrivée ; et la raison se fit enfin entendre à Marianne.

Mme Jennings sortit ce jour-là plus tôt que de coutume et ne demanda point à Elinor de la suivre ; il lui tardait que les Middleton et les Palmer sachent tout ce qui se passait, et qu'eux aussi puissent s'affliger sur Marianne et s'indigner contre Willoughby. Dès qu'elle fut partie, Marianne conjura sa sœur d'écrire à leur mère, de lui dire toute sa douleur, et de lui demander la permission de retourner auprès d'elle. Elinor s'assit pour cette pénible tâche ;

Marianne placée vis-à-vis d'elle, dans le salon de Mme Jennings, appuyée sur la même table où sa sœur écrivait, tantôt suivait le mouvement de sa plume, tantôt rêvait, la main sur les yeux, et s'affligeait aussi du chagrin que cette lettre causerait à sa bonne mère ; il y avait un quart d'heure environ qu'elles étaient ainsi, quand un coup de marteau à la porte fit tressaillir Marianne.

— Qui peut venir de si bonne heure ? dit Elinor. J'espérais que nous étions à l'abri d'une visite.

Marianne était déjà à côté de la fenêtre.

— Qui serait-ce sinon le colonel Brandon ? dit-elle avec humeur. Est-on jamais à l'abri de le voir entrer ? Je ne veux pas le voir et je m'échappe. Un homme qui ne sait que faire de son temps envahit toujours celui des autres.

Elle sortit par la salle à manger pour éviter de le rencontrer.

Elinor, qui voulait achever sa lettre, hésitait si elle le recevrait en l'absence de Mme Jennings, mais il ne se fit point annoncer ; il entra ; le regard mélancolique et le son de voix altéré avec lequel il demanda des nouvelles de Marianne convainquirent Elinor que c'était le seul but de sa visite ; elle pouvait à peine pardonner à sa sœur le peu d'estime qu'elle avait de ce digne homme.

— J'ai rencontré Mme Jennings dans Bond Street, dit-il à Elinor ; elle m'a engagé à venir auprès de vous, et j'ai été charmé, je vous l'avoue, mademoiselle, de cette occasion de vous parler sans témoins ; je le désirais d'autant autant plus que je vous jure que mon seul motif, mon seul vœu, mon seul espoir est de donner peut-être quelques *consolations*. Mais non, ce n'est pas le mot, bien au contraire, et je ne sais de quelle expression me servir de donner à votre sœur une conviction, déchirante peut-être au premier moment, mais qui puisse contribuer à guérir son cœur. L'intérêt que je lui porte, ainsi qu'à votre excellente mère, m'a décidé à vous confier quelques circonstances... Mais je vous en conjure, ne voyez dans cette confiance qu'un respect très sincère, l'ardent désir de vous être utile. Je crois être justifié de le faire ; mais quoique j'aie passé bien des heures à me convaincre moi-même qu'il était de mon devoir de vous parler, n'ai-je pas quelque raison de craindre de m'être trompé ?

— Je vous entends, dit Elinor, vous avez quelque chose à me dire sur M. Willoughby, qui dévoilera son caractère. Vous dites que c'est la plus forte preuve d'amitié que vous puissiez donner à ma sœur : ma reconnaissance vous est donc assurée. Si ce que vous avez à me confier tend à la guérir plutôt de sa malheureuse inclination, parlez, je vous en conjure, je suis prête à vous entendre.

32

— Vous me trouverez, dit le bon colonel à Elinor, un très maussade narrateur ; je sais à peine par où commencer le récit que j'ai à vous faire. Quand je quittai Barton, en octobre dernier… mais il faut que je prenne mon récit de plus loin, il faut que je vous parle de ma propre histoire. Je vous promets d'être bref ; et vous pouvez vous fier à moi ; c'est un sujet sur lequel je crains de demeurer longtemps, et ces mots furent accompagnés d'un profond soupir.

Il s'arrêta un moment comme pour rassembler ses idées, puis il poursuivit.

— Vous avez probablement oublié, mademoiselle Dashwood, une conversation que j'eus avec vous un soir à Barton Park pendant qu'on dansait ; je vous parlais d'une dame que j'avais connue autrefois, qui ressemblait à beaucoup d'égards à votre sœur Marianne.

— Je ne l'ai point oubliée, s'écria Elinor ; je pourrais, je crois, vous dire vos mêmes paroles ; mais qui pourrait rendre l'expression de sentiment avec lequel vous parliez de cette femme ?

— Je l'avoue, dit le colonel, c'était avec une bien vive émotion que je remarquai chez votre sœur une ressemblance frappante à plusieurs égards avec cette femme qui n'existe plus depuis longtemps. Ce n'est pas peut-être dans le détail des traits que ce rapport existe, quoi qu'il y en ait aussi ; la figure de Marianne est plus belle, mais c'est la même expression de physionomie, le même regard, la même chaleur de cœur, la même vivacité d'imagination et d'esprit. Eliza était ma proche parente.

« Orpheline dès l'enfance, elle fut mise sous la tutelle de mon père. Je n'avais qu'une année de plus qu'elle, et nous étions élevés ensemble. Elle était la compagne de mes jeux et mon intime amie ; je ne puis me rappeler le temps où je n'aimais pas Eliza, et mon affection croissant avec les années devint enfin un sentiment passionné. En me jugeant sur ma gravité actuelle, sur ma tristesse, vous m'avez cru peut-être incapable d'un sentiment exalté ; il l'était au point que ni le temps ni sa mort n'ont pu l'éteindre et qu'au moment où je vis votre sœur, qui me la rappelait si parfaitement, il se réveilla avec une nouvelle force. Eliza m'aimait aussi ; son attachement pour moi était aussi vif, aussi passionné que celui de votre sœur pour Willoughby ; jugez donc si je l'excuse, si je le comprends.

« La fortune d'Eliza était considérable ; nous n'y avions jamais pensé. Elle était destinée à mon frère aîné ; nous l'ignorions tous les deux. Il voyageait avec un gouverneur et connaissait à peine sa jeune cousine, qu'il avait jusqu'alors regardée comme un enfant.

« Lorsqu'il revint dans la maison paternelle, il avait vingt-quatre ans, Eliza dix-sept, et moi dix-huit. Mon père, alors, nous dévoilant ses desseins, ordonna à sa nièce de se préparer à donner sa main à mon frère ; il aimait passionnément ce fils, qui pendant six ans avait été son fils unique, et, ne pouvant lui laisser assez de fortune à son gré, il voulait lui assurer celle de sa pupille. Voilà, je crois, la seule excuse que je puisse alléguer pour celui qui était à la fois l'oncle et le tuteur de cette jeune victime. Prosternée à ses pieds, Eliza, en avouant notre amour, implora en vain sa pitié ; en vain offrîmes-nous d'un commun accord de céder à mon frère cette fortune qui nous rendait si malheureux.

« Mon père traita et notre attachement et cette proposition de folies enfantines, qu'il ne lui était pas même permis d'écouter ; et persista durement dans ses projets, en disant qu'il saurait bien se faire obéir d'elle, ainsi que de mon frère qui, sans aimer du tout sa cousine, consentait cependant à l'épouser.

« Au désespoir, et décidés à tout plutôt qu'à renoncer l'un à l'autre, nous formâmes un projet d'évasion. Le jour était fixé ; nous devions fuir en Écosse : la trahison ou la sottise de la femme de chambre de ma cousine révéla notre projet. Mon père en fureur me bannit de sa maison ; il m'envoya chez un parent dont les terres étaient très éloignées, avec l'injonction de me surveiller, ce dont il s'acquitta avec dureté.

« Eliza, enfermée dans sa chambre, privée de toute société, de tout plaisir, fut traitée plus rigoureusement encore. Elle me promit en nous séparant que rien au monde ne pourrait ébranler sa constance, et avant que l'année fût écoulée, on m'apprit, en me rendant ma liberté, que j'avais trop compté sur le courage d'une fille de dix-sept ans, que celui d'Eliza avait cédé à l'ennui de sa situation, peut-être aux mauvais traitements, et que celle qui devait être ma femme, ma compagne, était actuellement ma belle-sœur.

« Ce coup qui nous séparait à jamais fut terrible ! Cependant, j'étais bien jeune, et si j'avais pu croire qu'elle fût heureuse avec mon frère, peut-être aurais-je fini par en prendre mon parti. Mais pouvait-elle l'être avec un homme qui, sans l'aimer, et seulement pour sa fortune, consentait à l'épouser malgré elle, lui connaissant un autre attachement, et condamnant son frère au désespoir et à l'exil ? Car mon père, sans me revoir, me plaça dans un régiment qui partait aux Grandes-Indes.

« Je n'aurais pas pu revoir Eliza dans notre nouvelle situation, et je n'aurais pas voulu l'exposer aux soupçons de son mari ni renouveler par ma présence le souvenir d'un sentiment que je désirais alors qu'elle pût oublier. Je vous ai dit qu'elle ressemblait à votre sœur ; vous savez donc déjà qu'elle était belle, séduisante, que son cœur et son imagination étaient toujours en mouvement.

« En un seul point elle différait de Marianne ; elle n'avait pas comme votre sœur la sauvegarde d'un système arrêté, celui de n'aimer qu'une fois en sa vie.

Ici, il soupira profondément. Elinor, qui ne croyait pas aux systèmes arrêtés d'une fille de dix-sept ans, ne put s'empêcher de sourire à demi. Le colonel continua, mais avec une peine visible :

— Combien ce qu'il me reste à vous apprendre me coûte à prononcer, dit-il avec un accent étouffé ; il ne faut pas moins que le motif qui me conduit ici pour m'y décider.

Elinor l'encouragea par un regard plein d'amitié.

— Mon père mourut peu de mois après ce mariage. Eliza, si jeune encore, sans expérience, livrée à elle-même, avec une vivacité de caractère qui aurait demandé à être guidée, se trouvait unie à un mari qui n'avait pour elle ni attachement, ni aucune de ces attentions qui gagnent par degré un cœur aimant ; il la traitait même avec dureté. Oh ! qui pourrait ne pas la plaindre ? Si seulement elle avait eu un ami pour l'avertir des dangers de sa situation ! Mais la malheureuse Eliza ne trouva qu'un séducteur qui la conduisit à sa perte... Si j'étais resté en Angleterre peut-être... mais je croyais assurer son bonheur par mon absence bien plus que par ma présence, et dans le seul motif de rendre la paix à son cœur ; je la prolongeai plus que je n'aurais dû. Ce que j'avais ressenti en apprenant son mariage n'était rien auprès de ce que j'éprouvai lorsque, deux ans après, j'appris son divorce. C'est ce qui m'a jeté dans cette tristesse que je n'ai pu vaincre ; même actuellement, le souvenir de ce que j'ai souffert...

Il ne put continuer, et, se levant, il se promena vivement dans le salon pendant quelques minutes.

Elinor, affectée par ce récit, et plus encore par l'émotion qu'il lui avait causée, ne put d'abord lui parler ; pourtant, elle alla à lui et le conjura de cesser une narration qui lui faisait autant de peine.

— Non, lui dit-il, après avoir baisé sa main avec un tendre respect, il faut que vous sachiez tout ; je n'ai pas touché encore ce qui peut vous intéresser ; daignez m'écouter quelques instants de plus.

Ils se rassirent à côté l'un de l'autre, et il continua.

— Je restai encore trois années depuis ce malheureux événement sans retourner en Angleterre. Mon premier soin, quand j'arrivai, fut de la chercher, mais mes recherches furent vaines. Je ne pus arriver qu'à son premier séducteur, qu'elle avait abandonné, et tout donnait lieu de penser que, dès lors, elle s'était toujours plus ancrée dans les désordres.

« Mon frère, en se séparant d'elle pour raison d'inconduite, n'avait pas été obligé de lui rendre toute sa fortune, et ce qu'il lui donnait annuellement ne pouvait lui suffire. J'appris de lui qu'une autre personne s'était présentée pour toucher cette rente ; il imaginait donc, et avec un calme dont je fus révolté, que ses extravagances et la détresse qu'elle avait dû connaître par la suite l'avaient obligée de disposer, dans un moment de pressant besoin, de la seule chose qui lui restât pour vivre. Je ne pus supporter cette idée ; ma cousine, l'amie de mon enfance, l'amante de ma jeunesse, ma sœur, mon Eliza réduite à la misère, me poursuivait sans relâche. Je recommençai de nouveau mes recherches dans tous les lieux où le malheur et le désespoir pouvaient l'avoir conduite, sûr qu'elle n'était pas morte, puisque son annuité se payait encore. L'individu qui la touchait ne put me donner que des renseignements obscurs.

« Enfin, après six mois de courses inutiles, je la trouvai par hasard. J'appris qu'un ancien domestique de mon père avait eu du malheur et venait d'être enfermé pour dettes ; j'allai le délivrer, et dans la même maison d'arrêt, et pour la même cause, je trouvais aussi mon infortunée sœur ; si changée, si flétrie par des peines de toute espèce qu'à peine puis-je la reconnaître. Ce fut elle qui me reconnut à l'instant, et qui me nommant avec un cri déchirant, en se cachant le visage entre les mains, m'apprit que j'avais devant moi l'objet de tant de recherches : cette figure si maigre, si triste, où l'on voyait à peine quelque trace de beauté, c'était mon Eliza, c'était celle que j'avais adorée, et quittée dans la fleur de la jeunesse, de la santé, d'une surabondance de vie et de sentiments. Ce que je souffris en la retrouvant ainsi !... Mais je n'ai pas le droit d'exciter votre sensibilité pour une étrangère, quand vous avez assez de vos peines ; je me suis même trop étendu sur un sujet si douloureux. Suivant les apparences, Eliza était au dernier degré de la consomption, et son malheur et le mien étaient au point que ce fut une consolation. La vie ne pouvait plus avoir d'autre prix pour elle que celui de lui donner le temps de se préparer à la mort, et ce temps lui fut accordé. Le jour même, elle fut placée dans un bel appartement, entourée de tous les soins nécessaires : je la visitai chaque jour pendant le reste de sa courte vie, et je reçus son dernier soupir.

Il s'arrêta encore. Elinor lui témoigna avec l'expression la plus sincère, la part qu'elle prenait au triste sort de son amie.

— Votre sœur, j'espère, dit-il, ne peut être offensée par la ressemblance qui m'a frappé entre elle et mon infortunée parente. Leur destin ne peut avoir le moindre rapport, et si les dispositions naturelles de mon Eliza avaient été soutenues par une sœur comme Elinor, ou par un heureux mariage, elle aurait été sûrement tout ce que Marianne sera un jour, quand l'orage de son cœur aura dissipé les illusions, trop romanesques peut-être, mais bien séduisantes, auxquelles son imagination s'est livrée. Mais à quoi mène cette déplorable histoire ? allez-vous penser. Peut-être à avancer le moment où votre sœur bannira de sa pensée celui qui ne la méritait pas ; pardonnez donc si, dans ce but, j'ai risqué de vous faire partager la pénible émotion que ce récit a excitée en moi. Depuis quatorze ans que j'ai fermé les yeux d'Eliza, c'est la première fois que ce nom, toujours présent à ma pensée, est sorti de ma bouche.

— Sa fille ! interrompit Elinor, serait-ce ?...

— Mme Jennings vous a peut-être parlé de Mlle Williams ? J'ai vu par quelques mots qu'elle connaissait son existence et le tendre intérêt que je prends à cette jeune personne, qui ne sera, hélas ! pas plus heureuse que celle qui lui fit le triste présent de la vie sous de si fâcheux auspices. Cette enfant, fruit de sa coupable liaison, âgée de trois ans, était avec elle ; elle la chérissait et ne l'avait point quittée, ce qui m'a prouvé qu'elle disait vrai lorsqu'elle m'a juré qu'elle n'avait pas d'autre faute à se reprocher, et que le repentir seul lui avait fait quitter le père.

« Elle me le dit encore en expirant et en me recommandant sa fille, que je promis de regarder comme si elle était la mienne. Je sentis tout le prix de sa confiance, et je lui aurais bien volontiers servi de père dans le sens le plus strict, en veillant moi-même sur son éducation, si ma situation me l'avait permis, mais je n'avais ni famille, ni demeure ; aussi je fus forcé de placer ma petite pupille dans une pension, sous le nom d'Eliza Williams ; ce dernier est mon nom de baptême que je me plus à lui donner. Je la vis aussi souvent qu'il me fut possible et, depuis la mort de mon frère, survenue il y a cinq ans, qui me laissa la propriété de tous les biens de la famille, elle m'a souvent visité à Delaford. Je la présentais comme une parente dont j'avais été nommé le tuteur, mais je me doute qu'on a soupçonné dans le monde qu'elle me tenait de plus près. Résolu de la traiter comme ma fille, je n'ai pas démenti ce bruit, puisqu'également sa naissance n'était ni légitime ni avouée ; il y a trois ans que, la trouvant grande et formée pour son âge (elle avait alors quatorze ans), je l'ôtai de la pension où elle était depuis la mort de sa mère, pour la placer sous les soins d'une femme très respectable qui réside en Dorsetshire, et s'est chargée de surveiller l'éducation de cinq ou six jeunes personnes. Pendant deux ans, je fus parfaitement content de ma fille adoptive. Aussi jolie que sa mère, elle paraissait plus posée, plus calme : sa maîtresse, qui l'aimait beaucoup, avait en elle tant de confiance qu'elle me sollicita de lui permettre de passer quelques semaines à Bath, avec les parents de l'une de ses jeunes amies qui désiraient sa société pour leur fille. Je connaissais cette famille sous un jour avantageux. La santé d'Eliza avait toujours été délicate ; je pensais que cette course et les bains la fortifieraient, et j'eus l'imprudence d'y consentir : c'est là sans doute où elle fit la connaissance qui lui a été si fatale. J'ai su depuis que le père de son amie ayant été retenu par la goutte à la maison était soigné par sa femme, et que les deux jeunes amies allaient seules dans les promenades ou à leurs emplettes du matin. Quoique l'amie d'Eliza n'ait jamais voulu convenir de rien, j'ai lieu de croire qu'elle était confidente de son inclination et la favorisait. De retour à la pension, Eliza ne fut plus la même ; rêveuse, inégale, inattentive, elle s'échappait souvent pour se promener seule dans les environs : la maîtresse la menaça de m'avertir. Enfin, au mois de février, il y a à présent une année, elle sortit un jour comme à l'ordinaire et ne revint pas.

« Après un jour ou deux passés en recherches inutiles, je fus averti de sa disparition. J'accourus, et tout ce que je pus apprendre, c'est qu'elle s'en était allée. Pendant huit mois, je fus livré à des conjectures dont l'une détruisait l'autre et me replongeait dans une incertitude cruelle ! Tout ce que je pus découvrir, c'est qu'un jeune homme d'une figure, d'une beauté remarquables, avait souvent été vu dans les environs, se promenant avec elle ; mais je ne pus avoir aucune lumière sur son nom.

— Oh ! ciel, s'écria Elinor, serait-ce ?… Est-il possible que ce soit Willoughby !

Sans lui répondre le colonel continua.

— Toutes les recherches pour découvrir quelques traces de sa demeure ayant été inutiles, je tombai dans un sombre abattement dont mon ami sir John Middleton eut la bonté de s'inquiéter ; il m'invita de passer quelque temps à Barton Park pour me distraire.

« Je ne lui avais point confié la cause de mon chagrin, espérant d'un jour à l'autre retrouver ma brebis égarée et sauver au moins sa réputation. J'avais besoin de fuir les lieux où je l'avais vue, où je ne la voyais plus, et j'acceptai la proposition de mon ami. C'est alors que je fis la connaissance des intéressantes parentes de sir John ; c'est là que je vis avec un trouble que je ne pus cacher l'image vivante de ma pauvre Eliza, image qui me fit une impression d'autant plus vive, d'autant plus douloureuse, qu'elle me retraça en même temps et la perte de la mère et celle du dépôt qu'elle avait confié à mes soins.

« Vous fûtes souvent témoins de ma mélancolie ; elle vous intéressa et rebuta peut-être la vive et brillante Marianne. Bientôt, un autre objet vint l'occuper en entier, et m'enlever même la faible espérance de pouvoir jamais lui plaire. Je combattais entre la nécessité de partir et le désir de rester, lorsque je reçus inopinément une lettre d'Eliza elle-même, dans les premiers jours d'octobre ; elle me fut renvoyée de ma terre de Delaford où elle était adressée. Je la reçus le matin du jour où nous devions tous aller à Whitwell ; vous vîtes l'émotion qu'elle me donna et qui fut d'autant plus vive que l'écriture ; les expressions de ma pauvre repentante pupille me firent présumer qu'elle était très malade et qu'elle avait un pressant besoin de mon secours. Elle me disait où je la trouverais ; c'était dans un hameau tellement retiré que je ne fus pas surpris qu'elle eût échappé à toutes mes recherches ; je n'avais donc pas un instant à perdre, et je résolus de partir tout de suite pour aller la chercher. Je parus fort étrange, fort entêté ; vous seule ne fîtes aucun effort pour me retenir, et pardonnez si j'ose croire que vous étiez celle qui me regrettait le plus. Je partis très inquiet de l'état où je trouverais ma fille adoptive, et le cœur serré du regard courroucé de Marianne, qui ne me pardonnait pas de faire manquer cette partie. Oh ! combien j'étais alors loin de me douter que cet heureux Willoughby, dont les regards me reprochaient l'impolitesse de mon départ, fût celui qui en était la cause, et lui-même s'il avait su que j'allais au secours de celle qu'il avait perdue, abandonnée ! Mais en aurait-il été moins gai, moins satisfait ? Un sourire de Marianne ne lui faisait-il pas oublier les larmes de ma pauvre Eliza ? Non, non, l'homme capable de laisser la jeune fille dont il a séduit l'innocence, de la laisser dans la misère et dans l'abandon, sans asile, sans amis, sans secours, ignorant sa retraite, et qui, pendant que sa victime meurt de sa douleur, médite peut-être la perte d'une autre, non, un tel être n'est pas susceptible de remords ! Il avait quitté Eliza en lui promettant de revenir ; il n'était pas revenu, il ne lui avait pas écrit, il ne pensait plus à elle.

Un mouvement involontaire avait fait baisser les yeux à Elinor, comme si elle avait eu honte pour sa sœur d'avoir été, même sans le savoir, complice d'une telle perfidie ; elle les releva pleins d'indignation.

— C'est au-dessus de tout ce que je pouvais imaginer ! dit-elle. Mais mon cher colonel, pourquoi...

Elle s'arrêta, tremblant elle-même du reproche qu'elle se croyait en droit de lui faire.

— Je vous entends, dit-il, pourquoi ne vous ai-je pas avertie plus tôt ? Non, je ne puis vous exprimer ce que j'ai souffert depuis mon retour ! Combattant chaque jour, chaque instant avec moi-même pour vous cacher ou vous découvrir cette histoire. Lorsque je vis que Willoughby ne retournait point à Barton, j'espérai que quelque incident vous avait dévoilé son caractère, ou que sa légèreté l'avait entraîné loin de Marianne, et qu'il n'était plus dangereux pour elle ; mais quand je vis, quand j'appris de vous-même qu'elle l'aimait plus tendrement, plus passionnément que jamais ;

quand le bruit de leur mariage se répandit généralement ; quand je sus qu'ils étaient en correspondance, alors qu'aurais-je pu dire ? Mon intérêt personnel dans toute cette affaire était si grand, si… compliqué, qu'il m'était peut-être interdit de m'en mêler, si tout était conclu. Je n'aurais peut-être persuadé personne, et Marianne blessée, désespérée, et par moi ! m'offrait un tableau affreux à soutenir.

« Willoughby sans doute avait été rendu à la vertu par l'empire irrésistible d'une famille telle que la vôtre, et des charmes de Marianne ; il avait continué à l'adorer, et j'osais espérer que, revenu de ses erreurs de jeunesse, il la rendrait heureuse.

« Jamais je n'avais eu l'espoir que ma pauvre Eliza pût devenir sa compagne, vu la tache de sa naissance, celle même de sa séduction. Sans doute il fut bien coupable avec elle ; mais dans ce siècle, si l'on comptait trop sévèrement les torts de cette espèce, quel jeune homme serait digne d'obtenir la main d'une femme honnête ?

« Et celle qui allait appartenir à Willoughby réunissait tant de perfections qu'elle devait sans doute fixer son inconstance. Voilà, chère Elinor, les motifs de mon silence. J'allais jusqu'à me persuader que, dans ma situation, c'était un devoir de me taire ; cependant un sentiment intérieur m'a souvent engagé à m'ouvrir entièrement à vous, et si je vous avais trouvée seule, la semaine passée, quelques rapports sur Willoughby, sur la cour qu'il faisait publiquement à Mlle Grey et la tristesse de Marianne, m'auraient enfin décidé à vous parler. Je suis venu ici déterminé à vous faire connaître la vérité ; j'ai commencé une explication ; vous m'avez interrompu en m'assurant que vous ne croyiez point que le mariage de votre sœur aurait lieu : alors je me retins. Pourquoi nuire sans nécessité à un homme qui me regarde déjà comme son ennemi, que j'ai déjà puni de sa perfidie ? Mais à présent qu'il agit aussi indignement avec Marianne, je n'ai plus à le ménager et je dois faire connaître à votre sœur le danger qu'elle a couru en s'attachant à un homme sans principes, sans mœurs, sans délicatesse, qui lui destinait peut-être le même sort qu'à ma pauvre Eliza, s'il avait pu triompher d'elle aussi facilement. Ah ! quel que soit son chagrin actuel, il doit se changer en reconnaissance si elle compare son sort avec celui de ma pauvre Eliza trompée aussi dans le premier choix de son cœur, et n'ayant plus la consolation de sa propre innocence.

« Qu'elle se représente cette jeune fille avec une passion dans le cœur aussi forte, aussi vive que la sienne, et peut-être augmentée par ses sacrifices, tourmentée de l'abandon de celui qu'elle aime, et pour qui elle a renoncé à sa propre estime, *et* des reproches cruels de sa conscience, qui ne cesseront jamais. Il est impossible que Marianne ne trouve pas alors ses souffrances bien légères ; elle a conservé dans son entier sa propre estime et celle de tous ses amis. Une tendre compassion de son malheur, le respect pour la dignité avec laquelle elle le supportera sans doute, ne peuvent qu'augmenter leur amitié.

« Usez toutefois, chère Elinor, de votre prudence, de votre discernement pour lui communiquer ce que je viens de vous dire. Vous pouvez bien mieux que moi juger de son effet et de ce que vous devez lui apprendre ou lui cacher ; mais si je n'avais pas cru de bonne foi et en conscience que cette histoire pût vous être utile pour adoucir ses regrets, je ne me serais jamais permis de vous troubler par le détail de mes propres afflictions et par un récit qui peut faire présumer que je cherchais à me relever aux dépens des autres. »

Elinor le remercia avec l'expression de la plus tendre reconnaissance, et lui dit qu'elle pensait comme lui que cette communication serait avantageuse pour sa sœur

— J'ai été plus peinée, dit-elle, de la voir essayer de le justifier que de tout le reste. Elle ne peut supporter qu'on l'accuse ni qu'on le soupçonne ; mais ici, il y a plus que des soupçons, c'est une certitude de son indignité qui doit faire effet sur un caractère tel que celui de Marianne. Même si, d'abord, elle en souffre beaucoup, je suis presque sûre de l'efficacité rapide du remède...

Après un court silence elle ajouta :

— Avez-vous revu M. Willoughby depuis que vous l'avez quitté à Barton ?

— Oui, répondit gravement le colonel, je l'ai vu une fois... notre rencontre était inévitable.

Elinor, frappée de son accent, le regarda avec étonnement, en lui disant :

— Expliquez-vous ! comment ? où l'avez-vous rencontré ?

— Il n'y avait qu'une seule manière... Eliza m'avoua enfin, avec beaucoup de peine, le nom de son séducteur ; je ne pouvais pas laisser passer son indigne action sans lui dire mon opinion sur sa conduite envers la jeune fille confiée à mes soins. Je lui écrivis à Allenham dans des termes qui l'obligèrent à se rendre à Londres, où il arriva quinze jours après moi et où je lui donnais rendez-vous. Nous nous rencontrâmes donc, lui pour défendre et moi pour punir sa conduite. Nous ne fûmes blessés ni l'un ni l'autre, et la rencontre ne fit pas de bruit.

Elinor regretta cette imaginaire nécessité, mais devant un homme et un soldat, elle n'osa protester.

— Telle a été la malheureuse ressemblance entre le destin de la mère et celui de la fille, reprit le colonel après un silence. Désolé de n'avoir pas su prévenir le malheur de la fille de mon Eliza, d'avoir si mal répondu à sa confiance, je consacre le reste de ma vie à adoucir ses peines, à la réconcilier avec elle-même, à la consoler d'une faute qu'elle peut encore réparer à force de vertus, et en remplissant tous les devoirs qui lui sont imposés.

— Est-elle à Londres ?

— Non, sa santé avait besoin d'un air plus pur je la trouvai près de devenir mère. Son fils l'occupe uniquement. Je l'ai placée comme une jeune veuve à la campagne, chez des gens dont je suis sûr, et si l'on peut croire à l'efficacité d'un profond et sincère repentir, le ciel lui a pardonné une faute aussi chèrement payée.

Se rappelant tout à coup que Marianne avait peut-être besoin de sa sœur, que Mme Jennings allait rentrer, il termina sa visite, recevant encore tous les remerciements d'Elinor, et la laissant pleine d'estime pour lui, de compassion pour sa fille adoptive et d'indignation contre Willoughby.

33

Elinor trouva bientôt l'occasion de répéter cette conversation à sa sœur ; mais l'effet fut très différent de ce qu'elle avait imaginé.

Marianne n'eut pas l'air d'avoir un seul doute ; elle écouta le récit avec la plus ferme et la plus soumise attention, sans dire aucune remarque, aucune objection, sans interrompre cette narration par la moindre exclamation douloureuse. Elle n'essaya point de justifier Willoughby ; elle versait des larmes, et semblait convenir par son silence qu'elle sentait que c'était impossible. Toute sa conduite prouva à Elinor que la conviction de cette perfidie avait frappé son esprit, mais sans guérir son cœur. Elle vit aussi avec satisfaction qu'elle ne cherchait plus à éviter le colonel Brandon. Quand il entrait dans le salon, elle ne sortait plus ; si elle ne lui parlait pas la première, elle lui répondait avec beaucoup de politesse et même avec une sorte de respect, et ne se permettait plus un seul mot contre lui.

En tout, elle était plus calme, plus résignée en apparence ; mais elle n'en paraissait pas moins malheureuse. Son esprit, plus équilibré, était aussi mélancolique. Marianne était plongée dans un profond abattement. Elle sentait davantage la perte de ses illusions sur le caractère de Willoughby qu'elle n'avait senti celle de son amour. La séduction de Mlle Williams ; l'abandon qui en avait été la suite ; la misère de cette pauvre jeune fille, qui contrastait si fort avec la gaieté brillante de son séducteur ; un doute sur les desseins qu'il pouvait avoir eus sur elle-même, lorsqu'il feignait si bien un amour qu'il n'avait peut-être pas : tout cela l'oppressait au point de ne pouvoir plus même en parler avec Elinor ; et, nourrissant en silence le chagrin qui la dévorait, elle causait plus de peine à sa sœur que si elle le lui avait confié du matin au soir.

Dire ce que furent les sentiments de Mme Dashwood et la manière dont elle les exprima en recevant la lettre d'Elinor et en y répondant, ne serait qu'une répétition de tout ce que ses filles avaient déjà senti et dit.

Sa douleur égalait presque celle de Marianne, et son indignation surpassait celle d'Elinor. Des pages entières arrivaient tous les jours, pour dire et redire toutes ses pensées, tous ses sentiments, pour exprimer sa sollicitude à l'égard de sa chère Marianne, pour la supplier d'avoir un courage dont elle ne lui donnait pas l'exemple, et pour la recommander à Elinor.

Malgré son désir de les revoir toutes les deux, elle insistait pour qu'elles ne reviennent pas encore à Barton ; ce lieu, plus que tout autre, rappellerait à la pauvre Marianne son bonheur passé, et nourrirait son amour et son affliction : « En tout lieu », elle verrait en imagination Willoughby comme elle l'avait vu, tendre, empressé, uniquement occupé d'elle et des moyens de lui plaire… et l'imprudente mère ne songeait pas qu'en présentant elle-même ce tableau à Marianne elle lui faisait tout le mal qu'elle voulait éviter. Elinor vit avec chagrin que chaque lettre de la *chaumière* redoublait la tristesse de sa sœur ; elle en vint à croire qu'en effet Mme Dashwood faisait mieux de ne pas la rappeler auprès d'elle, et qu'elles ne feraient que s'exciter ensemble aux regrets et à la douleur.

Mme Dashwood les engageait à profiter de l'invitation et de la générosité de Mme Jennings, et à rester au moins durant les cinq ou six semaines envisagées pour leur séjour à Londres : une diversité d'objets, d'occupations, de société que l'on ne trouvait pas à Barton pourraient peut-être, disait-elle, distraire sa chère Marianne de ses tristes pensées et lui procurer un autre objet d'intérêt qu'elle-même. Une rencontre fortuite de Willoughby ne l'inquiétait point ; elle n'était pas à craindre ; tous leurs amis, toutes leurs connaissances partageaient sans doute son indignation et n'auraient garde de l'inviter. Marianne avait même moins de chance de le rencontrer qu'à Barton ; il pouvait être obligé d'un jour à l'autre de faire une visite à Mme Smith à Allenham, à l'occasion de son mariage, et même d'y amener sa femme, un événement que Mme Dashwood avait estimé possible et qu'elle considérait maintenant comme probable.

Un autre motif se joignait encore pour engager ses filles à rester à Londres. Une lettre de M. John Dashwood lui avait annoncé qu'avant le milieu de février, ils y seraient établis en famille. Elle désirait beaucoup que ses filles fussent à même de voir parfois leur frère ; sans le dire, elle pensait aussi que son Elinor gagnerait sûrement le cœur de Mme Ferrars, et qu'elle verrait au moins une de ses filles heureuse et bien établie.

Marianne avait promis de se laisser guider par l'opinion de sa mère ; elle s'y soumit donc sans opposition, bien qu'elle eût souhaité et espéré le contraire. « Maman se trompe sur tous les points, pensait-elle ; en me faisant rester à Londres, elle me prive des consolations que je trouverais dans sa tendre sympathie pour l'excès de mon malheur ; je ne serais pas condamnée à voir une société et des scènes qui vont m'empêcher de connaître un instant de repos. » La seule chose qui lui fit prendre son parti sur cette décision, c'est que si elle était un mal pour elle-même, elle serait un bien pour Elinor, qui pourrait voir Edward journellement chez sa sœur.

Elinor, de son côté, pensant qu'avec des relations de famille aussi étroites elle ne pourrait pas toujours éviter

Edward, fortifiait son âme pour s'accoutumer à le voir, non plus comme son futur époux, mais comme celui de Lucy Steele, et croyait ainsi que sa mère que, dans les dispositions mélancoliques de Marianne, un peu des distractions de la ville valait mieux qu'une solitude, remplie de si dangereux souvenirs.

Ses soins pour que sa sœur n'entendît jamais le nom de Willoughby prononcé devant elle ne furent pas sans succès. Ni Mme Jennings, ni aucun de ses enfants, sans en excepter la bavarde petite Mme Palmer, ne parlaient jamais de lui devant elle ; mais ils s'en dédommageaient amplement lorsqu'elle n'était pas avec eux, ce qui arrivait souvent ; et la pauvre Elinor était obligée de supporter seule leur curiosité, leur indignation, et, ce qui était pire encore, leur pitié pour sa sœur.

Sir John pouvait à peine croire que cela fût possible : un homme dont il avait toujours eu bonne opinion, si gentil garçon, le meilleur écuyer et le plus habile chasseur d'Angleterre ! et quel danseur infatigable ! C'était une chose incompréhensible ; il le vouait à tous les diables du plus profond de son cœur ; il ne lui dirait plus une seule parole pour tous les biens du monde, à ce scélérat, à ce trompeur ! pas même, disait-il, s'il m'offrait un des chiots de Folly. Non, non, tout est fini avec lui.

Mme Palmer exprimait aussi sa colère à sa manière, sans savoir ce qu'elle disait. Elle le haïssait au point de ne pouvoir parler de lui, et contait à tout le monde ce qu'elle en savait : ce fut par elle qu'Elinor apprit toutes les particularités du mariage, chez quel sellier les voitures se faisaient, et quel peintre peignait les miniatures de l'époux et de l'épouse, et dans quel magasin on pouvait voir les parures étalées, etc.

Lady Middleton dit le premier jour :

— En vérité, un homme de la bonne société ne devait pas se conduire ainsi. N'avoir pas l'air de connaître une personne chez qui il a été reçu si poliment, une parente de sir John, c'est très mal.

Ensuite, elle n'en parla plus ; mais ayant appris que Mme Willoughby était une élégante qui donnait le ton et se mettait à merveille, elle pensa qu'elle embellirait ses assemblées, se promit de lui envoyer des cartes de visite et de l'inviter au premier *rout* qu'elle donnerait.

En attendant, son indifférence polie plaisait mieux à Elinor que le bruyant et humiliant intérêt des autres personnes de leur société, que celui même de Mme Jennings, qui disait à tout le monde combien cette pauvre Marianne était malade de chagrin, quelle pitié c'était de la voir à table sans manger bien qu'elle lui donnât les meilleures choses du monde. « Mais qu'y faire ? Rien de cela n'est le traître Willoughby ; c'est lui qu'elle voudrait, et je ne puis le lui rendre. »

M. Palmer, qui n'avait pas l'air de se douter qu'il y eût au monde une Marianne Dashwood et un John Willoughby, était alors celui de leur société qui convenait le mieux à Elinor, excepté cependant le bon colonel qui ne parlait de Marianne que sur le ton de la plus extrême délicatesse, et avec qui Elinor pouvait causer avec une entière confiance. Il trouvait dans l'amitié que cette aimable fille lui témoignait et dans la manière beaucoup plus affable de Marianne la récompense du zèle amical qu'il avait montré, en découvrant ses chagrins et ses humiliations. Depuis qu'elle savait qu'il était très sensible et qu'il avait été malheureux en amour, Marianne le voyait sous un tout autre point de vue ; il l'intéressait, et Elinor se flattait que cet intérêt s'augmenterait peu à peu.

Mais Mme Jennings, qui s'était mis en tête que ce mariage se ferait au milieu de l'été, trouvait que les choses ne s'avançaient point assez. Le colonel lui paraissait tout aussi grave et silencieux qu'à l'ordinaire, malgré les petits encouragements qu'elle lui donnait en lui disant tous les soirs : « Colonel, vous reviendrez demain, n'est-ce pas ? », et en jetant un coup d'œil fin sur la pensive Marianne. Malgré cela, il ne s'était pas encore adressé à elle pour parler en sa faveur ; et n'osait pas s'offrir lui-même. Au bout de quelques jours, Mme Jennings commença à penser que ce mariage n'aurait lieu qu'en automne, et à la fin de la semaine, elle décida qu'il ne se ferait jamais. La bonne intelligence qui régnait entre Elinor et le colonel, et leurs apartés, la persuadèrent qu'il s'était tourné du côté de l'aînée, et que la belle terre de Delaford, le canal, les bosquets et le maître seraient bientôt en sa possession. Edward Ferrars ne paraissait point ; Elinor n'en parlait jamais, et Mme Jennings l'oublia complètement.

Au commencement de février, quinze jours après la réception de la lettre de Willoughby, Elinor eut la pénible tâche d'apprendre à sa sœur qu'il était marié. Elle avait prié Mme Jennings, qui savait tout par Mme Palmer, de l'informer dès que la cérémonie aurait eu lieu, pour que Marianne ne l'apprît pas par les journaux qu'elle lisait tous les matins avec empressement.

Marianne reçut cette nouvelle avec un calme affecté, auquel on voyait qu'elle s'était préparée. Elle ne fit aucune observation, elle ne versa point de larmes ; mais elle s'enferma dans sa chambre toute la matinée et, quand elle en sortit, elle était presque dans le même état que le jour où elle avait reçu la fatale nouvelle.

Les nouveaux époux quittèrent la ville dès qu'ils furent mariés. Elinor fut soulagée de sentir qu'il n'y avait plus de danger de les rencontrer ; et que sa sœur, qui n'était pas sortie une seule fois de la maison depuis son chagrin, pourrait au moins prendre l'air ; se promener ; et revenir par degrés à sa vie accoutumée.

Peu de jours après, les deux demoiselles Steele arrivèrent en chaise de poste avec un ami, le Dr Davies, chez un de leurs modestes parents, à Holborn ; mais elles n'eurent rien de plus pressé que de se présenter chez leurs connaissances de bon ton, chez leur cousine milady Middleton, et à Berkeley Street, chez leur tante, Mme Jennings. Elles y furent reçues avec cordialité, quoique la politesse de lady Middleton eût une nuance de protection de plus qu'elle n'avait à Barton.

Elinor fut la seule qui, dans le fond de son cœur, fût fâchée de les voir ; la présence de Lucy lui faisait éprouver une véritable peine ; elle ne savait comment répondre à ses démonstrations de joie exagérées de la voir encore à Londres.

— J'aurais été désespérée, ma chère mademoiselle Dashwood, de ne pas vous trouver *encore* ici, lui dit-elle en pesant sur ce mot avec emphase ; mais j'avais toujours espéré que vous y seriez. J'étais sûre que vous *resteriez* à Londres, au moins tout le mois de *février*, quoique vous m'eussiez dit et assuré à Barton que vous repartiriez plus *tôt* ; mais déjà, alors, j'étais convaincue que vous changeriez d'avis. Il aurait été cruel, il est vrai, de partir avant l'arrivée de votre frère et de votre belle-sœur… et de la *famille*. À présent, je suis sûre que vous n'êtes pas du tout pressée de vous en aller. Je suis au comble de la joie que vous n'ayez pas tenu parole.

Elinor la comprit parfaitement et fit appel à toute sa force de caractère pour que Lucy ne s'en aperçût pas.

— Je suppose que vous irez demeurer avec M. et Mme John Dashwood dès qu'ils seront à la ville, reprit Lucy avec affectation.

— Non, je ne le crois pas, répondit Elinor.

— Et moi j'en suis sûre ; il en sera de même pour votre retour à la *chaumière* au bout d'un mois.

Elinor lui laissa croire ce qu'elle voulait et ne répondit rien.

— Comme c'est délicieux pour vous, chère Elinor, que votre maman vous permette une si *longue* absence et puisse se passer de vous aussi longtemps.

— Aussi longtemps ! s'écria Mme Jennings. Ne dites donc pas cela, Lucy ; leur visite ne fait que commencer.

Lucy se tut, l'air mécontent.

— Je suis fâchée que nous ne puissions voir votre sœur, dit Mlle Anne, est-elle malade ? On prétend qu'elle a ses raisons, et je les comprends bien. On ne trouve pas facilement un homme tel que M. Willoughby, et c'est vraiment une grande perte. Elle est donc bien désolée, la pauvre Marianne ?

— Elle le sera certainement, mesdames, de n'avoir pas le plaisir de vous voir, dit Elinor avec une noble simplicité ; elle a aujourd'hui un grand mal de tête qui la force à garder sa chambre.

— Un mal de tête ! Quel malheur ! je la plains beaucoup, je vous assure ; mais ne pourrait-elle voir d'anciennes amies de campagne comme nous, avec qui elle peut ouvrir son cœur en entier ? Rien ne soulage mieux : nous allons monter chez elle.

— Je crois, dit Elinor un peu sèchement, que pour la migraine, le silence et le repos valent mieux.

Elle commençait à les trouver impertinentes au point qu'elle ne pouvait presque plus se modérer. Lucy lui épargna la peine d'une réprimande ; elle en fit une très sèche à sa sœur aînée sur son manque d'usage et de politesse. Comme en maintes occasions comparables, ce ton n'ajouta guère aux manières séductrices de l'une des sœurs, mais il eut l'avantage de mettre un frein à celles de l'autre.

34

Après quelques oppositions, Marianne céda aux prières de sa sœur et consentit à sortir un matin avec elle et avec Mme Jennings pour une demi-heure. Elle y mit la condition de ne faire aucune visite et d'accompagner seulement sa sœur jusque chez le fameux joaillier Gray, dans Sackville Street, où Elinor voulait changer quelques anciens bijoux de sa mère contre d'autres plus à la mode.

Quand elles arrivèrent à la porte, Mme Jennings se rappela qu'elle désirait voir, à l'autre bout de la rue, une dame de sa connaissance, et comme elle n'avait rien à faire chez le bijoutier, elle dit à ses jeunes amies qu'elle viendrait les y reprendre après avoir fait sa visite.

Elles montèrent, et comme le magasin était à la mode, et qu'on ne pouvait pas décemment porter un bijou s'il n'était monté par M. Gray, elles y trouvèrent une telle quantité de monde qu'il ne leur fut pas possible de parvenir jusqu'à lui et qu'il leur fallut attendre. Elles s'assirent au bout du comptoir, du côté où il y avait le moins de foule. Un seul homme, d'après l'attention qu'il exigeait de l'ouvrier à qui il parlait, commandait sans doute quelque chose de précieux. Elinor espéra cependant que, voyant deux femmes attendre, il aurait la politesse de se hâter. Mais après les avoir lorgnées l'une après l'autre, avec de très élégantes bésicles attachées à une chaîne d'or de Venise, et les avoir saluées légèrement, il recommença à parler au bijoutier, à lui expliquer dans le plus minutieux détail ce qu'il demandait : c'était une petite boîte à cure-dents pour lui ; et jusqu'à ce que la grandeur, la forme, les ornements fussent expliqués, il s'écoula au moins un quart d'heure. Il se fit ensuite montrer tous les étuis à cure-dents du magasin, les loua, les dénigra, en parla comme de la chose la plus essentielle, déclara qu'il n'y avait de bien dans ce genre que ce qui sortait de son imagination, et recommença son explication minutieuse. De temps en temps, sa main très blanche, ornée de quelques bagues de fantaisie, reprenait ses bésicles et les dirigeait négligemment sur les deux sœurs. Il chercha ensuite au milieu de cent breloques qui pendaient à sa montre un cachet emblématique dont la monture était aussi de son imagination. Quoique Elinor n'eût jamais vu un seul des merveilleux petits maîtres qui viennent étaler leurs grâces dans les magasins, aux ventes, aux promenades, elle comprit que celui-ci en était un. Sa figure soignée, avec toute la recherche et l'extravagance de la mode, aurait été belle s'il en avait été moins occupé ; ses traits étaient réguliers, mais complètement insignifiants ; ses yeux grands et d'une belle couleur n'exprimaient que le contentement de soi-même ; son sourire seul aurait paru assez agréable à Elinor, parce qu'il lui rappelait celui d'Edward, s'il n'avait souri continuellement avec affectation, pour montrer ses belles dents.

Après s'en être amusée un instant, elle le trouva insupportable et surtout malhonnête de faire attendre aussi longtemps des femmes pour un motif aussi peu important, et de les regarder comme un objet de curiosité.

Marianne ne savait pas seulement qu'il était là. Pensive, les yeux baissés, elle n'était pas dans le magasin de M. Gray, dont le nom, qui avait un léger rapport avec celui de M. Willoughby, avait ramené toutes ses idées de ce côté, et elle ne se doutait pas plus de ce qui se passait autour d'elle que si elle avait été dans sa chambre.

Enfin, l'importante affaire de l'étui à cure-dents fut décidée. L'ivoire, les perles, l'or, eurent chacun leur place assignée ; et le jeune merveilleux, ayant fixé le nombre de jours qu'il pourrait encore vivre sans la possession de sa *délicieuse* boîte, mit ses gants avec soin, fit sonner sa répétition, jeta encore un regard sur les demoiselles Dashwood, plutôt pour captiver que pour exprimer l'admiration, et sortit avec cet air heureux d'une indifférence affectée que donne la persuasion de son mérite.

Elinor le remplaça auprès du bijoutier à la mode, dit ce qu'elle voulait, montra son écrin, et elle était près de conclure son marché lorsqu'un autre gentilhomme entra et s'approcha. Elle jeta les yeux sur lui : c'était son frère, John Dashwood.

Le témoignage de leur affection et du plaisir qu'ils avaient à se retrouver fut tel qu'il convenait de donner dans le magasin de M. Gray. John Dashwood, assez bon homme quand il ne lui en coûtait rien et que sa femme n'était pas là, fut réellement bien aise de rencontrer ses sœurs. Il leur montra beaucoup d'amitié, et s'informa de leur mère et de Margaret avec respect et tendresse. Elinor lui demanda de son côté des nouvelles de Fanny et de son fils. Toute la famille était à Londres depuis deux jours.

— Je désirais beaucoup aller hier vous faire une visite, dit-il ; mais cela m'a été impossible car mon petit Harry avait envie de voir les bêtes sauvages, la ménagerie d'Exeter Exchange. Il a bien fallu lui obéir, et le reste du jour s'est passé avec Mme Ferrars. Ce matin, je voulais décidément aller à Berkeley Street pour vous voir, si je pouvais disposer d'un moment ; mais ici on n'en trouve point pour faire ce qu'on veut. Je suis venu ici acheter un cachet pour Fanny. Mais demain, bien certainement, rien ne m'empêchera de me présenter chez votre amie, Mme Jennings. On m'assure que c'est une femme qui a une très bonne fortune et une jolie maison. Et son gendre, sir John Middleton, et milady Middleton ? Cela sonne très bien en vérité. C'est votre cousin, n'est-ce pas ? Ce sont aussi des parents de ma belle-mère. Je dois des respects à un homme de ce rang. Ce sont de bons voisins pour vous, m'a-t-on dit.

— Excellents, en vérité ! Leur attention pour notre bien-être en général, leur obligeance en chaque occasion, vont plus loin qu'il n'est possible de l'exprimer.

— Je suis charmé de savoir cela, excessivement charmé sur ma parole ! Mais cela doit être ainsi ; ils sont vos parents, et très riches. Il va sans dire que vous devez vous attendre à tout ce qu'ils peuvent faire pour rendre votre situation plus agréable. Ainsi vous êtes commodément établies dans votre ermitage, et vous n'y manquez de rien. Edward nous en a parlé avec enthousiasme ; c'est, assure-t-il, ce qu'il a vu de plus charmant dans le genre ; et vous avez, à tout égard, au-delà de ce qu'il faut. Nous avons éprouvé une grande satisfaction, je vous assure, d'apprendre que des parents qui ne vous connaissaient point se conduisaient si bien avec vous, et que vous ne manquiez de rien.

Elinor était honteuse, non pas pour elle, mais pour son frère, et ne fut pas fâchée d'être dispensée de lui répondre par l'arrivée du domestique de Mme Jennings, qui vint avertir ces dames que sa maîtresse les attendait à la porte.

M. Dashwood les accompagna et fut présenté à Mme Jennings à la portière du carrosse.

Elle l'invita cordialement à venir souvent voir ses sœurs. Il promit qu'il y viendrait sans manquer le lendemain, et les quitta.

Il vint en effet. Mme Jennings s'attendait aussi à ce que Mme John Dashwood l'accompagnât. Elinor en doutait et Marianne plus encore. Celle-ci la connaissait trop bien pour ne rien attendre d'elle. En effet, leur frère vint seul ; il l'excusa en disant « qu'elle était toujours avec sa mère et n'avait pas un instant de libre ».

Mme Jennings, trop bonne femme pour être exigeante, lui assura qu'entre amis on était sans cérémonie, que l'amie de ses belles-sœurs devait être aussi celle de sa femme, et qu'elles iraient la voir les premières. M. Dashwood fut amical avec ses sœurs, excessivement poli avec Mme Jennings, et un peu en peine de savoir comment il fallait être avec le colonel Brandon, qui arriva quelques instants après lui. Il lui fut présenté sous son nom et sous son titre. Mme Jennings y joignit celui d'*ami* de la maison ; mais cela ne suffisait pas à M. John Dashwood pour régler le degré de politesse. Il lui fallait savoir au juste combien il avait de revenu : aussi se contenta-t-il de le regarder avec curiosité, et d'être honnête, de manière à pouvoir ensuite l'être plus ou moins, suivant l'importance de ses rentes.

Après être resté une demi-heure, il se leva et pria Elinor de venir avec lui à Conduit Street, pour l'introduire chez sir John et lady Middleton. Le temps était beau ; elle y consentit et prit le bras de son frère. À peine furent-ils hors de la maison qu'il lui demanda :

— Qui est donc ce colonel Brandon, Elinor ? A-t-il de la fortune ?

— Oui, il a une belle terre en Dorsetshire.

— J'en suis charmé, reprit M. Dashwood. Il a très bon ton, cet homme-là. Je lui crois un très bon caractère et, d'après la manière dont il vous a saluée, je pense que je puis vous féliciter sur l'espoir d'un bon établissement.

— Moi ! mon frère, que voulez-vous dire ?

— Il vous aime ; cela n'est pas douteux. Je l'ai bien observé et j'en suis convaincu. À combien se monte sa fortune ?

— On dit qu'il a deux mille livres de revenu.

— Deux mille livres ! Je voudrais de tout mon cœur, ma chère Elinor, dit-il avec un air de générosité, comme si son souhait était un présent, je voudrais pour vous qu'il en eût le double.

— Je vous en remercie pour lui, dit Elinor en riant ; mais pour moi, cela m'est assez égal. Je suis sûre que le colonel Brandon n'a pas la moindre intention de m'épouser.

— Vous vous trompez, Elinor, vous vous trompez beaucoup ; avec un peu de soins, vous vous assurerez cette conquête. Peut-être n'est-il pas encore décidé ; votre peu de fortune peut le faire balancer. Sans doute sa famille est-elle contre vous ; c'est tout simple, et cela doit être ainsi. Mais quelques-uns de ces petits encouragements que les jolies femmes savent si bien donner le décideront en dépit de lui-même ; et je ne vois aucune raison qui puisse vous en empêcher. Je n'imagine pas qu'un premier attachement de votre côté puisse influer. Vous n'êtes pas romanesque, vous, Elinor… et en un mot vous savez fort bien qu'un attachement de cette nature est hors de question… Vous avez assez d'esprit pour me comprendre et assez de raison pour sentir qu'il y a des obstacles insurmontables. Non, non, le colonel Brandon, voilà celui sur lequel vous devez jeter vos vues ; et de ma part, aucune politesse, aucune attention ne sera épargnée pour qu'il se plaise avec vous et votre famille. Je l'inviterai à dîner au premier jour ; je vous le promets. C'est une affaire qui nous donnerait à tous une vraie satisfaction. Vous devez sentir, dit-il en baissant la voix d'un air important, que cela ferait plaisir à tout le monde… Toute ma famille désire excessivement, Elinor, de vous voir bien établie. Fanny particulièrement a votre intérêt à cœur ; je vous assure, et sa mère aussi, Mme Ferrars, qui ne vous connaît pas encore, mais qui a souvent entendu parler de vous, et qui est une très bonne femme. Elle disait l'autre jour qu'elle donnerait tout au monde pour vous voir bien mariée.

« À tout autre qu'à son fils », pensa Elinor sans le dire.

— Vous ne répondez pas, reprit M. Dashwood ; vous êtes convaincue, je le vois ; et l'affaire ira. Ce serait une chose très remarquable et très plaisante d'avoir deux noces en même temps dans la famille et que Fanny mariât son frère et moi ma sœur ; cela n'est pas impossible.

— Est-ce que M. Ferrars doit se marier ? demanda Elinor avec fermeté.

— Cela n'est pas encore conclu, répondit-il ; mais il en est fort question. Il a une si excellente mère ! Mme Ferrars, avec une libéralité que l'on voit rarement chez une femme aussi riche, lui donnera mille livres sterling par an, si ce mariage se fait. Aussi est-ce un parti qu'il ne faut pas laisser échapper : c'est Mlle Morton, la fille unique de feu lord Morton, qui aura, le jour de son mariage, trente mille livres. Edward, comme vous le savez, est très aimable ; il a un bon caractère, tout ce qu'il faut pour rendre une femme heureuse. Ainsi, c'est un mariage très bien assorti des deux côtés, et qui se fera sûrement. Edward doit à sa mère de n'y mettre aucun obstacle. Une mère qui se prive pour son fils d'un revenu de mille livres, c'est superbe ! Il lui en reste encore, mais elle a deux autres enfants, Fanny et Robert. Elle ne les oublie pas non plus ; elle est si généreuse, si noble ! L'autre jour, quand nous arrivâmes à la ville, pensant qu'un peu d'argent nous ferait plaisir, elle glissa dans la main de Fanny un billet de banque de deux cents livres. Jugez comme cela venait à propos !

— Est-ce que vous auriez fait quelque perte d'argent, dit Elinor, essuyé quelque banqueroute ?

— Non, non, rassurez-vous ; je ne place mon argent qu'en lieu sûr : il n'y a rien à craindre. Mais mon Dieu ! ces temps-ci, on a tant de dépenses à faire, et qui s'augmentent quand on vient à Londres. Voyez, il faut un cachet neuf à

Fanny. Je veux aussi vous donner, mes chères sœurs, à chacune une petite paire de boucles d'oreilles. Quand nous retournerons chez Gray, vous choisirez. Vous n'en achetiez pas ce matin, j'espère ? Il serait piquant que vous m'eussiez devancé.

— Non, non, mon frère, rassurez-vous ; nous n'en avons pas besoin du tout. Notre bonne maman a voulu absolument nous donner quelques-uns de ses bijoux, plus que nous n'en voulions ; et je les faisais remonter.

— Bien, fort bien, j'en suis charmé ; c'est très bien fait. Quel besoin en a-t-elle à la campagne ? Enfin, vous avez vu ma bonne volonté. Vous auriez eu déjà quelques petits présents de ma part, si je n'avais pas eu de grandes dépenses à faire à Norland.

— À Norland ! Avez-vous fait des changements ?

— Oui, quelques-uns ; d'abord des emplettes considérables de linge, de porcelaines, de meubles, pour remplacer ceux que notre respectable père a légués à votre mère. Je ne m'en plains pas ; il avait bien le droit de les donner à qui il voulait. Mais enfin, il a fallu beaucoup d'argent pour ces emplettes ; et pour y suppléer, j'ai coupé l'avenue des grands ormes et beaucoup éclairci le bois de chêne ; j'ai fait ôter tous ces vieux châtaigniers que Marianne trouvait si beaux. Vous ne sauriez croire comme c'est plus joli à présent que tout est découvert. J'ai vendu tous ces bois ; n'ai-je pas bien fait, Elinor, qu'en dites-vous ?

Elinor ne répondait pas ; elle était, en pensée, sous ces beaux ombrages qui n'existaient plus. Pauvre Marianne, pensait-elle, tu perds à la fois tout ce que ton cœur aimait ! Il trouvera encore des soupirs, ce pauvre cœur ; pour les vieux arbres de Norland.

— Vous avez aussi agi très prudemment, continua John Dashwood, en vous liant avec cette Mme Jennings. Sa maison est très bien meublée ; son équipage annonce que ses affaires vont bien ; et c'est une connaissance qui peut vous être très utile pour le présent et pour l'avenir. Son invitation prouve combien elle vous aime : car enfin, deux personnes de plus dans un ménage sont quelque chose. Mais, à la manière dont elle parle de vous, je parie qu'elle ne s'en tiendra pas là, et qu'à sa mort vous ne serez pas oubliées. Elle laissera sûrement quelque bonne somme ; et j'en suis charmé pour vous.

— Je crois, dit Elinor, qu'elle ne laissera que ce qui doit revenir à ses enfants.

— Bon ! bon ! moi je suis sûr qu'elle fait des épargnes et qu'elles seront pour vous. Ne m'a-t-elle pas dit : *vos sœurs remplacent mes filles* ; n'était-ce pas clair ? Qu'avez-vous à dire à cela ?

— Nous les remplaçons dans leurs chambres, et rien de plus. Elle aime beaucoup ses filles et ses petits-enfants et ne leur préférera pas des étrangères ; cela ne serait ni juste ni naturel.

— Ses filles sont très bien mariées ; et je ne vois pas la nécessité de leur donner plus qu'il ne leur revient de droit. Ses bontés inouïes pour vous vous donnent lieu de prétendre à un bon legs après elle ; ce serait vous tromper que d'en agir autrement.

— Nous ne demandons que son amitié, dit Elinor ; et pardonnez, mon frère, si je vous avoue que votre intérêt pour notre prospérité va beaucoup trop loin.

— Non, non, pas du tout, dit-il, en paraissant se ressaisir. Les gens n'ont pas grand-chose, très peu de chose en leur pouvoir. Mais, ma chère Elinor, qu'arrive-t-il donc à Marianne ? Elle n'est plus la même ; elle a perdu ses belles couleurs ; elle a maigri ; ses yeux sont battus ; elle n'a plus de gaieté, de vivacité. Est-elle malade ?

— Elle n'est pas bien ; elle a depuis quelques semaines des maux de nerf et de tête.

— J'en suis fâché, très fâché ! Dans la jeunesse, il suffit d'une maladie pour détruire la fleur de la beauté. Et en peu de temps ! En septembre passé, quand elle quitta Norland, c'était la plus belle fille qu'on pût voir. Elle avait précisément ce genre de beauté qui plaît aux hommes et les attire. Je pensais aussi qu'elle trouverait bientôt un bon parti. Je me rappelle que Fanny disait souvent que quoiqu'elle fût votre cadette, elle se marierait plus tôt et mieux que vous. Elle s'est trompée, cependant : c'est tout au plus à présent si Marianne trouvera un parti de cinq ou six cents livres de rente ; et vous, Elinor, vous allez en avoir un de deux mille… en Dorsetshire… dites-vous… Je connais peu le Dorsetshire, mais je me réjouis beaucoup de voir votre belle terre. Dès que vous y serez établie, vous pouvez compter sur la visite de Fanny et sur la mienne. Nous serons charmés de passer là quelque temps avec vous et le bon colonel.

Elinor s'efforça très sérieusement de lui ôter l'idée que le colonel songeât à l'épouser ; mais ce fut en vain. Ce projet lui plaisait trop pour qu'il y renonçât.

Il persista à dire qu'il ferait tout ce qui dépendait de lui pour décider la chose qui était déjà bien commencée, et que dès le lendemain, il irait voir le colonel et lui ferait un bel éloge d'Elinor.

Ce pauvre John Dashwood ! Il avait juste assez de conscience pour sentir qu'il n'avait point rempli ses promesses à son père relativement à ses sœurs, et pour désirer que le colonel Brandon et Mme Jennings voulussent bien les dédommager de sa négligence.

Ils eurent le bonheur de trouver lady Middleton chez elle ; et sir John rentra bientôt après. Elinor présenta son frère, et des deux côtés l'on se fit beaucoup de civilités. Sir John était toujours prêt à aimer tout le monde ; et quoique M. Dashwood ne s'entendît ni en chevaux, ni en chiens, il promettait d'être un assez bon convive. Lady Middleton trouva sa tournure élégante et son ton parfait, parce qu'il avait admiré son salon ; et M. Dashwood fut enchanté de tous les deux.

— Quel charmant récit j'aurai à faire à Fanny de ma matinée, dit-il à sa sœur en la ramenant chez Mme Jennings ; et comme elle en sera contente ! Il n'y a que la santé de la pauvre Marianne ; mais elle se remettra. Lady Middleton est une femme charmante, tout à fait dans le genre de Fanny. Elles se conviendront à merveille, j'en suis sûr ! et sir John est très aimable. Il donne souvent à dîner, n'est-ce pas, et des assemblées et des fêtes ? Il m'a invité à tout ce qu'il y aurait chez lui. C'est une bonne connaissance à faire, et je vous en remercie, Elinor. Votre Mme Jennings aussi est une excellente femme, quoique moins élégante que sa fille ; mais aussi n'est-elle pas lady. J'espère bien cependant que votre belle-sœur n'aura plus aucun scrupule à la voir ; car je vous confesse à présent que c'est un peu pour cela qu'elle n'est pas venue avec moi ce matin. Nous savions qu'elle était veuve d'un homme enrichi dans le commerce ; et ni Mme Dashwood ni Mme Ferrars ne se souciaient de voir cette famille. Mais cela changera quand je leur dirai combien elle a l'air opulent. Le salon de lady Middleton est plus orné que le nôtre ; je crains seulement un peu que Fanny ne veuille l'imiter. Mais enfin ils sont riches, très aimables, et j'espère que nous nous verrons souvent.

Ils étaient devant la maison de Mme Jennings, et ils se séparèrent.

35

Mme Fanny Dashwood avait une telle confiance dans le jugement de son mari que, dès le jour suivant, elle vint en personne faire visite à Mme Jennings et à lady Middleton ; cette confiance ne fut pas trompée. La vieille amie de ses belles-sœurs, quoique un peu commune, lui plut assez par ses prévenances ; et lady Middleton l'enchanta complètement par son bon ton et son élégance.

Cet enchantement fut réciproque. Il y avait entre ces deux femmes une sympathie de froideur de cœur et de petitesse d'esprit, qui devait nécessairement les attirer l'une vers l'autre. Elles avaient la même insipidité dans la conversation, la même absence d'idées. Seulement Fanny avait un fond d'avarice et d'envie qui se manifestait en toute occasion, et lady Middleton, une indifférence parfaite pour tout le monde, excepté pour ses enfants. Mme Dashwood lui plut mieux qu'une autre femme sans qu'elle eût pu dire pourquoi. Mais ce n'était pas de l'amitié, elle en était incapable.

Fanny ne réussit pas aussi bien auprès de Mme Jennings qui lui trouva l'air fier, impertinent, et qui vit qu'elle ne faisait aucun frais pour plaire, qu'elle n'avait rien d'aimable ni d'affectueux, même envers ses charmantes belles-sœurs à qui elle parlait à peine, et qu'elle ne s'informait point de la santé de Marianne qu'elle devait trouver changée. En effet, elle ne disait rien à Elinor, ne témoignait aucun intérêt pour leurs plaisirs, leur demandait à peine d'un air glacé, et sans écouter la réponse, des nouvelles de leur mère. Elle ne fut avec elles qu'un quart d'heure, et resta au moins sept minutes en silence. La bonne et vive Mme Jennings en fut indignée, et ne se gêna pas pour le dire lorsque Fanny fut partie.

Elinor aurait fort désiré apprendre d'elle si Edward était à Londres. Mais Fanny n'avait garde de prononcer devant elle le nom de son frère, jusqu'à ce que le mariage de l'un avec Mlle Morton, et de l'autre avec le colonel Brandon les eût séparés à jamais. Elle les croyait encore trop attachés l'un à l'autre pour ne pas trembler tant qu'ils seraient libres, et son étude continuelle était de chercher à les éloigner de toutes les manières. Elle ne parla donc point de son frère. Mais Elinor apprit d'un autre côté ce qu'elle voulait savoir. Lucy vint réclamer sa compassion sur le malheur qu'elle éprouvait de n'avoir point encore vu son cher Edward, bien qu'il fût venu à Londres avec M. et Mme Dashwood pour se rapprocher d'elle. Mais il n'osait pas venir la voir chez ses parents d'Holborn qui ne le connaissaient point ; et malgré leur mutuelle impatience, tout ce qu'ils pouvaient faire pour le moment, c'était de s'écrire tous les jours.

Elinor, qui ne pouvait se fier tout à fait à la véracité de Lucy, et qui voyait le but de ses confidences, doutait encore : mais elle ne tarda pas d'avoir la conviction qu'Edward était véritablement en ville. Deux fois en rentrant à la maison elle apprit qu'il était venu et trouva sa carte. Par un esprit de contrariété naturel au cœur humain, elle fut bien aise encore de n'avoir pas été présente.

M. John Dashwood ne perdait pas de vue le mariage supposé de sa sœur aînée avec le colonel Brandon ; ainsi qu'il l'avait dit, il voulut l'inviter à dîner chez lui. Il ne fallait pas moins qu'un motif de cette importance pour les décider lui et sa femme à cette dépense. Fanny y consentit cette fois, et par l'espoir qu'Elinor en épouserait un autre que son frère, et par celui d'être invitée à son tour aux fréquentes fêtes de sir John et à ses dîners qui avaient grande réputation, tant pour le talent de son cuisinier que pour l'élégance du service : c'était donc semer pour recueillir. En effet, peu de jours après qu'ils eurent fait connaissance, on reçut une invitation en forme pour dîner le jeudi suivant chez Mme John Dashwood à Harley Street, où son mari avait loué pour trois mois une jolie maison. Ses deux belles-sœurs, Mme Jennings, les Middleton et M. Palmer acceptèrent. Charlotte, sur le point d'accoucher, ne sortait plus. Le colonel Brandon fut surpris d'être du nombre des convives, ne connaissant pas du tout Mme Dashwood et n'ayant vu qu'un instant son mari, qui ne lui avait fait qu'un accueil à demi poli, mais il aimait trop être avec Mlles Dashwood pour en refuser l'occasion. Mme Ferrars devait aussi venir. Mais on ne nomma point ses fils, et Elinor n'osa s'informer s'ils y seraient. Quelques mois auparavant, elle aurait été vivement émue à la seule pensée de rencontrer la mère d'Edward, et de lui être présentée ; à présent, elle pouvait la voir, en ce qui la concernait, avec une complète indifférence ; elle le croyait du moins, et rejeta entièrement sur la curiosité son désir de la connaître.

Cet intérêt, mais non pas son plaisir, acquit un degré de plus en apprenant que Lucy, Steele et sa sœur seraient aussi de la partie.

D'après ce qu'elle savait de la hauteur de Mme Ferrars, la bonne Elinor, sans aimer Lucy, ne pouvait s'empêcher de la plaindre d'avance de la manière dont elle en serait traitée, et qui lui serait d'autant plus sensible qu'elle s'y était volontairement exposée. Dès que celle-ci apprit ce dîner, elle se souvint d'une invitation assez vague que lady Middleton lui avait faite ainsi qu'à sa sœur, lorsqu'elles s'étaient séparées, à Barton, de passer une quinzaine de jours chez elle à Londres. Lady Middleton l'avait oubliée ; mais l'adroite Lucy apporta à la petite Annamaria un joli panier plein de bonbons, et lui souffla de demander à sa maman que ses bonnes amies Steele viennent demeurer avec elle. Les demandes d'Annamaria n'étaient jamais refusées ; une heure après, la voiture de lady Middleton arrivait à Holborn, avec une prière instante aux demoiselles Steele de se rendre sans délai aux désirs d'Annamaria. Une fois établies chez leurs nobles parents, elles devaient être invitées avec eux, et elles avaient un droit de plus de l'être chez Mme Dashwood, à qui elles n'étaient pas entièrement inconnues, au moins de nom, puisque leur oncle avait été le professeur de son frère. Mais il suffisait qu'elles fussent logées chez lady Middleton, et qu'elle les protégeât, pour être bien reçues. Lucy était au comble de la joie ; elle allait enfin être introduite dans cette famille qui devait être un jour la sienne. Elle pourrait satisfaire sa curiosité, les examiner, juger des difficultés qu'elle aurait à surmonter avoir une occasion de leur plaire. Elle n'avait pas encore éprouvé dans sa vie un aussi grand plaisir que celui qu'elle avait eu en recevant la carte de Mme Dashwood. Mais ce plaisir aurait été diminué de moitié si elle n'eût joui d'avance du chagrin de sa rivale : elle se hâta d'aller lui faire part de son bonheur.

Elinor eut beaucoup de peine à lui cacher ce qu'elle ressentait, et n'y réussit peut-être pas, car la joie de Lucy augmenta en voyant un nuage sur son front, lorsqu'elle lui dit qu'Edward n'y serait sûrement pas, « de crainte, ajouta-t-elle, de se trahir. Il lui était impossible lorsque nous étions ensemble de cacher l'excès de son affection ; et cette raison l'empêchera de venir ». Quelque cruel que fût ce motif pour la pauvre Elinor, elle en désirait au moins l'effet. Voir Edward pour la première fois depuis leur séparation, et le voir avec Lucy ! Elle aurait à peine pu le supporter.

Ce jeudi si désiré, si redouté, qui devait mettre les deux jeunes rivales en présence de cette formidable belle-mère arriva.

Elinor avait acheté la veille une charmante toque en fleurs avec des plumes blanches dont elle voulait se parer ce jour-là. Lucy, qui venait continuellement chez Mme Jennings pour y voir *sa chère* amie, se trouva là quand on l'apporta. Elinor l'essaya. Elle lui seyait à ravir ; et malgré toute sa raison, elle ne fut point fâchée de le trouver elle-même. Lucy se montra plus caressante, plus tendre qu'à l'ordinaire.

Elle avait honte, dit-elle, de ce qu'elle venait lui demander ; mais sa chère Elinor était si fort au-dessus de ces bagatelles ; elle avait si peu besoin de parure ; elle était si indifférente sur ce moyen de plaire, puisqu'elle en avait tant d'autres ; et pour cette grande occasion, il était essentiel de les employer tous !

Elle devait à Edward de se faire aussi jolie qu'il lui serait possible la première fois qu'elle paraissait devant sa mère. Elle espérait donc de sa complaisance, de son amitié, qu'elle voudrait bien ce jour-là renoncer à la jolie toque qui la coiffait si élégamment, et la lui prêter. Elle avoua en rougissant qu'elle n'était pas assez en fonds dans ce moment pour s'en acheter une semblable, ce qu'elle aurait fait sûrement, si elle n'avait pas compté sur la bonté de sa *chère* Elinor.

Mlle Dashwood frémit à la pensée qu'elle avait failli arriver au dîner coiffée exactement comme Lucy ; et accepta de lui prêter la jolie toque… Cette dernière s'en empara bien vite, également enchantée qu'elle fût sur sa tête et non sur celle d'Elinor.

— Mon Dieu ! ma chère, lui dit-elle, plaignez-moi, je vous en conjure ! Vous êtes la seule personne qui saura ce que je souffre. À peine puis-je marcher tant je suis émue en pensant que dans quelques heures je verrai la personne dont tout mon bonheur dépend, celle qui doit être ma mère ! Mettez-vous à ma place... mais c'est impossible ; il faut aimer Edward comme je l'aime pour comprendre l'état où je suis.

Elinor aurait pu diminuer cette émotion ou la faire changer de nature, en lui disant que vraisemblablement c'était la belle-mère de Mlle Morton plutôt que la sienne qu'elle allait voir. Elle ne le dit pas, mais elle lui assura avec tant de sincérité qu'elle la plaignait infiniment, que Lucy en fut presque piquée. Elle espérait être pour Mlle Dashwood un objet d'envie plutôt que de compassion.

Enfin, elles arrivèrent chez Mme John Dashwood. Sa mère, au bout du salon, étalait dans un grand fauteuil sa chétive personne, et saluait à peine avec un air de protection. Elle était petite, maigre, se tenait extrêmement droite, avait de la raideur dans tous ses mouvements ; sa physionomie était sombre ou du moins très sérieuse ; elle ne se permettait de sourire que lorsqu'un sarcasme sortait de sa bouche ; son teint était brun tirant sur le jaune ; ses traits assez petits et sans beauté. Une contraction habituelle des sourcils empêchait sa physionomie d'être complètement insignifiante, mais lui donnait en échange une forte expression d'orgueil et même de méchanceté. Elle ne parlait pas beaucoup, contre sa règle générale ; elle proportionnait le nombre de ses paroles à celui de ses idées ; et dans le peu de syllabes honnêtes qui lui échappèrent, quand les hôtes de sa fille lui furent présentés, il n'y en eut pas une pour les demoiselles Dashwood, qu'elle regardait intérieurement avec dédain et malveillance.

Cette conduite ne pouvait plus maintenant influer sur le bonheur d'Elinor. Peu de mois auparavant, elle en aurait été excessivement blessée et affligée ; mais il n'était plus du pouvoir de Mme Ferrars de produire cet effet sur elle ; et la différence de sa manière avec les demoiselles Steele, dont le seul but était d'humilier encore Mlles Dashwood, l'amusa au contraire beaucoup. Elle ne pouvait s'empêcher de sourire de l'air affable et presque amical avec lequel la mère et la fille distinguaient Lucy et des peines que celle-ci se donnait pour leur plaire, peines qui allaient jusqu'à la bassesse.

Mme Ferrars avait un petit bichon, seul être qu'elle pût aimer et qui ne la quittait point. Lucy le caressait exactement comme elle caressait Annamaria Middleton. Elle s'extasiait sur cette charmante petite créature, allait lui ouvrir la porte s'il voulait sortir, et l'attendait pour la rapporter à sa maîtresse. Elle admirait l'éclat du beau satin cramoisi de la robe de Mme Ferrars et la beauté de ses points. Elle allait chauffer le coussin qui était sous les pieds de cette dame. Quand lady Middleton s'éloignait un peu, elle déclarait que Mme John Dashwood était la plus belle femme qu'elle eût vue de sa vie, et qu'elle ressemblait beaucoup à sa mère, etc. Enfin, à force de flatteries, elle se rendait si agréable à l'une et à l'autre que Mme Ferrars, qui ne s'humanisait jamais avec ceux qu'elle regardait comme ses inférieurs, lui adressa quelques mots obligeants et déclara que ces jeunes demoiselles Steele avaient le ton de la meilleure éducation, et que bien des jeunes filles qui se croyaient des modèles n'en approchaient pas. Elle lança en même temps un regard sur Elinor, qui riait en elle-même en pensant à quel point la faveur et les grâces de Mme Ferrars étaient mal placées, et comme elles se changeraient promptement en fureur si elle se doutait que cette jeune audacieuse, qu'elle trouvait si charmante parce qu'elle n'était pas Elinor, pensait à épouser son fils. Fanny faillit à lui donner l'idée.

— Les demoiselles Steele, dit-elle à sa mère, sont les nièces de M. Pratt, chez qui Edward a étudié.

— Vraiment, dit Mme Ferrars en relevant le sourcil ; vous connaissez donc mon fils ?

— Très peu, madame, dit Lucy avec assurance, nous ne demeurons pas auprès de mon oncle.

— Tant mieux pour vous, dit Mme Ferrars avec humeur ; il n'entend rien à l'éducation.

Lucy redoubla ses flatteries qui lui réussirent de nouveau. Elle était au septième ciel, en se voyant ainsi distinguée, et ne daignait plus parler à Elinor. La grosse Anne elle-même se rengorgeait avec fierté, en pensant qu'elle était la sœur de la future belle-fille de Mme Ferrars.

Marianne était encore plus rêveuse, plus silencieuse qu'à l'ordinaire. À sa tristesse habituelle se joignait le chagrin qu'elle supposait à Elinor de ne pas voir Edward, et celui qu'elle en ressentait elle-même. Elle l'aimait déjà comme un frère favori, et bien plus que celui qu'elle tenait de la nature. L'homme qui devait faire le bonheur de sa chère Elinor était au premier rang dans son cœur. Elle était venue presque avec plaisir à ce dîner, malgré son aversion pour la plupart des convives, dans l'unique espoir de voir Edward ; et cet espoir était trompé. Edward n'y était pas. Elle regardait sa sœur avec un étonnement douloureux, et ne pouvait comprendre qu'elle eût la force de supporter une mésaventure aussi cruelle. Le colonel Brandon, placé entre les deux sœurs, se serait trouvé fort heureux, si la politesse fastidieuse du maître et même de la maîtresse de la maison lui avait laissé le temps d'en jouir. Les meilleurs mets, les meilleurs vins lui étaient adressés. M. Dashwood lui demandait son opinion sur tout, et s'y rangeait à l'instant. Dès qu'il y avait un moment de silence entre lui et ses voisines, il disait à ses sœurs :

— Allons, mesdemoiselles, parlez à votre aimable voisin ; ne souffrez pas qu'il s'ennuie.

On aurait dit que la fête était pour lui seul, et il ne pouvait pas comprendre le but de tant d'honnêtetés, dont il était fatigué. Le dîner était magnifique, ainsi que les donnent ceux qui invitent rarement ; et ni le nombre des plats ni celui des laquais n'annonçaient cette pauvreté dont il s'était plaint à sa sœur. Elle ne se faisait sentir que dans la conversation. Mais il est vrai que, de ce côté-là, le déficit était considérable, tant chez les maîtres du logis que chez la plupart des convives : manque de bon sens, soit naturel soit cultivé, manque de goût, manque d'esprit, manque enfin de tout ce qui rend un repas agréable.

Quand les dames, suivant l'usage, se retirèrent après dîner pour le café, cette pauvreté fut encore plus en évidence. Les hommes mettaient au moins quelque variété dans le discours, quelques mots de politique, de chasse, d'agriculture ; mais il n'en fut plus question. On avait épuisé avant dîner l'article des meubles et des parures. À la grande satisfaction de Lucy, la toque avait été fort admirée, et la simple coiffure d'Elinor, qui n'était que ses jolis cheveux bruns retenus par un fil de perles, regardée avec dédain ; en sorte qu'après une longue digression sur le goût du café, le seul sujet d'entretien fut de comparer la grandeur de Harry Dashwood et celle de William, le second fils de lady Middleton, qui étaient à peu près du même âge.

Si les deux enfants avaient été présents, la question aurait été promptement décidée en les mesurant ; mais il n'y avait là qu'Henri, et il fallut s'en rapporter à l'opinion des témoins. Celle des demoiselles Steele, qui passaient leur vie avec les petits Middleton, fut surtout demandée par leur mère, et de cette manière qui veut dire : décidez en ma faveur.

— N'est-ce pas, Lucy, que William a au moins deux doigts de plus que Harry Dashwood ?

Lucy fut horriblement embarrassée. À qui allait-elle faire la cour ? Enfin l'amour l'emporta sur l'amitié et, après avoir un peu hésité, elle dit qu'il lui semblait que les deux garçons étaient remarquablement grands pour leur âge et qu'elle ne concevait pas qu'il y eût la plus petite différence entre eux.

Elinor, qui trouvait le petit William beaucoup plus grand que son neveu, le dit quand on lui demanda son avis. Fanny et Mme Ferrars répondirent avec aigreur qu'elle se trompait ; et Marianne déplut à tout le monde en disant qu'elle n'y avait prêté aucune attention. Bientôt une autre bagatelle mit en scène sa vivacité de sentiment et l'irritabilité de ses nerfs.

Avant de quitter Norland, Elinor avait peint pour sa belle-sœur une paire de charmants écrans de cheminée ; ils venaient d'être montés dans le dernier goût. Les hommes étaient rentrés au salon et entouraient le feu. John Dashwood allant toujours à son but, en prit un et le montra au colonel.

— Voyez, lui dit-il, c'est ma sœur Elinor qui a peint cela ; vous qui êtes un homme de goût, vous les admirerez. Je ne sais si vous connaissez son talent pour le dessin ; elle passe généralement pour en avoir beaucoup.

Le colonel, sans être grand connaisseur en peinture, les admira infiniment. La curiosité générale fut excitée, et les écrans passèrent de main en main. Lorsqu'ils furent dans celles de Mme Ferrars, qui ne s'y entendait pas et ne pouvait se résoudre à louer Elinor, elle les fit passer à sa voisine sans un mot d'éloges.

— Ils sont peints par Mlle Dashwood l'aînée, ma mère, dit Fanny ; ne les trouvez-vous pas très jolis ?

Elinor, surprise de la courtoisie de sa belle-sœur, lui en sut gré ; mais sa reconnaissance ne fut pas de longue durée.

Fanny ajouta :

— Regardez-les, maman, voyez si ce n'est pas à peu près le même genre de dessin que ceux de Mlle Morton ; mais celle-ci peint encore plus délicieusement. Le dernier paysage qu'elle a fait est vraiment très remarquable.

— Extrêmement beau, dit Mme Ferrars ; elle excelle dans tout ce qu'elle fait, et rien ne peut lui être comparé ; mais aussi, elle a eu une éducation si brillante et elle possède tant de talents naturels !

Marianne, la sensible, la vive Marianne, ne put supporter ce qu'elle regarda comme un outrage à sa sœur ; elle était déjà très irritée du ton et de la manière de Mme Ferrars ; mais de tels éloges donnés à une autre aux dépens d'Elinor provoquèrent son sentiment. Quoiqu'elle n'eût encore aucune idée des projets sur Mlle Morton, cédant, comme à son ordinaire, à son premier mouvement, elle dit avec vivacité :

— Voilà en vérité une singulière manière de voir et d'admirer les ouvrages de ma sœur ! En faire un objet de comparaison pour les rabaisser, c'est du moins peu obligeant. Qui est cette demoiselle Morton à qui personne ne peut être comparé ? À propos, de quoi est-il question, d'elle et de ses talents ? Qui intéresse-t-elle ici ? et mon Elinor nous intéresse tous.

Alors, prenant les écrans de la main de sa belle-sœur et les montrant encore au colonel : « Il faut, dit-elle, n'avoir pas le moindre goût, le moindre sentiment du beau pour ne pas les admirer, et pour penser à autre chose quand on les voit. »

Mme Ferrars rougit de colère ; ses petits yeux s'enflammèrent ; ses sourcils s'élevèrent d'un demi-pouce et se touchèrent.

— Je croyais, dit-elle, que tout le monde ici savait que Mme Morton était la fille de feu lord Morton ; j'oubliais que mesdemoiselles Dashwood ne sont jamais venues à Londres et ne peuvent connaître le grand monde.

Fanny avait aussi l'air courroucé ; et son mari était tout effrayé de l'audace de Marianne.

Poussée par son sentiment pour sa sœur chérie, ainsi méprisée et rejetée par toute une famille qui devait l'adorer, Marianne vint s'asseoir à côté d'elle, passant un bras autour de son cou, et posant sa joue contre la sienne, elle lui dit à l'oreille :

— Chère, chère Elinor, ne souffrez pas que de telles gens aient le pouvoir de vous rendre malheureuse ; ne craignez rien ; Edward ne pense pas ainsi. Je le connais, j'ose vous répondre de sa fidélité ; en dépit d'eux et de leurs projets, il n'aime, il n'épousera que vous.

Elinor, touchée de l'affection de sa sœur, mais désolée des preuves qu'elle lui en donnait en un tel moment, la conjura de se calmer, de se taire, tandis qu'elle-même pouvait à peine retenir les larmes qui lui avaient rempli les yeux en entendant les propos de Marianne. Celle-ci les sentit sur sa joue.

— Tu pleures, lui dit-elle.

Et elle fondit en larmes. L'attention de chacun fut attiré vers elle et tout le monde eut l'air consterné. Le colonel Brandon qui, depuis le commencement de la scène, avait eu les yeux attachés sur Marianne, l'admirait plus qu'il ne la blâmait.

Ce cœur si brûlant, cette sensibilité si active pour ceux qu'elle aimait autant que pour elle-même, l'attachaient toujours davantage à cette jeune personne. Lorsqu'elle éclata en sanglots, il se leva, vint près d'elle presque involontairement, et prit sa main qu'il serra entre les siennes. Elinor soutenait sur son sein la tête de sa sœur et ne pensait plus à Edward.

Mme Jennings dit :

— Pauvre enfant ! Pauvre petite ! La moindre chose attaque ses nerfs !

Elle lui fit respirer son flacon de sels.

Mme Ferrars levait les épaules en parlant à sa fille ; lady Middleton la regardait d'un air glacé. M. Palmer bâillait près du feu en tenant les malheureux écrans, cause première de ce trouble ; les deux sœurs Steele riaient et chuchotaient dans un coin ; sir John était enragé contre le traître Willoughby, seul auteur disait-il, de cette faiblesse de nerfs, et s'établissant entre les deux petites cousines Steele, qui étaient encore ses favorites, il leur conta dans un murmure toute l'affaire, en s'emportant contre l'homme abominable qui mettait une fille charmante dans cet état.

Au bout de quelques minutes, Marianne fut un peu remise. Elinor voulut la faire passer dans une autre chambre ; mais Mme Dashwood dit qu'il n'y en avait point de libre, que l'attaque de nerfs une fois passée, Marianne serait aussi bien au salon : elle resta donc à côté d'Elinor, et sans dire un mot de la soirée.

— Pauvre Marianne ! dit son frère à voix basse au colonel Brandon ; elle n'a pas une aussi forte santé que sa sœur, elle est très nerveuse, au lieu qu'Elinor n'est jamais malade.

Je suis sûr qu'elle n'a pas coûté une guinée en médecin depuis qu'elle est au monde ; mais la pauvre Marianne ! sa santé est détruite aussi bien que sa beauté, et c'est sans doute ce dernier point qui l'afflige : c'est bien naturel en vérité ; si jeune encore ! Pourriez-vous croire qu'il y a peu de mois elle était belle à frapper, presque aussi belle qu'Elinor ? À présent, quelle différence ! Elinor est charmante et ne changera jamais ; c'est un genre de beauté qui sera toujours le même, je puis en répondre.

— Je l'espère, dit le colonel, et désire que Mlle Marianne retrouve bientôt ses charmes...

Hélas ! elle n'en avait encore que trop pour lui, et jamais elle ne lui avait paru aussi intéressante, aussi digne d'adoration.

Après le thé, on arrangea diverses parties de jeu. Mmes Ferrars et Jennings s'établirent à un grave whist avec sir John et M. Palmer. Elinor en parut surprise ; le colonel Brandon, à qui son frère et sa belle-sœur avaient fait tant d'honneurs, avait dans son idée plus de droit à cette partie, et par son âge et par son habileté au whist, que M. Palmer, qui, malgré son apathie, ne parut pas trop content d'être le partenaire des deux grand-mères. Mais M. Dashwood n'avait garde de séparer sa sœur Elinor de son futur époux, le colonel Brandon. Lady Middleton n'aimait que le casino ; et le colonel ne le savait presque pas, mais n'importe ; il fallut bon gré mal gré qu'il se mît à cette partie, ainsi qu'Elinor, qui aurait bien préféré ne pas jouer et rester avec sa sœur ; mais elle eut beau conjurer ou son frère ou Fanny de prendre sa place, elle ne put l'obtenir. M. Dashwood se mit à côté du colonel pour lui apprendre le casino. Anne Steele fit la quatrième. Fanny se mit en cinquième dans la partie des mères. Lucy, tantôt à côté d'elle, lui parlait de tout ce qui pouvait lui plaire, tantôt à côté de Mme Ferrars s'intéressait à son jeu, vantait son habileté au whist, à laquelle la bonne dame avait de grandes prétentions, enfin faisait sa cour de son mieux. Marianne était laissée seule à ses tristes pensées, et ne s'en plaignait pas. Absorbée dans ses réflexions, dans ses souvenirs et, bien loin du salon de Mme John Dashwood, elle n'entendit pas même ouvrir la porte et Fanny s'écrier :

— Ah ! voilà mon frère.

Mais Elinor ne l'entendit que trop ; son sang reflua vers son cœur qui battit avec violence ; et ses yeux baissés sur ses cartes, sans en distinguer une, elle s'efforça de reprendre son courage accoutumé. Enfin, quand elle crut y avoir réussi, elle tourna ses regards d'abord vers Lucy, qui était restée à sa place, dont la physionomie n'exprimait rien, mais dont les yeux perçants suivaient celui qui venait d'entrer. Elinor était placée de manière à ne pas le voir, et n'en était pas fâchée, lorsque son frère s'écria :

— Ah ! vous voilà enfin, Robert, d'où diable venez-vous ? Nous avons dîné depuis deux heures.

Elinor respira ; ce n'était pas Edward. Robert s'avança auprès de son beau-frère ; elle reconnut d'abord le merveilleux à la boîte à cure-dents qui l'avait si fort impatientée chez le bijoutier. Sans doute la reconnut-il aussi ; il la salua d'une inclinaison de tête d'un air affecté. Son costume avait toute l'extravagance de la mode française, encore exagérée, et présentait vraiment quelque chose de ridicule : une crête ébouriffée, un col de chemise remontant jusqu'aux coins des yeux, un frac étroit, un gilet de deux doigts, un pantalon qui lui montait jusque sous les bras, un fracas de cachets et de bagues, un bouquet à la boutonnière, enfin tout ce qui constituait alors l'élégance de ceux qu'on appelait des *incroyables*. L'émotion d'Elinor avait fait place à l'étonnement ; elle ne pouvait comprendre que ce fût là le frère du simple, du timide Edward. Il dit légèrement à son beau-frère que, sur sa parole, il avait tout à fait oublié son dîner ; que, dans la foule de ses engagements, ces oublis lui arrivaient souvent ; et promenant ses bésicles sur les jeunes dames, il daigna ajouter en désignant Marianne :

— Sans doute j'ai beaucoup perdu… Cette langoureuse beauté auprès de la cheminée, est-ce une de vos sœurs, John ?

— Oui, la cadette, très jolie autrefois, sur mon honneur ; mais la pauvre enfant est malade.

Robert ne l'écoutait pas ; sa lorgnette était dirigée sur la jolie toque à plumes de Lucy.

— Cette petite personne est délicieusement coiffée, reprit-il, vraiment délicieusement ! Cela vient de Paris ; je crois l'avoir remarqué au magasin d'Hustley ; très jolie, sur ma parole ; du dernier goût !

— Et la jeune personne aussi ; c'est Mlle Lucy Steele, parente de lady Middleton. Et Edward, où diable se trouve-t-il ?

— Où je ne suis pas, sans doute. Nous n'allons point ensemble ; il y a huit jours que je ne l'ai vu.

Il s'approcha de sa mère dont il était le favori, et qui lui dit :

— Bonjour, Robert, avec un air assez affable. Il adressa quelques mots à Lucy sur sa délicieuse coiffure, dont elle eut l'air flatté. Peu après, les parties finirent, et l'on prit congé les uns des autres, au grand plaisir des deux sœurs, pour qui la journée avait été ennuyeuse et pénible.

36

Le désir qu'Elinor avait eu de voir la mère d'Edward était plus que satisfait ; il était anéanti. Et, de tout son cœur, elle désirait actuellement ne pas se retrouver avec elle. Elle en avait assez de son orgueil, de son dédain, de son esprit étroit et vain et de sa prévention décidée contre les sœurs de son gendre ; elle voyait clairement, à présent, toutes les difficultés et les retards qu'il y aurait eu à son mariage avec Edward, lors même qu'il eût été libre. Il était le seul de cette famille qui lui fût agréable. La fatuité et les prétentions de l'élégant Robert lui étaient insupportables ; et Mme John Dashwood n'ayant pas cherché à gagner l'amitié de ses belles-sœurs, ne leur en avait jamais témoigné. Elle se trouva donc presque heureuse qu'un obstacle insurmontable la préservât du malheur d'être sous la dépendance de Mme Ferrars, d'être obligée de se soumettre à ses caprices et de supporter sa mauvaise humeur ; et si elle n'avait pas encore la force de se réjouir qu'Edward fût engagé avec Lucy, elle l'attribuait uniquement à la certitude qu'il ne serait pas heureux avec elle. Si sa rivale avait été plus aimable, elle aurait pris tout à fait son parti de renoncer pour sa part à un bonheur aussi chèrement acheté que d'être la fille de Mme Ferrars et la sœur de M. Robert.

Elle ne comprenait pas que Lucy eût attaché autant de prix aux honnêtetés d'une femme qui ne lui en avait fait que parce qu'elle n'était pas Elinor, et que la vérité ne lui était pas connue. Il fallait que Lucy fût aveuglée par l'intérêt et la vanité pour n'avoir pas senti que cette préférence, arrachée à demi par ses flatteries, n'était pas du tout pour la fiancée d'Edward, pas même pour Lucy Steele, mais pour la jeune fille qui paraissait à côté de celle qu'on voulait mortifier. Lucy le voyait si peu sous ce jour que, dès le lendemain matin, elle arriva à Berkeley Street avec l'espoir de trouver Elinor seule et de lui dire tout son bonheur.

Elle eut celui de venir au moment où Mme Jennings, ayant reçu un message de Mme Palmer, allait sortir.

— Chère amie, dit Lucy à Elinor, que je suis contente de pouvoir vous parler en liberté, vous dire combien je suis heureuse ! Pouvez-vous imaginer quelque chose de plus flatteur que la manière dont Mme Ferrars m'a traitée hier ? Comme elle était bonne, affable ! Vous savez combien je la redoutais ; certes, j'avais tort. Dès le premier moment où je lui fus présentée, je vis sur sa physionomie quelque chose qui me disait que je lui plaisais extrêmement ; et toute sa conduite avec moi l'a confirmé. N'est-ce pas que c'était ainsi ? Vous l'aurez vu tout comme moi. N'en avez-vous pas été frappée ?

— Elle était certainement très polie avec vous.

— Polie ! Est-ce que vous n'avez vu que de la politesse ? Pour moi, j'ai vu beaucoup plus. Avec quelle bonté elle m'a distinguée de tout le monde ! Ni orgueil ni hauteur, quoique je sois une pauvre personne qu'elle voyait aussi pour la première fois. Elle n'a presque adressé la parole qu'à moi seule, et votre belle-sœur de même. Quelle femme adorable ! Toute douceur, toute affabilité, si bonne, si prévenante ! Quel bonheur pour vous que votre frère ait épousé une femme aussi aimable.

Elinor, pour éviter de répondre, voulut changer d'entretien ; mais Lucy la pressa tellement de convenir de son bonheur qu'elle ne pût s'en défendre.

— Indubitablement, lui dit-elle, rien ne pourrait être plus heureux et plus flatteur pour vous que la conduite de Mme Ferrars si elle avait connu vos engagements avec son fils, mais ce n'est pas le cas et...

— J'étais sûre d'avance que vous me répondriez cela, interrompit Lucy ; mais vous conviendrez au moins qu'il ne peut y avoir aucune raison au monde qui obligeât Mme Ferrars à feindre de m'aimer, si je ne lui plaisais pas ; et elle a marqué une prévention si flatteuse pour moi, et pour moi seule, que vous ne pouvez m'ôter la satisfaction d'y croire. Je suis sûre à présent que tout finira bien et que je ne trouverai point les difficultés que je craignais. Mme Ferrars et sa fille sont deux femmes charmantes, adorables, qui me paraissent sans défauts ; et peut-être me font-elles l'honneur de penser la même chose de moi ; car j'ai vu et senti qu'il y avait entre nous un attrait mutuel. Je suis étonnée que vous ne m'ayez jamais dit combien votre belle-sœur est agréable !

Elinor n'essaya pas même de répondre ; qu'aurait-elle pu dire ?

— Êtes-vous malade, mademoiselle Dashwood ? dit Lucy. Vous semblez si triste, si abattue ! Vous ne parlez pas ; sûrement vous n'êtes pas bien.

— Je ne me suis jamais mieux portée, répondit Elinor.

— J'en suis vraiment charmée ; mais vous n'en avez pas l'air du tout. Je serais consternée si vous tombiez malade, vous qui partagez si bien tout ce qui m'arrive. Le ciel sait ce que j'aurais fait sans votre amitié.

Elinor essaya de répondre quelque chose d'honnête ; mais elle le fit si froidement qu'il eût mieux valu se taire. Cependant, Lucy en parut satisfaite.

— En vérité, lui dit-elle, je n'ai pas le moindre doute sur l'intérêt que vous prenez à mes confidences et à mon bonheur ; et après l'amour d'Edward, votre amitié est ce que je prise le plus. Pauvre Edward ! S'il avait été là, s'il avait vu sa mère et sa sœur me traiter comme si j'étais déjà de la famille ! Mais à présent il en sera souvent témoin, et tout s'arrange à merveille. Lady Middleton et Mme John Dashwood s'aiment déjà à la folie ; elles vont se lier intimement, et nous serons sans cesse les uns chez les autres. Edward passe sa vie, dit-on, chez sa sœur. Lady Middleton fera de fréquentes visites à Mme Dashwood ; et votre belle-sœur a eu la bonté de me dire qu'elle serait toujours charmée de me voir. Ah ! quelle délicieuse femme ! Si vous lui dites une fois ce que je pense d'elle, vous ne pourrez pas exagérer mes éloges.

Elinor garda encore le silence ; et Lucy continua :

— Je suis sûre que je me serais aperçue au premier moment si Mme Ferrars avait mauvaise opinion de moi. Elle m'aurait fait seulement comme à d'*autres* une révérence cérémoniale, sans dire un mot, ne faisant plus nulle attention à moi, ne me regardant qu'avec dédain… Vous comprenez sûrement ce que je veux dire. Si j'avais été traitée ainsi, il ne me resterait pas l'ombre d'une espérance, je n'aurais même pas pu rester en sa présence. Je sais que lorsqu'on lui déplaît, elle se montre très violente.

Elinor n'eut pas le temps de répliquer quelque chose à son malin triomphe. La porte s'ouvrit ; le laquais annonça M. Ferrars, qui entra immédiatement.

Ce fut un moment pénible pour les uns et pour les autres ; tous les trois eurent l'air fort embarrassé. Edward paraissait avoir plus envie de reculer que d'avancer. Ce qu'ils désiraient tous d'éviter, une rencontre en tiers, arrivait de la manière la plus désagréable. Non seulement ils étaient tous les trois ensemble, mais ils y étaient sans le moindre intermédiaire, sans personne qui pût soutenir l'entretien et venir à leur secours. Les dames se remirent les premières. Ce n'était pas à Lucy à se mettre en avant ; vis-à-vis de lui, l'apparence du secret devait être encore gardée. Elle ne fit donc que le regarder tendrement, le saluer légèrement et garder le silence.

Elinor, qui le voyait pour la première fois depuis leur arrivée et qui devait avoir l'air de ne rien savoir, avait un rôle bien plus difficile. Mais autant pour lui que pour elle, elle désirait si vivement avoir un maintien naturel que, passé le premier moment, elle put le saluer d'une manière aisée et presque comme à l'ordinaire. Un second effort sur elle-même la rendit si maîtresse de ses impressions, que ni son regard, ni ses paroles, ni le son sa voix ne purent trahir ce qui se passait dans son âme. Elle ne voulut pas que la présence de Lucy l'empêchât de témoigner à un ancien ami son plaisir de le revoir, et son regret de ne s'être pas trouvée à la maison quand il y était venu. Ni les regards pénétrants de sa rivale, ni l'embarras de sa position, ni son dépit secret ne la détournèrent de remplir ce qu'elle regardait comme un devoir envers le frère de sa belle-sœur, et l'homme qu'elle estimait.

Cette manière d'être donna quelque assurance à Edward, et le courage de s'avancer et de s'asseoir. Mais son embarras dura beaucoup plus longtemps ; ce qui, au reste, lui était naturel, quoique très rare chez la plupart des hommes, qui ne se laissent pas influencer par des rivalités de femmes, dont leur amour-propre jouit. Mais Edward n'était pas susceptible de ce genre de vanité ; et pour être tout à fait à son aise dans ces circonstances, il fallait ou l'insensibilité de Lucy ou la conscience sans reproche d'Elinor ; et le pauvre Edward n'avait ni l'une ni l'autre.

Lucy, avec une mine froide, réservée, semblait déterminée à observer, à écouter et à ne point se mêler d'un entretien auquel elle aurait dit être étrangère. Edward ne prononçait que des monosyllabes, en sorte que la conversation reposait en entier sur Elinor qui en était seule chargée. Elle fut obligée de parler la première de la santé de sa mère, de Margaret, de leur arrivée à Londres, de leur séjour, de tout ce dont Edward aurait dû s'informer s'il avait pu parler.

Après quelques minutes, ayant elle-même besoin de respirer, et voulant laisser quelques moments de liberté aux deux amoureux, sous le prétexte d'aller chercher Marianne, elle sortit héroïquement, et resta même quelque temps dans le vestibule avant d'entrer chez sa sœur. Marianne n'eut pas la même discrétion ; dès qu'elle entendit le nom d'Edward, elle courut immédiatement au salon. Le plaisir qu'elle eut en le voyant lui fit oublier un instant toutes ses peines ; il fut, comme tous ses sentiments, très vif et exprimé avec chaleur :

— Cher Edward, lui dit-elle en lui tendant la main avec toute l'affection d'une sœur et d'une amie, enfin vous voilà ! Combien j'étais impatiente de vous revoir !

Edward éprouvait une extrême émotion ; il aurait voulu exprimer ce qu'il sentait ; mais devant un témoin qui prêtait toute son attention pour ne perdre ni un regard ni une parole, qu'aurait-il pu dire ? Il pressa doucement la main de Marianne sans répondre. Puis on se rassit ; et pour un moment chacun garda le silence les yeux baissés, à l'exception de Marianne qui, regardant avec sensibilité tantôt Edward, tantôt Elinor, aurait voulu réunir leurs mains dans les siennes, que leur bonheur lui tînt lieu du sien propre, et qui regrettait seulement que le plaisir de se retrouver fût troublé par la présence importune d'un tiers, Lucy.

Edward parla le premier ; ce fut pour exprimer son inquiétude sur le changement de Marianne.

— Vous n'avez pas, lui dit-il, l'air de santé que vous aviez à Barton. Je crains que la vie de Londres ne vous convienne pas.

— Oh ! ne pensez pas à moi, lui dit-elle avec chaleur, quoique ses yeux se remplissent de larmes au souvenir des jours heureux qu'elle avait passés à Barton ; ne songez pas à moi. Elinor est très bien, vous le voyez ; c'est assez pour vous et pour moi.

Ce mot touchant n'était pas fait pour mettre plus à l'aise Elinor et Edward, ni pour se concilier l'amitié de Lucy, qui lança à Marianne un regard indigné dont celle-ci ne s'aperçut pas.

— Aimez-vous Londres ? reprit Edward pour dire quelque chose et pour détourner la conversation sur un autre sujet.

— Non, pas du tout, répondit Marianne ; j'en attendais beaucoup de plaisir, je n'en ai trouvé aucun. Celui de vous voir, cher Edward, est le premier que j'aie goûté. Je remercie le ciel de ce que nous vous retrouvions toujours le même.

Un profond soupir suivit ces mots. Elle s'arrêta, et personne ne continua.

— Je pense à une chose, ma chère Elinor, reprit-elle, puisque nous avons retrouvé Edward, nous nous mettrons sous sa protection pour retourner à Barton ; dans une semaine ou deux tout au plus, nous serons prêtes à partir. Je suppose, et je suis bien sûre, Edward, que vous accepterez d'être notre protecteur dans ce petit voyage, et que vous voudrez bien nous accompagner.

Le pauvre Edward murmura quelques mots que personne ne comprit, et qu'il ne comprit peut-être pas lui-même. Lucy rougit, pâlit et toussa vivement. Un regard d'Edward moitié sévère, moitié suppliant, la calma. Il était vraiment au supplice. Marianne, qui vit son agitation, la mit absolument sur le compte de l'impatience et du dépit que lui faisait éprouver la présence d'une étrangère dans ce moment de réunion, et parfaitement satisfaite de lui, elle voulut à son tour le calmer, en insinuant à Lucy d'abréger sa visite.

— Nous avons passé hier la journée entière à Harley Street chez votre sœur et la nôtre, lui dit-elle. Ah ! quelle longue journée ! j'ai cru qu'elle ne finirait jamais… mais j'ai beaucoup de choses à vous dire à ce sujet, qu'on ne peut dire actuellement… Enfin, cette journée fut plus pénible qu'agréable. Mais pourquoi n'y étiez-vous pas, Edward ? Alors, c'eût été plus agréable pour nous.

— J'avais le malheur d'être engagé ailleurs.

— Engagé ! on se dégage de tout quand on peut être avec des amies comme Elinor et Marianne.

Le moment parut propice à la méchante Lucy pour se venger de Marianne.

— Vous pensez peut-être, mademoiselle Marianne, lui dit-elle, que les jeunes gens ne sont point tenus de garder leurs engagements, quand il leur vient dans la tête de les rompre, qu'ils soient petits ou grands.

Elinor rougit de colère ; mais Marianne parut entièrement indifférente à cette attaque, et répliqua avec calme :

— Non, en vérité, je ne crois point du tout ce que vous dites. Je suis sûre que c'est la fidélité à un engagement plus ancien qui a empêché Edward de venir, hier, voir sa sœur ; je crois réellement qu'il a la conscience la plus délicate et la plus scrupuleuse qu'on puisse avoir, et qu'il ne manquera jamais de sa vie à une promesse donnée, lors même que ce serait contre son intérêt ou son plaisir. Je n'ai jamais connu quelqu'un qui craignît davantage de causer à autrui la moindre peine, et ce serait en faire que de ne pas répondre à ce qu'on attend de lui, de ne pas remplir tous ses devoirs importants ou non sans subterfuge, et quoi qu'il puisse lui en coûter : voilà comme est Edward ; et je dois lui rendre cette justice. Comme vous avez l'air confus et peiné, Edward ! Quoi ! n'avez-vous jamais entendu faire votre éloge ? Si vous le craignez, vous ne devez pas être mon ami ; car il faut que ceux qui acceptent mon estime et mon amitié se soumettent à entendre, devant eux, tout ce que je pense d'eux, soit en bien soit en mal.

Tout ce qu'elle dit était tellement de circonstance qu'il fut difficile à Edward de le supporter, et que, ne pouvant plus soutenir sa position, il se leva et voulut sortir.

— Nous quitter aussitôt ! dit Marianne, non, mon cher Edward, cela ne se peut. Rasseyez-vous et restez, je vous en conjure ; et, le tirant un peu à l'écart, elle lui dit à l'oreille en jetant un coup d'œil sur Lucy :

— Attendez qu'elle soit partie, je vous en supplie ! Elle s'en ira bientôt ; il y a des siècles qu'elle est là.

Mais cette invitation manqua son effet. Il n'en sortit pas moins ; et Lucy qui était décidée à ne pas partir la première, fût-il resté deux heures, s'en alla bientôt après lui. Marianne était de si mauvaise humeur qu'elle la salua à peine.

— Qu'est-ce donc qui peut l'attirer si souvent ici ? dit-elle à sa sœur, dès que Lucy eut tourné le dos. Ne pouvait-elle pas voir facilement comme nous désirions tous son départ ? Combien Edward était tourmenté !

— Pourquoi donc, dit Elinor, Lucy serait-elle une étrangère pour lui ? Il a demeuré chez son oncle près de Plymouth ; il la connaît depuis plus longtemps que nous : il est très naturel qu'il ait aussi du plaisir à la voir.

— Du plaisir ! Edward avait plaisir à voir Lucy Steele qu'il a vue peut-être deux ou trois fois comme une petite fille ! Si même il l'a remarquée et reconnue, ce que je ne crois pas, à l'air qu'il avait avec elle, il aurait bien voulu la voir loin d'ici. Je ne sais pas, Elinor, quelle est votre idée en me parlant d'Edward avec cette indifférence, ou en le supposant indifférent lui-même au plaisir d'être avec vous ? Il n'y avait qu'à le voir pour sentir comme il était tourmenté. Aussi ai-je été aujourd'hui très contente de sa manière, et très mécontente de la vôtre, Elinor. Pas un mot d'amitié, pas un effort pour le retenir ou pour faire s'en aller Lucy. Si c'est là ce qu'on appelle être sage et prudente, que le ciel me préserve de l'être ! Moi je dis que c'est ingratitude ou fausseté. Ce pauvre Edward, comme il avait l'air malheureux ! je ne sais comment vous avez eu le courage de le laisser sortir ainsi.

Elle se retira elle-même en disant cela.

Elinor en fut bien aise ; elle n'aurait su que lui répondre, liée comme elle l'était par sa promesse à Lucy de garder son secret ; et quelque pénibles que fussent pour elle l'erreur de Marianne et les propos qui en découlaient, elle était forcée de s'y soumettre. Son seul espoir était qu'Edward ne s'exposerait pas souvent à renouveler un entretien aussi cruel, et qu'il ferait tous ses efforts pour l'éviter. Mais elle-même ! pourrait-elle alors se dérober aux conjectures, aux plaintes, et même aux reproches de Marianne sur la rareté des visites d'Edward ? Sous tous les rapports, Elinor était vraiment très malheureuse, et elle avait besoin de tout son courage pour supporter une situation aussi désagréable, qui, suivant les apparences, durerait encore longtemps.

37

Peu de jours après cette rencontre, les gazettes annoncèrent au monde entier que Mme Charlotte Palmer, épouse de M. Thomas Palmer, écuyer, était heureusement délivrée d'un fils : un très intéressant article pour la bonne grand-mère Jennings, qui le savait déjà puisqu'elle avait assisté à la naissance du petit héritier, mais qui n'en eut pas moins de plaisir à le lire.

Cet événement, qui la rendait heureuse au suprême degré, produisit quelque changement dans l'emploi de son temps, et dans la vie de ses jeunes amies. Elle voulait être autant que possible auprès de la nouvelle maman et de ce cher petit nouveau-né, qu'elle aimait déjà à la folie ; elle y allait chaque matin, dès qu'elle était habillée, et ne rentrait chez elle que tard dans la soirée. Elle pria sa fille aînée, lady Middleton, d'inviter Mlles Dashwood à passer de leur côté toute la journée chez elle, à Conduit Street. Elles auraient bien préféré rester au moins la matinée dans la maison de Mme Jennings ; mais elles n'osèrent pas le demander, ni se refuser à l'invitation polie de lady Middleton. Elles passèrent donc leur temps avec cette dame et les demoiselles Steele, qui ne leur plaisaient ni à l'une ni à l'autre, et qui n'appréciaient pas non plus leur société. Lady Middleton se conduisait avec une extrême politesse, faisait des compliments sans fin, des cérémonies très ennuyeuses ; mais, dans le fond, elle ne les aimait pas. D'abord, elles ne gâtaient ni ne louaient ses enfants ; puis elles aimaient la lecture, que lady Middleton ne regardait que comme une chose qui porte à la satire, sans très bien savoir peut-être ce que signifiait être satirique. Mais c'était sans importance à ses yeux. Il s'agissait d'une critique en usage, un jugement facile à porter. Mais enfin, comme elles étaient en visite chez sa mère, qui les lui avait recommandées, elle les accablait d'honnêtetés, d'attentions, au grand désespoir des deux sœurs Steele, qui croyaient que c'était autant qu'on leur ôtait, et qu'elles seules avaient droit à l'amitié de leur *cousine* lady Middleton.

La présence des demoiselles Dashwood les gênait toutes. Lady Middleton était honteuse de ne rien faire devant elle, et Lucy de faire trop. Elle s'était fort bien aperçue que ses flatteries continuelles pouvaient leur inspirer du mépris, et n'osait pas s'y livrer sans la moindre retenue, comme à son ordinaire, en leur présence. Mlle Anne était celle des trois qui en souffrait le moins. Il n'aurait même tenu qu'à Mlles Dashwood qu'elle s'y réconciliât entièrement. Elles n'auraient eu pour cela qu'à lui confier en détail toute l'histoire de Willoughby et de Marianne, et elle se serait sentie amplement récompensée d'avoir dû sacrifier la meilleure place auprès du feu. Mais cette satisfaction ne lui était pas accordée car bien qu'elle eût souvent exprimé devant Elinor de la compassion pour sa sœur, et qu'elle eût plus d'une fois laissé tomber une remarque sur l'inconstance des hommes du monde devant Marianne, ses allusions n'avaient d'autre effet que de lui valoir un regard d'indifférence de la première, et de dégoût de la seconde. Un effort plus modeste encore aurait pu faire d'elle leur amie. Si seulement elles l'avaient raillée au sujet du docteur ! Mais comme les autres, elles étaient si peu enclines à l'obliger, que si sir John déjeunait dehors, il se passait parfois toute une journée sans qu'elle entendît sur le sujet d'autres plaisanteries que celles qu'elle se faisait elle-même. Ces petites jalousies, ces petits mécontentements étaient si ignorés de Mme Jennings, qu'elle croyait que les quatre jeunes filles se délectaient d'être ensemble ; et tous les soirs, en revenant, elle félicitait ses jeunes amies d'avoir encore échappé ce jour-là à la société d'une vieille grand-mère. Elle les rejoignait quelquefois chez sir John, où elle venait donner à sa fille aînée des nouvelles de l'accouchée, que l'indifférente lady écoutait à peine ; mais n'importe, Mme Jennings allait son train. Elle attribuait le rétablissement de Charlotte à ses soins, et donnait sur la mère et sur l'enfant des détails minutieux qui n'intéressaient que la curiosité d'Anne.

— Une seule chose m'afflige, c'est que son père, qui est bon cependant, assure que tous les enfants de cet âge se ressemblent, et ne veut pas convenir que le sien soit le plus bel enfant du monde ; sans vous déplaire, Mary, vos enfants sont très bien, mais ils n'en approchent pas.

— Il est impossible, dit Lucy en caressant la petite, que qui que ce soit au monde l'emporte en beauté sur Annamaria.

Lady Middleton, un peu consolée, lui accorda toutes ses bonnes grâces et lui fit un joli présent dans la soirée.

La liaison qui s'était établie entre les maisons Middleton et Dashwood occasionnait de fréquentes rencontres. Un jour qu'Elinor et Marianne étaient en visite chez leur belle-sœur, il y vint une femme du monde qui, ne connaissant point la particularité de cette famille, ne mit pas en doute qu'ils ne logeassent tous ensemble. Deux jours après, cette dame, donnant un concert, envoya chez Mme John Dashwood des cartes d'invitation pour elle et pour ses belles-sœurs. Mme Dashwood n'y vit d'abord que le désagrément de leur envoyer sa voiture et l'ennui de les y accompagner ; lady Middleton n'y étant pas invitée, elles ne pouvaient y aller seules. Fanny se promit de bien dire à tout le monde que ses belles-sœurs ne logeaient pas chez elles.

Marianne, par l'habitude de faire le jour ce qu'elle avait fait la veille même, et par l'indifférence qu'elle mettait à faire une chose plutôt qu'une autre, avait été amenée par degré à reprendre le genre de vie de Londres et à sortir tous les soirs, sans en attendre ni désirer le moindre amusement, et souvent sans savoir jusqu'au dernier moment où elle allait.

Sa toilette l'occupait si peu que, si sa sœur n'y avait pensé pour elle, elle serait restée dans sa robe du matin. Mais quand, après un ennui qu'elle supportait à peine, elle était enfin parée, commençait un autre supplice ; c'était l'inventaire que faisait Anne Steele de toutes les pièces de son ajustement. Rien n'échappait à son insatiable curiosité et à sa minutieuse observation. Elle voyait tout, touchait tout, voulait savoir le prix de tout, elle calculait le nombre de robes de Marianne, et combien le blanchissage devait lui coûter par semaine, et à combien sa toilette devait lui revenir par an. Marianne en était excédée ; mais ce qui lui déplaisait plus encore était le compliment qui suivait toujours cet examen.

— Eh bien ! mademoiselle Marianne, vous voilà très bien mise et très belle encore, quoi qu'on en dise ; consolez-vous, c'est moi qui vous le promets, vous allez faire encore bien des conquêtes ; et tous les jeunes gens ne seront peut-être pas légers et perfides. Mlle Elinor est très bien aussi. À présent que vous avez si fort maigri, on ne dirait pas qu'elle est l'aînée ; et elle aura bien sa part d'adorateurs.

Avec de tels encouragements, elles attendaient ce soir-là le carrosse de leur frère. Comme elles étaient prêtes, elles y entrèrent sur-le-champ, au grand désespoir de Fanny, qui les avait précédées et avait espéré qu'elles ne le seraient pas encore ; elle avait souhaité pouvoir se plaindre des inconvénients que leur causait, à elle ou à son cocher, le retard de ses belles-sœurs.

Les événements de la soirée ne furent pas remarquables. Le concert d'amateurs était, comme ils le sont d'ordinaire, extrêmement médiocre, quoiqu'elles fussent convaincues, ainsi que la dame qui les avait rassemblées, d'avoir entendu les premiers talents d'Angleterre.

Au reste, à Marianne près, qui était très douée pour le pianoforte, mais qui ne faisait nulle attention à la musique, le reste de l'assemblée était peu en état d'en juger. On était là plutôt pour voir que pour écouter.

Aussi Elinor, qui n'était point musicienne et n'y avait nulle prétention, ne se fit pas scrupule de détourner ses yeux de l'amphithéâtre de musique pour regarder d'autres objets. Dans le nombre de femmes, elle en remarqua une à l'excès de sa parure, d'ailleurs peu jolie, mais grande et bien faite, et entourée de tous les élégants, parmi lesquels elle eut bientôt reconnu Robert Ferrars à son costume extravagant et à sa lorgnette, qu'il dirigeait sur toutes les femmes avec une fatuité insupportable. Bientôt, son tour vint d'être regardée, et Robert lui-même s'avança avec nonchalance et s'assit à côté d'elle.

— Bonjour, ma vieille connaissance, lui dit-il d'un ton léger.

— Monsieur, vous vous méprenez sans doute, lui dit Elinor, surprise de ce ton ; je n'ai pas du tout l'honneur de vous connaître.

— Allons donc, vous plaisantez ; n'avons-nous pas passé une heure ensemble chez Gray ; l'autre matin ? Je vous ai retrouvée, l'autre soir, chez votre frère, qui, je crois, est le mien aussi ; ainsi, vous voyez que nous sommes intimes. D'ailleurs, dit-il en souriant d'un air qu'il croyait fin, je suis aussi le frère d'Edward, et l'on assure que vous ne le haïssez pas du tout, et qu'il est encore plus que moi votre ancienne connaissance.

— Monsieur, je ne hais personne, et nullement Edward Ferrars que j'apprécie et que j'estime depuis longtemps.

— Eh bien ! c'est très naïf, dit Robert en éclatant de rire. Vous me prenez pour confident ! Je suis peu accoutumé à ce rôle, mais je m'y ferai, et en ami, je veux vous donner un conseil : c'est de ne plus penser à Edward ; sa mère a d'autres vues. D'ailleurs, il est impossible que vous le trouviez aimable.

— Monsieur, dit Elinor avec fermeté, sans avoir sur lui aucune prétention qui puisse contrarier les vues de Mme Ferrars, je trouve son fils aîné très aimable ; et il me le paraît plus encore depuis que je le compare à d'autres.

— Ah ! bien, par exemple, c'est très plaisant ce que vous dites là. On ne s'attendait pas à ce qu'Edward gagnât à être comparé à d'autres. Allons, convenez qu'il est impossible d'être plus gauche, plus maussade, mis avec moins de goût. Il faudrait une étrange prévention pour nier cela.

— J'ai cette prévention, monsieur, et malgré votre éloge fraternel, je persiste à la croire très bien fondée.

— Allons, allons, vous plaisantez, je vois cela. Puis-je vous offrir une pastille, mademoiselle Dashwood ? dit-il en ouvrant une petite bonbonnière d'écaille blonde à étoiles d'or. À propos, n'avez-vous pas envie de voir la boîte à cure-dents que je commandais l'autre jour ? Délicieuse ! Parole d'honneur ; elle est réussie à ravir. Gray est unique pour saisir mes idées… Mais pardon, Mme Willoughby m'appelle.

— Mme Willoughby ! s'écria Elinor, où donc est-elle ?

— Là, cette femme si bien mise. Personne à Londres ne se met comme elle. J'excepte cependant cette charmante toque que je vis l'autre soir sur la tête de je ne sais qui. Vous y étiez je crois ? D'honneur ! Cette coiffure m'a tourné la tête. Comment se nomme la jeune personne ?

— Mlle Lucy Steele, l'une des nièces de M. Pratt chez lequel votre frère a demeuré.

— Ah ! Dieu, M. Pratt. Ah ! je vous en conjure, mademoiselle, si vous ne voulez pas que je meure de vapeurs, ne me parlez pas de M. Pratt ! C'est grâce à lui qu'Edward est si complètement maussade. Je l'ai souvent dit à Mme Ferrars : « Ne vous en prenez qu'à vous-même, ma mère, si votre fils aîné est à peine présentable dans le monde ; si vous l'aviez envoyé, comme moi, à Westminster, au lieu de le remettre aux soins de M. Pratt, vous voyez ce qu'il serait. » Elle est convaincue de son erreur ; mais c'est trop tard ; le pli est pris.

Elinor ne répondit rien ; elle n'aurait pas voulu qu'Edward ressemblât à son frère, mais son séjour chez l'oncle de Lucy Steele ne lui était guère plus agréable.

Enfin, l'élégant Robert la quitta et lui fit plaisir ; elle était sur des épines en pensant que Marianne pourrait voir Mme Willoughby ou seulement entendre son nom, et que Willoughby peut-être était lui-même dans le salon ; cependant, elle ne l'avait point aperçu. Elle regarda encore ; il n'y était pas. Marianne, émue par la musique, plus rêveuse, plus mélancolique encore qu'à l'ordinaire, n'avait rien vu, rien entendu. Elinor aurait voulu la prévenir ; mais elle n'était pas à côté d'elle. Heureusement que Fanny, qui n'aimait pas la musique et qui s'ennuyait, avait demandé ses chevaux de bonne heure : elle se retira avec ses belles-sœurs avant la fin du concert, et sans que Marianne se fût doutée que Mme Willoughby y était. Elles laissèrent à leur porte M. et Mme Dashwood, et retournèrent chez Mme Jennings, qui les attendait.

Le soir même, John Dashwood eut avec sa femme un entretien aigre-doux qui avait pour objet les demoiselles Dashwood. Pendant le concert, qui ne l'amusait pas plus qu'elle, il avait eu le temps de réfléchir ; et une idée l'avait frappé. La maîtresse de la maison, Mme Dennison, avait supposé que ses sœurs demeuraient chez lui : il était donc convenable qu'elles y fussent, et il manquait aux devoirs d'un frère en laissant ses sœurs loger et manger chez des étrangers. L'opinion avait un grand pouvoir sur lui ; d'un autre côté, sa conscience lui reprochait si souvent de n'avoir point tenu la promesse faite à son père qu'il crut devoir l'apaiser en les prenant quelque temps chez lui. La dépense serait peu de chose ; Elinor était petite mangeuse, et Marianne, si languissante. À peine furent-ils rentrés qu'il en fit la proposition à sa femme, qui en frémit de tout son corps, et tâcha de parer le coup.

— Je ne demanderais pas mieux, mon cher John ; vous savez combien j'aime tout ce qui tient à vous. Mais dans ce moment-ci, je craindrais d'offenser lady Middleton chez qui elles passent toutes leurs journées ; il serait peu décent de la priver de leur compagnie. J'en suis très fâchée ; car vous voyez combien j'aime à être avec vos sœurs, mon cher John, à les produire dans le monde, à leur prêter ma voiture…

— Oui, oui, je vous rends justice, chère Fanny ; mais dans cette occasion, je ne sens pas la force de votre objection. Elles ne demeurent point chez lady Middleton ; et sous aucun rapport, elle ne peut être fâchée qu'elles viennent passer quelques jours chez leur belle-sœur. Vous voyez que tout le monde pense que cela doit être ainsi.

— Oui, oui, Mme Dennison qui ne sait ce qu'elle dit ! Enfin, mon cher, vous avez toujours raison ; et je crois comme vous que cela conviendrait ; mais, malheureusement, j'ai invité les demoiselles Steele à passer quelque temps avec nous. Ce sont de bonnes filles, très complaisantes, point gênantes, dont on fait tout ce qu'on veut, et c'est une attention que je leur devais, mon frère Edward ayant été élevé chez leur oncle Pratt, ainsi que je l'ai appris l'autre jour. Nous pouvons avoir vos sœurs quand nous voudrons, soit à Norland, soit un autre hiver à Londres. Peut-être Mlles Steele n'y reviendront-elles plus. Enfin, je les ai déjà invitées ; et plus elles sont dépendantes et sans fortune, plus on leur doit d'égards. Vous qui avez tant de délicatesse et de générosité, mon cher John, vous sentez cela mieux que personne, j'en suis sûre ; je le suis aussi qu'elles vous amuseront beaucoup plus que vos sœurs ; elles sont gaies, aimables. Ma mère est passionnée de Lucy qui est la favorite de notre cher petit Harry.

Que répondre à de tels arguments ? M. Dashwood fut convaincu ; il convint de la nécessité d'avoir les demoiselles Steele ; et sa conscience s'apaisa par le souvenir du beau dîner qu'il avait donné au colonel Brandon, et par l'espoir que, l'année suivante, Elinor serait Mme Brandon, aurait une bonne maison à Londres, et que Marianne vivrait avec elle.

Fanny, tout à la fois contente d'avoir échappé au malheur de recevoir ses belles-sœurs, et fière de l'esprit qu'elle y avait mis, écrivit le matin suivant un billet à Lucy qu'elle antidata de deux jours.

Elle la priait, ainsi que Mlle Anne, de lui faire le plaisir de venir passer quelques jours chez elle, aussitôt que lady Middleton voudrait les lui céder. On comprend combien Lucy fut heureuse. Aller demeurer chez la sœur d'Edward, qui en l'invitant semblait travailler pour elle ! On peut cette fois pardonner à Lucy de se livrer à l'espoir. Une occasion journalière de voir Edward, de gagner l'amitié de sa famille, lui parut une chose si essentielle qu'il ne fallait pas différer. Elle fit sentir à sa sœur l'avantage qui pouvait en résulter. Elles se préparèrent donc à y aller dès le lendemain. Lady Middleton en prit son parti avec l'indifférence qu'elle mettait à tout ce qui ne la regardait pas directement.

On comprend qu'à peine Elinor arrivée, Lucy lui montra en triomphe le pressant billet de Fanny ; et pour la première fois, elle partagea l'espérance de Lucy. Une telle preuve de bonté, une prévenance si marquée envers de jeunes personnes que Fanny connaissait peu, elle qui, à l'ordinaire, était si peu obligeante, témoignaient que l'on avait du moins beaucoup de bonne volonté et de bienveillance à leur égard et, avec le temps, l'adresse de Lucy pourrait mener à quelque chose de plus. Comme Elinor ignorait le projet que son frère avait eu de les inviter ; il ne lui vint pas dans l'idée que les demoiselles Steele eussent servi de prétexte à Fanny pour ne pas les recevoir. Elles y allèrent donc dès le lendemain, et furent reçues de manière à laisser tout croire de l'effet de cette préférence. Fanny avait fait sentir à son mari qu'il était très dangereux de rapprocher Elinor d'Edward dans un moment où l'on traitait de son mariage, au lieu que les petites Steele, qu'il connaissait à peine, étaient à tout égard sans danger pour lui. Quant à elle, elle en faisait deux complaisantes assidues qui lui faisaient ses chiffons, servaient le thé, arrangeaient le feu, ramassaient son mouchoir, amusaient son enfant ; elle trouvait toutes ces attentions serviles très agréables et très commodes. Sir John, qui allait les voir quelquefois, ne parlait que de l'amitié de Mme John Dashwood pour ses petites cousines. Elle était plus enchantée d'elles, et surtout de Lucy, qu'elle ne l'avait jamais été de toute autre jeune personne ; elle ne les appelait plus que sa chère Lucy, sa chère Anne, leur avait fait présent à chacune d'un petit portefeuille d'aiguilles, et disait qu'elle ne savait comment elle ferait pour se séparer de ses aimables, de ses chères amies.

38

Mme Palmer était si bien au bout de quinze jours que sa mère ne trouva plus nécessaire de lui donner tout son temps, et se contenta de la visiter une ou deux fois par jour. Elle revint chez elle, à ses habitudes, à ses jeunes amies, à qui elle racontait avec soin tout ce qu'elle apprenait dans ses courses.

La troisième ou quatrième matinée, en revenant de chez sa fille, elle entra dans le salon où Elinor travaillait seule, avec un air d'importance, comme pour la préparer à entendre quelque chose d'extraordinaire.

— Mon Dieu ! ma chère Elinor, est-ce que vous savez la nouvelle ?

Elinor eut un instant l'idée qu'elle voulait parler du retour de Willoughby, dont elle avait déjà prévenu Marianne ; elle le lui dit.

— Mon Dieu ! non, ma chère, il s'agit bien d'autre chose, vraiment. Qu'est-ce que me font les Willoughby à présent ?

Rien, je vous l'assure ; je les laisse pour ce qu'ils sont. Qu'ils aillent, qu'ils viennent, peu m'importe. Mais ce que je viens d'apprendre, devinez-le, si vous pouvez, en cent, en mille.

— Ce sera peut-être plutôt fait de me le dire, chère madame, dit en riant Elinor.

— Allons, je le veux bien ; c'est si étrange ! Écoutez. Quand je suis entrée chez Charlotte, je l'ai trouvée, la pauvre petite mère, fort en peine pour son enfant. Elle croyait qu'il allait mourir ; il criait, ne voulait rien prendre ; il était tout couvert de petits boutons rouges. Je l'examinais, et je lui dis : « Eh mon Dieu ! ma chère Charlotte, calmez-vous, ce n'est que la rougeole. » La nourrice dit de même. Mais Mme Palmer fut mécontente qu'on n'eût pas envoyé chercher le docteur Donavan. On y alla, et l'on eut le bonheur de le trouver précisément comme il revenait de Harley Street, de chez votre frère. Il vint à la minute, et assura qu'il n'y avait rien à craindre ; alors Charlotte a été bien contente.

Elinor l'écoutait avec intérêt, mais ne pouvait s'empêcher de sourire de l'importance de cette nouvelle de grand-mère.

— M'y voici, dit la bonne Jennings, à ma nouvelle. Comme le docteur sortait, je m'avisais de lui dire : « Ah ! docteur, avez-vous des nouvelles de Harley Street, de chez M. John Dashwood ? » Prenant un air grave et mystérieux, il s'approcha de moi et me dit : « Si je suis allé aujourd'hui chez John Dashwood, c'est pour sa femme qui est mal, très mal, je vous assure. »

— Mon Dieu ! s'écria Elinor, Fanny est malade.

— Voilà exactement ce qu'il m'a dit, ma chère ; et j'ai crié tout comme vous, quoique je ne l'aime guère ; mais quand on est malade ou mort, tout s'oublie.

— « Rassurez-vous, madame, m'a-t-il répondu, et rassurez aussi les jeunes demoiselles Dashwood ; leur belle-sœur n'en mourra pas, puisque la colère ne l'a pas étouffée ; mais elle n'en a pas été loin. »

— La colère ! Fanny ! Eh ! mon Dieu, contre qui ? dit Elinor.

— J'ai demandé la même chose, et voici ce que j'ai appris. M. Edward Ferrars, le frère aîné de Mme Dashwood, ce même jeune homme sur lequel je vous raillais à Barton, vous savez bien, mais à présent je serais bien fâchée que vous lui ayez donné votre cœur ! (Elinor ne demanda plus rien ; elle écouta dans une grande émotion.) Eh bien ! cet Edward Ferrars ne vous aimait point, ma chère ; il paraît qu'il était engagé depuis plus de un an avec ma cousine Lucy. Pas une créature humaine ne s'en est doutée, excepté Anne. Auriez-vous cru cela possible ? Quant à leur amour, il n'y a rien là d'extraordinaire : Lucy est gentille, elle est vive, alerte, et précisément de cette espèce de jeunes filles qui plaisent aux garçons timides, parce qu'elles font toutes les avances. Mais que cette amourette soit allée si loin et depuis si longtemps, sans que personne l'ait sue ni soupçonnée, c'est cela qui est étrange. Je ne les ai jamais vus ensemble, car je suis bien sûre que j'aurais tout deviné. Mais ce grand secret était si bien gardé que ni Mme Ferrars, ni votre belle-sœur, ni personne au monde ne le soupçonnait. C'était dans la famille à qui caresserait le plus Lucy ; Edward y venait fort peu. Voilà que ce matin, la pauvre Anne, bonne fille sans malice comme vous savez, a découvert le pot aux roses.

« Ils sont tous si passionnés de Lucy, pensait-elle, que je suis sûre qu'il n'y aura pas la moindre difficulté, et que Mme Dashwood va sauter de joie. » Ce matin donc, elle est entrée chez votre belle-sœur, qui était seule dans son cabinet, et ne se doutait guère de ce qu'elle allait apprendre. Il n'y avait pas cinq minutes qu'elle avait dit à son mari que son frère paraissait à présent indifférent à toutes les femmes, et qu'elle était sûre qu'on l'amènerait bientôt à épouser milady... – le nom m'échappe –, et voilà qu'Anne lui annonce comme la plus belle chose du monde qu'il est engagé avec Lucy. Vous pouvez penser quel coup c'était pour son orgueil et sa vanité ! Elle s'est mise dans une telle fureur qu'il lui a pris de violents maux de nerfs, et elle poussait de tels cris, que votre frère, qui était en bas dans sa chambre, écrivant à son intendant de Norland, les a entendus. Il est accouru. Alors une autre scène a commencé : Lucy est entrée aussi, tout effrayée, pour donner des secours à sa chère Fanny : jugez comme elle a été reçue ! Pauvre petite ! je la plains beaucoup ; elle n'a pas été traitée doucement, j'en réponds, car votre belle-sœur était comme une furie, et n'a cessé ses injures que lorsqu'un nouvel accès l'a fait s'évanouir. Anne, à genoux, pleurait amèrement ; tout le monde la grondait ; sa sœur, au désespoir qu'elle eût trahi son secret, l'a battue, dit-on, avant de sortir de la chambre ; et elle n'a pas, comme Lucy, un amant et un mari pour se consoler. Votre frère se promenait, allait du haut en bas sans savoir que dire ni que faire. Dès que Fanny put parler, ce fut pour déclarer qu'elle ne prétendait pas que ces *ingrates Steele* fussent un instant de plus chez elle. Votre frère fut obligé de supplier qu'on leur laissât au moins faire leurs paquets. Mais les accès de maux de nerfs se succédaient d'une manière si effrayante qu'il prit le parti d'envoyer chercher le docteur Donavan, qui trouva toute la maison en rumeur. Le carrosse était à la porte pour emmener mes pauvres cousines chez leurs parents, à Holborn ; elles descendaient l'escalier quand il arriva. La pauvre Lucy pouvait à peine marcher ; Anne était à moitié folle de douleur. Pour moi, je déclare que je suis furieuse contre votre belle-sœur, et que je désire de tout mon cœur qu'ils se marient en dépit d'elle. Mon Dieu ! Dans quel état sera le pauvre Edward quand il apprendra cela ! Sa bien-aimée traitée avec ce mépris ! On dit qu'il l'aime passionnément, qu'il sera capable de tout ; et je le conçois très bien. M. Donavan pense de même, nous en avons jasé ensemble pendant une demi-heure. Enfin, il m'a quittée pour y retourner ; il avait grande envie d'y être à l'arrivée de Mme Ferrars. Mme Dashwood l'a fait prier de venir, dès que mes pauvres cousines ont été parties ; elle est sûre que sa mère va aussi tomber en syncope. Ce qu'il y a de certain, c'est que ce ne sera pas moi qui la ferai revenir ; je ne les plains ni l'une ni l'autre. Je n'ai encore vu de ma vie deux femmes faire tant de cas du sang et des richesses. Je ne vois pas pourquoi Edward Ferrars n'épouserait pas Lucy Steele. Elle n'est pas fille de lord, cela est vrai ; mais ce n'est pas la femme qui fait le mari, et n'a-t-on pas souvent vu de pareils mariages ? Ma fille Mary n'est-elle pas milady ; n'en déplaise à ces belles dames ? Lucy n'a rien ou presque rien, c'est vrai aussi ; mais elle a des charmes et du savoir-faire. Personne n'est plus gentil dans une maison ; cela met la main à tout, et si Mme Ferrars leur donne seulement cinq cents livres par an, elle brillera autant qu'une autre avec mille. Ah ! comme ils seraient bien dans une petite maison comme la vôtre, ni plus ni moins, avec deux filles pour les servir et un domestique pour le mari ! Que faut-il de plus pour être heureux quand on s'aime ? Et je crois que je pourrais leur procurer une bonne femme de chambre, la propre sœur de ma Betty ; qui leur conviendrait parfaitement.

Ici, Mme Jennings arrêta son flot de paroles, et comme Elinor avait eu le temps de rassembler ses idées, elle put répondre comme le sujet le demandait. Il n'y avait presque rien de nouveau pour elle ; elle était préparée à cet événement, et ne fut point soupçonnée d'y prendre un intérêt particulier, car depuis longtemps, Mme Jennings avait cessé de la croire attachée à Edward. Heureuse de l'absence de Marianne, elle se sentit très capable de parler de cette affaire sans embarras et de donner son sentiment avec impartialité.

Elle savait à peine elle-même ce qu'elle désirait, mais elle s'efforçait de rejeter de son esprit toute idée que cela pût finir autrement que par le mariage d'Edward et de Lucy. Elle était inquiète de ce que ferait Mme Ferrars pour l'empêcher, et plus inquiète encore de la manière dont Edward se conduirait. Il n'était plus lié à Lucy par l'amour, elle en était sûre, mais il l'était par l'honneur ; et quoique l'idée de le perdre fût bien cruelle, elle l'était moins que celle qu'il pût manquer à un tel engagement. Elle sentait beaucoup de compassion pour lui, peu pour Lucy, et pas du tout pour les autres.

Comme Mme Jennings ne pouvait parler d'autre chose, il devenait indispensable d'y préparer Marianne. Il n'y avait pas de temps à perdre pour la détromper, lui faire connaître l'exacte vérité, et tâcher de l'amener à en entendre parler sans trahir ni son chagrin relativement à sa sœur, ni son ressentiment contre Edward.

La tâche d'Elinor était pénible ; elle allait détruire la seule consolation de sa sœur, qui lui disait souvent : « Chère Elinor, le meilleur moyen que j'aie pour ne pas m'occuper de Willoughby, c'est de penser à Edward, au bonheur dont vous jouirez ensemble, et de me dire que vous le méritez plus que moi. » Il fallait renverser, anéantir peut-être la bonne opinion qu'elle avait de lui, et, par une ressemblance dans leur situation que son imagination rendait plus frappante qu'elle ne l'était en fait, réveiller en elle le sentiment de ses propres peines. Mais il le fallait. Elinor se hâta de la joindre et de commencer son récit.

Elle était loin de vouloir lui dépeindre ses propres sentiments, lui parler de ses souffrances, à moins que l'exemple de l'empire qu'elle prenait sur elle-même depuis qu'elle connaissait l'engagement d'Edward ne pût encourager Marianne à l'imiter. Sa narration fut claire, simple, et quoiqu'elle ne pût la faire sans émotion, elle ne fut accompagnée ni d'une agitation violente ni d'un chagrin immodéré. Il n'en fut pas de même de Marianne ; elle l'écouta avec horreur et poussa les hauts cris : Elinor fut obligée de la calmer pour ses propres peines, comme elle l'avait fait pour les siennes. Mais tout ce qu'elle put lui dire ne fit qu'augmenter son indignation, que relever encore à ses yeux le mérite d'Elinor, et, en conséquence, rendre plus sensibles les torts de celui qui s'était joué de son bonheur, qui avait pu en aimer une autre. Elle n'admettait pas même en sa faveur qu'il eût agi par imprudence, le seul tort que, selon Elinor, on pût lui reprocher.

Mais Marianne, pendant longtemps, ne voulut rien entendre. Edward était un second Willoughby, et bien plus coupable encore. Puisque Elinor convenait de l'avoir aimé sincèrement, elle devait sentir tout ce que Marianne avait senti. Quant à Lucy Steele, elle lui paraissait si peu aimable, si peu faite pour attacher un homme sensible, qu'elle ne voulut pas d'abord croire, ni ensuite pardonner l'affection qu'elle avait inspirée à Edward, même en considérant que celui-ci n'avait alors que dix-huit ans. Elle ne voulut pas non plus admettre que ce goût fût naturel chez un homme vivant seul à la campagne avec cette jeune personne. Il semblait, à l'entendre, qu'Edward aurait dû garder son cœur libre de tout sentiment jusqu'au moment où il devait voir Elinor. Et Elinor ne parvint à l'en convaincre qu'en faisant appel à une meilleure connaissance des êtres humains.

Marianne avait bien écouté sa sœur tant qu'elle avait ignoré qu'Edward était engagé avec Lucy Steele ; elle ne savait point les détails et n'était pas en état de les entendre. Pendant longtemps, tout ce que put faire Elinor fut de l'adoucir, de calmer son ressentiment. Enfin, Marianne lui demanda depuis combien de temps elle savait cet odieux événement et si c'était Edward qui le lui avait écrit.

— Je le sais depuis quatre mois, dit Elinor, et non par lui. Quand Lucy vint à Barton, en novembre dernier, elle me le confia sous le sceau du secret.

À ces mots, les yeux de Marianne exprimèrent le plus grand étonnement ; à peine ses lèvres purent se mouvoir. Enfin, elle s'écria :

— Dieu ! vous le savez depuis quatre mois, et par celle qui l'emportait sur vous !

Elinor le confirma.

— Ah ! chère Elinor, dit-elle en fondant en larmes et se jetant au cou de sa sœur ; quoi ! pendant que vous me soigniez avec tant de tendresse, de calme, de raison, un chagrin si semblable au mien pesait sur votre cœur ! Ah ! Dieu. Et je vous reprochais d'être heureuse !

Elle cacha son visage sur l'épaule de sa sœur ; et ses larmes redoublèrent.

— Chère Marianne, ne vous reprochez rien, vous ne pouviez savoir quels étaient mes tourments, dit Elinor.

— Quatre mois ! s'écria encore Marianne, si calme, si souvent gaie. Oh ! Elinor ! qu'est-ce qui vous a soutenue ?

— Le sentiment de mon devoir. Ma promesse à Lucy m'obligeait au secret ; je lui devais de ne rien dire ni ne rien faire qui pût trahir la vérité. Je devais à ma famille, à mes amis, de ne pas exciter leur sollicitude sur moi en leur laissant remarquer que j'avais un chagrin caché, que je ne pouvais leur confier ; enfin, je me devais à moi-même de ne pas paraître trop humiliée, trop malheureuse aux yeux de ma rivale, et à Edward, de ne pas augmenter la peine qu'il aurait peut-être à tenir ses promesses.

Marianne parut très frappée.

— J'ai souvent désiré, continua Elinor, de vous détromper ainsi que ma mère sur vos espérances. Une fois ou deux, je l'ai même tenté ; mais sans trahir ma foi, sans pouvoir vous en donner la preuve, vous ne l'auriez pas voulu croire.

— Quatre mois si tranquilles en apparence ! Et cependant vous l'aimiez ? dit Marianne avec le regard et le ton du doute.

— Oui je l'aime, répondit Elinor avec candeur et sentiment ; mais je ne l'aime pas uniquement, et j'étais bien aise d'épargner à ceux qui me sont chers aussi le chagrin de me voir malheureuse. Je travaillais en silence, pendant que cet événement était un secret pour tout le monde – excepté pour moi seule – à le supporter avec courage quand il éclaterait. Ce moment est arrivé, et je vous assure que je puis en parler à présent sans trop d'émotion. Je vous conjure donc, chère Marianne, de ne pas souffrir pour moi plus que je ne souffre moi-même. Ne comparez pas votre malheur au mien ; ils n'ont pas plus de rapports que nos caractères. Je perds plus que vous peut-être, en perdant Edward ; mais j'ai plusieurs motifs de consolation que vous n'aviez pas. Je puis encore estimer Edward, et ne lui reproche aucun tort essentiel ; je désire son bonheur, je l'espère, quoiqu'il n'ait pas choisi la compagne qui lui aurait convenu ; mais il sera soutenu, comme moi, par le sentiment d'avoir fait ce que sa conscience lui dictait. S'il éprouve d'abord quelques regrets, je le connais assez pour être sûre qu'il en aurait davantage encore s'il était parjure, et ils se calmeront peu à peu. Lucy ne manque ni d'esprit ni de bon sens ; ses défauts tiennent à son absence totale d'éducation. Elle aime Edward, je l'espère du moins ; pourrait-elle ne pas l'aimer ? Elle se modèlera sur lui ; elle acquerra les vertus qui lui manquent, et qu'il possède à un si haut degré. Il l'a aimée ; il l'aimera plus encore lorsqu'elle le méritera, et que les qualités, les vertus de sa femme seront son ouvrage ; il oubliera, j'espère, qu'une autre lui avait paru supérieure.

— Il n'a point aimé Lucy, dit vivement Marianne ; il ne l'aimera jamais... ou il n'a jamais aimé Elinor. Bien certainement, un cœur tel que celui que vous supposez à Edward ne peut s'attacher deux fois, et à deux objets aussi différents.

— Vous en revenez toujours à votre système de constance éternelle, ma chère Marianne. Il prouve non seulement votre sensibilité, mais aussi, permettez-moi de vous le dire, l'exaltation un peu trop romantique de votre esprit, qui vous entraîne au-delà de la réalité. Quoi ! parce qu'on a eu le malheur d'être trompé dans un premier attachement, on aurait encore celui de ne pouvoir plus s'attacher à personne ? Et parce qu'un cœur sincère et sensible a été déchiré, rien ne guérira sa blessure, et il doit rester isolé toute la vie ? Non, non, cela ne peut être, non, je ne puis le croire.

— Ainsi, interrompit vivement Marianne, c'est la sage, la prudente Elinor, qui pense que l'on peut ainsi passer sa vie, d'attachement en attachement ; car si vous supposez la possibilité d'aimer deux fois, il n'y a plus de bornes ; pourquoi pas trois, dix, vingt, trente ! Comment soutenir cette idée ?

— N'exagérez pas, chère Marianne, dit Elinor en souriant, mais je crois que celui ou celle qui a été trompé une fois ne le sera pas deux. Un second attachement n'aura peut-être pas la vivacité du premier, mais il n'en aura ni la promptitude ni l'illusion ; et l'on cherchera à bien connaître la personne avant de s'y attacher ; on n'aime que ce qu'on estime, et alors on peut aimer toujours.

— Cependant, dit Marianne, vous avez bien cru connaître Edward ?

— Et je le crois encore ; Edward ne m'a point trompée, et, s'il était libre, j'ose assurer que je n'aurais jamais aimé que lui ; mais il ne l'est plus, et je dois effacer de mon cœur tout autre sentiment que l'estime ; s'il épouse Lucy ou s'il ne l'épouse pas, je dois renoncer même à l'estime… Mais je ne veux pas le supposer.

— Je crois, dit Marianne, que vous n'aurez pas grand-peine à triompher de tous vos sentiments, si la perte de celui que vous aimiez vous touche aussi peu. Votre courage, votre empire sur vous-même sont peut-être moins étonnants… et votre malheur est alors, en effet, très supportable.

— Je vous entends, Marianne, vous supposez que je ne suis pas susceptible d'un attachement vif, et que, par conséquent, je ne suis pas très malheureuse. Vous vous trompez, j'ai tendrement aimé Edward, et j'ai cru l'être de lui ; j'ai longtemps nourri l'espoir enchanteur d'être sa compagne, et la pensée que nous serions heureux ensemble. Le coup qui m'a frappée était inattendu et m'a laissée sans espérance, sans consolation. Pendant quatre mois, j'ai porté seule tout le poids de ma douleur, sans avoir la liberté de la soulager en la confiant à une amie, ayant non seulement mon propre chagrin à supporter, mais aussi le sentiment du vôtre, de celui de ma mère, quand vous viendriez à l'apprendre, et n'osant même vous y préparer. J'avais appris mon malheur par la personne même dont les droits, plus anciens que les miens et plus sacrés, puisqu'ils reposaient sur une promesse solennelle, m'ôtaient toute espérance, et j'avais cru voir dans cette confidence un triomphe et des soupçons jaloux qui m'obligeaient à montrer une complète indifférence pour celui qui m'intéressait si vivement. J'étais obligée d'entendre sans cesse le détail de leur amour ; de leurs projets, et dans ces cruels détails, pas un mot, pas une circonstance qui pût me consoler de perdre Edward pour jamais en me le montrant moins digne de mon affection. Au contraire, tous les éloges de Lucy, tout ce qu'elle me disait de lui justifiait mon opinion en augmentant mes regrets. Vous avez vu comme j'ai été traitée, ici, par sa mère et sa sœur. J'ai souffert la punition d'un amour auquel je devais renoncer, et tout cela dans un moment où j'avais encore à supporter le malheur d'une sœur chérie. Ah ! Marianne, si vous ne me jugez pas tout à fait insensible, vous devez penser que j'ai bien assez souffert. Cette fermeté, ce courage qui vous étonnent sont le fruit de mes constants efforts pendant tout le temps que j'étais forcée de me taire ; si j'avais pu vous ouvrir mon cœur dans les premiers moments, vous m'auriez trouvée peut-être aussi faible que je vous parais forte à présent ; ah ! je n'aurais pas même alors pu vous cacher à quel point j'étais malheureuse !

Marianne fut tout à fait convaincue et ses larmes recommencèrent à couler.

— Oh ! Elinor, s'écria-t-elle, combien je me hais moi-même. J'ai été barbare envers vous ! vous qui étiez mon seul soutien, qui avez supporté mon désespoir, qui sembliez seulement souffrir pour moi ; et je vous accusais d'insensibilité, vous, la plus tendre, la meilleure des sœurs ; c'était là ma reconnaissance. Parce que je ne pouvais atteindre à votre mérite, j'essayais de le nier ou du moins de l'affaiblir, de même que je refusais de croire toute l'étendue d'un malheur que vous supportiez avec calme et résignation.

Les plus tendres caresses entre les deux sœurs suivirent cette scène. Dans la disposition actuelle de Marianne, Elinor eut peu de peine à obtenir ce qu'elle désirait. Marianne s'engagea à ne parler jamais d'Edward ni de Lucy avec amertume ; à ne témoigner à cette dernière ni mépris, ni haine, ni colère, dans le cas où elle la rencontrerait, à voir Edward avec la même cordialité si l'occasion s'en présentait. Tout cela était beaucoup pour Marianne, mais affligée d'avoir injurié sa sœur, il n'était rien qu'elle n'eût entrepris pour réparer ses torts.

Marianne tint ses promesses d'une manière admirable ; elle entendit tous les bavardages de Mme Jennings sur le sujet, sans disputer avec elle ni la contredire en rien, et répétant souvent : « Oui, madame, vous avez raison. » Elle écouta même l'éloge de Lucy sans indignation et, quand Mme Jennings assura qu'Edward l'adorait, elle en fut quitte pour un léger spasme dans la gorge. Elinor fut si enchantée de la victoire que Marianne remporta sur elle-même, que ce fut une consolation pour elle. Hélas ! la pauvre Elinor ne se doutait pas combien cet effort était pénible à sa sœur. Marianne, qui se soutenait dans une espèce de langueur, et succomba tout à fait quand le malheur d'Elinor se joignit au sien. Obligée de cacher toutes ses impressions, tous les sentiments violents qui assaillaient à la fois son cœur, il lui semblait quelquefois qu'il allait se briser. Ses nuits étaient sans sommeil, ses jours sans tranquillité ; mais elle eut bien moins de peine à cacher ce qu'elle souffrait au physique que son indignation sur l'engagement d'Edward ; elle le cacha donc aussi bien qu'il lui fut possible. Elinor, sans cesse auprès d'elle, s'apercevait peu de son changement graduel, de sa pâleur, de sa maigreur, qui frappaient ceux qui la voyaient moins habituellement ; mais le nombre en était petit. Elle recommença à ne pas sortir de chez elle ; la crainte de rencontrer M. ou Mme Willoughby fut son prétexte auprès d'Elinor, qui comprenait trop bien ce motif pour la presser, et qui, n'ayant elle-même aucune envie de se trouver avec eux ou avec Edward, resta aussi plus souvent à la maison.

Le lendemain de son entretien avec Elinor, elle eut une autre épreuve à soutenir : ce fut une visite de son frère qui vint tout exprès pour parler de la terrible affaire, et apporter à ses sœurs des nouvelles de sa femme.

39

— Vous avez entendu parler à ce que je suppose, dit-il avec une grande solennité dès qu'il fut assis, de la choquante découverte qui se fit hier chez nous ?

Tout le monde gardant un profond silence, il se recueillit aussi un moment pour parler avec la dignité convenable ; il avait espéré qu'une foule de questions le tireraient d'affaire et qu'il n'aurait qu'à répondre ; on ne lui en fit point. Il fallut donc poursuivre tout seul, et l'éloquence n'était pas le partage du pauvre John.

— Votre sœur, dit-il enfin, a souffert considérablement ; le docteur Donavan… mais j'y reviendrai ensuite. Il faut d'abord vous dire que Mme Ferrars a aussi été très affectée, et c'est bien naturel. En un mot, c'était une scène de contrariétés tellement compliquée… mais il faut espérer que cet orage menaçant passera sans qu'aucun de nous y succombe.

Il se rengorgea, tout fier d'avoir trouvé cette belle métaphore. Malgré son chagrin, il fut impossible à Marianne de s'empêcher de sourire ; il s'en aperçut.

— Oui riez, Marianne, vous ne rirez pas, je crois, quand vous saurez que vous avez failli perdre votre belle-sœur. Pauvre Fanny ! elle a été tout le jour, hier, en convulsions… mais je ne veux pas trop vous alarmer ; Donavan assure qu'il n'y a nul danger. Sa constitution est bonne et son courage vraiment admirable ; elle a supporté ce coup avec la fermeté d'un ange… elle dit que de sa vie elle n'aura plus confiance en personne, et je le comprends, après avoir été si cruellement trompée ! Trouver une telle ingratitude après tant de bontés et tant de générosité ! Je crois qu'elle vous aurait plutôt mille fois soupçonnée, Elinor, plutôt que cette Lucy. C'était par excès d'amitié qu'elle avait invité ces jeunes personnes à venir demeurer chez nous ; elle trouvait qu'elles méritaient cette faveur ; qu'elles étaient attentives, empressées, toujours prêtes à dire des choses flatteuses à tout le monde, à faire tout ce que Harry voulait, et mille jolis petits ouvrages, enfin que c'étaient deux compagnes très agréables ; car sans cela, elle vous aurait invitées toutes les deux à rester avec nous, pendant que votre bonne amie soignait sa fille : et puis être ainsi récompensé ! « Je voudrais à présent de tout mon cœur, dit-elle, de ce ton affectueux que vous lui connaissez, que nous eussions invité vos sœurs, puisqu'il n'est pas question de ce que nous avons craint... »

Ici, John s'arrêta en s'admirant d'avoir si bien parlé, et afin d'être remercié de la bonté de Fanny ; ce qui fut fait avec un air d'ironie que John ne remarqua point. Il continua :

— Ce que la pauvre Mme Ferrars a souffert quand sa fille lui a appris la chose ne peut être décrit ! Pendant qu'avec une affection vraiment maternelle, elle arrangeait pour son fils un superbe mariage, apprendre tout à coup qu'il est engagé envers une autre, et quelle autre, mon Dieu ! Une petite fille sans naissance, sans fortune, venant on ne sait d'où...

Ici, la tante Jennings voulut éclater. Elinor la retint en lui serrant doucement la main ; elle se tut pour le moment.

— Jamais de la vie, poursuivit John, un tel soupçon ne lui serait entré dans la tête, et si elle le croyait attaché à quelqu'un, c'était... vous m'entendez ? Et moi-même, et Fanny nous pensions de même. Enfin, cette bonne mère était à l'agonie. Nous nous consultâmes, cependant, sur ce qu'il y avait à faire, et elle se décida à envoyer chercher Edward. Il vint immédiatement. Mais je suis fâché, vraiment fâché, d'avoir à raconter ce qui suit ; d'ailleurs, vous en savez assez, je pense. Je vous ai dit la cause du mal de Fanny, vous savez qu'elle est mieux ; cela vous suffit, je crois. Le reste s'apprendra en son temps.

— Non, non, mon frère, s'écria Elinor, dites tout ; nous voulons tout savoir. Le sort d'Ed... de M. Ferrars nous intéresse aussi... Qu'a-t-il dit ? que veut-il faire ?

— Il ne mérite guère cet intérêt ; et je vous avoue que j'aurais attendu autre chose de lui ; je suis vraiment indigné ! Croiriez-vous que malgré tout ce que sa mère, sa sœur et moi-même, dont l'avis n'est pas à dédaigner, nous avons pu lui dire et lui représenter pour rompre son engagement, tout a été inutile ? La bonne Fanny est allée jusqu'à la prière : devoir, affection, tout a été sans effet. Je n'aurais jamais pu croire qu'Edward fût aussi entêté, aussi insensible ! Sa mère a eu la condescendance de lui expliquer ce qu'il pouvait attendre de sa libéralité, s'il consentait à épouser Mlle Morton ; elle lui a dit qu'elle lui donnerait ses terres de Norfolk, qui rapportent clair et net mille livres de revenu ; elle lui a même offert à la fin douze cents livres, lui déclarant en même temps que, s'il persistait dans sa liaison, il pouvait s'attendre à la misère la plus complète ; que les deux mille livres de capital qui sont à lui, et qu'elle ne peut lui ôter, seraient tout ce qu'il aurait jamais à prétendre ; qu'elle ne le verrait plus, et que loin de lui prêter jamais la moindre assistance s'il voulait prendre un état pour gagner quelque chose, elle ferait tout son possible pour lui nuire.

Elinor éleva les yeux au ciel avec une expression difficile à rendre. Marianne, au comble de l'indignation, joignit les mains et s'écria :

— Grand Dieu ! cela est-il possible ?

— Je comprends votre étonnement, Marianne, dit John Dashwood, d'une obstination qui a pu résister à de tels arguments. Votre exclamation est très juste.

Elle allait répondre ; mais Elinor lui jeta un regard suppliant, et qui disait en même temps : « À qui voulez-vous parler ? » Elle le comprit et se tut ; mais ses yeux parlaient pour elle.

— Tout, reprit John, fut inutile. Edward dit peu de choses, mais de la manière la plus ferme et la plus décidée.

Je l'ai promis, et je tiendrai mes engagements. Voilà tout ce que nous pûmes obtenir de lui. Vous voyez à présent comme on peut se fier aux apparences. Qui aurait cru Edward capable de répondre ainsi à sa mère ?

— Moi, dit enfin Mme Jennings, qui brûlait de parler ; dès que je l'ai connu, je l'ai regardé comme un honnête homme, et je pense que, s'il avait cédé, il aurait agi comme un homme indélicat. J'ai quelques mots aussi à dire dans cette affaire ; ainsi, monsieur Dashwood, je vous prie de m'excuser si je vous dis ma façon de penser. Lucy Steele est ma cousine, et celle aussi de lady Middleton, dont le nom et le titre valent bien autant que ceux de Mme Ferrars. Quant à Lucy elle n'est pas riche, et ce n'est pas sa faute ; mais elle est jolie, aimable, on ne peut nier cela, et elle mérite aussi bien qu'une autre d'avoir un bon mari. Vous ignorez son origine, eh bien ! vous allez la connaître : son père était mon cousin issu de germain.

John Dashwood fut très étonné ; mais il était d'une nature pacifique, et jamais il ne cherchait à offenser personne, surtout si c'était quelqu'un de riche : loin donc de se fâcher contre Mme Jennings, il fut sur le point de lui demander pardon.

— Je vous assure, madame, lui dit-il, que je ne veux manquer de respect à aucun de vos parents. J'ignorais que Mlles Steele avaient l'honneur de vous appartenir. Mlle Lucy m'a toujours paru une jeune personne très méritante, très aimable, et pour qui nous avions, j'ose le dire, beaucoup d'amitié. Mais dans le cas présent, vous comprenez qu'un mariage est impossible ; et si vous me permettez de vous le dire, être entrée dans un secret engagement avec un jeune homme de famille riche, comme M. Ferrars, qui était confié aux soins de son oncle, est peut-être... comment dirais-je cela... un peu extraordinaire. En un mot, je ne me permets aucune réflexion sur la conduite d'une personne à qui vous vous intéressez, madame Jennings. Nous souhaitons tous qu'elle soit heureuse, mais j'en doute fort, car Mme Ferrars tiendra sa parole. Elle agit comme une bonne mère, et selon sa conscience ; elle s'est montrée désintéressée, libérale et juste. Doit-on traiter un enfant désobéissant comme un enfant soumis ? Voyez Fanny ; elle consulte encore sa mère, sur tout ce qu'elle fait, comme si elle n'était pas mariée ; et bien qu'elle m'aime à la folie, je suis sûr qu'elle ne m'aurait jamais épousé si Mme Ferrars l'avait menacée comme Edward vient de l'être. Il a rejeté le bon lot qui lui était offert ; et je crains qu'il n'en ait un bien mauvais.

Marianne soupira profondément ; et le cœur de la pauvre Elinor était déchiré en pensant à ce qu'Edward devait avoir souffert pour une femme qui ne pouvait le récompenser.

— Eh bien ! monsieur, dit Mme Jennings, comment cela a-t-il fini ?

— Je suis fâché, madame, d'avoir à vous l'apprendre, par une rupture complète entre la mère et le fils. Edward est rejeté pour toujours ; et Mme Ferrars n'a plus que deux enfants, Robert et Fanny. Edward a quitté hier la maison ; mais est-il parti ou resté en ville ? c'est ce que j'ignore. Vous comprenez que nous ne pouvons plus avoir de relations avec lui.

— Pauvre jeune homme ! s'écria Elinor, que va-t-il devenir ?

— Le mari de Lucy Steele sans doute, dit John, est un pauvre misérable qui aura à peine de quoi se nourrir ; c'est fort triste et cependant voilà ce qui est sûr. Né avec l'espoir d'une telle fortune et se voir réduit presque à rien, je ne puis concevoir une situation plus déplorable ! L'intérêt de deux mille livres ! Comment un homme peut-il vivre avec cela ? Il sera accablé par un cruel souvenir ; il aurait pu, s'il n'avait été fou, avoir les deux mille livres de revenu, et cinq cents autres, car Mlle Morton aura trente mille livres. Je ne puis me peindre un pareil sort ! Nous le sentons vivement sa sœur et moi, je vous assure, et d'autant plus qu'il n'est pas en notre pouvoir de l'assister, sans désobéir à notre mère et courir peut-être les mêmes risques que lui.

— Pauvre jeune homme ! s'écria encore Mme Jennings ; il serait le très bien venu s'il voulait venir loger et manger chez moi. Je le lui dirais si je pouvais le voir.

Le cœur d'Elinor la remercia de sa bonté pour Edward.

— S'il avait voulu, madame, il aurait une bonne maison, où il aurait pu nous inviter très souvent. À présent, tout est fini, et si jamais il a une *chaumière* ou quelque logement semblable, je doute que personne soit tenté d'aller le voir ; on y ferait maigre chère. Ce qu'il y a de pis, c'est que c'est sans retour, car il se prépare quelque chose contre lui, et l'on ne s'en tiendra pas aux menaces. Mme Ferrars s'est déterminée, avec sa bonté et sa justice accoutumées, à donner immédiatement à Robert ce que devait avoir Edward, et à lui assurer mille livres par an. Je viens de la laisser avec son avocat parlant de cette affaire.

— Bien, dit Mme Jennings, elle se venge ; et chacun a sa manière. La mienne ne serait pas de rendre un de mes fils indépendant, parce que l'autre m'aurait blessée.

Marianne se leva et se promena dans la chambre.

— Y a-t-il quelque chose de plus piquant, dit John, de plus désespérant que de voir son frère cadet en possession d'un bien qui devait vous appartenir ? Pauvre Edward ! il est bien coupable, mais aussi bien à plaindre.

Il se leva et prit congé d'elles, en leur assurant sans cesse que Fanny n'était point en danger, qu'il n'y avait plus aucune inquiétude à avoir.

À peine fut-il sorti que les trois dames, unanimes dans leurs sentiments, louèrent la noble conduite et le désintéressement d'Edward, autant qu'elles blâmèrent Mmes Ferrars et Dashwood. L'indignation de Marianne éclata avec violence. Elinor ne disait rien ; mais elle admirait et plaignait Edward de toute la force de son cœur. Mme Jennings était de leur avis à toutes deux ; elle mit beaucoup de chaleur dans ses éloges de la conduite d'Edward, dont la possession de sa chère Lucy serait la récompense. Elinor et Marianne savaient seules combien il avait de mérite à avoir écouté la voix de l'honneur aux dépens de la perte de sa fortune et du sacrifice de son bonheur. Son dédommagement serait peu de chose, mais il lui restait le témoignage de sa conscience, qui l'emporte sur tout chez un honnête homme. Elinor était fière de la vertu de celui qu'elle aimait ; et Marianne lui pardonnait ses torts par compassion pour son malheur. Quoiqu'il n'y eût plus alors de secret à garder, et qu'on pût parler librement, c'était un sujet de conversation que les deux sœurs évitaient autant que possible dans leur tête-à-tête. Elinor parce qu'elle préférait en détourner sa pensée, et Marianne parce qu'elle redoutait la comparaison qu'elle ne pouvait s'empêcher de faire elle-même de sa conduite avec celle de sa sœur. Elle la sentait vivement cette différence, mais non pas comme Elinor l'avait espéré, pour y puiser des forces et du courage ; elle n'y trouvait qu'un nouveau sujet de peine, par les reproches amers qu'elle se faisait elle-même de n'avoir pas montré plus de fermeté, ni su cacher aussi sa douleur dans les commencements. À présent, sa santé détruite influait sur son moral ; elle se trouvait trop faible pour rien tenter, et se laissait toujours plus aller à son abattement.

Pendant deux jours, elles n'apprirent rien de nouveau ; mais elles en savaient assez pour occuper la tête et la langue de Mme Jennings, qui se décida à aller faire une visite à Holborn à ses cousines Steele, plus encore par curiosité que par intérêt.

Le troisième jour était un dimanche, et le temps était si beau pour la saison (c'était la seconde semaine de mars) qu'elle eut envie d'aller se promener dans les jardins de Kensington, où il y aurait sûrement beaucoup de monde. Elle proposa à Elinor de l'accompagner.

— Je parie, lui dit-elle, que nous trouverons là les Steele, et que je n'aurai pas besoin d'aller plus loin. Je n'ai pas trop d'envie, s'il faut le dire, de faire connaissance avec les parents chez qui elles demeurent, ce sont des gens un peu communs. Vous comprenez, à présent, j'ai pris un autre ton, d'autres habitudes. J'irai pourtant à Holborn si elles ne sont pas à Kensington, et si vous ne voulez pas venir avec moi, je vous enverrai chez votre frère ; mais pourquoi ne feriez-vous pas une visite à cette chère Lucy qui vous aime tant, et dans une occasion si importante ? Peut-être y trouverez-vous M. Ferrars ? Vous lui feriez votre compliment en même temps.

Elinor dit seulement qu'elle serait bien aise d'aller savoir des nouvelles de sa belle-sœur, et se préparer à suivre Mme Jennings. La languissante Marianne, qui craignait de rencontrer Willoughby, préféra rester.

Le jardin était en effet rempli de promeneurs. Une intime connaissance de Mme Jennings vint les rejoindre. Elinor les laissa causer ensemble et s'abandonna à ses réflexions, tout en regardant autour d'elle, et en tremblant de rencontrer Edward ou Willoughby. Elle ne vit ni l'un ni l'autre, et pendant longtemps, personne qui pût interrompre le cours de ses pensées. Mais au détour d'une allée, elles virent au milieu d'un groupe de promeneurs la grosse Anne Steele, plus parée qu'à l'ordinaire, et couverte de rubans couleur de rose. Dès qu'elle aperçut Elinor, elle quitta ses amis et vint auprès d'elle, d'abord avec un peu de timidité ; mais Mme Jennings la salua si amicalement et Elinor si poliment, qu'elle reprit courage et dit à sa compagnie de continuer sans elle, qu'elle se promènerait un peu avec ces dames. Pendant ce temps-là, Mme Jennings disait à l'oreille d'Elinor :

— Allez avec elle, ma chère, et faites-la causer, elle vous apprendra tout ce que vous voudrez savoir ; vous voyez que je ne puis quitter Mme Clarke.

Elinor ne vit pas de difficultés à exécuter les ordres de Mme Jennings ; Anne passa familièrement son bras dans celui de Mlle Dashwood et l'entraîna en avant. Ce qui fut heureux pour la curiosité de Mme Jennings c'est qu'Anne parla tant qu'on voulut sans la provoquer, car Elinor ne lui fit pas une seule question.

— Je suis charmée de vous avoir rencontrée, dit Mlle Steele ; je désirais vous voir plus que toute autre ; et, baissant la voix : vous avez appris la grande nouvelle, je suppose. Mme Jennings est-elle bien en colère ?

— Contre vous ! non pas du tout, je vous assure.

— Ah ! c'est déjà une bonne chose ; et lady Middleton est-elle bien fâchée ?

— Je ne l'ai pas vue, mais je ne puis le supposer.

— C'est du bonheur ! et je suis bien contente. Ah ! mon Dieu, mon Dieu, mademoiselle Dashwood, j'en ai bien eu assez à supporter la colère de votre belle-sœur et de Lucy. Je n'avais encore jamais vu Lucy dans une telle rage contre moi ; et cependant elle me gronde souvent, comme vous savez, parce qu'elle a, dit-elle, beaucoup plus d'esprit que moi. Je n'y peux rien ; chacun est comme il peut dans ce bas monde. Elle jura, au premier moment, que de sa vie elle ne me broderait plus un seul bonnet, qu'elle ne m'aiderait plus à m'habiller ; car, voyez, elle fait tout cela beaucoup mieux que moi. Mais à présent, elle est bien aise que j'aie parlé ; elle s'en mariera plus tôt : aussi, regardez, elle m'a donné ce ruban qu'elle a retourné et bouclé sur mon chapeau. Ah ! mademoiselle Dashwood, je sais bien que vous allez rire et ce que vous me direz ; mais pourquoi ne mettrais-je pas des rubans roses ? Est-ce ma faute si c'est la couleur favorite du docteur, et s'il trouve qu'elle me va bien ? Jamais je ne l'aurais deviné, s'il ne m'avait dit l'autre jour : « Je crois, mademoiselle Anne, que vous avez le même teinturier pour vos rubans que pour vos joues, car c'est la même nuance. » N'était-ce pas joli cela, mademoiselle Dashwood ? Je crois bien que mon visage devint alors plus rouge que mon ruban. Mais depuis, j'ai toujours mis des rubans couleur de rose, vous comprenez ; Lucy m'a fait bien plaisir en me donnant le sien. Mes cousines me font à cet égard un peu enrager mais qu'est-ce que cela me fait ? Si je le rencontre, il me dira quelque jolie chose là-dessus.

Elinor, qui n'avait rien à dire sur les rubans et l'amour d'Anne et qui désirait savoir autre chose, prit sur elle de lui demander des nouvelles de sa sœur ; et pourquoi elle n'était pas à Kensington.

— Pourquoi ! Cela se demande-t-il ? C'est qu'elle a son amoureux près d'elle, et qu'il a mieux aimé lui parler en liberté que de se promener.

Le docteur aurait aussi pu, dans ce moment, complimenter Elinor sur la teinte de ses joues.

— Nous commencions à être tous bien en peine, continua Anne ; ce fut mercredi que l'affaire se découvrit, et que nous fûmes renvoyées de chez votre frère. Nous n'avions entendu parler d'Edward ni jeudi, ni vendredi, ni samedi ; nous ne savions pas ce qu'il était devenu ; ma cousine Godby, ma tante Spark, mon cousin Richard, tout le monde disait à Lucy de prendre son parti, que M. Ferrars ne serait pas pour elle, qu'il faudrait qu'il fût hors de sens de rejeter une femme qui a trente mille livres pour en prendre une qui n'a rien. Richard, surtout, était de cet avis. « Je puis l'obliger à m'épouser, disait Lucy ; j'ai ses promesses signées de lui. Il ne s'en fallait que d'un mois ou deux qu'il ne fût majeur. » Quand il ne s'en faudrait que d'un jour, disait Richard, rien ne l'oblige à les tenir ; s'il faut plaider, on ne plaide pas sans argent, et vous en donnera qui voudra. » Lucy ne savait que dire ; elle voulait lui écrire, mais elle ne savait où adresser sa lettre. Enfin, ce matin, comme nous revenions de l'église, il est arrivé, triste : il y a bien de quoi ! Il nous a tout raconté, et ce que sa mère lui a dit et ce qu'il a répondu ; il veut Lucy, seulement Lucy, et aucune autre, puisqu'il l'a promis ; et sa mère l'a déshérité et chassé de chez elle. Lucy était bien triste aussi en entendant cela, vous comprenez ; mais Edward a pourtant deux mille livres qu'on ne peut lui ôter ; et qui sait si Lucy trouverait si vite un autre mari ? Elle a pensé à tout cela, et elle a dit à Edward qu'il pourrait fort bien vivre là-dessus. « Je vous en conjure, chère Lucy ; lui disait-il, pensez-y bien, je ne veux pas vous entraîner à votre perte, et quoique je sois prêt à tenir mes engagements, je vous dégage des vôtres si vous pensez que je ne sois plus assez riche pour vous épouser. Je ne puis supporter de vous placer dans une situation qui peut devenir déplorable. Si quelque malheur me faisait perdre mes deux mille livres, je serais sans ressource aucune. J'ai bien l'idée d'entrer dans les ordres et de suivre la carrière de l'Église ; mais sans protection, je ne puis prétendre qu'à une simple cure, et vous savez que c'est bien peu de chose. Vous êtes donc libre, Lucy : renoncez à moi si vous le préférez. Je comprendrai vos raisons et je n'en serai pas du tout blessé. C'est pour votre intérêt seul que je vous le propose ; car pour le mien mon sort est fixé ! Je ne puis obéir à ma mère ; elle m'a rejeté si je n'épousais pas Mlle Morton, et je ne l'épouserai jamais. Si vous consentez à rompre notre engagement, j'ai assez pour moi seul, et jamais je ne me marierai. »

— Et qu'a répondu Lucy ? demanda Elinor dans une grande agitation.

— Vous concevez bien qu'elle n'a pas voulu entendre parler de rupture. Le pauvre garçon ! Moi j'étais prête à pleurer de l'entendre parler ainsi. Ma sœur lui a dit bien des choses, vous vous en doutez. Il ne convient pas à nous qui ne sommes pas encore mariées de répéter des propos d'amour. Vous comprenez ce qu'elle pouvait dire ; qu'elle voulait l'épouser absolument ; partager sa bonne ou sa mauvaise fortune. Il était bien heureux et attendri, car il s'est levé et s'est promené dans la chambre ; et j'ai vu qu'il essuyait ses yeux. Ensuite il s'est assis près de ma sœur ; il lui a pris la main et lui a dit… attendez que je me le rappelle ; oui, oui c'est bien ainsi, il lui a dit : « Chère Lucy, je vous remercie de votre confiance en mon honneur et de votre attachement pour moi ; ils ne seront pas trompés ; et je m'efforcerai de vous rendre heureuse. » Il fallait entendre comme il soupirait en finissant. Ils sont ensuite convenus qu'il irait directement à Oxford prendre les ordres, et qu'ils attendraient pour se marier qu'il pût avoir une bonne cure où ils puissent se loger ; voilà tout ce que j'ai entendu. Ma cousine est venue me dire que Mme Richardson était en bas dans son carrosse et voulait mener une de nous à Kensington ; j'ai donc été forcée d'entrer dans la chambre et de les interrompre pour demander à Lucy si elle voulait y aller, mais elle n'a pas voulu quitter Edward. J'en ai été bien aise à cause de mon joli chapeau rose ; je n'ai eu que le temps de l'attacher, de mettre mes souliers de soie, et me voici bien contente de vous voir et de vous conter tout cela.

— Il y a une seule chose dans votre récit que je ne comprends pas, dit Elinor. Vous êtes entrée dans la chambre et vous les avez interrompus, n'étiez-vous donc pas avec eux ?

— Non, certainement je n'y étais pas, dit Anne fièrement ; croyez-vous que je ne sache pas que les amoureux aiment à être seuls. Et puis Lucy m'aurait bien grondée. Non, non, dès qu'il est entré, je suis sortie ; mais j'ai tout entendu derrière la porte.

— Comment ! s'écria Elinor, vous m'avez répété ce que vous avez appris de cette manière ? Je suis fâchée de ne l'avoir pas su auparavant, car assurément je n'aurais pas souffert que vous me donniez le moindre détail d'un entretien que vous deviez ignorer vous-même. C'est mal à vous, j'ose vous le dire, de surprendre ainsi les secrets de votre sœur.

— Eh ! pourquoi pas ? dit Anne en riant, il n'y a point de mal à cela. Je suis bien sûre que Lucy ferait de même. Quand mon amie, Martha Sharpe, vient me voir et me conter ses amours, car elle a un amoureux aussi qui l'aime bien, Lucy se cache toujours dans le cabinet ou derrière le paravent pour nous écouter. Comment saurait-on ce qu'on veut cacher si l'on n'écoutait pas ? D'ailleurs, ne sais-je pas tout depuis longtemps ? N'étais-je pas sa confidente ?

— Sans doute, dit Elinor, elle aime Edward bien tendrement ?

— Oh ! oui passionnément, surtout dans les commencements ; à présent, entre nous, elle le trouve un peu froid. Elle dit que c'est bien dommage qu'il ne soit pas beau et gentil comme son frère ; mais enfin, elle l'aime assez pour l'épouser, et elle fait bien. Il n'en viendrait peut-être pas un autre ; et puis saurait-on dans le monde si c'est elle qui ne l'a pas voulu ? Chacun croirait que c'est lui ; et voyez le bel honneur ! Lucy n'est pas si bête.

« Pauvre Edward, pensa Elinor, à quelle femme va-t-il être associé !... »

Les amis de Mlle Steele revinrent.

— Voilà les Richardson, dit-elle ; il faut que j'aille les rejoindre. Bon, je crois que le docteur est avec eux ; que vais-je faire ? On dira que c'est pour lui que je reviens. Adieu ! chère Elinor. Je n'ai pas le temps de parler à Mme Jennings ; dites-lui que je suis bien contente qu'elle ne soit pas fâchée, et à lady Middleton aussi. Quand vous serez rentrées, si Mme Jennings veut de nous, elle n'a qu'à dire... Bon ! les Richardson me font signe ; adieu ! et elle courut au-devant d'eux et du cher docteur.

40

Mmes Clarke et Jennings se promenèrent encore quelque temps. Elinor, en silence à côté d'elles, réfléchissait à ce que venait de lui dire Anne. Elle n'avait appris, dans le fond, que ce qu'elle avait prévu, le mariage de Lucy et d'Edward était décidé. Le moment seulement était encore incertain. Tout dépendait de cette cure ou de ce bénéfice ; et il avait peu de chance d'en trouver un tout de suite. Ces postes demandent de grandes poursuites. Edward était trop timide, et peut-être trop fier, pour solliciter, et n'avait pas de protecteur. Mme Ferrars ne manquerait pas, ainsi qu'elle l'avait annoncé, de lui nuire auprès de leurs connaissances en le peignant comme un fils entêté, rebelle ; et si Lucy, lasse d'attendre... mais non ;

tout prouvait qu'elle tenait à devenir Mme Ferrars à tout prix.

Dès que l'amie de Mme Jennings les eut quittées, elles remontèrent en carrosse, et Mme Jennings questionna Elinor sur ce qu'elle avait su de Mlle Steele. Mais Elinor, n'aimant pas à répéter des propos écoutés en fraude, se contenta de lui apprendre ce qu'elle était sûre que Lucy aurait dit elle-même, que son engagement avec Edward subsistait, et leur projet d'établissement ; ce fut tout ce que Mme Jennings put obtenir.

— Comment, dit-elle, ils veulent attendre pour se marier qu'il ait un bénéfice ! Mais c'est de la folie ; tout le monde sait avec quelle difficulté cela s'obtient. Ceux qui ont à nommer à un bénéfice le donnent à l'un de leurs parents, ou les vendent bien cher. Peut-être qu'on lui fera de belles promesses pendant une année ou deux, puis il faudra qu'il se contente d'être vicaire de quelque paroisse pour trente ou quarante livres. L'intérêt de ses deux mille livres, cent ou deux cents peut-être que l'oncle Pratt donnera pour l'honneur de marier sa nièce à son noble pupille : voilà tout ce qu'ils auront pour vivre, les pauvres gens ! Puis viendra un enfant toutes les années. Il faut que je voie ce que je pourrai leur donner pour meubler leur presbytère. Quant à la sœur de ma Betty, ce n'est pas ce qu'il leur convient ; il ne leur faut qu'une fille de campagne qui fasse toute la besogne, et un homme pour travailler au jardin : voilà tout ce qu'il leur faut, et pas davantage.

Le matin suivant, Elinor reçut par la petite poste une lettre de Lucy qui contenait ce qui suit, et qui était assez mal orthographiée.

Bartlett's Building, mars

J'espère que ma chère Elinor excusera la liberté que je prends de lui écrire ; mais je sais que son amitié pour moi lui fera trouver un grand plaisir à apprendre que je vais bientôt être heureuse avec mon cher Edward. Nous avons bien souffert, mais à présent tout va bien, et notre amour mutuel est et sera pour nous une source inépuisable de bonheur. On nous a soumis à des épreuves, à des persécutions de tout genre ; mais, décidés comme nous l'étions à les surmonter, nous nous sommes armés de courage. Une amie comme vous fait plus de bien que les ennemis ne peuvent faire de mal. J'ai dit à Edward comme vous aviez été bonne pour moi, et je vous assure qu'il en est bien reconnaissant, je suis sûre que vous et la chère Mme Jennings vous serez bien aise d'apprendre que je viens de passer deux heures avec mon bien-aimé Edward, et que j'en suis contente à tous égards. Il n'est rien qu'il ne soit prêt à sacrifier à sa Lucy, et jamais il n'a voulu entendre parler de nous séparer, quelque chose que j'aie pu lui dire : car je pensais qu'il était de mon devoir, quoiqu'il pût m'en coûter, de l'inviter à ne pas se brouiller avec sa mère et à ne pas renoncer à sa fortune. Je lui ai même offert de partir à l'instant et de ne pas revenir à Londres qu'il ne fût marié, mais il a repoussé vivement cette idée. Il m'a juré que jamais il n'épouserait que moi, et que la colère de sa mère n'était rien pour lui, puisque je l'aimais et qu'il ne regretterait aucune fortune avec moi. Il est sûr que nos espérances ne sont pas brillantes, mais nous attendrons, et peut-être que tout ira mieux que nous ne le pensons. Il va prendre les ordres incessamment et s'il peut avoir un bénéfice, ne fût-il que de cent livres de revenu, et une bonne habitation, nous vivrons très heureux. S'il était en votre pouvoir, chère Elinor, de nous recommander à ceux qui ont un bénéfice à donner, ne nous oubliez pas, je vous en prie, et parlez pour nous à sir John, à M. Palmer, au colonel Brandon, etc. Je serai plus heureuse encore si c'est à vous que je dois mon bonheur, je suis sûre que vous avez été très inquiète en apprenant la fatale découverte du secret que seule vous saviez, et que vous avez si bien gardé. Ma sœur Anne, qui parle toujours sans savoir ce qu'elle dit, n'a pas été aussi discrète, mais comme son intention était bonne et qu'elle a avancé mon bonheur, je ne m'en plains pas.

Dites à Mme Jennings que j'ai été trop troublée pour pou-
voir lui faire une visite ; mais que si elle voulait venir à Hol-
born un de ces matins, ce serait une grande bonté de sa
part. Mes cousins seraient fiers de faire sa connaissance. Mon
papier finit et m'oblige à vous quitter. Je vous prie de me rap-
peler au souvenir de sir John, de lady Middleton, de
Mme Palmer, et de tous les charmants enfants. Mes plus
tendres amitiés à Mlle Marianne. Je suis bien sûre que celle
qui fait profession d'aimer et d'estimer mon Edward est bien
contente de le savoir sur la route du bonheur.

Je suis votre très obéissante servante, Lucy Steele.

Dès qu'Elinor eut fini de lire, elle remit la lettre entre les
mains de Mme Jennings, pensant que c'était un des buts
dans lesquels elle avait été écrite. L'autre n'était pas douteux : elle voulait jouir de son triomphe en humiliant sa
rivale. Elinor se rappelait ce que la simple Anne lui avait
raconté de l'entretien d'Edward et de Lucy ; comme c'était lui
qui l'avait pressée de rompre, et qu'elle l'avait absolument
refusé. Elle disait exactement le contraire ; et cette petite
fausseté inutile fit de la peine à Elinor. Sa seule consolation
aurait été le bonheur d'Edward ; et tout lui disait qu'il était
impossible, jusqu'à cette lettre écrite d'un style si commun
et dans un si mauvais esprit. Cependant tout était décidé ;
c'était l'épouse d'Edward, c'était sa rivale heureuse et triom-
phante. Elle chercha à oublier ses torts, à croire qu'elle les
exagérait peut-être, et que du moins Lucy aimerait passionnément son mari et s'en ferait aimer.

Mme Jennings, moins difficile, lisait et admirait la lettre de
sa jeune parente.

— Très bien, très joliment tournée ; et ce qu'elle
demande à Edward, très généreux en vérité ; et je ne suis pas
surprise qu'il ne l'ait pas accepté. Il l'en aimera davantage.
Pauvres enfants ! leur amour me touche au fond de l'âme.
Je voudrais leur procurer un bénéfice de tout mon cœur.
Voyez, elle m'appelle sa chère dame Jennings. Bon cœur de

fille s'il en fût jamais ! Oui, oui, j'irai la voir et l'embrasser bien sûrement. Comme elle est attentive ; comme elle n'oublie personne, pas même les enfants ! C'est la plus jolie lettre que j'aie vue de ma vie ; elle me donne grande opinion du cœur et de l'esprit de Lucy. M. Ferrars, vous le verrez, sera heureux comme un prince, avec une telle femme.

Quelques jours s'écoulèrent encore sans rien amener de nouveau qu'une impatience très vive et très naturelle à Marianne de quitter Londres. La crainte de rencontrer Willoughby ou d'en entendre parler l'obligeait de rester chez elle comme dans une prison. Elle soupirait après le plein air, la liberté, et surtout après sa mère. Elinor ne le désirait pas moins, mais ne savait comment l'effectuer. Il ne convenait pas à deux jeunes personnes de faire seules un aussi grand voyage, et la santé si chancelante de Marianne y mettait encore un obstacle. À peine Elinor croyait-elle qu'elle pourrait le supporter ; elle en parla à leur bonne hôtesse, et la consulta sur les meilleurs moyens de lever ces difficultés. Mme Jennings résista à l'idée de leur départ avec toute l'éloquence de sa bonne volonté et de sa tendre amitié ; mais Elinor, mettant toujours en avant la santé de Marianne, le besoin évident pour elle de respirer un air plus pur que celui de Londres, et son désir d'être à la campagne, Mme Jennings fit une proposition qu'Elinor trouva très acceptable. Les Palmer devaient partir pour leur terre de Cleveland à la fin de mars, c'est-à-dire dans une quinzaine de jours, et Charlotte avait prié sa mère d'y venir avec ses deux jeunes amies passer la semaine de Pâques. M. Palmer s'était joint aussi à sa femme pour les en presser avec beaucoup de politesse. Ses manières avaient tout à fait changé depuis que sa femme lui avait donné un fils. Il était plus tendre avec elle, plus honnête avec sa belle-mère, à qui il savait gré d'aimer aussi passionnément le petit garçon, et plus poli, plus doux en général avec tout le monde, et surtout avec Mlles Dashwood. Le malheur et le changement de Marianne l'intéressaient ; et il aimait à causer agréablement avec Elinor. On se rappelle qu'elle l'avait d'abord jugé plus favorablement que ses manières n'y donnaient lieu. Elle était bien aise de son côté qu'il eût justifié l'idée qu'elle avait eue de lui. Charlotte elle-même, dans son nouvel état de mère, qui l'occupait beaucoup, était aussi devenue moins insignifiante ; en sorte qu'Elinor consentit sans peine à ce projet qui les rapprochait d'ailleurs beaucoup de Barton.

Mais il fallait que Marianne le voulût aussi ; et dès les premiers mots qu'Elinor lui en dit, elle s'écria vivement et dans une grande agitation :

— Non, non, je ne puis aller à Cleveland ; ne savez-vous pas ?... N'avez-vous pas pensé ?.... Oh ! non, non, je ne puis y aller.

— Vous oubliez vous-même, dit doucement Elinor, que Cleveland n'est pas dans le voisinage de... qu'il y a plus de trente mille de distance... et...

— Mais enfin il est en Sommersetshire ; là où je croyais... là où mes pensées ont erré si souvent. Non, Elinor, n'espérez pas de m'y voir jamais.

Elinor ne pouvait pas disputer avec elle sur un sentiment ; mais elle tâcha d'en réveiller un autre dans le cœur de sa sœur, en lui représentant que ce serait un moyen de rejoindre plus tôt et d'une manière plus sûre et plus convenable qu'aucune autre leur chère et bonne mère qu'elle désirait si ardemment de revoir. De Cleveland, qui n'était qu'à quelques miles de Bristol, il n'y avait pas plus d'une bonne journée pour se rendre à Barton. Mme Palmer leur donnerait sûrement son carrosse, et les accompagnerait peut-être jusqu'à Bristol, où le domestique de leur mère viendrait les prendre et les escorter jusque chez elles.

— Rien ne nous oblige, dit-elle à Marianne, à rester plus d'une semaine à Cleveland : ainsi, dans moins de trois semaines, nous pouvons être à notre chère *chaumière*.

Marianne n'eut rien à répondre. Son affection pour sa mère triompha avec peu de difficulté de ces obstacles imaginaires. Elle réfléchit elle-même que Willoughby et sa femme étant encore à Londres, elle ne pourrait les voir dans le Sommersetshire, et elle consentit donc à y aller.

Mme Jennings fut la plus contrariée ; elle avait espéré ramener encore ses jeunes amies chez elle en revenant de Cleveland, les garder jusqu'au temps où elle irait chez son gendre Middleton, et les reconduire elle-même à leur mère. Elinor fut reconnaissante de ce projet, mais ne changea rien à leur dessein. On l'écrivit à Mme Dashwood, qui en fut très contente. Ainsi leur retour fut arrangé de cette manière ; et Marianne, qui ne croyait trouver de consolation qu'à Barton, comptait les heures qui la séparaient du moment où elle reverrait cette demeure chérie et la meilleure des mères. Le malheur de sa sœur l'avait accablée de nouveau presque plus que le sien propre. D'abord, elle aimait Elinor plus qu'elle-même ; puis il lui semblait que c'était une injustice du sort de ne pas tout accorder à une personne qui avait autant de mérite et de perfections.

Le colonel Brandon venait à peu près tous les jours. Mme Jennings se hâta de lui dire la résolution de ses jeunes amies d'aller à Barton de chez les Palmer :

— Que deviendrons-nous, colonel, lui dit-elle, sans ces chères filles qui veulent m'abandonner ? Et quand vous viendrez me voir (si du moins vous venez encore), et que vous verrez leur place vide et la bonne vieille maman Jennings seule et triste dans un coin du salon, qu'aurons-nous de mieux à faire que de bâiller ensemble et de pleurer leur absence ?

La bonne Jennings espérait que cette peinture de leur futur ennui l'amènerait enfin à parler et à offrir sa main à Elinor, dont elle le croyait fort épris. Elle crut parfaitement y avoir réussi, quand elle le vit s'approcher d'Elinor qui travaillait à côté de la fenêtre à prendre la dimension d'un dessin qu'elle voulait laisser à leur amie. Elle entendit qu'il lui demandait à demi-voix la permission de lui dire quelque chose. Mme Jennings, assise sur le sofa, était assez éloignée d'eux pour ne pas les entendre ; d'ailleurs, elle était séparée d'eux par le pianoforte où Marianne était établie ; mais elle put remarquer que, dès les premiers mots du colonel, la physionomie d'Elinor avait exprimé une grande surprise, mêlée d'une vive émotion, qu'elle avait rougi et laissé son travail. Marianne cessa un moment son jeu pour choisir un autre morceau ; alors, quelques paroles du colonel vinrent frapper l'oreille de Mme Jennings qui, sans en avoir l'air, ne pouvait s'empêcher d'écouter. Elle entendit qu'il lui parlait de son habitation future.

— Delaford, disait-il, est situé dans un beau pays, et les environs sont agréables ; mais la maison, quoique commode, est petite, mal bâtie. J'y ferai toutes les réparations nécessaires.

Il n'y avait plus de doute, Elinor devait l'habiter. Mais Mme Jennings trouvait ce compliment et ces réparations assez inutiles, et Delaford assez beau pour une personne qui habitait la *chaumière* de Barton ; mais sans doute était-ce l'étiquette et l'usage : aussi entendit-elle avec plaisir Elinor lui répondre avec un doux sourire que ce ne serait point un obstacle. Le pianoforte résonna de nouveau ; elle n'entendit plus rien, mais l'entretien s'animait. Le colonel avait l'air satisfait, et Elinor attendrie et reconnaissante. Nous y voilà, pensait-elle, on ira seulement à la *chaumière* demander la bénédiction maternelle. Dans moins d'un mois, je la ramène ici pour faire ses emplettes de noce, et avant six semaines tout sera fini. Un autre silence de Marianne lui permit d'entendre le colonel qui disait d'une voix très calme :

— Je crains que l'événement que je désire ne puisse avoir lieu de sitôt.

Étonnée et choquée de ce que c'était l'amoureux qui semblait demander un délai, elle allait dire quelques mots de surprise ; mais elle pensa encore que c'était sans doute ainsi que faisaient les gens du monde, d'autant plus qu'Elinor, loin de paraître le moins du monde fâchée, lui dit en souriant :

— Et moi, monsieur, j'espère au contraire qu'à présent il n'y aura plus d'obstacle, et que votre généreux sentiment aura bientôt sa récompense.

« C'est clair, cela », pensa Mme Jennings. On pourrait peut-être trouver cela singulier ; quant à moi, j'aime cette franchise. Mais elle fut surprise, après cela, de voir le colonel quitter Elinor de sang-froid, et bientôt après, sortir de la chambre : il faut convenir, pensa-t-elle, que le cher homme est un peu glacé ; mais il n'est plus très jeune, et si son amour est moins ardent, il durera plus longtemps.

Voici ce qui s'était passé entre eux pendant cet entretien.

— J'ai entendu parler, mademoiselle, lui avait dit le colonel, de l'injustice que votre ami M. Edward Ferrars a souffert de sa famille. Si je suis bien informé, il a été entièrement repoussé par sa mère, parce qu'il persévère dans ses engagements avec une jeune personne qu'il aime, dont il est aimé, dont sa mère et sa sœur faisaient beaucoup de cas et qui demeurait même chez la dernière comme une amie intime. Est-ce vrai, mademoiselle ?

— Oui, monsieur, répondit Elinor.

— La cruauté et le danger de séparer deux jeunes cœurs attachés l'un à l'autre depuis longtemps, dit avec sentiment le colonel, m'ont toujours paru une des responsabilités les plus terribles. Il s'agit du bonheur ou du malheur, non seulement dans cette vie, mais aussi dans l'autre. Ma triste expérience là-dessus me fait trembler. Mme Ferrars ne sait pas ce qu'elle fait, et où elle pouvait entraîner son fils. Le malheur d'être déshérité est bien léger auprès de celui qui l'attendait dans un mariage forcé, et auprès des remords d'avoir manqué à sa parole. Je l'estime de sa noble résistance ; je ne l'ai vu que deux ou trois fois, mais il m'a plu dès le premier moment. C'est un jeune homme plein de mérite, sans aucun des ridicules et des travers si fréquents que l'on a lorsqu'on est élevé avec l'espoir d'une brillante fortune. Je m'intéresse à lui pour lui-même et parce qu'il est votre ami, et je voudrais que, dans ce moment fâcheux, cet intérêt pût lui être utile. J'apprends qu'il va se faire consacrer et prendre le parti de l'église, et je le loue encore d'avoir préféré cet état à d'autres plus brillants et moins respectables. Voudriez-vous avoir la bonté de lui dire que le bénéfice de ma terre de Delaford se trouve heureusement vacant. J'en ai eu l'avis ces jours derniers et, s'il veut bien l'accepter, je serais charmé qu'il puisse lui convenir. Dans ces malheureuses circonstances, j'ai peut-être le droit de l'espérer ; et mon regret est qu'il ne soit pas plus considérable. Le dernier recteur en tirait deux cents livres par an ; mais je le crois très susceptible d'amélioration. Ce n'est pas sans doute une place aussi considérable qu'il le mériterait ; mais telle qu'elle est, s'il veut bien l'accepter, j'ai un grand plaisir à la lui offrir, et je vous prie de l'en assurer.

L'étonnement d'Elinor en recevant cette commission aurait à peine été plus grand s'il lui avait fait l'offre de sa main. Cette place qu'elle croyait qu'Edward n'obtiendrait de longtemps, et peut-être jamais, lui était offerte. Il n'y avait plus d'obstacle à son mariage ; et c'était elle qui était appelée à le lui apprendre ; c'était en partie pour elle qu'on la lui donnait. Elle éprouvait là-dessus un tel mélange de sentiments contradictoires qu'il n'est pas étonnant que Mme Jennings ait attribué son émotion à une cause plus directe. Mais bientôt, tout sentiment personnel s'effaça du cœur pur et noble d'Elinor. Elle ne sentit plus qu'une profonde estime, une vive reconnaissance pour le généreux colonel qui se privait lui-même de l'avantage qu'il pouvait retirer de son bénéfice, pour obliger un homme intéressant et malheureux qu'il regardait comme l'ami d'Elinor. Elle le remercia de tout son cœur ; lui parla d'Edward avec les éloges qu'elle savait qu'il méritait, et promit de se charger de cette commission avec plaisir, si réellement il préférait qu'un autre que lui-même en fût chargé ; mais elle lui fit observer que rien ne pouvait rendre cette heureuse nouvelle plus agréable à M. Ferrars que de l'apprendre de la bouche même de son bienfaiteur. Elle désirait bien en être dispensée, et pour elle-même et pour Edward, qui souffrirait peut-être de lui avoir cette obligation ; mais le colonel, par des motifs de délicatesse, parut désirer si vivement que ce fût elle qui voulût bien remplir cet office qu'elle n'osa plus faire d'objection. Edward devait encore être à Londres ; Anne lui avait dit son adresse : elle résolut de lui écrire le même jour. Lorsque cela fut arrangé, le colonel la pria encore de dire à son ami combien lui-même se trouvait heureux de s'assurer un si respectable et si bon voisinage. C'est alors qu'il dit avec l'accent du regret que la maison était petite et peu élégante, et qu'Elinor lui répondit, comme Mme Jennings l'avait entendu, que ce ne serait pas un obstacle : une petite habitation, ajouta-t-elle, sera mieux proportionnée à leur fortune.

Le colonel parut surpris qu'Edward eût l'idée de se marier d'abord.

— Les revenus du bénéfice de Delaford, dit-il, seraient suffisants pour un célibataire ; mais pour une famille qui s'augmentera peut-être beaucoup, et avec les habitudes de M. Ferrars, avec une jeune femme qui paraît aimer assez le monde et la parure, il semble impossible qu'il ait assez ; je le trouverais même imprudent de s'établir avec cela : aussi, je ne le lui offre qu'en attendant mieux, et je ferai tout ce qui dépendra de moi pour lui en procurer un qui le mette à même de vivre agréablement en famille. Ce que je fais à présent mérite à peine votre reconnaissance, puisque je n'avance pas le bonheur de votre ami, et je crains fort, je l'avoue, que l'événement que je désire ne puisse avoir lieu de si tôt.

Telles étaient les paroles par où le colonel finit, auxquelles Elinor répondit comme on l'a vu, et que Mme Jennings interpréta à sa manière. Elle fut bien un peu surprise d'entendre Elinor remercier encore le colonel lorsqu'il sortit, et l'assurer de sa reconnaissance. « Ces gens du grand monde, pensa-t-elle, ont de singulières manières ! Quand j'épousai feu mon cher Jennings, il était aussi plus riche que moi ; je ne pensai point à le remercier de m'épouser puisqu'il m'aimait, et je trouvai que c'était à lui d'être reconnaissant. Mais sans doute ce sont là de belles manières. »

41

Marianne sortit aussi, et Mme Jennings en fut charmée ; il lui tardait d'être seule avec Elinor et de lui faire son compliment.

— Eh bien ! ma chère, lui dit-elle en souriant avec son air de sagacité, je ne vous demande pas ce que vous disait le colonel, car quoique, sur ma parole, j'aie fait tout ce que je pouvais pour ne pas écouter, je n'ai pu m'empêcher d'en entendre assez pour m'expliquer toute l'affaire. Je vous assure que jamais rien ne m'a fait plus de plaisir ; et je vous en félicite de tout mon cœur.

— Je vous remercie, madame, dit Elinor, c'est sûrement un grand plaisir pour moi, qu'une chose que je croyais s'effectuer de bien longtemps, jamais peut-être, se soit aussi vite décidée ; et je sens la bonté du colonel de s'être adressé à moi plutôt qu'à d'autres. Peu d'hommes agiraient aussi généreusement que lui ; peu, fort peu ont un aussi bon cœur et sont aussi désintéressés. Je n'ai jamais été plus surprise.

— Vraiment, ma chère, vous êtes aussi par trop modeste ; à quelle personne vouliez-vous qu'il s'adressât, qui lui convînt mieux que vous ? Quant à moi, je n'ai pas du tout été surprise ; j'y ai souvent pensé ces derniers temps, et j'étais sûre qu'il en viendrait là.

— Vous en avez jugé sûrement d'après la connaissance que vous aviez, avant moi, de l'humanité du colonel, et d'après sa bonté ; mais du moins, vous ne pouviez prévoir qu'il trouverait aussitôt l'occasion de l'exercer.

— L'occasion ! répéta Mme Jennings ; ah ! quant à cela, lorsqu'un homme s'est mis une chose dans la tête, l'occasion s'en trouve toujours. Eh bien ! ma chère, la noce suivra bientôt, je suppose ; et je verrai un couple heureux s'il en fut jamais.

— Il faut l'espérer, dit Elinor avec un triste sourire. Vous viendrez à Delaford bientôt après, sans doute.

— Ah ! ma chère, bien sûrement, et je suppose qu'il y aura place pour moi, bien que la maison soit petite, au dire du colonel ; mais ne le croyez pas ; je vous assure, moi, qu'elle est belle et bonne. Je ne sais pas ce qu'il y aurait à réparer : au reste, si cela l'amuse, il faut le laisser faire ; il est assez riche pour se donner ce plaisir.

Elles furent interrompues par le domestique qui vint dire que le carrosse était à la porte ; et Mme Jennings, qui devait sortir, se leva pour se préparer.

— Eh bien ! ma chère, dit-elle, il faut que je vous quitte avant de vous avoir dit la moitié de ce que je pense ; mais nous en jaserons dans la soirée, où nous serons tout à fait seules. Si le colonel revient, comme je suppose, il ne sera pas de trop ; mais nous ne recevrons que lui. Vous devez avoir trop d'affaires dans la tête pour vous soucier de compagnie. Adieu, donc, je vous laisse ; aussi bien vous devez languir d'en parler à votre sœur.

— Je lui dirai sûrement, répondit Elinor, mais pour le moment je vous prie de n'en parler à personne.

Mme Jennings eut l'air d'être un peu contrariée.

— Très bien, dit-elle, je comprends ; mais Lucy cependant qui a eu toute confiance en vous, il me semble qu'il est juste qu'elle le sache la première, et je vais la voir ce matin.

— Non, non, madame, dit vivement Elinor, surtout pas à Lucy, je vous en conjure. Un délai de un jour ne sera pas bien fâcheux pour elle ; et jusqu'à ce que je l'aie écrit à M. Ferrars, ainsi que je l'ai promis au colonel, je préfère que personne ne le sache. Je vais lui écrire à l'instant : il n'y a pas de temps à perdre pour qu'il se fasse consacrer le plus tôt possible.

Mme Jennings parut d'abord assez surprise, mais après un instant de réflexion, elle crut avoir saisi ce qu'Elinor voulait dire, que sans doute le premier acte ecclésiastique du nouveau pasteur Ferrars serait de bénir le mariage du colonel et d'Elinor, et qu'on voulait saisir cette occasion de lui faire un beau présent.

— J'entends, j'entends, dit-elle ; c'est vrai cela ; c'est très joli, très généreux de la part du colonel, et c'est bien, parce qu'Edward est votre ami ; car lui le connaît à peine. Je suis charmée de voir que tout soit déjà si bien arrangé entre vous. C'est là sans doute pourquoi il parlait de délai... Très généreux en vérité ! Mais, ma chère, il faut pourtant que votre vieille amie vous dise une chose. Il me semble que ce n'est pas à vous à écrire là-dessus à M. Ferrars ; le colonel aurait dû s'en charger, cela aurait mieux convenu.

Elinor rougit beaucoup. Pauvre Elinor ! Sans se l'avouer à elle-même, elle était bien aise d'écrire encore une fois à Edward avant qu'il appartînt à une autre femme, et de lui apprendre la première son bonheur.

— Pourquoi donc cela n'est-il pas convenable, madame ? Comme vous le disiez, M. Ferrars est mon ami et non pas celui du colonel. M. Brandon est si délicat qu'il a préféré que ce fût moi et j'ai promis.

— Alors il ne faut pas commencer par le désobliger ; mais c'est une singulière espèce de délicatesse. Allons, allons, mes chevaux m'attendent et je vous laisse écrire. Je vous promets le secret pour aujourd'hui, puisque vous le voulez, mais demain, je le dis à tout le monde, je vous en avertis.

Elle sortit, puis rentra tout de suite :

— À propos, ma chère, je pense à la sœur de ma Betty ; je serai charmée qu'elle ait une bonne maîtresse. Elle s'entend à tout ; je la ferai venir ; vous en serez enchantée ; c'est précisément tout ce qu'il faut à Delaford. Vous y penserez à votre loisir.

Elinor l'entendit à peine et lui répondit :

— Oui, madame, certainement.

Elle pensait à sa lettre à Edward. Dès qu'elle fut seule, elle prit la plume. Par où commencer ? Que lui dire ? Elle craignait également d'être trop ou trop peu amicale. La plume dans une main, la tête appuyée sur l'autre, elle réfléchissait profondément à ce qui aurait été la chose du monde la plus aisée pour toute autre personne, et se félicitait cependant d'avoir à lui écrire plutôt que de lui parler lorsqu'elle fut interrompue dans le cours de ses pensées par quelqu'un qui entrait discrètement, et c'était… celui qui en était l'objet, c'était Edward. L'étonnement et la confusion d'Elinor furent au comble. Elle n'avait pas vu Edward depuis que ses engagements étaient connus et qu'il savait par Lucy qu'elle en était instruite. Tremblante, interdite, elle se leva, balbutia quelques paroles, lui offrit un siège, et resta en silence. Il n'était pas moins embarrassé ; son émotion était visible. Enfin, il lui demanda pardon de la manière dont il s'était introduit lui-même au salon sans se faire annoncer.

— Je venais, lui dit-il, me présenter avant mon départ chez Mme Jennings et chez vous, mesdames. J'ai rencontré votre amie sur l'escalier. Elle m'a obligeamment pressé d'entrer, en me disant que je trouverais Mlle Dashwood au salon, occupée à… Enfin, que vous aviez à me confier une affaire très importante et qui me surprendrait beaucoup. J'ai cru devoir vous épargner la peine de me l'écrire… Je quitte Londres demain ; de longtemps, de très longtemps peut-être, je n'aurai pas le bonheur de vous revoir. J'aurais été bien malheureux de partir sans prendre congé de vous et de Mlle Marianne ; demain je vais à Oxford.

— Vous ne seriez sûrement pas parti, dit Elinor, sans recevoir nos bons vœux, lors même que je n'aurais pas eu le plaisir de vous voir. Mme Jennings vous a dit la vérité ; j'ai quelque chose d'important à vous communiquer, et j'allais vous écrire quand vous êtes entré.

Edward rougit et s'avança avec une extrême curiosité.

— Je suis chargée, monsieur, dit-elle en parlant plus vite qu'à l'ordinaire, d'une commission qui vous sera très agréable. Le colonel Brandon, qui était ici il y a au plus un quart d'heure, m'a priée de vous dire qu'ayant appris votre intention de vous faire consacrer et de suivre la carrière de l'Église, il a le plaisir de pouvoir vous offrir le bénéfice de sa terre de Delaford, qui se trouve vacant, et que son seul regret est qu'il ne soit pas plus considérable. Permettez-moi de vous féliciter d'avoir un ami tel que lui, qui sait apprécier le mérite, et que vous trouverez disposé de toute manière à vous obliger. La cure ne rapporte que deux cents livres sterling, mais peut, dit-il, rendre davantage. Je joins mes vœux aux siens pour que vous en ayez dans la suite une plus avantageuse ; mais dans ce moment j'espère… nous espérons qu'elle pourra vous suffire et que… cet établissement… accélérera… enfin, que vous y trouverez tout le bonheur que vos amis vous souhaitent.

Ce qu'Edward éprouvait dans ce moment ne peut être rendu ; mais ce n'était pas de la joie. Une surprise extrême mêlée d'un sentiment très douloureux, voilà ce que sa physionomie exprimait. Le sort en était jeté ; il n'avait plus de prétexte de retarder son mariage.

— Dieu ! Que dites-vous ? s'écria-t-il, en sortant de cet état de stupeur. À peine puis-je croire ce que j'entends ! Le colonel Brandon…

— Oui, reprit Elinor, qui retrouvait au contraire toute sa fermeté, le colonel Brandon a pris le plus vif intérêt à ce qui vient de se passer dans votre famille, à la cruelle situation qui en a été la suite ; et croyez aussi que Marianne, moi, tous vos amis y ont pris la part la plus sincère. Le colonel se trouve heureux de pouvoir vous donner une preuve de sa haute estime pour votre caractère et de son entière approbation de votre conduite dans cette occasion.

— Le colonel me donne un bénéfice, à moi ! Cela est-il possible ? s'écria encore Edward.

— La dureté de vos parents vous a-t-elle fait croire, mon cher Edward, que vous ne trouveriez de l'amitié nulle part ? Vous vous seriez bien trompé.

— Non, répliqua-t-il avec attendrissement ; j'étais bien sûr de trouver dans votre cœur intérêt et compassion ; je suis convaincu que c'est à votre bonté seule que je dois celle du colonel. Oh ! Elinor !

Il s'arrêta, se leva, puis se rapprochant encore d'elle dans une émotion inexprimable :

— Je ne puis rien dire de ce que je sens, reprit-il en appuyant sa main sur son cœur ; mais c'est à vous que je dois tout, car c'est votre estime que j'ai voulu mériter, et que peut-être j'avais mérité de perdre.

— Vous, Edward ! jamais.

— Non, non, je vous devais plus de confiance ; mais ce fatal secret n'était pas le mien seul ; et jamais, jamais, je n'aurais pu… Ange de bonté, c'est par des bienfaits que vous vous vengez de ma dissimulation.

— Vous vous trompez, monsieur, dit Elinor en s'efforçant de cacher son émotion ; je vous assure que vous devez la protection et l'amitié du colonel Brandon à votre propre mérite et à son discernement ; je n'y ai aucune part ; je ne savais pas même qu'il eût un bénéfice dont il pût disposer. Peut-être a-t-il eu plus de plaisir encore à le donner à l'un de nos amis ; mais sur ma parole, vous ne devez rien à mes sollicitations.

La vérité l'obligeait à convenir qu'elle avait quelque part dans cette action ; mais en même temps elle craignait si fort de paraître la bienfaitrice d'Edward qu'elle prononça cette dernière phrase avec hésitation ; et cet embarras donna un degré de certitude de plus au soupçon qui venait de s'élever dans l'esprit d'Edward. Il resta quelque temps enseveli dans ses pensées après qu'Elinor eut cessé de parler ; à la fin, il dit avec un peu d'effort :

— Le colonel Brandon est un homme d'un très grand mérite et qui jouit de l'estime générale. J'ai toujours entendu parler de lui avec les plus grands éloges. Votre frère en fait beaucoup de cas… et vous aussi sans doute ; ses manières ont beaucoup de noblesse, et sûrement son cœur…

— … est aussi bon que sensible, dit Elinor en achevant la phrase commencée. Plus vous le connaîtrez, plus vous trouverez qu'il mérite tout le bien qu'on vous a dit de lui, et vous le verrez souvent car le presbytère touche presque au château, ce qui vous fera un très agréable voisinage.

Edward ne répondit rien, mais jeta sur elle un regard si sérieux, si triste même, qu'il semblait dire que ce voisinage, loin de lui paraître agréable, serait malheureux pour lui. Il se leva immédiatement après, en demandant à Elinor si la demeure du colonel n'était pas dans Saint James Street. Elle répondit affirmativement, et lui dit le numéro.

— Il faut que j'aille lui faire les remerciements que vous ne voulez pas recevoir.

Elinor ne tenta pas de le retenir. Ils se séparèrent avec plus d'embarras qu'au commencement. Elle lui renouvela ses vœux pour son bonheur, sous tous les rapports et dans tous les changements de situation. Il voulut répondre de même ; les paroles expirèrent sur ses lèvres, à peine put-il articuler :

— Elinor, puissiez-vous être heureuse…

Et il disparut.

— Heureuse ! répéta-t-elle en soupirant ; quand je le verrai, si jamais je le revois, il sera le mari de Lucy.

Des larmes remplirent ses yeux. Elle resta assise à la même place, cherchant à se rappeler chaque mot qu'il avait prononcé, à comprendre ses sentiments. Hélas ! elle ne pouvait se dissimuler qu'il n'avait pas l'air plus heureux, que c'était même tout le contraire, depuis que son sort était assuré. Mme Jennings rentra. Quoiqu'elle eût fait beaucoup de visites et qu'elle eût sans doute bien des choses à dire, elle était tellement occupée du grand secret qu'elle entama d'abord ce sujet en entrant au salon.

— Eh bien ! ma chère, dit-elle, vous n'avez pas eu besoin d'écrire ; je vous ai envoyé le jeune homme lui-même. N'ai-je

pas bien fait ? Je suppose qu'il n'y a pas eu grande difficulté, et que vous l'avez trouvé tout disposé à accepter
votre proposition.

— Oui, sans doute, madame ; il est allé d'ici chez le colonel pour le remercier.

— Fort bien ! Mais sera-t-il prêt bientôt ? Il ne faut pas
qu'il fasse trop attendre pour le mariage, puisqu'il ne peut
pas se faire sans lui.

— Non, bien certainement, dit Elinor en riant, mais il faut
qu'on l'attende. Je ne sais pas combien il lui faut de temps
pour la consécration ; je n'en puis parler que par conjecture, trois ou quatre mois peut-être.

— Trois ou quatre mois ! s'écria Mme Jennings. Sei-
gneur ! ma chère, avec quelle tranquillité vous en parlez !
Croyez-vous que le colonel veuille attendre trois ou quatre
mois ? Il y a de quoi perdre toute patience. Je suis charmée
qu'il saisisse cette occasion de faire quelque bien au pauvre
Edward Ferrars ; mais pourtant attendre trois ou quatre mois,
pour lui, c'est un peu fort. Il aura facilement trouvé quelque
ecclésiastique qui ferait tout aussi bien et qu'on aurait pu
avoir tout de suite.

— Sans doute on en trouverait beaucoup, mais le seul
motif du colonel Brandon est d'être utile à M. Ferrars.

— Que le ciel me bénisse ! s'écria la bonne Jennings en
éclatant de rire ; son seul motif ! Vous ne me persuadez pas
que le colonel n'ait d'autre motif en se mariant que de donner
vingt-cinq guinées à M. Ferrars.

L'erreur ne pouvait durer plus longtemps, et l'explication qui eut lieu les amusa beaucoup, sans qu'il y eût rien à
regretter pour l'une ou pour l'autre. Au contraire, Mme Jennings échangea un plaisir pour un autre, et sans perdre l'espoir du premier.

— Allons, dit-elle, à la Saint-Michel j'espère aller voir
Lucy dans son presbytère et la trouver bien établie ; et qui
sait encore si je ne pourrai faire d'une pierre deux coups et
visiter en même temps la maîtresse du château ; car cela

viendra un jour, je vous le promets, et vous serez les deux couples les plus heureux qu'il y ait jamais eu au monde.

Elinor soupira ; elle était bien sûre quant à elle de ne pas avoir sa part de ce bonheur.

42

Après que le triste Edward eut fait au colonel ses remerciements pour une faveur dont il se serait bien passé, il alla à Holborn faire part de son bonheur à Lucy. Il faut que, pendant la route, il ait fait sur lui-même des efforts bien extraordinaires, car Lucy assura à Mme Jennings, qui vint le jour suivant la féliciter, qu'elle ne l'avait vu de sa vie aussi gai, aussi heureux qu'en lui apprenant cette nouvelle. Son propre bonheur à elle était plus certain. Elle se joignit de grand cœur à l'espoir de Mme Jennings d'être établie à la Saint-Michel au presbytère de Delaford ; elle parut aussi disposée à croire qu'Elinor s'était entremise pour eux auprès du colonel ; elle vanta beaucoup son amitié pour elle et pour son futur mari, et déclara qu'il n'y avait rien qu'elle ne pût en attendre, et qu'elle savait que Mlle Dashwood ferait tout pour ceux qu'elle aimait. Quant au colonel Brandon, elle dit qu'elle le reverrait comme un dieu bienfaisant. Mme Jennings ne put alors s'empêcher de dire qu'elle espérait bien qu'il épouserait Elinor, et que ce serait pour eux une grande augmentation de bonheur.

— Certainement, dit Lucy avec dépit ; mais Edward m'a assuré que le colonel lui procurerait bientôt un meilleur bénéfice ; sans doute je regretterai beaucoup le voisinage d'Elinor, mais il faut avant tout penser à ce qui est le plus avantageux, et deux cents livres ne sont pas grand-chose. Mais je tâcherai, ajouta-t-elle, de le rendre plus fructueux ; j'ai dit à Edward de me laisser le soin du domaine ; et il y est tout disposé. Pendant qu'il fera et débitera ses sermons, je lèverai les dîmes ; j'aurai soin de la laiterie, de la basse-cour, du jardin ; je ferai vendre nos denrées, et quand j'aurai mis de côté pendant l'été une bonne somme, je pourrai aller m'amuser à Londres un mois ou deux après Noël. Lorsque vous n'aurez personne pour vous tenir compagnie, ma chère cousine Jennings, je serai fort à votre service. Edward restera à Delaford ; il ne s'ennuie jamais seul. Oh ! comme nous allons être heureux ! Il est dommage seulement qu'il n'ait pas un peu de la gaieté et de la gentillesse de son frère, qui est toujours prêt à rire et à causer, au lieu qu'Edward peut rester des heures entières à lire. Moi, je ne connais rien de plus ennuyeux ; mais à présent, j'aurai assez à faire de mon côté quand je serai là, et je n'y serai pas toujours...

Mme Jennings revint à la maison en assurant que Lucy était la plus aimable des filles et serait la plus heureuse des femmes.

Il y avait au moins une semaine qu'on n'avait aperçu John Dashwood, ni entendu parler de lui. Elinor n'avait point vu sa belle-sœur depuis son indisposition et jugea qu'elle devait lui faire une visite. Cette obligation était rien moins qu'un plaisir ; et elle n'y fut point encouragée par ses deux compagnes. Non seulement Marianne refusa absolument d'y aller, en disant qu'elle était plus malade que Fanny, mais elle fit aussi tout ce qu'elle put pour qu'Elinor n'y allât pas. Mme Jennings lui dit que son carrosse était à son service, mais qu'elle ne l'accompagnerait pas chez une femme dont les airs et la hauteur lui étaient insupportables.

— J'aurais cependant eu du plaisir, dit-elle, à la voir humiliée et piquée du choix de son frère, à lui dire combien je l'approuve et à lui apprendre qu'Edward va se marier et n'aura plus besoin d'eux. Mais qui sait si je la trouverais encore aussi fâchée qu'elle veut le paraître ; son orgueil et son avarice doivent se livrer un combat. Elle est blessée que sa belle-sœur ne soit pas la fille d'un lord, mais elle est bien aise peut-être de l'espoir d'avoir sa part de l'héritage de son frère. Oh ! l'odieuse femme, et que je vous plains de vous croire obligée de la voir.

La bonne Elinor pensait peut-être de même, mais ne voulait pas en convenir ; elle prit le parti de Fanny autant qu'il lui fut possible, et toujours prête à remplir les devoirs même qui lui coûtaient le plus, elle se mit en chemin pour Harley Street. Mme Dashwood fit dire qu'elle n'était pas encore assez bien pour recevoir qui que ce fût. Mais avant que le carrosse eût tourné pour revenir à Berkeley Street, John Dashwood sortit de la maison et vint à la portière avec sa manière accoutumée. Il fit bon accueil à sa sœur ; il lui dit qu'il était sur le point d'aller à Berkeley Street pour la voir et l'assura que Fanny ne savait sûrement pas que ce fût elle et qu'elle lui ferait grand plaisir ; il l'invita donc à descendre de voiture et à passer quelques moments avec eux. Elinor qui, dans le fond, aimait son frère, se laissait toujours prendre à son air de bonhomie, et elle consentit à entrer avec lui. Il la conduisit au salon, où il n'y avait personne.

— Fanny est dans sa chambre, je crois, dit John ; la pauvre femme n'est point bien encore ; un si rude coup ! Mais elle n'aura aucune raison pour ne point recevoir votre visite, j'en suis sûr. Je vais la prévenir que vous avez voulu entrer malgré son refus ; elle en sera très flattée. À présent, Elinor, elle n'a plus aucun motif de vous craindre ; vous comprenez ce que je veux dire, et vous allez être sa grande favorite, et Marianne aussi. Pourquoi n'est-elle pas venue avec vous ? Toujours malade, je parie ; c'est trop triste en vérité. L'air de la campagne la remettra : point d'autre remède surtout, celui-là ne lui coûtera rien ; et les médecins et les remèdes sont si chers ! Je sais ce qu'il nous en coûte pour ce mal de Fanny, et c'est pourtant la faute d'Edward... Enfin, chère Elinor, je ne suis point fâché de vous voir seule, car j'ai beaucoup de choses à vous dire. Est-il vrai d'abord que le colonel Brandon ait donné son bénéfice de Delaford à Edward ? Je l'appris hier, par hasard ; j'allais chez vous exprès pour m'en informer. Je ne le crois pas et j'ai été sur le point de proposer un pari ; cela n'est point, n'est-ce pas ?

— Rien n'est plus vrai, au contraire.

— Réellement ! Y a-t-il rien de plus étonnant ! Ni parenté, ni liaison, et lui donner (car il l'a *donné,* dites-vous) un bénéfice dont il pouvait tirer beaucoup, beaucoup d'argent. De quelle valeur est-il ?

— Environ de deux cents livres de revenu.

— Très joli revenu ; et pour commencer avoir un bénéfice de cette valeur ! Edward n'est pas malheureux. Le colonel aurait pu le vendre quinze cents livres, peut-être deux mille. Je suis confondu : un homme de sens comme paraît l'être le colonel ! On a bien raison de dire qu'il y a chez tous les humains un grain de folie. Il est possible, cependant, en y pensant bien, qu'il y ait quelque chose là-dessous ; je crois que je le devine. Le colonel l'aura vendu à quelque jeune homme de famille riche, qui n'a pas encore l'âge requis, et Edward l'occupe jusqu'à ce temps-là, et tirera la moitié du revenu. Cent livres pour quelqu'un qui n'a rien, c'est très honnête. Je parie que j'ai mis le doigt dessus : cela explique tout.

Elinor assura que non très nettement. Elle raconta qu'elle avait été employée elle-même à faire à Edward l'offre du colonel ; que cette offre était sans aucune réserve, et que le seul regret du colonel était que son bénéfice ne fût pas plus considérable.

— Je ne puis en revenir, s'écria John ; c'est vraiment étonnant ! Quel peut être le motif du colonel ?

— Un motif tout simple, le désir d'être utile à M. Ferrars.

— En vérité, chère Elinor, je croirais plutôt que c'est le désir de vous plaire, si vous pouviez encore vous intéresser le moins du monde à Edward ; mais après ce qu'il vous a fait ! Vous courtiser, laisser croire à tout le monde qu'il vous était attaché, indisposer votre belle-sœur contre vous à cette occasion, et puis être engagé à une autre, qui ne vous vaut pas ; c'est mal, cela, très mal, et vous devez le détester plus que personne ; mais vous avez un si bon cœur ! Écoutez, ne parlez pas à Fanny de ce bénéfice. Je lui en ai dit un mot, et elle l'a très bien pris ; mais elle n'aime pas à entendre parler de son frère.

Elinor eut peine à s'empêcher de lui dire que Fanny pouvait supporter avec calme une acquisition de fortune à son frère, qui ne lui ôtait rien à elle-même.

— Mme Ferrars, ajouta John en baissant la voix et d'un air important, ne sait rien de cela, et nous voulons le lui cacher autant qu'il sera possible. Quand le mariage d'Edward aura lieu, nous tâcherons aussi qu'elle l'ignore, au moins quelque temps.

— Mais pourquoi toutes ces précautions ? dit Elinor ; il n'est pas à supposer que Mme Ferrars puisse avoir la moindre satisfaction ou la moindre peine en apprenant que son fils a de quoi vivre. Elle a prouvé par sa conduite avec lui qu'elle n'y prenait plus nul intérêt ; elle ne le regarde plus comme son fils puisqu'elle l'a repoussé pour toujours. Sûrement, on ne peut imaginer qu'elle éprouve à son égard quelque impression de chagrin ou de joie, qu'elle s'intéresse à ce qui lui arrive. Elle n'a pas privé volontairement son enfant de tout secours pour conserver la sollicitude d'une mère.

— Ah ! Elinor, dit John, n'ayant pas trop l'air de comprendre dans quel sens elle parlait, votre raisonnement est fort bon ; mais il se fonde sur une ignorance de la nature humaine. Mme Ferrars a repoussé loin d'elle un fils ingrat et désobéissant ; elle ne peut pourtant pas oublier qu'il est son fils.

— Vous me surprenez ; je croyais que cela lui était sorti de la mémoire.

— Vous parlez en femme piquée contre Edward, et je le comprends ; mais cela n'empêche pas que Mme Ferrars ne soit une des plus tendres mères qu'il y ait au monde.

Elinor garda le silence.

— Nous espérons à présent, continua-t-il, que *Robert* épousera Mlle Morton.

Elinor sourit de la grave importance de son frère.

— Je suppose, dit-elle, que cette jeune dame n'a pas de choix dans cette affaire.

— De choix ! Qu'entendez-vous par là ?

— J'entends que, d'après ce que vous me dites, on peut supposer qu'il est indifférent à Mlle Morton d'épouser Edward ou Robert.

— Certainement ! il ne peut y avoir aucune différence, à présent que Robert est comme un fils unique ; c'est d'ailleurs un jeune homme très agréable, et très supérieur à son frère.

Elinor ne dit plus rien. John fut aussi silencieux durant quelques moments ; il eut l'air de réfléchir.

— Encore une chose, ma chère sœur, dit-il très bas en lui prenant la main ; j'étais à penser si je devais vous le dire, mais le plaisir de vous en faire part l'emporte sur la prudence ; et quoique Fanny, de qui je le tiens, m'ait bien recommandé le secret, je ne puis le garder avec vous ; vous ne me trahirez pas. Eh bien ! j'ai de fortes raisons de penser que Mme Ferrars a dit à sa fille que, quelques objections qu'elle eût sur un certain attachement, que nous avions tous soupçonné, vous m'entendez, Elinor, elle l'aurait beaucoup préféré à ce qui est, et elle n'en aurait pas eu la moitié tant de peine. J'ai été enchanté d'entendre que Mme Ferrars pensât ainsi ; c'est une circonstance très avantageuse pour vous, et pour nous tous. « C'eût été, a-t-elle dit à Fanny, beaucoup moins fâcheux, sans comparaison, qu'il se fût vraiment attaché à l'une de vos belles-sœurs » ; et elle voudrait bien à présent qu'il en fût ainsi. Mais il n'en est plus question, puisqu'il n'y a jamais songé, et qu'il n'avait nul intérêt pour vous. Seulement, j'ai voulu vous le dire, parce que cette préférence de la mère de ma femme doit vous flatter infiniment. Mais vous, ma chère Elinor, vous ne devez avoir aucun regret ; il n'y a pas de doute que vous serez très bien établie, et, tout considéré, mieux qu'avec Edward. Delaford est, à ce que je crois, une plus belle terre que celle que Mme Ferrars destinait à son fils.

Avez-vous vu le colonel Brandon dernièrement ? Quand vous serez sa femme, j'espère que vous l'engagerez à mieux veiller à ses intérêts, et à ne pas donner au premier venu ce qui peut lui rapporter beaucoup à lui-même.

Elinor était indignée. Elle en avait assez entendu, non pas pour satisfaire sa vanité ou pour flatter son amour-propre, mais pour irriter ses nerfs et la faire repentir de sa visite. Elle fut charmée d'être dispensée de répondre, ou d'entendre encore quelques sots propos, par l'arrivée de M. Robert Ferrars, qui vint étaler ses grâces et sa parure devant la grande glace du salon de sa sœur. Après quelques mots insignifiants, John Dashwood se rappela que Fanny ne savait pas encore qu'Elinor était là. Il sortit pour l'en informer, et laissa sa sœur en tête à tête avec le beau Robert, qui, par sa gaieté, son contentement de lui-même, sa suffisance et son air important, semblait jouir de n'avoir plus à partager avec son frère l'amour et les libéralités de leur mère, et donnait à Elinor une aussi mauvaise opinion de son cœur que de sa tête. Elle espérait au moins qu'il ne lui parlerait point d'Edward ; mais elle était dans l'erreur.

Deux minutes ne furent pas écoulées qu'après un éclat de rire assez long il lui demanda, en riant toujours, s'il était vrai qu'Edward allât prendre les ordres et dût être pasteur au village de Delaford. Elinor le confirma, et lui répéta ce qu'elle avait appris à John. Alors ses éclats de rire immodérés recommencèrent ; l'idée de voir Edward en surplis et chaire, publiant les bans de mariage des villageois, leur donnant la bénédiction nuptiale, baptisant leurs petits-enfants, le divertissait outre mesure.

— Au surplus, dit-il, je lui ai toujours trouvé la tournure d'un vrai curé de village ; si sérieux, si modeste, si peu élégant. Pauvre Edward ! la nature l'avait fait pour cela, et son éducation l'a achevé. Se douterait-on que nous sommes frères ? Jamais vous ne l'auriez pensé, j'en suis bien sûr : et il se regardait encore dans la glace et recommençait à rire.

— Non en vérité, monsieur, dit Elinor en jetant sur lui un coup d'œil méprisant ; il n'y a entre vous deux nul rapport.

Elle attendit avec une immuable gravité que son accès de gaieté folle fût passé. Tout à coup, il cessa de rire.

— Mais qu'avez-vous donc, mademoiselle Dashwood, lui dit-il, vous êtes aussi sérieuse qu'Edward ; vous lui auriez cent fois mieux convenu que cette petite fille si gaie, si animée. Savez-vous qu'elle me fait grand pitié, cette pauvre petite Lucy ? Il y avait de l'étoffe pour en faire une élégante, une femme à la mode ; et devenir la femme d'un grave pasteur, être enterrée dans un presbytère, en bonnet rond, un grand chapeau de paille, au lieu de cette délicieuse coiffure, de ces plumes flottantes ! Elle est vraiment très à plaindre. Et ce pauvre Edward ! Je plaisante, mais, sur mon âme, je suis très touché de son malheur ; le voilà ruiné pour toujours. On peut faire une folie d'amour quand on est riche, à la bonne heure. Épouser une jolie fille, braver tous ses parents, suivre sa tête, faire parler de soi : tout cela peut être assez plaisant ; mais il faut avoir une fortune indépendante et ne pas risquer de tout perdre. Pauvre garçon ! C'est la meilleure créature qui existe. Ses manières, sa figure, tout cela est misérable ; mais tout le monde n'est pas né avec les mêmes avantages. C'est le plus honnête garçon des Trois-Royaumes ; au reste, à quoi cela sert-il dans le monde ? Vous le voyez, à se rendre ridicule, à faire des folies par excès de vertu. Tient-on tout ce qu'on promet ? À sa place, j'aurais épousé Mlle Morton et ses trente mille livres, et comme Lucy Steele est beaucoup plus jolie, je l'aurais priée de m'aimer toujours. Il ne serait pas au point où il en est. Pauvre Edward ! Il s'est ruiné lui-même complètement ; le voilà séquestré de toute société décente. Pour moi, je l'ai dit d'abord à Mme Ferrars : « Ma chère mère, je ne sais ce que vous ferez dans cette occasion, mais si Edward épouse cette jeune fille, je suis décidé à ne plus le voir. » Je lui offris de lui parler, de le dissuader de ce mariage ; mais c'était trop tard, la rupture avait eu lieu. Ma mère me promit ce qu'elle aurait donné à Edward. Je ne pouvais pas en conscience agir contre mes propres intérêts ; mais j'en suis fâché, très fâché ! Je pouvais mieux me passer que lui de fortune, ne le trouvez-vous pas, mademoiselle ? Mais, cependant, elle ne gâte rien aux autres avantages. Pour le pauvre Edward, il n'aura qu'une jolie femme, dont il sera bientôt las, et une cure de deux cents livres qui ne le nourrira pas la moitié de l'année : et voilà le beau sort qu'il s'est fait !

Robert aurait parlé sur ce ton la journée entière. Elinor ne l'écoutait plus du tout. L'entrée de Mme John Dashwood fit taire l'un et sortir l'autre de sa profonde rêverie. Fanny avait une nuance d'embarras avec Elinor, comme se reprochant de l'avoir accusée à tort d'aimer Edward et d'en être aimée. Celle-là du moins ne lui en parla point, et tâcha d'être plus cordiale qu'à l'ordinaire ; elle poussa la bonté jusqu'à dire qu'elle était fâchée d'apprendre qu'elles quittaient la ville, et qu'elle espérait les voir, l'été, à Norland. Son mari était extasié de sa politesse et de ses grâces. En accompagnant Elinor à sa voiture, il lui dit qu'elle devait être bien contente de sa belle-sœur et de sa visite.

— Je vous promets, ajouta-t-il, pour elle comme pour moi, que nous serons des premiers à vous visiter à Delaford, car je vois que tout s'achemine là, puisque le colonel doit vous aller joindre à Cleveland.

Il la loua beaucoup aussi avec sa parcimonie ordinaire d'un arrangement qui les faisait retourner à Barton sans rien dépenser.

Comme Edward n'était plus à Londres et qu'elle ne craignait pas de le rencontrer, elle prit le parti d'aller faire une courte visite à Lucy qui la reçut avec transport, ne lui parla que de son bonheur et lui fit une invitation pressante de venir la voir dans son presbytère de Delaford. Elinor riait de ce que tout le monde l'envoyait à Delaford, endroit au monde qu'elle désirait le moins habiter ; son unique désir étant alors d'éviter toutes les occasions de revoir Edward.

43

Au commencement d'avril, par un temps singulièrement beau pour la saison, Mme Jennings et ses deux jeunes amies partirent de Berkeley Street et quittèrent Londres ; elles devaient rencontrer, dans un endroit désigné, Mme Charlotte Palmer, son enfant, ses gens, pour se rendre à Cleveland tous ensemble. Comme on devait voyager lentement à cause de l'enfant, M. Palmer et le colonel Brandon préférèrent suivre à cheval et les rejoindre le lendemain de leur arrivée.

Marianne, toujours vive, toujours exagérée dans tous ses sentiments, s'était réjouie de quitter cette ville où elle n'avait eu que des peines, et, au moment d'en partir, son cœur se serra en pensant au plaisir qu'elle avait eu en y arrivant, à l'espoir qui embellissait les premiers moments de son séjour. Elle y laissait ce Willoughby qu'elle était venue rejoindre avec tant de joie et qu'elle ne pouvait oublier, perdu à jamais pour elle, retenu par de nouveaux liens, ne l'ayant peut-être jamais aimée ; et ces pensées déchirantes, renouvelées au moment du départ, lui firent verser autant de larmes que si elle avait laissé derrière elle le bonheur.

Elinor les partageait, comme toutes les peines de sa sœur ; mais ce redoublement de chagrin étant plus dans son imagination qu'en réalité, elle espérait que l'air de la campagne, la tranquillité de Barton, le plaisir de retrouver sa mère remettraient sa santé et rendraient dans peu de mois la paix à son cœur. De son côté, Elinor ne laissait rien à Londres qui pût exciter en elle la moindre douleur ; elle était bien aise d'être à l'abri des confidences de Lucy et de son insupportable et fausse amitié ; elle remerciait aussi le ciel de ce que le traître Willoughby ne s'était point offert à sa vue ni à celle de sa sœur ; elle s'efforçait de ne plus penser à Edward que comme on pense à un ami marié, et tâchait, par une douce gaieté, de distraire un peu la pensive, la triste Marianne ; elle y réussit assez bien. Sur la fin de la première journée, le mouvement de la voiture, une contrée nouvelle, les caresses de Mme Jennings et de sa sœur avaient fait une heureuse diversion ; mais le lendemain, dès qu'on fut entré dans le Sommersetshire, dès que ce mot eut été prononcé, cent mille nuages revinrent obscurcir sa physionomie, et il ne fut plus possible d'en obtenir un mot. Penchée sur la portière, absorbée dans ses souvenirs, dans ses réflexions, elle regardait chaque arbre, chaque buisson avec intérêt, comptait combien de fois Willoughby avait passé sur cette route, et se représentait avec quel délice elle l'aurait faite elle-même à côté de lui, pour aller habiter ensemble une terre qu'elle se figurait être comme le paradis, où elle avait placé le bonheur de sa vie, et dont une autre qu'elle était à présent la propriétaire.

Le matin du troisième jour ; on quitta la grande route pour prendre celle qui conduisait à Cleveland House, où l'on arriva après avoir fait quelques miles. C'était une belle et spacieuse maison moderne, située sur une plaine en pente douce, bordée de bois ; il n'y avait point de parc, mais des promenades très étendues. Un sentier uni et sablé serpentait autour de différentes espèces de plantations : des groupes de sapins, de frênes, d'acacias, étaient répandus çà et là autour de la maison ; sur la plaine, des arbres plus épais étendaient leur belle verdure : des peupliers d'Italie élevaient leur feuillage en panache, se balançaient au-dessus des autres arbres, et cachaient les bâtiments de service. Entre les groupes d'arbres, des fabriques simples et élégantes ornaient le paysage : c'étaient la laiterie, la basse-cour, les écuries, la maison du jardinier ; plus loin, un temple grec avec ses colonnes en marbre blanc, perché sur une colline, dominait un beau point de vue.

Marianne était dans l'enchantement ; elle aurait voulu tout voir à la fois, savoir de quel côté étaient situés Barton et Haute-Combe. Soixante miles au plus la séparaient de sa mère chérie, et seulement trente de Haute-Combe. L'une de ces idées réveillait dans son cœur tous ses sentiments de tendresse, et l'autre, sa passion malheureuse. Comme elle désirait se livrer en liberté à ses impressions, pendant que ses compagnes parcouraient la maison avec Charlotte, et que cette dernière, fière de son fils, le montrait à l'intendant, à la gouvernante, et leur faisait admirer sa beauté et sa force, elle s'échappa dans les bosquets. Déjà, ils commençaient à se couvrir de leur nouveau feuillage, et les arbres fruitiers, de leurs fleurs. Elle suivit le sentier et arriva sur l'éminence où était situé le petit temple. Ses regards erraient de tous côtés sur le plus riant paysage jusqu'aux collines qui bordaient l'horizon.

Elle s'imaginait que si elle pouvait aller jusque sur le sommet, elle verrait Haute-Combe. Au lieu de combattre et d'écarter ses souvenirs et ses regrets, elle semblait chercher à les nourrir, à se faire une espèce de volupté de sa mélancolie, et un devoir de sa constance. Sa faiblesse l'obligea de s'asseoir sur les marches du temple. Appuyée contre une colonne, ses larmes coulèrent en abondance ; mais elles n'avaient pas l'amertume de celles qu'elle versait à Londres ; elles la soulagèrent plutôt que de lui faire du mal. En revenant à la maison par un autre chemin, elle résolut, pendant son séjour à Cleveland, de s'accorder tous les jours la jouissance de ces promenades solitaires, de profiter de la liberté d'une vie champêtre, et de se dédommager de sa longue réclusion : voilà le seul moyen, pensait-elle, de retrouver des forces et de la santé, et de ne pas faire à sa pauvre bonne maman le chagrin de la revoir si pâle et si changée.

En effet, l'air et le mouvement lui avaient redonné un peu de couleur ; ce qui fit grand plaisir à Elinor. Au moment où Marianne rentra, les autres allaient sortir, la fatigue lui servit de prétexte pour ne pas les suivre ; elle resta, et continua de se livrer à ses rêveries sentimentales.

L'excursion des autres dames fut moins romanesque. Charlotte les conduisit dans tous ses petits établissements de campagne, à ses espaliers en fleurs, dans son potager, dans sa serre, dans son poulailler, etc. Les lamentations du jardinier sur la perte de plusieurs belles plantes que le froid avait fait périr excitèrent les éclats de rire de Charlotte ; dans la basse-cour, des poules mangées par le renard, des couvées abandonnées, les redoublèrent. Mme Jennings s'y joignit ; Elinor y fut entraînée ; et il y eut au moins autant de gaieté dans leur promenade qu'il y avait eu de tristesse dans celle de Marianne.

Cette dernière, en formant son plan de courir toute la journée dans les environs, n'avait pas prévu les changements de temps. La matinée avait été superbe ; mais, pendant le dîner, une pluie très forte et continuelle s'établit, et lui ôta tout espoir de sortir encore le soir ; ainsi qu'elle l'avait résolu, ce dont elle fut très contrariée. Il fallut passer son temps comme on put. Mme Palmer fit venir son poupon, et s'en amusa toute la soirée. Ses pleurs, ses grimaces, tout était charmant, tout annonçait une intelligence, elle aurait presque dit un esprit très remarquable. Grand-maman faisait chorus avec elle, tout en faisant sa tapisserie. Elinor brodait, et prenait part aux discours insignifiants, mais touchants cependant par l'amour maternel qui les dictait ; et Marianne, qui avait le talent de découvrir d'abord la bibliothèque dans chaque maison, alla chercher un livre, et prévint ainsi l'ennui d'une soirée qui lui aurait paru bien longue.

Rien n'était oublié par Mme Palmer pour la bonne réception de ses hôtes. Sa manière franche, amicale, sa constante bonne humeur faisaient facilement passer sur son manque total d'instruction et d'idées. Elle avait la politesse de la bonté, et non pas celle des compliments ; elle était d'ailleurs si jolie, si fraîche, si gracieuse, qu'on avait du plaisir à la regarder, si l'on n'en avait pas à l'entendre. Sa naïveté, qui allait jusqu'à la simplicité, était quelquefois assez plaisante et lui donnait quelque chose d'enfantin qui seyait à sa petite figure. Elinor n'aurait pas voulu passer sa vie avec elle ; mais, pour quelques jours, elle lui pardonnait même son rire éternel, qui était insupportable à Marianne.

Les cavaliers attendus arrivèrent le lendemain et furent bien reçus ; ils apportaient un peu de variété dans la conversation. Une longue matinée et une pluie continuelle rendaient ce renfort de société bien nécessaire. M. Palmer était très bien chez lui, et faisait les honneurs de sa maison en vrai gentilhomme et avec un ton parfait ; si quelquefois il était un peu rude avec sa femme et sa belle-mère, il pouvait être très aimable avec les autres, et l'aurait toujours été sans cette nuance trop prononcée d'amour-propre qui se faisait sentir à chaque instant, et qui tenait à une vraie supériorité d'esprit et de connaissance, non seulement sur Mme Jennings et sur Charlotte, mais sur plusieurs hommes de son âge. D'ailleurs, dans sa vie et ses habitudes, il ressemblait à beaucoup d'autres, tenant bien sa place à la table et voulant qu'elle fût servie avec recherche, n'étant jamais prêt aux heures fixées, quoiqu'il n'eût rien à faire, passionné de son enfant sans vouloir en avoir l'air, plus souvent à son billard que dans sa bibliothèque, et avec ses chevaux qu'avec les dames, mais beaucoup mieux cependant qu'Elinor ne l'aurait attendu. Tout en lui rendant justice, elle ne pouvait s'empêcher de le mettre au-dessous d'Edward, si instruit et si modeste, pouvant parler sur tout avec intérêt, et se taire quand il le fallait, écouter, et céder même dans l'occasion, quoiqu'il sût aussi soutenir son opinion avec noblesse et fermeté. Hélas ! Le seul tort d'Edward aux yeux d'Elinor était d'avoir aimé Lucy Steele, même si le tort involontaire qu'il lui avait fait avait développé des vertus qu'elle ne pouvait s'empêcher d'admirer. Mais quand elle aurait pu l'oublier, le colonel Brandon le lui aurait rappelé. Il venait de passer une semaine à Delaford, exprès pour donner des ordres relatifs aux réparations du presbytère ; il en parlait à Elinor comme à une amie du jeune pasteur ; il lui faisait la description de cette demeure, la conseillait sur ce qu'il y avait de mieux à faire pour l'établissement d'Edward et de sa femme, et, sans s'en douter, enfonçait ainsi le poignard dans le cœur de celle qui avait fondé l'espoir du bonheur de sa vie sur l'union qu'elle espérait former avec Edward, et qui devait y renoncer. Mais elle n'en parlait pas avec moins d'intérêt de ce qui pouvait contribuer au bien-être d'un ami si cher, quoiqu'elle ne dût plus le partager. Toute la conduite du colonel avec elle fut telle que Mme Jennings et même John Dashwood auraient pu le désirer pour se confirmer dans leur opinion. Il témoigna ouvertement le plaisir qu'il avait à revoir Elinor après une absence de dix jours ; il cherchait toutes les occasions de s'entretenir avec elle, et déférait toujours à ses avis. Personne ne doutait qu'il ne lui fût profondément attaché, à l'exception d'Elinor elle-même, qui voyait très bien que Marianne, malgré sa tristesse et son changement, était l'objet de sa préférence et d'un sentiment que sa tendre pitié augmentait encore. Elle observait ses regards, tandis que les autres observaient sa conduite, et les voyait se diriger sur Marianne avec un intérêt si tendre, une sollicitude si vive, qu'elle n'avait pas là-dessus le moindre doute. Il aimait Elinor de l'amitié la plus vraie, et il adorait Marianne avec une passion qui s'augmentait à chaque instant et qui fut bientôt soumise à de cruelles épreuves.

Loin que la santé de Marianne se trouvât bien de l'air de la campagne, elle s'altérait toujours davantage, ce qui l'affligeait elle-même. Dès que la pluie eut cessé, elle recommença ses promenades sans s'embarrasser de l'humidité : le sentier sablé est tout à fait sec, disait-elle à sa sœur à qui elle échappait sans cesse ; mais elle ne restait pas sur ce sentier. Elle s'enfonçait dans le bois ; elle allait même plus loin chercher des sites plus romantiques, plus sauvages, des arbres plus vieux, plus épais ; elle s'asseyait au pied sur la mousse humide, rentrait à la maison glacée, mouillée, sans penser même à changer de chaussures. Il lui prit enfin une toux opiniâtre et un grand mal de gorge. Elle aurait caché et nié tout autre mal pour conserver sa liberté ; mais celui-là était trop évident pour ne pas inquiéter tout le monde, surtout sa sœur et le colonel, qui lui demandèrent, au nom de l'amitié, de se soigner. Elle leur répondit, en souriant, que son mal était léger, et qu'une nuit de repos la guérirait complètement. On lui prescrivait mille choses ; elle ne voulut prendre qu'un peu de thé en se couchant, et protesta à Elinor que le lendemain elle serait à merveille.

44

Après une nuit agitée, Marianne se leva et descendit comme à l'ordinaire pour déjeuner. Une fièvre assez violente animait ses yeux et son teint d'une manière à tromper : aussi la crut-on parfaitement lorsqu'elle assura qu'elle était beaucoup mieux. Elinor même, qui s'inquiétait facilement sur elle, fut rassurée. Elle ne mangea point cependant, mais but beaucoup de thé, et sortit pour sa promenade accoutumée, pendant qu'Elinor jouait au whist avec Mme Jennings et les deux hommes, et que Charlotte était auprès de son enfant. Souffrante, abattue, Marianne marchait lentement en lisant un livre de poésie qui l'intéressait : c'était les *Saisons* de Thomson.

Souvent, elle arrêtait sa lecture pour regarder autour d'elle et admirer la réalité des descriptions qu'elle venait de lire. Elle arrive ainsi au petit temple et, avant d'y monter, elle jette un coup d'œil sur la contrée. Dieu ! qu'a-t-elle vu ? Sur la route qui se dessine dans le paysage, et qui passe au bas de la plaine, à peu de distance de la colline, un caricle roulait avec rapidité ; c'était... celui de Willoughby, où elle avait été si heureuse à côté de lui !

Il le conduisait encore, mais ce n'était plus avec elle. Une autre femme, sans doute la sienne, dans un élégant costume de voyage, était à côté de lui. Ils passèrent sans l'avoir aperçue. Hélas ! la pauvre Marianne ne les voyait plus ; faible et malade comme elle l'était dans ce moment, il lui fut impossible de supporter cette vue. Elle sent qu'elle est près de mourir ; une sueur froide la couvre ; son cœur, qui battait avec violence, semble s'arrêter ; un nuage obscurcit ses yeux ; elle tombe étendue et sans aucune connaissance à côté de la première marche du temple.

Cependant, les trois robs de whist finissent. Mme Jennings, qui les a perdus, demande sa revanche. Elinor, complaisante à l'ordinaire, la prie de l'en dispenser pour le moment ; elle craint que la promenade de sa sœur ne se prolonge trop pour sa santé ; elle veut aller la chercher, la ramener, et prend le bras du colonel, qui partage son inquiétude.

Ils suivent lentement le sentier sablé, point de Marianne. Elinor élève la voix et l'appelle, point de réponse. Le petit temple ouvert est en lice. Marianne n'y est pas.

— Aurait-elle eu l'imprudence d'entrer dans le bois ? dit Elinor. Mais elle nous entendrait.

Elle s'arrête et l'appelle encore. Un cri perçant du colonel lui répond ; il vient d'apercevoir celle qu'il cherchait, étendue sur l'herbe et comme privée de vie.

Sa robe blanche se confond avec l'escalier de marbre, ce qui les a empêchés de l'apercevoir d'abord.

Qu'on juge de son émotion !

Elinor a besoin de rassembler toutes ses forces pour ne pas être dans le même état que sa sœur. Ils la relèvent à demi ; Elinor s'assied sur la marche pour la soutenir ; mais tous leurs efforts pour la ranimer sont inutiles. Les larmes d'Elinor coulent sur ses joues glacées ; elle ne les sent pas. Le colonel cherche si le pouls bat encore ; il croit l'avoir senti faiblement, du moins il le dit et cherche à s'en persuader.

— Il faut l'ôter d'ici, dit-il à Elinor, je vais l'emporter. Il la prend dans ses bras, veut reprendre le sentier, chargé de ce précieux fardeau, mais Elinor voit que lui-même est tremblant et presque aussi pâle que Marianne ; elle a d'ailleurs la crainte de ce qu'éprouverait sa sœur si, revenant à elle-même pendant le trajet, elle se voyait portée dans les bras du colonel, comme elle le fut une fois dans ceux de Willoughby, lors de sa malheureuse chute. Elle en frémit, et alléguant sa propre faiblesse qui l'empêche aussi de marcher, elle conjure le colonel de remettre la pauvre Marianne couchée à demi sur ses genoux et d'aller chercher des secours. Il y consent avec peine, et, en moins de temps qu'il n'était possible de l'imaginer, il revient avec des domestiques, portant un grand fauteuil. Marianne y est placée ; Elinor et le colonel marchent à côté d'elle, soutiennent sa tête penchée ; et le triste cortège revient ainsi à la maison, où l'alarme a été grande, ainsi qu'on peut le penser. Mais personne n'en soupçonne la cause ; on l'attribue en entier au mal de la veille et au saisissement occasionné par l'air du matin, en sortant de déjeuner.

Le mouvement commençait à la ranimer au moment où l'on arriva. Ses yeux s'entrouvrirent ; elle regarda languissamment autour d'elle, tendit la main à Elinor, et, se penchant sur elle, fondit en larmes ; c'était toujours par des pleurs que se terminaient ses attaques de nerfs. Elinor fut bien aise de les voir couler en abondance. On la porte dans sa chambre, on la met au lit, et sa sœur espère que la chaleur et un doux sommeil la remettront peu à peu.

Elle s'endormit en effet, mais non pas tranquillement ; elle était agitée et commença à délirer ; elle nommait souvent Willoughby. Elinor n'en était pas surprise ; elle savait combien sa sœur en était occupée, et ne se doutait guère qu'elle venait de le voir. Marianne se réveilla et voulut raconter ce qui lui était arrivé ; mais ses idées étaient incohérentes ; elle ne pouvait s'exprimer librement, et le peu de mots qu'elle prononça étaient si singuliers qu'Elinor les attribua entièrement à la rêverie. Elle tâcha de calmer la malade, mais ce fut en vain ; la fièvre augmentait, sa tête s'embarrassait toujours de plus en plus, sa respiration devenait courte, oppressée.

Elinor, alarmée, fit demander Mme Jennings, qui ne la rassura pas, mais elle lui dit qu'elle allait envoyer un exprès dans une petite ville voisine pour chercher M. Harris, l'apothicaire des Palmer, et, à l'occasion, médecin assez heureux.

Il vint, examina la malade, secoua la tête, et après avoir dit à Mlle Dashwood qu'à force de soins il espérait la tirer de danger, il déclara, d'après tous les symptômes, qu'elle avait une fièvre maligne, putride et très contagieuse. À peine cet arrêt eut-il été prononcé que Mme Palmer, qui était présente, sortit en faisant un signe à sa mère qui la suivit.

Elle lui déclara que, d'après la décision du médecin, elle ne laisserait pas un moment son enfant et la nourrice exposés à la contagion, et qu'elle allait l'emmener. La bonne grand-mère fut du même avis, et dit qu'elle avait d'abord jugé la maladie de Marianne plus sérieuse qu'Elinor ne voulait le croire ; qu'elle la couvait depuis longtemps ; qu'il était inouï qu'elle n'eût pas succombé plus tôt à son chagrin ; mais que c'était cela qui, à présent, conduisait bien sûrement cette pauvre fille au tombeau ; la première chose à faire, ajouta-t-elle, est que Charlotte parte avec son enfant.

M. Palmer fut demandé ; il affecta d'abord de tourner en ridicule les craintes de ces dames, mais, dans le fond, il en était tellement saisi lui-même qu'il alla aider le cocher pour qu'il se dépêche, défendit qu'on sortît l'enfant de la chambre avant le moment de partir, et le porta lui-même en courant, de peur qu'il ne respirât le mauvais air en passant devant la chambre de Marianne.

Une demi-heure après l'arrivée de M. Harris, la mère, l'enfant et la nourrice étaient à l'abri de la contagion ; ils se rendaient chez une tante de M. Palmer, qui demeurait quelques miles en deçà de Bath. Charlotte aurait bien voulu aussi emmener son mari et sa mère. Le premier lui promit de la rejoindre dans un jour ou deux ; mais Mme Jennings, avec une bonté de cœur qui redoubla l'amitié et la reconnaissance d'Elinor, déclara qu'elle ne quitterait pas Cleveland aussi longtemps que Marianne y serait malade, et qu'elle était décidée à remplacer auprès d'elle la mère à qui elle l'avait ôtée. Elinor trouva constamment, dans cette excellente femme, une aide zélée, active, désirant partager toutes ses fatigues, et lui étant souvent utile par sa longue expérience des soins nécessaires aux malades.

La pauvre Marianne avait vraiment grand besoin des tendres soins de sa sœur et de son amie. La maladie eut son cours accoutumé. Elle se sentait elle-même assez souffrante pour être docile aux avis de ses gardes ; elle ne pouvait plus dire, comme le premier jour, « Je serai mieux demain », ni espérer se rétablir avant bien des jours, et peut-être des semaines, si même elle se remettait. Eh ! dans quel moment ce mal l'avait-il atteinte ? Lorsque tout était prêt pour aller rejoindre à Barton leur bonne mère : leur départ de Cleveland avait été fixé au lendemain. Mme Jennings, voyant l'impatience de Marianne, leur avait offert sa voiture jusqu'à Barton, où elles comptaient arriver au plus tard le surlendemain de bonne heure, et causer une surprise agréable à leur mère ; et lorsqu'elle pouvait parler, c'était pour se lamenter du délai forcé que sa maladie apportait à ce trajet. Elinor tâchait de la consoler en lui disant ce qu'elle croyait elle-même, qu'elle serait bientôt rétablie.

Les deux jours suivants ne produisirent aucun changement dans son état, elle n'était pas pis, mais elle n'était pas mieux, et la faiblesse augmentait. M. Palmer se laissa persuader, malgré lui, de rejoindre sa femme. Son humanité et sa politesse lui ordonnaient de rester pour veiller à ce qu'il ne manquât rien. Il craignait aussi le ridicule de se donner l'air pusillanime en évitant un danger incertain ; mais enfin, sa promesse à Charlotte, le désir de revoir son enfant, l'ennui d'être seul avec Mme Jennings et le colonel Brandon (Elinor ne quittait pas un instant sa sœur), l'engagèrent à partir. Le colonel voulait en faire autant par discrétion ; mais Mme Jennings, qui n'était pas fâchée, dans ses moments de liberté, d'avoir quelqu'un avec qui elle pût causer et jouer au piquet, trouva qu'il devait à sa chère Elinor de partager ses inquiétudes, et le pressa si fort de rester qu'il y consentit. Son cœur était bien de moitié dans ce désir : laisser celle qu'il adorait et l'amie qu'il chérissait dans un état aussi cruel, c'était presque au-dessus de ses forces. M. Palmer aussi lui demanda comme une grâce de le remplacer à Cleveland : si la maladie tournait mal, dit-il, ces dames auront besoin d'un ami ; et l'on juge combien cette seule supposition déchirait le cœur du colonel. Marianne, ignorant tout, ne parut pas surprise de ne point voir Mme Palmer. Il y a même apparence qu'uniquement occupée de deux objets, sa mère et Willoughby, elle l'avait complètement oubliée.

Deux autres jours s'écoulèrent après le départ de M. Palmer ; et la situation de la malade était toujours aussi critique. M. Harris, qui venait deux fois par jour, donnait des espérances qu'Elinor saisissait avec avidité ; mais Mme Jennings et le colonel n'osaient s'y livrer. La première faisait des songes, avait des pressentiments qui ne l'avaient jamais trompée ; le colonel se rappelait plus que jamais la ressemblance frappante entre Marianne et son Eliza, et se croyait destiné à perdre l'objet de son second amour.

Il appelait en vain à son secours la raison, la jeunesse, la bonne constitution de Marianne, l'avis même du médecin : rien ne pouvait le rassurer. Dans ses moments de solitude, il s'abandonnait à la plus noire mélancolie et croyait ne jamais revoir Marianne.

Cependant, dans la matinée du troisième jour, ils reprirent plus d'espérance. Quand M. Harris arriva, il déclara qu'il trouvait Marianne beaucoup mieux.

Le pouls était plus fort, plus réglé, et chaque symptôme plus favorable qu'à sa dernière visite. Elinor était au ciel en l'entendant parler ainsi ; elle se félicitait de ce que, dans ses lettres à sa mère, elle avait suivi son propre jugement plutôt que celui de ses amis, en lui parlant du mal de Marianne comme d'une légère indisposition qui retardait leur départ de Cleveland, et en fixant presque le moment où Marianne serait assez bien pour entreprendre le voyage.

Mais la journée ne finit pas aussi heureusement qu'elle avait commencé. Sur le soir, Marianne parut plus malade qu'elle ne l'avait encore été ; la fièvre, une insupportable douleur de tête, des frissons se manifestèrent avec plus de force.

Elle avait voulu rester une heure ou deux sur une chaise longue pour qu'on refît son lit ; elle demanda elle-même à y rentrer et n'y fut pas plus tranquille. Elinor voulait attribuer cet état à la fatigue ; elle lui administra les cordiaux prescrits par le médecin, et enfin, elle eut la satisfaction de la voir tomber dans un sommeil dont elle attendait les meilleurs effets ; mais il ne fut pas aussi bienfaisant qu'elle l'avait espéré. Quoiqu'elle eût déjà veillé la nuit précédente, Elinor ne voulut pas quitter sa sœur avant son réveil, et s'assit à côté du lit pour observer tous ses mouvements. Mme Jennings n'était pas très bien elle-même et se coucha. Elinor demanda que Betty, qui était une excellente garde, ne quittât point sa maîtresse ; elle resta donc seule avec Marianne, dont le sommeil était toujours plus agité.

On entendait des plaintes inarticulées sortir de ses lèvres brûlantes ; elle changeait à tout moment de posture. Elinor hésitait s'il ne valait pas mieux l'éveiller que de la laisser dans un sommeil aussi pénible quand, tout à coup, un bruit accidentel dans la maison la réveilla en sursaut. Elle se mit sur son séant, et s'écria avec un son de voix très altéré et de l'égarement dans les yeux :

— Est-ce maman ? Ne vient-elle pas ? Ô maman ! maman !

— Non, ma chère, pas encore, lui dit doucement Elinor en l'aidant à se recoucher ; soyez tranquille, elle sera ici bientôt.

— Qu'elle vienne, qu'elle arrive, s'écria Marianne en délire, ou bien elle ne retrouvera plus son enfant. Elinor, dites-lui de venir ce soir même ; mais qu'elle ne passe pas à Londres, il la tuerait aussi, car il veut que je meure ! Il est venu avec sa femme, dans son caricle, tout exprès pour me faire mourir ; ils m'ont écrasée, brisée, si vous saviez ce que je souffre ! Maman me guérira ; allez la chercher, Elinor ;

mais lui et cette femme empêchez-les d'entrer. Je ne veux pas les voir ; je ne veux voir que vous et maman.

Elinor vit avec douleur qu'elle n'avait plus sa raison ; elle lui tâta le pouls, il était extrêmement agité, on ne pouvait pas compter les battements, et le délire augmenta avec une telle rapidité qu'Elinor fut vivement alarmée. Marianne ne la reconnaissait plus ; tantôt elle la prenait pour sa mère et l'embrassait avec ardeur en lui disant les choses les plus touchantes et les plus incohérentes ; tantôt elle la repoussait avec horreur en la prenant pour Mme Willoughby, qu'elle ne nommait jamais. Enfin, Elinor se décida à envoyer chercher sans retard M. Harris, et à dépêcher un express à Barton pour faire venir sa mère. Elle voulut consulter à cet effet le colonel Brandon, et, laissant un moment sa sœur aux soins de Betty, elle se hâta de descendre au salon, où elle savait qu'il restait très tard.

Elle le trouva en effet, et lui communiqua ses craintes, craintes qu'il partageait depuis longtemps.

Il l'écouta dans un sombre désespoir ; ce qu'il aurait pu dire aurait été bien faible pour ce qu'il sentait ; mais à peine eut-elle articulé le désir d'envoyer un messager à Mme Dashwood qu'il offrit de se charger lui-même de cette commission. Elinor ne fit nulle résistance, nul compliment ; cette offre répondait trop à tous les vœux de son cœur : et comment refuser à un ami si bon, si sensible, qui apprendrait avec précaution à sa mère le malheur qui les menaçait, qui la soutiendrait, la consolerait dans cet affreux moment, et dans un voyage si triste et si fatigant par sa célérité.

— Excellent ami, lui dit-elle en pressant sa main, ma reconnaissance égale le service que vous nous rendez ; je suis moins inquiète pour ma mère puisque vous serez avec elle. Qui sait l'effet que peut produire sa seule présence sur un cœur tel que celui de Marianne ? Oh ! s'il était donné à l'amour maternel de la rendre à la vie, nous vous devrons peut-être aussi ce bonheur. Qui sait si ma mère, atterrée d'un tel coup, aurait été en état d'entreprendre cette course toute seule ? Mais vous soutiendrez son courage ; je vais lui écrire un mot pendant que vous ferez préparer les chevaux.

Pas un moment ne fut perdu : le colonel fit tous les arrangements de ce petit voyage avec promptitude. Il calcula exactement le temps qu'il y mettrait et le moment de son retour. Il espérait, en partant tout de suite, pouvoir être revenu le lendemain à peu près à la même heure ; il était environ onze heures du soir. Les chevaux furent prêts, plus vite même qu'on ne l'aurait cru ; le colonel pressa la main d'Elinor avec le regard le plus expressif de douleur et d'amitié, et se jeta dans sa voiture. Minuit sonna ; elle se hâta de retourner auprès de sa sœur pour attendre le médecin, bien décidée à veiller encore.

45

Cette nuit fut également douloureuse pour les deux sœurs. Les heures s'écoulèrent les unes après les autres sans apporter de changement ; Marianne, dans un délire toujours croissant, et Elinor, dans la plus cruelle anxiété, attendant le médecin avec impatience, et redoutant d'entendre ce qu'il allait prononcer. Une fois que ses craintes furent éveillées, elle paya bien cher sa première sécurité, et Betty, qui veillait avec elle, la torturait encore en lui parlant des tristes pressentiments de sa maîtresse. Elinor n'était pas superstitieuse ; mais qui n'a éprouvé le sentiment de le devenir devant un grand danger ? Elle écoutait tout, croyait tout, s'affligeait de tout, et n'avait presque plus d'espérance. Les idées de Marianne étaient encore fixées par intervalles sur sa mère, et lorsqu'elle prononçait son nom en l'appelant avec vivacité, c'était un nouveau coup de poignard pour Elinor, qui se reprochait amèrement d'avoir laissé passer plusieurs jours sans la faire venir. Peut-être Mme Dashwood, éclairée par sa tendresse maternelle, aurait imaginé quelque remède salutaire, qui serait à présent inutile ou trop tardif. Elle se représentait sans cesse cette tendre mère arrivant et ne retrouvant plus son enfant chéri, ou la retrouvant en délire, et n'en étant pas même reconnue.

Elle était sur le point d'envoyer encore chez M. Harris quand il arriva environ sur les cinq heures ; son opinion fut cependant moins alarmante que son délai : tout en avouant qu'il trouvait un grand changement dans l'état de sa malade, il ne la crut pas dans un danger pressant, et donna l'espoir qu'un nouveau traitement aurait plus de succès ; il en parla avec une telle confiance qu'il la communiqua à Elinor. Il partit en promettant de revenir dans trois ou quatre heures, et la laissa un peu plus calme qu'au moment de son arrivée.

Mme Jennings apprit en se levant, avec un grand chagrin, ce qui s'était passé pendant la nuit ; elle entra, gronda Betty et presque Elinor de ne l'avoir pas demandée, s'attendrit sur le départ du colonel, sur l'émotion de Mme Dashwood, sur les tourments d'Elinor et sur les souffrances de Marianne, disant qu'il ne fallait pas désespérer ; mais que, pour elle, elle avait toujours prévu que cela finirait mal. Son bon cœur était réellement affligé. Avoir vu se flétrir par degrés cette belle fleur sous le poids du chagrin, la voir expirer si jeune, si aimable, si pleine de vie jusqu'au moment fatal qui avait brisé son cœur, c'était assez pour frapper et toucher une personne moins intéressée dans cet événement. Marianne avait plus de droits encore à la compassion de Mme Jennings, elle avait été pendant trois mois sa compagne, elle était encore confiée à ses soins, et c'est pendant ce temps qu'on l'avait si cruellement blessée, injuriée, rendue si malheureuse. Le malheur d'Elinor aussi, qui était sa favorite, lui causait une peine cruelle ; et quand elle se représentait celle de leur mère, qui aimait Marianne, comme elle-même aimait Charlotte, la part qu'elle prenait au triste événement qui se préparait et dont elle ne doutait pas, était aussi vive que sincère.

M. Harris fut exact à sa seconde visite ; mais il fut entièrement trompé dans son espoir sur ses derniers remèdes. Ils avaient tous manqué leur effet ; la fièvre n'était point abattue, la poitrine point dégagée ; la malade était peut-être plus tranquille, mais cette tranquillité n'était qu'une pesante stupeur et augmentait ses alarmes.

Elinor, qui cherchait à lire dans son âme, s'en apercevant, parut désirer d'autres avis ; mais M. Harris jugea que ce serait inutile et ne ferait que retarder le traitement qui pouvait encore la sauver : il le proposa. Elinor accepta tout, demanda à Dieu instamment, dans le fond de son cœur, de bénir ces nouveaux remèdes, et conjura M. Harris de ne rien épargner. Il fit tout ce qu'il jugea nécessaire et ressortit avec des promesses qui, cette fois, ne calmèrent pas le triste cœur d'Elinor. À force de douleur, elle était calme en apparence, mais n'avait presque plus d'espoir ; et quand elle pensait à sa malheureuse mère, ses forces étaient près de l'abandonner. Elle resta ainsi jusqu'à midi, sans s'éloigner un instant du chevet de sa sœur, ses pensées errant tristement d'un sujet de douleur à un autre, écoutant vaguement Mme Jennings, qui lui rappelait, heure par heure, tout ce que Marianne avait souffert à Londres, et s'étonnait qu'elle n'y eût pas succombé.

— Ici, du moins, disait-elle, elle a été assez tranquille ; elle a fait ce qu'elle a voulu ; nous ne l'avons point contrariée ; elle s'est promenée seule, et n'a sûrement rien vu qui pût avoir renouvelé son chagrin. Willoughby est paisiblement à Londres avec sa femme, et ne songe pas plus à elle que si elle n'était pas au monde. Hélas ! peut-être n'y sera-t-elle bientôt plus ! Ah ! mon Dieu ! quelle pitié de voir mourir cela à cet âge, et de chagrin d'amour encore.

L'après-midi, cependant, Elinor commença à se flatter qu'elle était mieux. À peine osait-elle se l'avouer à elle-même, de crainte de se livrer encore à de fausses espérances, mais il lui parut qu'il y avait un léger progrès dans l'état de sa sœur. Penchée sur son lit, elle l'examinait sans cesse, elle écoutait chacune de ses respirations, lui tâtait à chaque instant le pouls. Il lui parut moins intermittent ; son haleine semblait être un peu plus libre ; enfin, avec une agitation de bonheur plus difficile à cacher sous un extérieur calme que son angoisse précédente, elle se hasarda de dire à son amie qu'elle ne pouvait s'empêcher de reprendre un peu d'espoir. Mme Jennings, avec un air de doute, alla l'examiner à son tour ; et quoique forcée de convenir qu'il y avait quelques légers changements en bien, elle essaya d'empêcher Elinor de se livrer à une espérance qu'elle n'avait pas elle-même, et qui rendrait encore le coup plus affreux ; mais ce fut en vain : Elinor ne voulait plus rien entendre que la certitude de conserver sa Marianne.

Une demi-heure s'écoula et les symptômes favorables continuèrent ; d'autres même s'y joignirent et les confirmèrent.

— Voyez, voyez, chère amie, disait-elle à Mme Jennings, sa peau est moins sèche, sa respiration moins gênée, ses lèvres moins serrées. Ah ! Marianne, ma sœur, mon amie, tu nous seras rendue ! Maman ne sera pas plongée dans le désespoir.

Elle était à genoux à côté du lit ; sa bouche se posa sur la main de Marianne ; elle crut sentir qu'une légère pression de cette main contre ses lèvres répondait à son baiser.

— Ah ! mon Dieu, dit-elle à demi-voix, elle m'entend, elle me reconnaît !

Au moment même, le regard de Marianne, languissant, mais plein de tendresse et sans la moindre expression d'égarement, s'attacha sur elle.

Alors, elle eut peine à contenir sa joie ; et quand M. Harris arriva à quatre heures, elle courut au-devant de lui et, le prenant par la main :

— Venez, monsieur, lui dit-elle, regardez ma sœur ; je ne me trompe point, n'est-ce pas, elle est un peu mieux ? et elle attendait en tremblant ce qu'il allait dire.

— Non seulement elle est mieux, dit-il avec assurance, mais si la nuit est telle que je l'ose espérer, je réponds de sa vie.

— Ah ! mon Dieu, dit Elinor en joignant les mains et fondant en larmes, tandis que, pendant les heures de tourments qu'elle venait de passer, elle n'en avait pas versé une seule.

Son cœur alors était serré trop douloureusement pour qu'elle pût pleurer ; à présent, elles coulent sans effort et lui font du bien. Marianne rendue à la vie, à la santé, à ses amis, à sa tendre mère, était une idée si douce, si consolante, qu'il lui semblait que jamais encore elle n'avait été si heureuse.

Mais son bonheur n'était pas encore de la joie ; c'était une reconnaissance profonde envers l'être suprême, trop forte pour l'exprimer par des paroles ; elle en avait aussi pour M. Harris, qui, sans être un médecin fameux, avait déployé, dans cette occasion, un zèle et une habileté qui lui faisaient honneur.

Il recommanda ce qu'il y avait à faire, et c'était peu de chose, mais surtout d'éviter ce qui pourrait le moins du monde agiter péniblement la malade.

— J'attends ma mère cette nuit, dit Elinor, pensez-vous que l'émotion de la voir puisse lui être nuisible ?

— Au contraire, mademoiselle, elle en était sans cesse occupée dans ses rêveries, et en la préparant à voir Mme Dashwood, elle n'en éprouvera qu'un bon effet. Mais ce sont les émotions bruyantes ou pénibles qu'il faut éviter avec soin.

Cela n'était pas difficile dans une maison où il n'y avait qu'elles et leur bonne Mme Jennings : celle-ci était aussi fort contente de penser que Marianne se rétablirait ; et il est juste de lui en savoir un peu gré, car elle tenait aussi beaucoup à ses pressentiments et à ses prédictions, et il fallait les abandonner ! Elle le fit sans peine et montra une véritable joie.

Elinor passa l'après-midi entière à côté du lit de sa sœur ; lui parlant fort peu, mais de ce qui pouvait lui faire plaisir ; veillant à ce qu'elle fût bien couchée, écoutant chaque respiration. La possibilité du retour de la fièvre dans la soirée l'alarmait encore ; mais elle ne revint pas, tous les bons symptômes continuèrent. À six heures du soir, le sommeil le plus doux et le plus tranquille s'empara de Marianne. L'heureuse Elinor n'eut plus de doute qu'elle ne fût hors de danger ; et l'arrivée de sa mère et du colonel, qu'elle avait si fort redoutée, ne fut pour elle qu'un nouveau bonheur Elle comptait les heures et les minutes jusqu'au moment où elle pourrait leur dire : « Elle nous est rendue ! » et les tirer de l'horrible incertitude avec laquelle ils voyageaient.

Elle plaignait le colonel peut-être plus que sa mère, qu'il avait sûrement bien ménagée, tandis que lui savait tout. Sûre qu'il aurait fait diligence, elle les attendait au plus tard à dix heures.

À sept heures, laissant Marianne doucement endormie, elle rejoignit Mme Jennings dans le salon pour prendre le thé avec elle ; ses craintes l'avaient empêchée de déjeuner le matin, et la joie de descendre à cinq heures. Elle avait donc grand besoin de ce léger rafraîchissement.

Comme elle ne s'était point couchée les deux dernières nuits, Mme Jennings voulut qu'elle allât prendre un peu de repos en attendant l'arrivée de sa mère, lui promettant de la remplacer auprès de Marianne ; mais Elinor n'avait aucun sentiment de fatigue, ni la moindre possibilité de dormir ; ne pouvait d'ailleurs être tranquille qu'auprès de sa sœur ; elle y remonta donc immédiatement après le thé. Mme Jennings la suivit pour s'assurer encore que le mieux se soutenait, puis elle les laissa pour aller l'écrire à ses filles et se coucher de bonne heure.

La nuit était froide, orageuse ; le vent se faisait entendre dans les corridors ; la pluie battait contre les fenêtres. Elinor pensait à ses chers voyageurs, et les plaignait d'être en chemin par ce mauvais temps ; mais cela n'empêchait pas Marianne de dormir paisiblement.

L'horloge sonna huit heures ; si c'en eût été dix, Elinor aurait été bien heureuse, car en même temps il lui semblait entendre le roulement d'un carrosse devant la maison. Mais sûrement, c'était une erreur ; il était presque impossible qu'ils fussent déjà là. Cependant, elle était si sûre d'avoir entendu quelque chose que, malgré la difficulté qu'elle avait à le croire, elle ne put s'empêcher de passer dans un cabinet à côté et d'ouvrir la fenêtre pour s'en assurer. Elle vit au même instant que ses oreilles ne l'avaient pas trompée. Les deux lanternes d'un coupé l'éclairèrent suffisamment pour voir qu'il était attelé de quatre chevaux, ce qui lui prouva l'excès des alarmes de sa mère, et lui expliqua la rapidité du voyage.

Jamais encore Elinor, si accoutumée à se commander à elle-même, n'en avait été moins capable qu'à ce moment. L'idée de revoir sa mère, celle de ses doutes, de ses craintes, peut-être de son désespoir ; tout la bouleversait.

Et comment lui dire... La joie de savoir son enfant chérie hors de danger lui serait peut-être aussi fatale ; elle la connaissait si vive, si sensible et si nerveuse.

Mais il n'y avait pas de temps à perdre en réflexions, et disant à Betty de ne pas quitter sa sœur, elle descendit promptement. Elle entendait aller et venir dans le vestibule, on ouvrait les portes ; elle en conclut qu'ils étaient déjà entrés dans la maison. Aussi émue qu'on peut l'être quand on va revoir une mère chérie, après une longue absence et dans une telle circonstance, elle entre au salon pour se jeter dans ses bras, et se trouve... en présence de Willoughby.

46

Elinor recula avec un sentiment d'horreur à cette vue, et son premier mouvement fut de quitter à l'instant le salon. Sa main était déjà sur le pêne quand Willoughby s'avança vivement et la retint, en disant d'un ton plus décidé que suppliant :

— Mademoiselle Dashwood, une demi-heure seulement, un quart d'heure, dix minutes ; je vous conjure de rester.

— Non, monsieur, lui répliqua-t-elle avec fermeté, je ne resterai pas une minute, vous ne pouvez avoir aucune affaire avec moi. Les gens ont, je suppose, oublié de vous dire que M. Palmer n'est pas chez lui.

— Quand ils m'auraient dit, reprit-il avec véhémence, que tous les Palmer étaient au diable, je serais entré également ; et c'est à vous et à vous seule que j'ai à parler.

— À moi ! monsieur ; vous me surprenez beaucoup, en vérité. Parlez donc, mais soyez bref et, si vous le pouvez, moins violent.

— Asseyez-vous, et je vous promets l'un et l'autre.

Elle hésita. La possibilité de l'arrivée du colonel Brandon qui trouverait là M. Willoughby, et sûrement avec beaucoup de peine, traversa sa pensée ; mais elle avait consenti à l'entendre et sa curiosité était excitée. Après un moment de réflexion, elle conclut qu'il valait mieux céder et lui accorder un moment que de prolonger le temps par des refus et des prières. Elle revint donc en silence au bout de la table et s'assit. Il prit une chaise vis-à-vis d'elle ; et pendant une demi-minute, il n'y eut pas un mot de prononcé de part ni d'autre.

— Je vous en prie encore, monsieur, soyez très bref ; je n'ai pas de temps à perdre, dit enfin Elinor ; parlez, ou je sors à l'instant.

Il était dans une attitude de profonde méditation, appuyé de côté sur le dossier de sa chaise, et ne paraissait pas l'entendre. Elinor se leva ; ce mouvement parut le réveiller.

— Votre sœur, dit-il vivement, est hors de danger ; le domestique qui m'a introduit me l'a dit. Que le ciel en soit béni ! Mais est-ce vrai, bien réellement vrai ? que je l'entende de votre bouche.

Elinor le regardait avec étonnement ; elle croyait voir et entendre le Willoughby de Barton Park, et ne savait si elle ne faisait pas un rêve. Il répéta sa question avec un mouvement très vif d'impatience.

— Pour l'amour de Dieu, dites-moi si elle est hors de danger ou si elle ne l'est pas.

— J'espère qu'elle l'est.

Il se leva et se promena vivement. Elinor voulut encore le quitter ; mais l'intérêt qu'il venait de montrer pour Marianne l'avait déjà un peu adoucie ; elle céda à un geste suppliant et resta. Il revint à son siège, s'approcha un peu plus d'elle, en disant avec une vivacité un peu forcée :

— Si j'avais été sûr, parfaitement sûr qu'elle était hors de danger, peut-être ne serais-je pas entré, mais, puisque je suis ici, puisque j'ai le bonheur de vous revoir, ah ! mademoiselle Dashwood, vous qui m'aimiez autrefois comme un frère, parlez-moi encore avec amitié ; peut-être sera-ce la dernière fois. Parlez-moi franchement, amicalement : me croyez-vous un scélérat ? Et la rougeur la plus vive couvrit son visage.

Elinor était toujours plus surprise ; elle commença vraiment à croire qu'il était hors de sens et dans l'ivresse. La singularité de cette visite, à une heure aussi tardive, et toute sa manière ne pouvait guère s'expliquer autrement. Dès que cette idée eut frappé son esprit, elle se leva et lui dit froidement :

— Monsieur Willoughby, je vous conseille de retourner à Haute-Combe, que vous habitez sans doute ; je suis garde-malade et je ne puis rester avec vous plus longtemps, quelque affaire que vous puissiez avoir à me communiquer ; vous vous la rappellerez sûrement mieux demain.

— Je vous entends, dit-il avec un sourire expressif et une voix parfaitement calme : peut-être ai-je en effet perdu la raison, mais non comme vous le pensez. Depuis ce matin à huit heures que j'ai quitté Londres, je ne me suis arrêté que dix minutes au plus à Marlborough pour faire manger mes chevaux qui n'en pouvaient plus ; j'ai pris moi-même un verre de porter et un morceau de bœuf froid, c'est tout.

Son regard et le son de sa voix convainquirent Elinor que si quelque impardonnable folie l'avait amené à Cleveland, ce n'était pas du moins celle de l'ivresse. Sûre alors qu'il pourrait l'entendre, elle lui dit avec dignité :

— Excusez-moi, monsieur Willoughby, cette fois-ci je vous ai mal jugé ; je ne sais pas cependant si, après tout ce qui s'est passé, vous ne seriez pas plus excusable en attribuant votre arrivée ici à une cause étrangère qu'à votre propre volonté. Certainement, si vous aviez une ombre de délicatesse, vous auriez senti ce que votre seule présence me fait souffrir, et dans quel moment ! Il m'est impossible de comprendre le but de cette visite. Que prétendez-vous ? Que demandez-vous ?

— Je prétends, dit-il avec un sérieux énergique, me faire haïr de vous de quelques degrés de moins que vous ne me haïssez sûrement ; je demande qu'il me soit permis d'alléguer quelque excuse ; je voudrais vous ouvrir entièrement mon cœur, vous prouver que si j'ai la tête mauvaise, ce cœur mérite quelque indulgence, et obtenir enfin quelque chose qui ressemble à un pardon, de Mar... de votre sœur.

— Est-ce là, monsieur, la vraie raison de cette visite ?

— Sur mon âme ! dit-il en posant la main sur la poitrine, avec ce geste noble, cette physionomie franche, ouverte, ce regard animé et sensible, qui lui avaient gagné le cœur de toute la famille de la *chaumière*, et qui, en dépit d'elle-même, gagnèrent encore la confiance d'Elinor.

— Si c'est là tout, monsieur, lui dit-elle, vous pouvez être satisfait, car Marianne vous a pardonné depuis longtemps.

— Elle m'a pardonné ! s'écria-t-il avec une extrême vivacité ; elle ne devait pas me pardonner, non jamais, avant de savoir ce qui peut-être est une excuse. Mais à présent, je demande d'elle et de vous un pardon mieux motivé. À présent, voulez-vous m'entendre ?

Elinor fit sonner sa montre ; il n'était que huit heures et quart ; il était impossible que sa mère et le colonel fussent là avant dix heures. Elle dit à Willoughby qu'elle les attendait ; qu'avant tout elle voulait aller revoir sa sœur ; et que si elle la trouvait tranquille, elle reviendrait au salon pour un quart d'heure.

— Vous reviendrez, mademoiselle Dashwood, s'écria-t-il avec impétuosité, vous reviendrez ; ou, j'en fais le serment, j'irai vous chercher auprès du lit de Marianne, et c'est à elle que je demanderai de m'entendre.

— Monsieur Willoughby ! dit Elinor d'un ton qui le fit rentrer en lui-même.

— Pardon, dit-il en baissant les yeux, ne sais-je pas que mademoiselle Dashwood est incapable de tromper ? Je vous attendrai ici, je vous le promets, et je n'en sortirai pas que je ne vous aie revue. Si vous ne revenez pas, j'attendrai votre mère, et c'est à elle que j'ouvrirai mon cœur ; elle m'écoutera, je le sais. Excellente femme ! combien elle m'aimait !

Des larmes remplirent ses yeux ; elles achevèrent de subjuguer Elinor.

— Je reviendrai bientôt, lui dit-elle en sortant.

Elle courut auprès de sa sœur ; elle dormait tranquillement. Betty était assise à côté d'elle, et lui promit de la demander à l'instant où la malade se réveillerait. En repos alors sur elle, elle se pressa de rejoindre Willoughby pour hâter le moment de son départ. Il se promenait vivement, les bras croisés, quand elle rentra.

— Comment est-elle ? dit-il à demi-voix.

— Elle repose et me voici prête à vous entendre ; mais d'un instant à l'autre je puis être appelée auprès d'elle, ou ma mère peut arriver ; je vous conjure encore d'être bref.

— Bref ! et j'ai tant de choses à dire… Il s'arrêta.

— Eh bien ! commencez donc, dit Elinor impatientée.

— Je ne sais, dit-il, quelle a été complètement votre opinion sur ma conduite avec votre sœur, et quel diabolique motif vous avez pu me supposer. Peut-être allez-vous me juger plus mal encore ; mais enfin, vous devez tout entendre, et je veux être vrai. Quand je m'introduisis chez vous, et j'en cherchais l'occasion qui se présenta d'elle-même, je n'avais d'autre vue et d'autre intention que de passer mon temps en Devonshire d'une manière plus agréable que dans mes précédentes visites à ma vieille tante. L'aimable extérieur de votre sœur, l'attrait de son esprit, ses talents enchanteurs attirèrent sans doute mon admiration particulière et, dès les premiers jours, sa conduite avec moi, si tendre, si confiante… Non, je ne conçois pas à présent comment mon cœur y fut insensible ; mais il faut que je le confesse, ma vanité seule était flattée d'une conquête aussi charmante. Ne songeant point à son bonheur, ne pensant qu'à mon triomphe et à mes plaisirs du moment, animé par son entretien plein de feu, je lui parlai le langage dont j'avais l'habitude avec les femmes ; je témoignai des sentiments que je n'éprouvai pas ; je tâchai par tous les moyens possibles de me faire aimer sans avoir le dessein de lui rendre son affection.

Elinor, indignée, lui jeta un regard plein de mépris et l'interrompit en lui disant :

— Il est inutile, monsieur Willoughby, que vous parliez plus longtemps et que je vous écoute. Un tel commencement dit tout ; il ne peut être suivi de rien que je veuille entendre ; je vous prie de me dispenser d'un plus long entretien.

— J'insiste sur ce que vous entendiez tout, répliqua-t-il, vous connaissez mon tort, écoutez ma punition. Ma fortune était réduite à moins que rien ; elle n'avait jamais été considérable. J'ai toujours été très dépensier et j'étais lié avec des gens riches que je voulais égaler. Chaque année avait ajouté à mes dettes, et je n'avais d'autre espoir de m'acquitter que la mort de ma vieille cousine, Mme Smith, dont le moment était très incertain, ou bien un mariage avec une femme riche. Dans cette intention, et poussé par les conseils de quelques amis, j'avais déjà fait ma cour dans ce but, l'hiver précédent, à Mlle Grey, qui devait posséder trente mille livres sterling le jour de ses noces, et m'avait assez bien reçu pour me laisser croire que je pouvais me présenter avec succès. Je ne pouvais donc, dans de telles circonstances, penser à associer à mon sort une jeune personne sans fortune ; mais avec un égoïsme, une cruauté, qui ne peut jamais m'être trop reprochée, je me conduisais de manière à engager ses affections, sans avoir seulement la pensée de pouvoir jamais l'épouser. Oui, mademoiselle, oui, je mérite ce regard indigné ; je mériterais tout au monde, si je n'avais deux choses à dire en ma faveur qui peuvent, sinon excuser, pallier au moins cette indigne conduite. L'une est que je ne savais pas encore ce que c'était que l'amour ; des galanteries banales, des conquêtes faciles et bientôt oubliées avaient jusqu'alors rempli ma vie. L'autre est le serment que je puis vous faire, et dont Marianne peut vous confirmer la vérité, est de n'avoir pas eu un instant la coupable pensée de profiter de son attachement, de son inexpérience, de sa jeunesse pour la séduire. Quand elle aurait été entourée d'anges, elle n'aurait pas été plus en sûreté. Son extrême sensibilité, sa franchise sans bornes l'entraînaient quelquefois à des imprudences ; mais son sentiment était en même temps si pur ; elle avait sur la vertu des idées si exaltées, tant de vraie dignité, tant de réelle innocence, qu'il aurait fallu être un monstre pour ne pas la respecter. Ah ! c'était l'être assez que de sacrifier à la vanité, à l'avarice, le bonheur d'une créature si parfaite ! Mais ce n'est pas elle seule que j'ai sacrifiée, pour éviter une situation bornée qui me semblait être la pauvreté, et qui, avec elle, aurait été le bonheur parfait. J'ai trouvé avec la richesse tous les malheurs que j'ai mérités sans doute, mais qui n'en sont pas moins cruels, et j'ai perdu, perdu pour jamais, tout espoir d'être heureux avec la seule femme que j'aie aimée.

— Vous l'avez donc aimée ? dit Elinor un peu radoucie ; il y a donc eu un temps où vous lui avez été attaché ? Vous voulez m'ouvrir votre cœur, dites-vous ; parlez donc : avez-vous aimé Marianne ?

— Si je l'ai aimée ? Ah, Dieu ! Résister à tant d'attraits, repousser une telle tendresse ! Existe-t-il un homme au monde à qui cela fût possible ? Oui, par degrés insensibles, je me trouvai passionné d'elle, et décidé alors à renoncer à tout pour elle, à lui offrir mon cœur et ma main. Je la connaissais trop bien pour craindre que la médiocrité de ma fortune fût un motif de refus, même pour Mme Dashwood, qui ne voyait que par les yeux de Marianne, et qui me témoignait une amitié de mère. Résolu de changer de vie, de trouver le bonheur dans l'amour et la simplicité, je voulais lui proposer de nous garder auprès d'elle à la *chaumière*, jusqu'à ce que la mort et l'héritage de Mme Smith me missent à même de conduire ma compagne à Allenham, dont Marianne aimait la situation, et qui la laissait dans le voisinage de sa famille. Oh ! combien j'étais heureux en formant ce plan, en pensant que mon existence entière serait ce qu'elle était depuis deux mois, un enchantement continuel au milieu des quatre femmes les plus aimables en différents genres que j'eusse rencontrées dans cette délicieuse habitation ! Vous rappelez-vous, mademoiselle Dashwood, la dernière soirée que j'ai passée à la *chaumière*, quand je conjurai votre mère, que je regardais déjà comme la mienne, de n'y rien changer ? Ah ! le souvenir de cette seule journée suffirait pour empoisonner le reste de ma vie ; et je croyais alors que toutes mes journées seraient semblables à celle-là ! Mme Dashwood m'invita à dîner pour le lendemain, et je me décidai à lui ouvrir entièrement mon cœur, à ne parler de rien à Marianne ; j'étais si sûr de son affection ! C'est devant elle que je voulais dire à sa mère : *Unissez vos enfants.* Je vous quittai plein de cette ravissante idée ; je voulais en parler le soir même à Mme Smith, et lui arracher un aveu, que j'étais sûr d'obtenir. Cette digne femme vous estimait sans vous connaître et attachait bien plus de prix aux mœurs, à une bonne éducation qu'à une brillante fortune. Souvent, lorsque je lui parlais de votre famille, son regard attendri m'avait dit : Voilà où vous devriez prendre une femme. Je rentrai donc chez elle résolu à lui en parler le soir même. Ah, mon Dieu ! quel entretien différent eus-je avec elle ! Elle avait reçu des lettres sans doute de quelque parent éloigné qui voulait me priver de sa faveur et des preuves qu'elle m'en destinait. On lui apprenait… une affaire…, une liaison… que j'avais presque oubliée moi-même. Mais qu'est-il besoin de m'expliquer davantage ? dit-il en s'interrompant et mugissant beaucoup ; votre intime ami vous a sans doute depuis longtemps raconté cette histoire ?

Elinor rougit aussi et endurcit de nouveau son cœur contre le séducteur de la pauvre Eliza.

— Oui, monsieur, lui dit-elle avec fermeté, je sais tout. Mais comment pourrez-vous vous justifier dans une telle circonstance ? Cela me paraît impossible.

— Me justifier ! s'écria-t-il vivement, je n'y songe même pas. Je vous ai dit quels avaient été mes principes, mes habitudes, mes liaisons avant que j'eusse rencontré votre sœur ; et cela dit tout ; j'ajouterai seulement que celui de qui vous tenez cette histoire ne pouvait être impartial. J'ai sans doute eu beaucoup de torts avec Eliza ; mais il n'est pas dit cependant que parce qu'elle a été offensée elle soit irréprochable, et que parce que j'étais un libertin elle soit une sainte. La violence de ses passions et la faiblesse de son jugement seraient peut-être une excuse… Mais non, non, je n'en ai point que je puisse alléguer ; son amour pour moi méritait un meilleur traitement. Je me suis bien souvent reproché de lui avoir témoigné celui que je n'ai jamais senti, ou du moins si peu de temps, que je ne puis appeler cela de l'amour, surtout après l'avoir éprouvé dans toute sa force pour une femme qui lui est, à tout égard, si supérieure.

— Votre indifférence pour cette fille infortunée, quelque étrange qu'elle me paraisse, est un tort involontaire, reprit Elinor ; mais votre négligence est bien plus impardonnable. Quoiqu'il me soit désagréable d'entrer dans une discussion sur cet objet, permettez-moi de vous dire que si je vois de la faiblesse et de la crédulité de son côté, je vois du vôtre une cruauté, une inhumanité bien moins excusables. Pendant que vous étiez en Devonshire, poursuivant de nouveaux plans, de nouvelles amours, toujours gai, toujours heureux, votre victime était réduite à la plus extrême indigence, à la honte, au désespoir, à l'abandon.

— Sur mon âme ! je l'ignorais. J'avais pourvu à tout en la quittant ; je ne lui avais point caché que je ne comptais pas la rejoindre ; je lui avais conseillé de recourir au pardon de son protecteur. Tout pouvait être caché ou réparé, si elle avait suivi mes avis. Je croyais qu'elle était rentrée dans sa pension ou dans une autre, et je ne songeais plus à elle, quand elle fut tout à coup rappelée à mon souvenir d'une manière aussi terrible ! Je trouvai Mme Smith au comble de l'indignation, et ma confusion fut extrême. La pureté de sa vie, son ignorance complète du monde, ses idées religieuses et morales très exaltées, tout fut contre moi. Elle m'accabla du poids de sa colère, mais cependant m'offrit son pardon si je voulais épouser Eliza. Cela ne se pouvait ; je ne le voulus pas et je fus formellement rejeté de toute prétention sur l'amitié et la fortune de ma parente, et banni de sa maison que je devais quitter le lendemain. Je rentrai dans ma chambre pour faire mes préparatifs, et je trouvai sur ma table une lettre du colonel Brandon qui me reprochait le déshonneur de sa pupille, et me donnait rendez-vous à Londres, pour lui rendre raison de ma conduite. Étais-je assez puni de ce que les jeunes gens appellent un *passe-temps,* une *légèreté*? la perte de ma fortune et de toutes mes espérances de bonheur, et peut-être celle de ma vie ! Quelle nuit je passai !… Mais à quoi servaient les combats, les réflexions ? Tout était fini pour moi. Je ne pouvais plus offrir à Mme Dashwood un fils, et à Marianne un époux ; je n'avais plus de ressources ni pour le présent, ni pour l'avenir, et j'étais rejeté pour un genre de tort qui ne pouvait que les blesser vivement et me faire repousser aussi d'elles. Ah ! combien je désirais alors que la vengeance du colonel fût complète ! Avec quel plaisir, quel empressement j'allai au-devant de la mort, que j'espérais recevoir de sa main ! Je craignais bien davantage la scène qui m'attendait encore avant de quitter pour jamais le Devonshire en prenant congé de Marianne. J'étais engagé à dîner chez vous ; il fallait aller m'excuser ; il fallait revoir celle que j'allais quitter pour toujours et laisser si malheureuse !

— Pourquoi la voir monsieur Willoughby ? Pourquoi ne pas écrire un mot d'excuse ? Qu'était-il nécessaire de venir vous-même ? s'écria Elinor.

— C'était nécessaire à mon orgueil et à mon amour. Je ne voulais pas laisser soupçonner à personne ce qui s'était passé entre Mme Smith et moi, et je voulais voir encore une fois, avant de mourir, celle que j'idolâtrais de toute la force de mon âme ; je ne croyais pas d'ailleurs la trouver seule. Je voulais encore une fois être au milieu de cette famille que, la veille encore, je regardais déjà comme la mienne. Oh ! quand je me rappelais avec quelles délices j'étais revenu de la *chaumière* à Allenham, satisfait de moi-même, content de tout le monde, enchanté de Marianne, ne songeant pas plus au passé que si jamais il n'eût existé, ne vivant que dans l'avenir, me disant : quelques heures encore et je vais être engagé pour la vie avec celle que j'aime si ardemment !... Ces heures étaient écoulées, et il fallait au contraire nous séparer pour jamais ! Je rassemblai toute ma fermeté pour le cacher ; mais quand je la trouvai seule, quand je vis son profond chagrin pour ce qu'elle croyait une courte absence, et ce chagrin uni à tant de confiance en moi... Ah ! Dieu ! Puis-je jamais l'oublier ?

— Lui promîtes-vous de revenir bientôt ?

— Je ne sais ce que je lui dis, je ne puis m'en rappeler un seul mot. Votre mère vint aussi ajouter à mon supplice par son amitié. Ah ! combien j'étais malheureux ! et j'en remerciais le ciel. Ma seule consolation était ma propre misère ; mais celle de Marianne m'était insupportable ! Je m'en arrachai, je partis et...

Il s'arrêta.

— Est-ce tout, monsieur ? dit Elinor qui, tout en le plaignant, s'impatientait de ce qu'il ne partait pas.

— Oui, tout, si vous voulez. Mais ne désirez-vous pas savoir comment j'ai pu devenir plus coupable et plus malheureux encore ? Je rencontrai le colonel ; je ne fus pas blessé. Pendant que j'étais livré à mes tristes réflexions, ne voyant devant moi que l'indigence la plus entière, un de mes amis me parla des bonnes dispositions de Mlle Sophie Grey pour moi ; il m'assura que les trente mille livres sterling seraient à moi dès que je voudrais dire un mot. J'avais réfléchi sur ma situation ; je ne pouvais la faire partager à Marianne ; je ne l'aurais pas même voulu, non plus que sa famille. Il fallait donc tâcher de l'oublier, et de m'en faire oublier. J'allais jusqu'à trouver de la générosité dans tout ce que je faisais pour y parvenir. Je laissai faire mon ami. Dès que je fus rétabli, il me mena chez Mlle Sophie Grey. Elle voulait se marier, et avec un homme à la mode ; c'était tout ce qu'elle demandait. Moi, je ne voulais que son argent ; et nous fûmes bientôt d'accord. Marianne, pensais-je, n'entendra plus parler de moi que pour apprendre que je suis marié ; sa fierté s'indignera, elle me détestera, puis elle m'oubliera et je serai seul malheureux ; mais, au moins, j'aurai les distractions et les jouissances de la fortune... lorsqu'une lettre de Marianne, datée de Londres, m'apprend qu'elle y est, qu'elle m'aime encore avec la même tendresse et n'a pas même l'ombre d'un doute. Non, tout ce que j'éprouvai ne peut être exprimé ! Chaque ligne, chaque mot de ce billet fut pour moi un coup de poignard. Savoir Marianne si près de moi ; être sûr que j'en étais aimé ! Ah ! je n'avais pas non plus l'ombre d'un doute. Son cœur ; ses opinions, son âme m'étaient trop bien connus et m'étaient encore trop chers. Mon amour, qui était à peine assoupi, se ranima avec plus de force ; et j'étais engagé avec une autre ! et quelle autre, mon Dieu ! D'un côté, frivolité, insensibilité, coquetterie, jalousie ; de l'autre, grandeur d'âme, tendresse inépuisable, sensibilité profonde, confiance illimitée, esprit supérieur. Dieu ! qu'ai-je laissé échapper, et qu'ai-je trouvé en échange ! Mais

Marianne méritait mieux qu'un dissipateur, qu'un libertin. Elle m'aurait corrigé de tout ; je serais devenu digne d'elle. À présent, quel encouragement, quel exemple ai-je pour devenir vertueux ?

Il se leva et se promena violemment le poing serré sur son front.

Le cœur d'Elinor avait éprouvé plusieurs fluctuations pendant cet extraordinaire entretien. Elle était actuellement touchée, attendrie sur le sort de cet homme que la nature avait créé pour le bonheur et qui l'avait rejeté loin de lui. Mais elle crut qu'elle devait lui cacher sa compassion.

— Tout ce que vous venez de dire là est de trop, monsieur Willoughby ; je n'ai pas de temps à perdre, vous le savez, lui dit-elle. Je vous prie donc de résumer ce que vous sentez en votre conscience qu'il est nécessaire que j'apprenne, et rien de plus.

Il se rassit.

— J'ai fini dans deux minutes, reprit-il. Le billet de Marianne me rendit donc le plus infortuné des hommes, en me prouvant son amour et en réveillant tout le mien. Je m'étais persuadé qu'elle m'avait oublié ; j'espérais même apprendre bientôt qu'elle était bien mariée. Je ne voyais plus devant elle et moi que malheur et désespoir. Mais que pouvais-je faire ? Tout était arrangé pour mon mariage ; le contrat passé, les dispenses obtenues, le jour fixé. La retraite était impossible. Tout ce qui me restait à faire était de vous éviter toutes deux ; d'essayer de réparer un peu mes torts en les augmentant, et de prendre plus de peine pour me faire haïr que je n'en avais pris pour me faire aimer. Je ne répondis point au billet de Marianne ; je ne parus point chez elle. Cependant, un jour où je vous avais vues sortir toutes les trois de la maison, je me décidai d'y porter ma carte pour agir plus naturellement.

— Vous nous aviez vues ! Où ? Comment ?

— Tous les jours, et souvent plus d'une fois par jour, je voyais au moins l'une de vous. Vous seriez surprise si je vous disais tous les moyens que j'employais pour cela, et combien de fois j'ai failli être découvert par les beaux yeux de Marianne, qui me cherchaient sans cesse : mon refuge était une boutique, une allée ; mais me passer de voir Marianne, non, c'était impossible ! Et cependant, j'aurais fui au bout du monde pour qu'elle ne me vît pas ; il ne fallait pas moins que mon étude continuelle pour l'empêcher. Je n'eus garde de me trouver au bal des Middleton, et le matin suivant je reçus un second billet de Marianne. Non, vous ne pouvez vous faire une idée de sa bonté, de sa tendresse ! si affectionnée, si franche, si confiante ! Ah ! comme je me détestais moi-même, comme vous me détesteriez plus encore si vous l'aviez lu !

— Je l'ai lu, monsieur, Marianne ne m'a rien caché.

— Vous avez donc vu aussi cette infâme, cette détestable lettre qu'elle ne doit jamais me pardonner, non jamais jusqu'à ce qu'elle sache… J'en reviens à la sienne ; j'essayais d'y répondre, je ne le pus, mon courage m'abandonna. Mademoiselle Dashwood, ne me refusez pas votre pitié ; avec la tête et le cœur pleins de votre sœur, à qui je pensais sans cesse, je devais faire ma cour à une autre femme, paraître empressé, paraître heureux ! Ce ne fut pas tout encore. Vous vous rappelez cette maudite assemblée où nous nous rencontrâmes ? Non, l'agonie n'est rien auprès de ce que je souffrais. D'un côté, Marianne, belle comme tous les anges, appelant son Willoughby, me tendant la main, me demandant une explication avec son regard enchanteur attaché sur moi ; de l'autre côté, Sophie, jalouse comme une furie, regardant tout avec une audacieuse curiosité, m'appelant d'un ton impératif. J'étais en enfer, et je m'échappai aussitôt qu'il me fut possible, mais non pas sans avoir vu la pâleur de la mort sur le visage céleste de Marianne. Ce fut le dernier regard que je jetai sur elle ; je ne l'ai plus revue que dans ma pensée, où toujours elle se présente ainsi. Non, Elinor, quand vous l'avez vue mourante, elle n'a pu vous faire plus d'impression ;

mais vous me jurez qu'elle est mieux, qu'elle est hors de danger.

— Je l'espère.

— Et votre pauvre mère qui l'idolâtre, elle ne lui aurait pas survécu non plus. Adieu, je pars ; dites-moi seulement que je vous suis moins odieux, que vous le direz à Marianne.

— Et cette lettre, monsieur, qui faillit aussi lui ôter la vie, cette lettre que vous eûtes la barbarie de lui envoyer en réponse à sa dernière, comment pouvez-vous la justifier ?

— Par un seul mot que je répugnais à dire… Elle n'est pas de moi. Qu'est-ce que vous pensez du style de ma femme ? N'est-il pas délicat, tendre ? N'est-il pas… ?

— De votre femme ! C'était votre écriture.

— Oui, j'eus l'indigne faiblesse de la copier. « Il faut en finir, me dit-elle, avec Marianne ou avec moi : choisissez. » Le choix ne m'était plus permis ; sa fortune était nécessaire à mon honneur, à mes engagements ; et voilà où une indigne prodigalité m'avait conduit ! Pour éviter une rupture, il fallut en passer par où elle voulait ; copier sous ses yeux cette lettre où je rougissais de mettre mon nom ; me séparer des billets, de la boucle de cheveux de Marianne. Le portefeuille qui les renfermait dut être livré à Sophie, et mes trésors renvoyés comme vous l'avez vu, sans pouvoir seulement les couvrir de mes baisers et de mes larmes. Malheureusement, la dernière lettre de Marianne me fut remise chez Mlle Grey pendant que je déjeunais avec elle ; la forme, l'élégance du papier, l'écriture réveillèrent ses soupçons déjà excités par la scène de l'assemblée. « C'est de votre beauté campagnarde, me dit-elle ; voyons son style. » Elle l'ouvrit, la lut, fit la réponse, m'obligea de la copier, de lui livrer ce que j'avais de Marianne ; et j'obéis dans une espèce de désespoir qui me faisait trouver une sorte de plaisir à me ruiner tout à fait dans l'opinion de cet ange que rien n'avait pu détacher de moi, et qui allait enfin me repousser entièrement de son cœur et de sa pensée. Mon sort décidé, tout le reste me parut indifférent. Je fus bien aise qu'on me dictât ce que je n'aurais jamais pu dire de moi-même, et d'avoir une raison de plus de mépriser, de haïr celle...

— Arrêtez, monsieur Willoughby, dit Elinor, c'en est assez ; je n'entendrai pas un mot de plus contre une femme qui est la vôtre, que vous avez choisie volontairement, à qui vous devez votre bien-être, votre fortune, et qui au moins a droit, en échange, à vos égards, à votre respect. Sans doute elle vous est attachée, puisqu'elle vous a épousé ; parler d'elle avec cette légèreté vous rend très blâmable et ne vous justifie point auprès de Marianne.

— Ne me parlez pas de Mme Willoughby, reprit-il avec un profond soupir ; elle ne mérite pas votre compassion. Elle savait fort bien que je ne l'aimais pas ; si elle a voulu m'épouser, c'est qu'elle savait aussi que mes folies de jeunesse m'avaient mis dans l'affreuse dépendance de mes créanciers, et qu'elle voulait un mari qui fût dans la sienne et qui, cependant, à quelques égards, pût flatter sa vanité ; elle a cru trouver cela réuni chez moi et me fait payer bien cher son maudit argent. À présent, me plaignez-vous, mademoiselle Dashwood ? Suis-je d'un degré moins coupable à vos yeux que je ne l'étais avant cette explication ? Voilà ce que je vous conjure de me dire.

— Oui, monsieur, je l'avoue ; vous avez certainement un peu changé mon opinion sur vous, et je vous trouve moins coupable que je ne le croyais, quoique vous le soyez beaucoup encore, mais plus par la tête que par le cœur ; le vôtre n'est pas méchant, et vous vous êtes rendu trop malheureux vous-même pour qu'on puisse vous haïr.

— Voulez-vous donc me promettre de répéter ce que vous venez de me dire à votre sœur, quand elle pourra vous entendre ? Rétablissez-moi dans son opinion comme je le suis dans la vôtre. Vous dites qu'elle m'a déjà pardonné ; laissez-moi me flatter qu'une meilleure connaissance de mon cœur, de mes sentiments actuels, me vaudra de sa part un pardon plus entier et mieux mérité. Dites-lui ma misère et ma pénitence ; dites-lui que jamais je n'ai été inconstant pour elle ; et si vous le voulez, dites-lui que, dans ce moment même, elle m'est plus chère que jamais.

— Je lui dirai, monsieur, tout ce qui sera nécessaire pour calmer son cœur et vous justifier sur quelques points. Puisse cette assurance adoucir vos peines ! D'ailleurs, je crois que cela dépend aussi de vous. Adieu, monsieur, la soirée s'avance, et cet entretien s'est trop prolongé. Un mot encore, cependant, avant de nous séparer : comment avez-vous appris la maladie de ma sœur ?

— De sir John Middleton, que je rencontrai par hasard hier au soir dans le passage de Drury Lane. C'est la première fois que je le voyais depuis deux mois ; je mettais du soin à éviter tout ce qui pouvait me rappeler le nom de *Dashwood* ; et lui, plein de ressentiment contre moi depuis mon mariage, ne me cherchait pas non plus. Cette fois, il ne put résister à la tentation de m'aborder pour me dire ce qu'il croyait devoir me faire beaucoup de peine. Sa première parole fut de m'apprendre brusquement que Marianne Dashwood était mourante à Cleveland, d'une fièvre nerveuse et putride ; qu'une lettre de Mme Jennings, reçue ce même matin, disait le danger imminent ; que les Palmer avaient fui la contagion. Grand Dieu ! quelle accablante nouvelle ! J'ignorais même votre séjour à Cleveland, et je vous croyais à la *chaumière* auprès de votre mère. Mme Willoughby eut le caprice, il y a dix jours, je crois, d'aller à Haute-Combe voir le printemps et les arbres en fleurs ; il fallut l'emmener à l'instant. À peine y fut-elle que, sans regarder une feuille, elle se rappela que le lendemain était le jour d'assemblée de Mme Sanderson ; et vite, il fallut retourner à Londres. Qui m'aurait dit, grand Dieu ! que je passais si près de Marianne ; de celle dont j'étais tellement occupé que mon imagination croyait la voir partout ? En passant dans le chemin sous le temple, je crus voir de loin sa gracieuse figure appuyée contre une des colonnes ; mais cette illusion s'évanouit bientôt, elle disparut comme l'éclair ; et ce n'était pas elle, puisque déjà elle était bien malade.

Elinor, très étonnée, se fit dire le jour, l'heure, et tout fut expliqué, et l'évanouissement trop réel de Marianne et ses larmes, et ses propos incohérents ; mais elle se garda bien de donner à Willoughby cette preuve de plus de la faiblesse de sa sœur.

— Ce que je ressentis ne peut s'exprimer, continua-t-il avec feu. Marianne mourante, et peut-être des peines déchirantes que je lui avais causées, me haïssant, me méprisant dans ses derniers moments ; maudit par sa mère, par ses sœurs : ah ! ma situation était horrible ! Je ne pus la supporter ; je me décidai à partir, et, à huit heures du matin, j'étais dans ma voiture. À présent, vous savez tout.

Il prit son chapeau et, s'approchant d'elle :

— Ne voulez-vous pas, dit-il, me donner votre main, mademoiselle Dashwood, en signe de paix ?

Elle ne put y résister, et posa sa main sur la sienne ; il la pressa avec affection.

— Allez-vous à Londres ? lui dit-elle.

— Non, répondit-il, à Haute-Combe pour quelques jours.

Il retomba dans une sombre rêverie et, s'appuyant contre la cheminée, sembla oublier qu'il devait partir.

— Vous ne me haïssez plus, n'est-ce pas ? dit-il enfin ; vous ne me méprisez plus ?….

— Je vous plains du fond de mon cœur, monsieur Willoughby, et je vous pardonne ; je m'intéresse à votre bonheur, et je voudrais apprendre que…

— Mon bonheur ! interrompit-il, il ne peut plus y en avoir pour moi en ce monde ! Je traînerai ma vie comme je le pourrai ; la paix domestique est impossible avec ma femme. Si cependant je puis espérer que vous et les vôtres prendrez quelque intérêt à mes actions, ce sera du moins un motif d'être sur mes gardes… Marianne est à jamais perdue pour moi, n'est-ce pas ? même quand quelques heureuses chances de liberté…

Elinor lui lança un regard plein de reproches.

— Je me tais, dit-il, et je pars moins malheureux que lorsque je suis arrivé ; elle vivra du moins ! Mais un affreux événement m'attend encore.

— Quel événement ? Que voulez-vous dire ?

— Le mariage de votre sœur.

— Vous êtes dans l'erreur ; elle ne peut pas être plus perdue pour vous qu'elle ne l'est actuellement.

— Mais un autre la possédera, et je ne puis supporter cette pensée. Adieu, adieu, je ne veux pas vous arrêter plus longtemps et diminuer peut-être l'intérêt que j'ai réveillé. Au nom du ciel ! conservez-le-moi ! Adieu, adieu, puissiez-vous être heureuses !

Il quitta rapidement la chambre, et l'instant d'après Elinor entendit le roulement de sa voiture.

47

Elinor resta encore quelque temps au salon après que Willoughby l'eut quittée, oppressée par une foule d'idées différentes les unes des autres, qui se succédaient rapidement, mais dont le résultat général était une profonde tristesse. Ce Willoughby qu'elle regardait, il n'y avait pas une heure, comme le plus indigne des hommes, qu'elle abhorrait, qu'elle méprisait, excitait en elle, en dépit de tous ses torts, un degré de commisération, d'intérêt même pour ses souffrances, qui allait dans ces premiers moments jusqu'à lui faire éprouver une espèce de tendre regret de ce qu'il était actuellement séparé pour toujours de leur famille, et que, sans doute, elle ne le reverrait plus. Surprise elle-même de l'influence qu'il exerçait sur son esprit, elle voulut l'analyser, et trouva que c'était un sentiment tout à fait involontaire, qui tenait à des circonstances indépendantes de son mérite et qui se trouvaient avoir peu de poids au tribunal de la raison : c'étaient d'abord les attraits de son charmant extérieur, de cette physionomie agréable, aimable, de sa manière franche, affectionnée, animée ; et il n'y avait nul mérite à lui d'être ainsi ; c'était ensuite son ardent amour pour Marianne, mais cet amour n'était plus innocent et devenait un tort de plus. Elle se disait tout cela, sans que l'intérêt qu'il venait de lui inspirer fût diminué le moins du monde ; elle réfléchissait douloureusement au tort irréparable que ce jeune homme s'était fait à lui-même, par l'habitude de l'indépendance, de la paresse, de la dissipation. La nature avait tout fait pour lui ; elle lui avait donné tous les avantages personnels, tous les talents, une disposition à la franchise, à l'honnêteté, un cœur sensible ; et le monde et les mauvais exemples avaient tout corrompu. Chaque faute, en augmentant le mal, avait reçu sa punition au moment même. La vanité, qui lui avait fait rechercher un coupable triomphe aux dépens du bonheur de Marianne, l'avait entraîné dans un attachement réel et profond, que ses torts précédents l'avaient obligé de sacrifier ; son libertinage avec Eliza l'avait privé de sa seule ressource de fortune ; son mariage, qui avait déchiré si cruellement le cœur de Marianne, était pour lui une source de malheurs qui ne lui laissait plus d'espoir. Il résulta de ce tableau que son intérêt augmenta pour un coupable déjà trop puni, sans l'être encore par la haine de ceux qu'il aimait si tendrement : aussi son cœur n'en éprouva plus pour lui. Elle alla auprès de sa sœur. Celle-ci venait de se réveiller d'un doux et long sommeil, qui confirma toutes ses espérances. Elinor s'assit à côté d'elle en silence. Son cœur était plein. Le passé, le présent, l'avenir ; la visite de Willoughby, l'attente de sa mère, tout ensemble lui donnait une telle agitation que son pouls était sûrement plus élevé que celui de la malade, et qu'elle craignait de se trahir si elle avait dit un seul mot. Heureusement que cette crainte ne fut pas longue. À peine une demi-heure s'était écoulée depuis le départ de Willoughby que le roulement d'un autre carrosse lui annonça l'arrivée des voyageurs. Elle vola au bas de l'escalier, heureuse de revoir sa mère et de pouvoir la rassurer. Elle arriva à la porte de la maison au moment où Mme Dashwood y entrait ; elle la reçut dans ses bras, et sa première parole, en serrant cette bonne mère sur son cœur, fut celle-ci :

— Elle est sauvée ! elle est bien, aussi bien qu'elle puisse être.

Mme Dashwood s'était sentie si émue en approchant de la maison qu'elle avait cru que c'était un pressentiment qu'elle ne retrouverait plus sa fille chérie. Le passage subit de cette affreuse crainte à l'heureuse nouvelle qu'elle était hors de danger fut trop rapide pour ses sens ; elle tomba dans une demi-faiblesse sur l'épaule d'Elinor. Elle et leur ami la soutinrent et la portèrent jusqu'au salon. Là, assise à côté de sa fille aînée, elle retrouva ses sens ; mais, incapable de parler, elle versa des torrents de larmes, embrassa plusieurs fois son Elinor, se tournant par intervalles vers le colonel Brandon, pressa sa main avec un regard qui lui disait son bonheur, sa reconnaissance et sa certitude qu'il partageait tout ce qu'elle éprouvait. Ah ! sans doute il le partageait ! Il ne parlait pas non plus, il ne l'aurait pas pu ; mais tout en lui exprimait la joie la plus vive.

Dès que Mme Dashwood put se soutenir, son premier désir fut de revoir Marianne. Elinor demanda seulement la permission de l'annoncer sans autre préparation. Marianne était assez bien pour n'en avoir pas besoin ; et, deux minutes après, la plus tendre des mères était assise sur le lit de son enfant bien-aimée, rendue plus chère encore par son absence, son malheur et son danger. Elinor jouissait avec délices de leur bonheur mutuel ; mais, en bonne et sévère garde, elle conjura Marianne de se calmer, et sa mère de ne pas trop exciter sa sensibilité. Mme Dashwood pouvait être calme et prudente quand il s'agissait de la vie de l'une de ses enfants, et Marianne, contente de savoir sa mère auprès d'elle, se sentant elle-même trop faible pour parler, se soumit au silence prescrit par ses bonnes gardes. Mme Dashwood voulut absolument passer cette nuit à côté d'elle ; et Elinor, qui ne s'était pas couchée les deux dernières nuits, consentit à obéir à sa mère et à se mettre au lit. Elle s'y reposa physiquement, mais ne dormit point ; ses esprits étaient trop agités. Willoughby, le pauvre *Willoughby* ! comme elle se permettait de l'appeler, était constamment présent à sa pensée ; elle n'aurait pas voulu, pour tout au monde, avoir refusé d'entendre sa demi-justification.

Tantôt elle se blâmait de l'avoir jugé trop sévèrement et quelquefois s'accusait d'être à présent trop indulgente. Mais sa promesse de le justifier auprès de Marianne était invariablement pénible. Elle redoutait le moment où Marianne apprendrait qu'il était moins coupable, et craignait que peut-être cet amour si passionné ne se ranimât avec plus de force. Elle doutait du moins qu'après cette explication, sa sœur pût jamais être heureuse avec un autre homme, et se surprenait alors à désirer que Willoughby redevînt libre… Mais elle se rappelait aussi le bon, l'excellent colonel Brandon, et sentait ses souffrances plus que celles de son rival. La main de Marianne devait être sa récompense. Elle savait, à n'en pas douter, qu'il serait pour elle le meilleur et le plus tendre des maris, et désirait alors tout autre chose que la mort de Mme Willoughby.

Au moment où le colonel était arrivé à Barton Chaumière, il avait trouvé Mme Dashwood prête à partir. Elle ne pouvait supporter plus longtemps son inquiétude et s'était décidée d'aller à Cleveland avec sa femme de chambre. Elle n'attendait que l'arrivée de Mme Carey, une de ses connaissances d'Exeter, qui voulait bien se charger de Margaret pendant son absence, sa mère n'osant pas la mener avec elle à cause de la contagion. Mais l'arrivée du colonel et la lettre d'Elinor, en redoublant ses larmes, la déterminèrent à partir tout de suite. Elle laissa Margaret à sa femme de chambre de confiance, qui devait la remettre le lendemain à Mme Carey, et se mit en route avec le colonel. La bonne

Mme Jennings fut enchantée de la trouver là à son lever, et la combla de soins et d'amitiés. Elle voulait lui conter tous les détails de la maladie de Marianne, s'interrompait pour la conjurer d'aller se couchez pour recommander à Betty d'en avoir soin, etc.

Marianne continua de jour en jour à se trouver mieux, et avec sa santé revint aussi graduellement la brillante gaieté de Mme Dashwood, et tout le feu de son imagination. Elle disait et répétait souvent qu'elle était à présent la plus heureuse femme qu'il y eût au monde. Elinor ne put s'empêcher d'être intérieurement un peu surprise que sa mère ne regrettât point Edward, et ne parût pas même se le rappeler. Elinor lui avait écrit tout ce qui s'était passé ; sans même lui cacher son chagrin de la perte de cet ami, dont elle se croyait si sûre ; mais elle en parlait avec la raison et la mesure qu'elle mettait à tout, et Mme Dashwood la prit au pied de la lettre et jugea qu'elle n'était pas très affligée d'un événement dont elle parlait avec autant de calme. La maladie de sa fille favorite vint ensuite l'occuper exclusivement. Tout autre malheur ne lui parut rien auprès de celui de la perdre, et d'avoir à se reprocher d'en être la cause, en ayant encouragé son malheureux attachement pour Willoughby. Aussi le bonheur de son rétablissement effaçait toute autre pensée. Elle avait de plus un grand sujet de joie, dont Elinor ne se doutait pas, et qu'elle lui apprit au premier moment où elles se trouvèrent en tête à tête.

— Enfin nous voilà seules, mon Elinor, et je puis vous parler de mon bonheur ! Le colonel Brandon aime Marianne, il me l'a dit lui-même.

Elinor garda le silence. Elle éprouvait à la fois plaisir et peine. Elle n'était pas surprise de la chose qu'elle savait depuis longtemps ; mais elle l'était du moment que le colonel avait choisi pour cet aveu.

— Si je ne savais pas, chère Elinor, que nous voyons rarement de même, je m'étonnerais du calme avec lequel vous m'écoutez. Quant à moi, cet attachement me transporte de joie ! Le plus grand bonheur que j'aurais pu désirer dans ma famille, c'eût été que le colonel Brandon épousât l'une de mes filles ! Je crois par conséquent qu'avec ce digne homme Marianne sera la plus heureuse des femmes. Je désire votre bonheur autant que le sien, mon Elinor, mais le colonel lui convient beaucoup plus qu'à vous.

Elinor fut sur le point de demander raison à sa mère de cette singulière façon de penser. La différence d'âge était plus grande ; leurs caractères, leurs sentiments n'avaient aucun rapport. Mais elle-même était charmée que Mme Dashwood ne vît pas ces obstacles ; elle savait que son imagination l'entraînait toujours à ne considérer que les beaux côtés de ce qu'elle désirait. Elle se contenta donc de sourire. Mme Dashwood n'y vit qu'une approbation et continua son intéressante confidence.

— Il s'est ouvert entièrement à moi, dit-elle, pendant notre voyage. Cet aveu n'était ni prémédité, ni prévu ; il échappa à un cœur trop plein de sa passion pour pouvoir la dissimuler. De mon côté, comme vous pouvez le croire, je ne parlais toujours que de ma pauvre enfant que je voyais sans espérance. Il ne pouvait me cacher son inquiétude qui, je le vis bien, égalait la mienne. Je le lui dis ; et lui, pensant que la simple amitié ne pouvait pas faire naître une aussi vive sympathie, ne put se contenir, et me fit connaître en entier son sentiment pour Marianne, si tendre, si vif, si constant. Il l'a aimée, mon Elinor, dès le premier instant où il l'a vue. Oh ! si vous l'aviez entendu me peindre la force de cette impression, vous en auriez aussi été touchée !

Elinor sourit encore en baisant la main de sa mère ; elle ne reconnaissait dans cette description romanesque de l'amour du colonel, ni son langage, ni sa manière, mais bien les embellissements de l'active imagination de Mme Dashwood, qui colorait tous les objets pour elle.

— Son attachement pour Marianne, continua-t-elle, surpasse infiniment tout ce que jamais Willoughby a senti ou feint de sentir : il est plus ardent, plus sincère, plus constant ; il a subsisté dans toute sa force, malgré la malheureuse passion de Marianne pour cet indigne jeune homme, sans le moindre égoïsme, sans le moindre espoir. Tous les désirs du colonel se bornaient-ils à la voir heureuse, même avec un autre ? Que de noblesse ! que de délicatesse ! que de sincérité ! Ah ! non, lui n'est pas un trompeur : ses paroles sont la vérité même.

— Le caractère du colonel Brandon, dit Elinor, est généralement connu et estimé ; c'est un excellent homme.

— Je le sais, reprit Mme Dashwood, très sérieusement, et cela m'aurait suffi pour encourager son affection, pour en être charmée. Mais ce qu'il vient de faire, cet empressement de venir me chercher, l'amitié qu'il m'a témoignée, la confiance qu'il a eue en moi, sont assez pour me prouver qu'il est le meilleur des hommes.

— Ce n'est pas seulement, chère maman, cet acte de bonté, où la simple humanité et son attachement pour Marianne devaient le porter naturellement, qui doit décider de son caractère ; mais ses anciens amis, Mme Jennings, les Middleton, les Palmer l'aiment et le respectent également, et moi-même, quoique je le connaisse depuis moins de temps, j'ai une si haute opinion de lui que si Marianne peut être heureuse avec lui, je pense, comme vous, que ce serait le plus grand des bonheurs pour nous. Quelle réponse avez-vous faite ? Lui avez-vous donné quelque espoir ?

— Oh ! ma chère enfant ! Je ne pouvais pas alors prononcer ce mot ; je croyais Marianne mourante. Lui-même n'osait demander ni espoir, ni encouragement. Ce n'était pas une demande de ma fille, mais une confidence involontaire, une effusion de douleur et de sympathie. Nous pleurâmes ensemble : je lui dis que son sentiment ajouterait à mon malheur, si j'étais destinée à celui de perdre ma fille ; que je la regretterais pour lui et pour moi. Je ne savais d'abord ce que je disais ; tant d'affliction ! tant de surprise ! J'étais tout à fait troublée ; mais après quelque temps, je lui dis que si

Marianne vivait, ce que j'osais encore espérer, le plus grand bonheur de ma vie serait de la lui donner ; et depuis notre arrivée, depuis que nous avons repris une délicieuse sécurité, je l'ai répété plus clairement et je lui ai donné tous les encouragements qui étaient en mon pouvoir. Le temps, et il ne sera pas long, ai-je dit, amènera tout à bien. Le cœur de Marianne ne peut pas appartenir longtemps à un homme tel que Willoughby ; et votre propre mérite doit vous rassurer.

— Assurément, il doit être tranquille sur vos intentions, dit Elinor ; mais cependant, il ne me paraît pas content comme il devrait l'être.

— Non !... il est si modeste ; il a tant de défiance de lui-même ! reprit Mme Dashwood. Il croit que Marianne est engagée trop profondément pour retrouver, de longtemps, la liberté de faire un autre choix, et, même dans ce cas, il ne peut s'imaginer que ce serait lui. Il parle de la différence de leurs âges, mais il se trompe tout à fait. Son âge est précisément celui qui convient à un mari qui doit être le guide et le protecteur, de sa compagne. Son caractère, ses principes sont fixés ; il n'y a aucun changement à craindre ; quant à ses dispositions, elles sont précisément celles qui peuvent rendre votre sœur heureuse. Il calmera son imagination, quelquefois trop ardente ; il rétablira la paix dans son cœur. Ses manières, sa personne, tout est en sa faveur. Ma partialité pour lui ne m'aveugle point, il n'est certainement pas aussi beau que Willoughby ; mais, à mon avis, il a quelque chose de plus agréable, de plus franc, de plus mâle. Ne vous rappelez-vous pas qu'il y avait quelque chose dans les yeux de Willoughby que je n'aimais point ?

Elinor ne put se le rappeler. Mme Dashwood oubliait qu'elle avait dit souvent, devant Marianne, que Willoughby avait dans le regard quelque chose d'irrésistible. Elle ne le dit pas à sa mère, qui continua :

— Quant à ses manières, vous ne me nierez pas, Elinor, qu'elles ne soient beaucoup plus faites pour attacher

Marianne. Cette gentillesse, cette simplicité naturelle, cette attention sincère portée à autrui, et même cette espèce de mélancolie dans ses propos, dans son attitude, s'accordent beaucoup mieux avec les dispositions réelles de votre sœur que la vivacité, la gaieté souvent assez mal placée de Willoughby. Je suis persuadée à présent que si Willoughby avait été constant et qu'il eût épousé Marianne, elle n'aurait jamais été aussi heureuse avec lui qu'avec le colonel Brandon.

Elle s'arrêta. Elinor ne voulut pas convenir avec elle de ce dernier point, pas du moins en entier ; il lui semblait que le cœur de Marianne avait besoin d'amour ; mais Mme Dashwood s'abandonnait toujours à ses nouvelles espérances. Le colonel était son héros du moment, et elle assura à sa fille que, feu son cher Henry excepté, elle n'avait jamais vu d'homme plus à son gré.

— Delaford, dit-elle, n'est pas à une très grande distance de Barton, et si nous y restions, nous serions plus près encore de notre Marianne. On dit que c'est un grand village ; il se trouvera facilement quelque jolie petite maison près du château, qui convienne tout aussi bien à notre situation.

Pauvre Elinor ! voilà donc un nouveau plan pour la mener à Delaford, à côté d'Edward et de Lucy Elle soupira profondément et garda le silence.

— Quant à la fortune aussi, continua Mme Dashwood, sans faire attention au soupir de sa fille aînée, et ne songeant qu'à son projet de mariage pour sa favorite, à mon âge on y pense un peu ; et quoique je ne connaisse pas exactement celle du colonel, je crois qu'elle est très honnête.

Ici, elles furent interrompues par Mme Jennings qui, de son côté, pensait sans le dire que le colonel ne tarderait pas à épouser Elinor. Cette dernière se retira, alla rêver au bon succès de son ami auprès de sa mère, ne pouvant cependant s'empêcher de regretter et de plaindre Willoughby.

48

La maladie de Marianne, quoique très violente, n'avait pas été assez longue pour retarder sa convalescence. Sa jeunesse, sa force naturelle et la présence de sa mère la rendirent bientôt capable d'être levée chaque jour plus longtemps ; et le cinquième jour après l'arrivée de Mme Dashwood, elle se sentit la force de descendre au salon, appuyée sur sa bonne sœur. Il lui tardait, dit-elle, de revoir le colonel et de le remercier d'avoir été chercher sa mère. Dès qu'elle fut établie dans un bon fauteuil, on le fit demander.

L'émotion du colonel lorsqu'il entra fut très visible. Il s'approcha d'elle et, en la voyant pâle, abattue, les yeux languissants, sa physionomie s'altéra au point qu'Elinor conjectura qu'il y avait quelque chose de plus que son affection pour Marianne. Cette dernière lui présenta la main, en parlant de sa vive reconnaissance.

Alors, une si forte expression de douleur se répandit sur tous les traits du colonel ; un soupir si profond s'échappa de son cœur, qu'Elinor comprit tout ce qui s'y passait, et que les scènes douloureuses de la maladie et de la mort d'Eliza se retraçaient à sa mémoire. La ressemblance dont il avait fait mention était sans doute augmentée par la langueur actuelle de Marianne, par ses yeux battus, sa pâleur, son attitude de malade et l'expression de sa tendre gratitude.

Mme Dashwood le surveillait encore mieux que sa fille, et, ne sachant pas les détails de l'histoire du colonel, attribua tout ce qui se passait sur sa figure à l'excès de sa passion, et vit dans les propos et la manière de sa fille quelque chose de plus que la simple reconnaissance. Deux ou trois jours après, Marianne avait acquis assez de force pour se promener devant la maison, appuyée sur le colonel, puis un peu plus loin sur le joli sentier gravelé ; mais elle ne témoigna aucune envie d'aller jusqu'au temple grec, et laissa même percer une sorte d'effroi.

Elinor, qui en savait seule la raison, ne l'en pressa pas, et comprit très bien son impatience de quitter Cleveland et de retourner à la *chaumière*. Ce désir devint si vif que Mme Dashwood, qui ne pouvait rien lui refuser, y céda. D'ailleurs, elle souhaitait aussi dans le fond de retourner chez elle et de retrouver sa petite Margaret. Mais ce désir était combattu par celui qu'elle avait que sa fille s'attachât au colonel en vivant journellement avec lui.

— Les choses sont en bon train, disait-elle à Elinor ; c'est toujours son bras qu'elle prend pour se promener.

— Maman, il est ici le seul homme, répondait Elinor.

— Et moi, je vous dis que bientôt il sera en effet le seul pour Marianne. Mais enfin, à présent, elle veut retourner à sa *chaumière*, et c'est très naturel. Il ne restera pas longtemps sans y venir.

Le soir même, la proposition de partir fut faite. Mme Jennings les chérissait ; mais sa chère Charlotte et son petit-fils lui tenaient aussi au cœur, et il y avait longtemps qu'elle en était séparée. Elle ne fit donc que quelques légères objections sur la santé de Marianne, qui furent bientôt levées. Le colonel était attendu à Delaford pour les réparations du presbytère ; mais il s'était laissé persuader facilement que sa présence était nécessaire à Cleveland tant que Mmes Dashwood y seraient. Tout fut donc arrangé pour leur départ, qui devait avoir lieu le surlendemain. Le colonel exigea qu'elles prissent son carrosse, qui était plus grand et plus commode, et Mme Dashwood y consentit, en espérant que ce serait bientôt celui de sa fille. Mais, de son côté, elle lui fit promettre que, dans quinze jours ou trois semaines au plus, il tendrait les visiter à la *chaumière*.

Le moment de la séparation arriva, et ne fut pas sans attendrissement de tous les côtés. Marianne ne croyait pas pouvoir assez témoigner de regrets et de reconnaissance à Mme Jennings. Ses adieux furent si tendres, si pleins de respect et d'amitié qu'ils réparèrent bien des négligences passées, qu'elle se reprochait amèrement. Elle prit congé du colonel Brandon avec la cordialité d'une amie et d'une sœur. Ce fut lui qui la plaça dans la voiture ; Mme Dashwood et Elinor montèrent ensuite. Le tête-à-tête de Mme Jennings et du colonel le reste de ce jour fut très triste. Il était obligé d'attendre le retour de la voiture ; et Mme Jennings ne voulut pas le laisser seul. Elle s'attendait presque à une confidence de ses sentiments pour Elinor. Il n'en fit point, mais parla de la mère et des filles avec enchantement.

Trois jours après, la voiture revint avec l'agréable nouvelle que ce voyage s'était très bien passé, et que la convalescente n'était pas très fatiguée. Le surlendemain, Mme Jennings et sa Betty partirent pour Londres, où les Palmer étaient retournés ; et le colonel, tout solitaire et tout pensif, prit le chemin de Delaford.

La famille Dashwood avait été deux jours en route pour ne pas fatiguer la malade : elle ne s'en trouva pas incommodée. Tout ce que peut l'affection la plus tendre, la plus zélée, fut employé de la part de ses deux sensibles compagnes ; aussi trouvèrent-elles leur récompense dans les rapides progrès de sa santé, dans la chaleur de son cœur et le calme de son esprit. Cette dernière observation surtout fit le plus grand plaisir à Elinor : elle qui l'avait toujours vue souffrir si cruellement, oppressée par l'angoisse de son cœur, n'ayant ni le courage de parler, ni la force de se taire, la voyait à présent avec une joie inexprimable, tranquille, résignée, contente par moments. Comme ce ne pouvait être que le résultat de réflexions sérieuses et de sa ferme volonté, il y avait lieu d'espérer que cela continuerait. En approchant néanmoins de Barton, qui était si plein de souvenirs pour elle, où chaque place, chaque arbre, chaque route parlaient à sa mémoire et à son cœur ; elle devint silencieuse et pensive, et, afin d'échapper à leur attention, elle se pencha par la portière comme pour mieux voir le pays. Elinor ne put ni s'en étonner ni la blâmer ; et quand elle vit à ses yeux, en l'aidant à descendre de voiture, qu'elle avait pleuré, elle trouva que c'était une émotion trop naturelle pour exciter autre chose qu'une tendre pitié. Elle la pressa contre son cœur, en lui disant à demi-voix :

— Chère Marianne ! ici encore nous pourrons être heureuses par notre amitié.

— Ah ! oui, répondit Marianne ; puis elle ajouta : chère *chaumière* ! je veux t'aimer encore, et tes collines, et tes ombrages, et tes beaux points de vue, je les admirerai avec mon Elinor.

Elle semblait se réveiller d'un songe pénible qui laisse encore des traces dans l'esprit, mais qu'on cherche à effacer.

Lorsqu'elles entrèrent dans le petit salon, Marianne tourna ses yeux tout autour avec un regard de fermeté décidée, comme si elle voulait s'accoutumer tout d'un coup à la vue de chaque objet avec lequel le souvenir de Willoughby était lié. Elle parla peu ; mais ce qu'elle dit respirait une douce gaieté, et si quelquefois un soupir s'échappait, elle souriait en même temps pour l'expier.

Après dîner, elle voulut essayer de jouer de son pianoforte ; elle s'y assit. Mais la première musique qu'elle ouvrit fut un opéra que Willoughby lui avait procuré, où il se trouvait des duos qu'elle avait chantés avec lui ; et sur la première feuille était écrit de sa main le nom de Marianne. Elle secoua la tête, mit ce cahier de côté, et après avoir promené au hasard ses doigts sur les touches, elle se plaignit d'être encore trop faible ; elle ferma l'instrument, mais en déclarant que, dès qu'elle serait plus forte, elle comptait s'exercer beaucoup et réparer le temps perdu.

Le lendemain, tous ces heureux symptômes continuèrent. Elle avait passé une bonne nuit, et le corps et l'esprit étaient encore plus fortifiés. Elle eut l'air de se retrouver avec grand plaisir dans leur jolie demeure. Elle témoigna son impatience de revoir Margaret, et parla de leur vie de famille à la campagne, entourées de quelques bons voisins, comme du seul vrai bonheur.

— Quand le temps sera tout à fait beau, dit-elle, et mes forces bien revenues, nous ferons ensemble de longues promenades tous les jours ; nous irons à la ferme, de l'autre côté de la colline, où il y a de si jolis enfants ; nous irons voir les nouvelles plantations de sir John ; nous irons à Abbey-land voir les ruines de l'ancien prieuré.

Elle nomma ainsi une foule de sites qu'elle désirait revoir ; mais Allenham n'était pas du nombre, et celui-là ne fut pas cité.

— Nous serons heureuses, dit-elle avec gaieté, notre été se passera doucement et utilement. Je ne veux pas me lever plus tard que six heures ; et tout le temps jusqu'au dîner sera employé entre la promenade, la lecture et la musique. J'ai formé un plan d'études un peu sérieuses, et je suis décidée de le suivre. Notre petite bibliothèque m'est déjà bien connue et je la réserve pour l'amusement. Mais il y a de très bons ouvrages anciens dans celle de Barton Park ; et quant aux modernes, je les emprunterai au colonel Brandon, qui achète tout ce qui paraît de bon et d'intéressant. En lisant six heures par jour avec attention, je suis sûre d'acquérir dans une année un bon degré d'instruction, dont je reconnais que j'ai manqué jusqu'à présent, et qui sera pour moi une source de plaisirs.

Elinor la loua beaucoup d'un projet aussi vaste et aussi utile, mais en même temps elle souriait de voir cette imagination donner toujours dans les extrêmes, et sortir de l'ex-cès de la langueur, de l'abattement, de l'oubli de soi-même, par un excès d'occupation et d'étude. Ce sourire se chan-gea bientôt en soupir lorsqu'elle se rappela la promesse solennelle qu'elle avait faite à Willoughby de dire à Marianne ce qui pouvait un peu le justifier. Elle craignait de troubler de nouveau l'esprit et le cœur de sa sœur, qui paraissaient commencer à se guérir, et que ce qu'elle avait à lui commu-niquer ne détruisît, pour un temps du moins, ses projets de tranquillité. Elle résolut donc d'attendre quelque temps de plus pour que sa santé et sa raison eussent fait encore plus de progrès ; mais cette résolution ne tarda pas à s'évanouir.

Marianne était restée trois ou quatre jours à la maison, le temps n'étant pas assez beau pour une convalescente. Mais enfin, un matin, la température était si douce, si agréable qu'elle fut tentée d'en profiter, et que Mme Dashwood consentit à la laisser se promener, appuyée sur le bras de sa sœur, dans la prairie devant la maison, aussi longtemps qu'elle ne serait pas fatiguée. Les deux sœurs sortirent ensemble, marchant doucement, s'arrêtant quelquefois, et s'avancèrent assez loin pour voir en plein la colline qui dominait la *chaumière* de l'autre côté. Elles firent une pause. Marianne regardait sa sœur en silence ; enfin elle dit, d'un ton assez calme, en étendant la main :

— C'est là, exactement là ; je reconnais la place. Voyez, là où la pente est plus rapide ; c'est l'endroit où je tombai et où je vis Willoughby pour la première fois.

Sa voix faiblit un peu à cette dernière phrase ; mais bientôt elle se remit, et elle ajouta :

— Je suis charmée de sentir que je puis regarder cette place sans trop de peine… Pouvons-nous causer tranquillement sur ce sujet, chère Elinor ? Ou bien, dit-elle en hésitant, vaut-il mieux ne nous en point occuper ? J'espère cependant que je puis, à présent, en parler comme je le dois.

Elinor l'invita tendrement à lui ouvrir son cœur.

— Je puis déjà vous assurer, dit-elle, que je n'ai plus nul regret pour ce qui le concerne. Je ne veux pas vous parler de mes sentiments passés, mais de mes sentiments actuels. À présent, je vous jure, Elinor, que si je pouvais être satisfaite sur un seul point, je serais complètement tranquille. Ah ! s'il pouvait m'être accordé de croire qu'il m'a aimée une fois, qu'il ne m'a pas toujours trompée ! Mais par-dessus tout, si je pouvais être assurée qu'il n'est pas aussi perfide que je l'ai imaginé depuis l'histoire de cette infortunée jeune fille, et qu'il faudrait le croire pour que je dusse penser que c'était le sort qu'il me destinait ! Ah ! cette idée est cruelle, affreuse, et troublera toujours ma tranquillité.

Elinor recueillait toutes les paroles de sa sœur dans son cœur et lui répondit :

— Si vous étiez donc convaincue qu'il n'a jamais eu sur vous de projets coupables et qu'il vous a vraiment aimée, vous seriez contente et tout à fait à votre aise ?

— Oui, oui, je vous le jure et j'en suis sûre. Ma paix y est doublement intéressée, car non seulement il est horrible de suspecter d'un tel dessein une personne qu'on a aussi passionnément aimée ; mais ce dessein me fait honte à moi-même. Je lui ai montré mon attachement avec tant de confiance et si peu de retenue qu'il a pu en conclure qu'il trouverait peu de difficultés ; cependant je n'ai pas, à cet égard, à me plaindre de lui. Mais qui sait où pouvait m'entraîner une affection si vive pour un homme sans principes, qui regarde comme un jeu la perte d'une jeune personne ? Oh ! si je pouvais croire qu'il m'a mieux jugée !

— Et comment alors, dit Elinor, expliqueriez-vous sa conduite ?

— Je voudrais pouvoir supposer... Oh ! comme je serais heureuse si je pouvais seulement le croire inconstant, très inconstant et rien de plus !

Elinor ne répondit pas ; elle débattait en elle-même s'il valait mieux commencer tout de suite l'histoire de la visite de Willoughby, ou différer encore. Elles restèrent quelques minutes en silence.

— Je crois me venger assez de lui, reprit Marianne en soupirant, quand je souhaite que ses réflexions secrètes soient aussi pénibles que les miennes ; il en souffrirait assez pour l'amener peut-être au repentir.

— Comparez-vous votre conduite avec la sienne ?

— Non, je la compare à ce qu'elle aurait dû être, à la vôtre, Elinor.

— À la mienne ! vous avez tort ; nos situations ont si peu de ressemblance !

— Elles en ont plus que notre conduite. Ne permettez pas à votre bonté, ma chère Elinor, à votre indulgence pour moi, de défendre ce que votre jugement doit blâmer. Ma maladie m'a fait beaucoup de bien, elle m'a donné du loisir et du calme pour de sérieuses réflexions. Longtemps avant que j'eusse la force de parler, j'étais capable de réfléchir ; j'ai considéré tout le passé ; je n'ai vu dans ma propre conduite, depuis le premier instant de ma connaissance avec lui, l'automne dernier, qu'une suite d'imprudences envers moi-même, et de manques d'égards et de bonté envers les autres ; j'ai vu que mes propres sentiments avaient préparé mes souffrances, et que mon peu de courage pour les supporter m'avait conduite au bord du tombeau. Ma maladie, je le sais bien, a été entièrement causée par ma négligence sur ma santé, que je sentais s'altérer avec plaisir. Une légère circonstance, indépendante de moi, en a peut-être hâté le moment ; mais j'étais déjà très malade, et je faisais tout ce que je pouvais pour aggraver mon mal : si j'étais morte, c'eût été par un véritable suicide. Je n'ai connu mon danger que lorsqu'il a été passé. Mais avec les pénibles remords que mes réflexions m'ont donnés, je m'étonne de mon rétablissement, je m'étonne que la vivacité de mon désir de vivre pour expier mes torts envers Dieu et envers vous tous ne m'ait pas tuée. Si j'étais morte, dans quelle douleur vous aurais-je laissée, vous ma sœur, mon amie, ma fidèle et bonne garde, qui étiez en quelque sorte responsable de ma vie à notre mère ; vous qui aviez vu le chagrin, le désespoir des derniers temps de mon existence, et tous les coupables murmures de mon cour, la détruire peu à peu ! Comment aurais-je occupé votre souvenir ! Quels sentiments cruels, amers, auriez-vous eus toute votre vie en vous rappelant votre pauvre Marianne ! Et notre bonne maman que vous auriez eu la pénible tâche de consoler sans pouvoir peut-être y réussir ! Ah ! combien j'aurais été coupable en désirant, en provoquant la fin de ma vie ! Combien je m'abhorrais moi-même ! Quand je regarde ma conduite passée, je n'y vois que des devoirs négligés, des faiblesses et des torts. Chacune de mes connaissances était en droit de se plaindre de moi. La continuelle bonté de l'excellente Mme Jennings, je l'ai payée d'un ingrat mépris, d'une négligence impardonnable ; avec les Middleton, les Palmer, même les Steele, j'ai été insolente et souvent injuste ; et ce digne colonel Brandon ! Combien n'ai-je pas de reproches plus cruels encore à me faire ? Je m'endurcissais le cœur contre toutes nos connaissances ; je m'irritais moi-même de leurs attentions ; je leur cherchais des défauts, des ridicules. Avec John, avec Fanny même, quelle qu'ait été leur conduite, je n'ai pas été comme j'aurais dû l'être avec le fils de mon père ; j'envenimais leurs torts au lieu de les pallier. Mais vous, mon Elinor, mon incomparable amie ; mais ma mère, la meilleure des mères ! Combien vous ai-je tourmentées de mes peines ! Moi qui connaissais votre cœur, votre attachement sans bornes pour moi, qui devait me consoler de tout ; quelle influence a-t-il eue sur mes chagrins ? Aucune ; je m'y suis livrée tout entière, sans penser combien je vous affligeais inutilement, et sans le moindre avantage pour vous ou pour moi-même. Je me croyais bien sensible et je n'étais qu'une égoïste. Votre exemple, Elinor, était devant moi ; l'impression qu'il me fit ne fut que momentanée, et je me replongeai bientôt dans ma mélancolie, sans penser combien elle augmentait vos peines. Ai-je cherché à imiter votre courage, à diminuer votre pénible contrainte, en partageant tout ce que la complaisance ou la reconnaissance vous obligeait à faire, et dont je vous ai laissée entièrement chargée sans vous aider en rien ? Non, pas plus quand je vous ai sue aussi malheureuse que moi, que lorsque je vous croyais heureuse. J'ai rejeté loin de moi tout ce que le devoir et l'amitié me prescrivaient, concevant à peine qu'il pût exister d'autres chagrins que les miens, regrettant seulement celui qui m'avait abandonnée et trompée, qui avait médité ma perte, et vous laissant souffrir pour moi, sans m'en inquiéter, vous pour qui je professais une amitié si tendre, et qui m'en montriez une si dévouée... Oh ! mon Elinor, votre cœur me pardonnera, je le sais ; mais le mien me reprochera toute ma vie une conduite aussi condamnable.

Ses pleurs et ses sanglots l'empêchèrent de continuer. Elinor y mêlait les siens et les plus tendres caresses ; et, sans trop la flatter, sans nier la vérité des reproches qu'elle se faisait à elle-même, elle se plaisait à adoucir à lui répéter combien sa franchise et son noble repentir les effaçaient, à la relever à ses propres yeux.

Marianne serra tendrement sa main, en lui disant :

— Vous êtes trop bonne, chère Elinor. L'avenir seul peut tout réparer, et il le faut. J'ai formé un plan de vie et je le suivrai. Tous mes sentiments seront gouvernés par la raison ; et mon caractère naturel, qui n'est pas mauvais, quoique ma conduite l'ait été, s'améliorera encore ; il ne sera plus un tourment pour les autres et une torture pour moi-même. Je vivrai seulement pour ma famille. Ma mère et mes sœurs seront le monde pour moi, et c'est bien assez pour m'y attacher et me faire aimer la vie, où j'ai une si bonne part de douces affections pour de chers objets qui ne me tromperont jamais. Vous les partagerez entre vous. Je n'aurai pas, j'en suis bien sûre, le moindre désir de m'éloigner de la maison et de vous quitter ; mais je vous suivrai dans la société de nos amis et de nos voisins, pour y réparer mes torts, pour y être plus humble, plus douce, plus attentive, et prouver que mon cœur est changé, à cet égard du moins ; car je n'ose dire encore, je n'ose promettre qu'il oublie jamais entièrement... Mais je ne ferai rien pour entretenir un sentiment qui serait coupable ; au contraire, j'emploierai toutes mes forces à le combattre, et j'espère y réussir. Si je ne puis parvenir à l'anéantir complètement, je puis au moins le régler, le tenir en bride par la religion, par la raison, par une constante application, et par l'étude.

Elle s'arrêta, puis elle ajouta d'une voix basse :

— S'il m'était possible seulement de connaître son cœur, de savoir quels ont été ses projets, je serais tout à fait contente.

Elinor ne balança plus à lever ce voile, et y fut complètement entraînée, puisqu'elle le pouvait sans hasarder la paix de
sa sœur, et au contraire, avec l'espoir de la lui rendre en entier
Elle la fit asseoir à côté d'elle sur un gazon assez sec pour
n'avoir rien à craindre pour sa santé, et la pria de l'écouter.

Elle ménagea son récit avec adresse et précaution, à ce
qu'elle croyait du moins ; mais dès qu'elle eut nommé
Willoughby, le visage de Marianne s'altéra visiblement.

— Grand Dieu ! c'était lui, s'écria-t-elle ; vous l'avez vu
à Cleveland, si près de moi ?…

Elle ne put rien dire de plus, mais fit signe à sa sœur de
continuer. Elle tremblait ; ses yeux étaient fixés vers la
terre ; ses lèvres devinrent aussi pâles que le jour qu'on
désespérait de sa vie ; des larmes coulaient sur ses joues
décolorées et sa main pressait celle de sa sœur, qui lui racontait cette visite, mais non précisément comme on l'a lue.
Elle se contenta de lui dire exactement tout ce qui pouvait,
à quelques égards, justifier Willoughby. Elle rendit justice à
son repentir, et ne parla de ses sentiments actuels que pour
faire connaître son respect et sa parfaite estime. À mesure
qu'elle avançait dans sa narration, la physionomie de Marianne
reprenait un peu de sérénité. Elle releva ses yeux et les porta
d'abord sur sa sœur ; puis vers le ciel.

— Mon Dieu ! dit-elle quand Elinor eut fini, combien je
vous rends grâce ! Je ne désire rien de plus. Puisse-je être
digne de l'excellente sœur que vous m'avez donnée !

Elles s'embrassèrent tendrement et reprirent le chemin de
la maison, d'abord en silence ; ensuite Marianne hasarda
faiblement quelques questions sur Willoughby. Elinor lui dit
tout ce qu'elle désirait savoir. Elles ne parlèrent que de lui
jusqu'à la porte de la maison. Dès qu'elles y furent entrées,
Marianne jeta encore ses bras autour du cou de sa sœur ; la
remercia et lui dit en la quittant :

— Chère Elinor, dites tout à maman.

Ensuite, elle monta l'escalier et se retira dans sa chambre.
Elinor trouva fort naturel qu'elle eût besoin de quelques

instants de solitude, et avec un mélange de sentiments doux et pénibles, elle entra auprès de sa mère pour remplir la commission de Marianne.

49

Mme Dashwood n'entendit pas sans émotion l'apologie de son premier favori ; elle se réjouit de ce qu'il était justifié du plus grand de ses torts, celui d'avoir eu le projet de séduire Marianne. Fâchée de son malheur elle voudrait apprendre qu'il fût heureux.

Mais... mais le passé ne pouvait s'oublier. Rien ne pouvait faire qu'il n'eût été vain, égoïste, inconstant, intéressé ; rien ne pouvait le rendre sans tache aux yeux de la mère de Marianne ; rien ne pouvait effacer le souvenir des souffrances de cette fille chérie, du danger dont elle sortait à peine ; rien ne pouvait le justifier de sa conduite coupable envers Eliza ; rien ne pouvait lui rendre la première estime de Mme Dashwood, ni nuire aux intérêts du colonel. Si Mme Dashwood avait, comme Elinor, entendu l'histoire de Willoughby de sa propre bouche, si elle avait été témoin de son affliction, et sous le charme de ses manières et de sa belle figure, il y a toute apparence que sa compassion aurait été plus grande. Mais il n'était ni au pouvoir ni dans la volonté d'Elinor de rendre en entier à Willoughby la trop vive prévention de sa mère, de faire même éprouver à cette dernière l'espèce de pitié inutile, douloureuse, presque accompagnée de regrets, qu'elle avait ressentie au premier moment, et que la réflexion avait déjà calmée. Elle se contenta donc de déclarer la simple vérité, de rendre justice aux intentions de Willoughby, au fond de son caractère, mais sans le moindre de ces embellissements romanesques qui excitent la sensibilité et qui montent et égarent l'imagination.

Dans la soirée, quand elles furent réunies, Marianne commença à parler de lui. Ce ne fut cependant pas sans effort, quoiqu'elle fît tout ce qui dépendait d'elle pour surmonter sa peine ; mais sa rougeur, sa voix tremblante le disaient assez. Elle surprit même un regard inquiet de sa mère sur Elinor.

— Non, non, maman, lui dit-elle, soyez tranquille ; je vous assure à toutes les deux que je vois les choses comme vous pouvez le désirer.

Mme Dashwood voulait l'interrompre par quelques mots de tendresse ; mais Elinor, qui désirait connaître à fond l'opinion de sa sœur, engagea par un léger signe sa mère au silence. Marianne continua :

— Ce qu'Elinor m'a dit ce matin a été pour moi une grande consolation ; j'ai entendu exactement ce que je désirais entendre...

Pour quelques instants, sa voix s'éteignit ; mais, se remettant, elle ajouta avec plus de calme :

— Je suis actuellement parfaitement satisfaite, et je ne voudrais rien changer. Je n'aurais jamais été heureuse avec lui ; quand tôt ou tard j'aurais su ce que je sais à présent, je n'aurais plus eu pour lui ni estime ni confiance ; il n'y aurait plus eu de sympathie avec mes sentiments.

— Je le sais, j'en suis sûre, s'écria sa mère. Heureuse avec un homme sans principes, avec un libertin, un séducteur, avec celui qui a si fort injurié notre plus cher ami, le meilleur des êtres humains ! Non, non, ma chère Marianne n'a pas le cœur fait pour être heureuse avec un tel homme ! Sa conscience si pure, si délicate, aurait senti tout ce que celle endurcie de son mari ne sentait plus.

Elle allait trop loin. Elinor vit le moment où Marianne prendrait vivement le parti de Willoughby. Mais celle-ci soupira seulement profondément et répéta :

— Je ne voudrais rien changer que... Je ne voudrais pas qu'il fût trop malheureux. Pauvre Willoughby ! privé à jamais de tout bonheur domestique !

Des larmes remplirent ses yeux.

— Je crains, je crains fort, dit Elinor, qu'il n'en eût été privé par quelque femme qu'il eût épousée, et même avec vous, Marianne ; ou du moins, bien sûrement, vous n'auriez joui vous-même d'aucun bonheur. Votre mariage avec un jeune homme d'un tel caractère vous aurait enveloppée dans un genre de troubles et de chagrins dont vous ne pouvez vous faire aucune idée, et qu'une affection aussi incertaine que la sienne vous aurait faiblement aidée à supporter : c'est le tourment de la pauvreté. Il convient lui-même d'avoir toujours été un dissipateur ; et toute sa conduite prouve que le mot de privation est à peine entendu de lui. Son goût pour la dépense, joint à votre inexpérience et à une générosité qui vous est naturelle, aurait consumé vos très minces revenus et vous aurait jetés dans des inquiétudes et des angoisses d'un autre genre, mais non moins cruelles que celles que vous avez éprouvées. Votre bon sens, votre honneur, votre probité vous auraient engagée, je le sais bien, dès que votre situation vous aurait été connue, à toute l'économie qui peut dépendre d'une femme, et peut-être auriez-vous même joui des privations et de la frugalité que vous vous seriez imposées à vous-même dans ce but ; mais auriez-vous pu les faire partager à un mari qui n'en avait pas l'habitude, et qui se serait éloigné par cela même de vous et de votre maison ? Auriez-vous pu, seule, empêcher une ruine commencée avant votre mariage ? La pauvreté, chère Marianne, supportée avec quelqu'un qu'on aime, peut avoir ses douceurs, mais plus dans les romans que dans la réalité. Il est trop vrai qu'elle empoisonne tout, qu'elle flétrit tout, même le sentiment. Elle aigrit l'humeur ; elle détruit la gaieté et les agréments de l'esprit. Êtes-vous sûre que l'amour de Willoughby, que le vôtre même auraient résisté à sa funeste influence, et que vous n'auriez pas fini par déplorer tous les deux une union si fatale, ou, sinon tous les deux, du moins lui seul qui est plus égoïste que sensible, et attache un grand prix aux jouissances de la vie ?

Elinor s'arrêta. La vérité du tableau qu'elle traçait l'avait entraînée. Elle avait voulu détourner l'attendrissement de sa sœur sur le sort de Willoughby, parce qu'il l'aurait conduite à regretter encore de n'avoir pas été chargée de son bonheur ; elle désirait lui démontrer que ce bonheur était impossible.

Marianne l'avait écoutée attentivement. Ses lèvres tremblaient ; son regard exprimait l'étonnement le plus profond ; jamais encore elle n'avait envisagé Willoughby sous ce point de vue. Sa conduite avec la fille adoptive du colonel lui prouvait son libertinage, son mariage l'assurait de son inconstance ; mais l'entendre accuser d'égoïsme, ce Willoughby dont elle avait si souvent admiré la générosité, la grandeur d'âme, tout ce qui était en sympathie avec elle !...

— Égoïste ! répéta-t-elle, lui, égoïste ! Est-ce que vous le pensez réellement ?

— Sa conduite, reprit Elinor, du commencement à la fin, a été basée sur le plus parfait égoïsme. C'est l'égoïsme qui lui fit différer l'aveu de son attachement pour vous, lorsque son cœur l'éprouva, non pas avec cet abandon, cette confiance qui caractérise le véritable amour mais balancé par son propre intérêt. Ses propres jouissances, son bien-être personnel me paraissent toujours avoir été sa règle et son principe.

— Oui, dit Marianne, rien n'est plus vrai ; mon bonheur n'y fut jamais pour rien ; mais cependant, vous me disiez...

— À présent, continua Elinor, il regrette de ne s'être pas conduit autrement ; mais pourquoi le regrette-t-il ? Parce qu'il trouve qu'il a manqué son but et qu'il n'a pas rendu sa vie heureuse comme il l'espérait. Sa situation, quant à la fortune, est meilleure. De ce côté il n'est point en souffrance ; il s'afflige seulement de ce que sa femme n'a pas un caractère aussi aimable que le vôtre. Mais suit-il de là que s'il vous avait épousée il eût été plus heureux ? Il se serait plaint alors de n'être pas plus riche, et sans doute il aurait trouvé qu'un bon revenu, une bonne maison, de beaux chevaux, sont aussi nécessaires au bonheur domestique qu'une femme aimable.

— Je n'en ai aucun doute, dit Marianne, et je n'ai rien à regretter que ma propre folie.

— Dites plutôt l'imprudence de votre mère, ma chère enfant, dit Mme Dashwood ; c'était à moi de vous guider et j'étais sous le charme au moins autant que vous-même.

Marianne voulait répondre ; mais Elinor, contente de ce que chacune sentait ses erreurs, voulut éviter des souvenirs qui pouvaient affaiblir les résolutions de sa sœur. Elle aima mieux continuer à lui parler des torts de Willoughby que de son charme séduisant.

— Une observation, dit-elle, qu'on peut tirer de toute cette histoire, c'est que bien rarement le crime, ou, si ce mot est trop dur une faute grave contre la vertu, reste impuni. Tout le malheur de Willoughby vient de son indigne conduite avec Eliza Williams, c'est ce qui lui a fait perdre l'estime, l'amitié et la fortune de Mme Smith. Sans cela, il aurait pu vous épouser et être riche.

Marianne en convint ; et Mme Dashwood leur raconta à cette occasion que non seulement cette dame persistait dans son indignation contre Willoughby, mais que son mariage, tout brillant qu'il fût, l'avait beaucoup augmentée, et qu'elle n'y voyait que de l'obstination dans le crime, un moyen de se soustraire entièrement à la réparation qu'elle en exigeait, et une profanation positive du sacrement du mariage, en épousant, par un sordide intérêt, une femme mondaine et qu'il n'aimait pas. Mme Smith était d'une famille de méthodistes ou puritains ; elle avait été élevée dans l'idée que la séduction de l'innocence et le mariage avec une autre que celle qu'on a séduite étaient les plus grands de tous les péchés. Résolue donc à punir le coupable déjà dans ce monde, sans pardon et sans rémission, elle avait fait venir chez elle une parente éloignée, nommée Mme Summers, et son fils, et les avait déclarés ses héritiers. Son testament était déjà fait et déposé chez un homme de loi. Mme Dashwood savait ces détails du vicaire de la paroisse, digne et vieux ecclésiastique qui, à ce titre, était seul reçu à Allenham. Il avait ajouté de grands éloges de cette Mme Summers, qui soignait sa bienfaitrice avec la plus active reconnaissance ; et Mme Smith, disait-il, se trouvait bien heureuse, dans son état de maladie, d'avoir échangé les négligences d'un jeune homme frivole et libertin, contre les attentions d'une jeune femme reconnaissante et sensible.

— Je suis bien aise, dit Marianne en souriant, que quelqu'un ait gagné quelque chose à mon malheur. M. Willoughby n'a plus besoin de la fortune de sa cousine. Elle sera mieux placée ; et je ne suis pas fâchée qu'il n'ait plus l'occasion de revenir dans mon voisinage.

En effet, après cet entretien elle reprit, non pas de la gaieté, mais plus de sérénité. Margaret revint, et ce fut un grand plaisir. La famille de la *chaumière* fut encore une fois réunie ; et leur vie douce et paisible recommença tout comme avant que leurs cœurs eussent été si vivement agités. Mais leur paix était plus apparente que réelle. Marianne était encore faible et mélancolique par moments, lorsqu'elle se laissait aller à ses pensées. Pour s'en distraire, elle exécuta avec courage le plan qu'elle s'était tracé d'études et de lectures suivies, où, souvent, elle associait sa jeune sœur ; elle fit aussi les longues promenades qu'elle avait méditées, mais avec Margaret ou Elinor, sans plus chercher la solitude. Elles rencontrèrent plusieurs fois, dans leurs excursions, la parente et future héritière de Mme Smith, qui se promenait de son côté en cherchant des fleurs pour un herbier. La botanique était une des études que Marianne avait commencées, et à laquelle elle se livrait avec la vivacité qu'elle mettait à tout. Ce même but dans leurs courses les rapprocha ; elles se parlèrent ; et Mlles Dashwood trouvèrent qu'elle méritait tous les éloges que le vicaire en avait faits à leur mère ; elle était jeune et jolie, ou plutôt agréable. Elle était simple, modeste, timide, mais lorsqu'elle fut familiarisée avec ses nouvelles connaissances, elle parla bien et avec un son de voix très doux. Elles auraient voulu l'engager à venir à la *chaumière,* mais elle ne quittait Mme Smith que pour des quarts d'heures pendant son sommeil, et leurs rencontres mêmes furent toujours assez courtes. Marianne, qui lui avait parlé avec un peu de peine la première fois, en était à présent enchantée.

— Je n'aurais jamais cru, disait-elle à Elinor, me plaire autant avec quelqu'un qui me parle d'Allenham, et qui demeure avec Mme Smith.

Mais du moins, elle ne lui parlait pas de Willoughby, et c'était assez naturel.

Elinor commençait à s'impatienter de ne rien savoir d'Edward. Elle n'en avait pas entendu parler depuis qu'elle avait quitté Londres ; elle ignorait s'il était consacré, s'il était marié. Ni Mme Jennings, ni son frère à qui elle écrivait quelquefois, ne lui en parlaient. Seulement, dans la première lettre qu'elle avait reçue de Mme Dashwood, il y avait cette phrase : « *Nous ne savons rien de notre infortuné Edward, et nous ne pouvons faire aucune enquête sur un sujet prohibé dans notre famille ; mais, de ce silence même, nous concluons qu'il est encore à Oxford.* » Voilà tout ce qu'elle avait appris dans cette correspondance, rendue plus fréquente par la maladie de Marianne. Dans les autres lettres, le nom même d'Edward ne se trouvait pas. Elle était donc à cet égard condamnée à une complète ignorance.

Thomas, leur domestique, fut envoyé un matin à Exeter pour faire des commissions ; il revint au moment du dîner, et, tout en les servant, il rendit compte à ses maîtresses des affaires dont il avait été chargé. Quand il eut fini, il dit encore :

— Je suppose que vous savez, mesdames, que M. Ferrars est marié avec la plus jeune des demoiselles Steele, Mlle Lucy.

Marianne tressaillit et tourna les yeux vers Elinor, qui pâlit excessivement.

— Dieu ! ma sœur ; s'écria Marianne, et en disant cela elle tomba elle-même sur le dossier de sa chaise, avec un violent tremblement nerveux.

Mme Dashwood, dont le regard s'était aussi porté sur Elinor, et qui l'avait vue pâlir, eut encore l'effroi de l'état de Marianne, et ne sut vers laquelle de ses filles aller. Marianne, cependant, demandait des secours plus pressants. La tremblante Elinor se leva pour les donner, mais elle fut obligée de se rasseoir. Thomas sonna la femme de chambre qui, avec l'aide de Mme Dashwood et de Margaret, conduisit Marianne dans sa chambre. Elle fut bientôt mieux ; et sa mère, la laissant aux soins de Margaret, revint auprès d'Elinor. Quoique très troublée encore, cette dernière avait repris un peu de courage et commençait à questionner Thomas. Sa mère s'en chargea pour elle ; et elle en fut bien aise : sa voix n'était pas encore très assurée.

— Qui vous a dit que M. Ferrars était marié, Thomas ? demanda Mme Dashwood.

— J'ai vu M. Ferrars moi-même, madame, ce matin à Exeter, et sa dame aussi ; ils étaient ensemble dans une chaise de poste, arrêtée devant la nouvelle auberge de Londres. J'étais allé là pour donner un message de Sally à son frère, qui est l'un des postillons. Je regardai par hasard dans cette chaise et je reconnus à l'instant Mlle Lucy Steele. Elle me regardait aussi : j'ôtai bien vite mon chapeau. Elle m'a reconnu et m'a appelé, et s'est informée de vous, madame, et de vos jeunes demoiselles, principalement de Mlle Marianne. Elle m'a chargé de vous faire ses compliments à toutes les trois et ceux de M. Ferrars, et de vous dire combien ils étaient fâchés de n'avoir pas le temps de vous voir, mais qu'ils étaient très pressés d'aller plus loin... je ne sais où... qu'ils y resteraient quelque temps ; mais qu'à leur retour, ils viendraient bien sûrement vous visiter.

— Mais vous a-t-elle dit qu'elle était mariée, Thomas ?

— Oui, madame ; et comme je la nommais Mlle Steele, elle sourit et me dit qu'elle avait changé de nom depuis que je ne l'avais vue. Madame sait bien comme elle est toujours affable, cette jeune dame, comme elle parle à tout le monde, même aux domestiques ! Elle n'est pas fière du tout, quoiqu'elle soit très belle, et pas plus depuis qu'elle est Mme Ferrars que lorsqu'elle était Mlle Steele.

— Et son mari était dans la chaise avec elle, dites-vous ?

— Oui, madame, je l'ai vu appuyé comme cela sur la portière ; mais il ne m'a rien dit. Il n'est pas comme sa femme ; il n'aime pas à causer.

Le cœur d'Elinor pouvait aisément comprendre qu'Edward n'eût rien à dire à Thomas ; et Mme Dashwood donna la même explication à son silence.

— Est-ce qu'il n'y avait personne d'autre dans la chaise ?

— Non, madame.

— Savez-vous d'où ils venaient ?

— Ils venaient de Londres, à ce que Mlle Lucy... Mme Ferrars, veux-je dire, m'a fait l'honneur de m'apprendre. Elle m'a dit aussi où ils allaient ; mais je ne puis me le rappeler... à... à... le nom m'a échappé. Mais ils n'y resteront pas longtemps. Elle m'a bien promis... m'a ordonné de vous promettre de sa part, et de celle de son mari, qu'ils vous reverraient bientôt.

Mme Dashwood regarda sa fille avec anxiété ; elle la trouva plus calme qu'elle ne l'espérait. Elinor souriait, mais avec un peu d'amertume ; elle reconnut Lucy tout entière dans ce message, car elle était bien sûre qu'Edward ne pouvait désirer la voir.

— Ils vont sans doute chez leur oncle Pratt, près de Plymouth, dit-elle à voix basse à sa mère, et bien sûrement ils ne viendront point ici.

Thomas semblait avoir tout dit, et cependant Elinor avait l'air de désirer encore quelque chose. Le cœur de Mme Dashwood la devina.

— Les avez-vous vus partir ? demanda-t-elle encore.

— Non, madame ; j'ai seulement vu arriver les chevaux de poste ; mais je craignais d'arriver trop tard pour servir à table, et je ne me suis pas arrêté plus longtemps.

— M. Ferrars avait-il l'air bien portant ?

— Oui, madame, comme à l'ordinaire. Je ne l'ai pas, il est vrai, beaucoup regardé ; mais Mme Ferrars est à merveille ; c'est une très jeune et très belle dame ! Elle avait un chapeau noir tout garni de plumes, et un bel habit de voyage qui lui allait très bien. Ah ! qu'elle a l'air heureux et content d'être mariée, celle-là !

Mme Dashwood ne demanda plus rien. Thomas avait desservi la table. Marianne avait fait dire qu'elle ne voulait plus rien. Elinor n'avait pas plus d'envie de manger ; et le dîner retourna à l'office sans qu'on y eût touché. Margaret elle-même, malgré l'appétit de ses treize ans, était trop inquiète de ses sœurs pour s'occuper du dîner. Elle aimait tendrement Marianne, et préféra rester auprès d'elle. Mme Dashwood leur envoya un peu de dessert et de vin, et resta seule avec Elinor. Elles gardèrent assez longtemps le silence, occupées des mêmes pensées. Mme Dashwood craignait de hasarder une remarque, ou d'offrir une consolation. Malgré l'empire que sa fille aînée avait sur elle-même, et qu'elle tâchait d'exercer dans ce moment autant qu'il lui était possible, il était facile à la mère de s'apercevoir qu'elle souffrait beaucoup. Elle vit alors que cette intéressante jeune personne s'était efforcée, en parlant de son chagrin, d'en adoucir l'impression pour ne pas ajouter à celui de sa mère ; elle vit que sa raison et son courage n'altéraient en rien sa sensibilité, et qu'elle avait été dans l'erreur en pensant que sa fille aînée n'avait pas regretté Edward autant, pour le moins, que Marianne avait regretté Willoughby, et avec de plus justes motifs. Elle se reprochait de s'être laissé dominer entièrement par le malheur de l'une de ses filles, et d'avoir été injuste, inattentive, et presque dure pour l'autre, qui cachait mieux son affliction. Elle aurait voulu réparer ses torts, mais elle craignait de l'attendrir encore davantage.

Enfin, elles se regardèrent, tombèrent dans les bras l'une de l'autre, et leurs larmes se confondirent.

— Bonne mère, dit Elinor, dès qu'elle put parler, vos filles ne sont pas heureuses par l'amour ; mais l'amour filial et l'amour maternel ne sont-ils pas les plus grands de tous les bonheurs de la vie ?

50

Elinor éprouva bientôt la différence qu'il y a entre l'attente d'un fâcheux événement et la certitude ; elle s'avoua qu'en dépit de sa raison elle avait toujours admis un léger espoir, tant qu'Edward ne serait pas marié ; qu'il arriverait quelque chose qui romprait son mariage avec Lucy, soit des réflexions sur le caractère de cette jeune personne, soit la médiation de quelques amis, soit quelque établissement plus avantageux pour Lucy... Mais maintenant tout était fini ; ils étaient mariés, et elle condamna son propre cœur de cette flatterie cachée qui augmentait encore sa peine. Jamais elle n'avait mieux senti combien Edward lui était cher qu'au moment où elle devait y renoncer pour toujours.

Dans les commencements de son inclination pour lui, elle s'y était abandonnée sans crainte ; il ne lui était alors pas venu dans l'esprit qu'il y eût des obstacles à un mariage entre elle et le frère de sa belle-sœur. Quand ensuite cette dernière le lui avait fait sentir, il était déjà trop tard pour en revenir à l'indifférence pour un homme qui lui convenait sous tous les rapports. D'ailleurs, cet homme serait libre un jour de se marier à son gré, et à chaque occasion, il déclarait que c'était la seule chose sur laquelle il ne prendrait conseil de personne.

Elinor sentait en conscience qu'elle ferait son bonheur, puisque toute sa conduite annonçait qu'il lui était tendrement attaché. Mme Dashwood le désirait ; et ni l'une ni l'autre n'imaginaient que Mme Ferrars, qui paraissait aimer son gendre, voulût le blesser en refusant une de ses sœurs pour belle-fille. Elle sentait à présent combien elle s'était bercée de chimères, et que son bonheur était évanoui sans retour !

Elle ne comprenait pas ce qui avait pu décider Edward à se marier aussi vite, vraisemblablement avant sa consécration, et ne pouvant encore aller habiter son presbytère ; mais elle savait combien Lucy était vive et active quand son intérêt personnel était en jeu. Elle avait voulu sans doute s'assurer de lui et ne pas courir les risques d'un délai. Ils s'étaient mariés à Londres, et ils allaient sûrement passer quelque temps chez leur oncle Pratt à Longstaple, en attendant qu'ils eussent une habitation à eux. Qu'est-ce qu'Edward devait avoir senti en étant à quatre miles de Barton, en voyant le domestique de la *chaumière*, en entendant le message de sa femme ? Son silence complet l'exprimait bien ; son cœur était trop oppressé pour qu'il pût dire un seul mot ; et la pauvre Elinor soufflait autant pour lui que pour elle-même. Du moins, elle était libre ! Mais lui, avec qui était-il associé pour la vie ? Elle aurait bien pu dire aussi, comme Marianne disait de Willoughby : « Pauvre Edward ! privé pour toujours du bonheur domestique ! »

Elle supposait qu'ils seraient bientôt établis à Delaford, Delaford ! lieu auquel tout conspirait à l'intéresser, qui serait peut-être un jour aussi la demeure de sa sœur ; qu'elle désirait et craignait encore plus de connaître. Elle se les représentait dans leur joli presbytère, si bien arrangé par les soins de leur protecteur. Elle voyait Lucy, active et ménagère avec vanité ; unissant une apparence d'élégance et de dépense, devant les étrangers, à la frugalité la plus parcimonieuse quand ils seraient en tête à tête ; économisant sou sur sou pour briller quelques mois d'hiver à Londres, et laisser son mari seul à ses devoirs de pasteur ; causant familièrement avec tous les paysans, et exigeant d'eux avec rigueur leurs redevances ; ne donnant jamais rien et recevant tout ; poursuivant sans cesse son intérêt personnel, ne songeant qu'à elle seule au monde, et trop contente d'elle-même quand, par quelque ruse, elle avait obtenu quelque avantage ; courtisant le colonel Brandon, Mme Jennings et tous les amis riches. Elle voyait Edward, le pauvre Edward ! Hélas ! Elle ne savait pas elle-même comment elle devait le voir, heureux ou malheureux. Rien ne lui plaisait ; elle détournait autant qu'elle pouvait ses pensées de lui, mais elles y revenaient sans cesse.

Elle ne comprenait pas non plus qu'aucune de ses connaissances de Londres ne lui écrivît pour lui annoncer ce mariage, ne lui en dît les particularités. À quoi pensait Mme Jennings, pour qui un mariage était toujours un événement intéressant dont elle aimait à causer ? Et le colonel, n'avait-il donc rien à lui dire de son nouveau pasteur ? Ils lui paraissaient tous coupables au moins de paresse et de négligence.

— Ne voulez-vous pas écrire au colonel Brandon, chère mère, et lui rappeler la promesse de venir nous voir ? dit-elle un matin à Mme Dashwood.

— Je l'ai fait, mon ange ! lui répondit-elle, la semaine dernière ; et comme il ne m'a pas répondu, et que je le pressais beaucoup d'arriver, je l'attends d'un jour à l'autre. Je ne serais pas surprise de le voir ce soir ou demain. Faites préparer sa chambre, ma chérie ! Combien je me réjouis de le revoir ! Il sera fort étonné de trouver Marianne aussi bien. En revenant de la promenade, elle avait des couleurs, elle était presque aussi jolie qu'avant ses chagrins ; ne le trouvez-vous pas ? Il me tarde que ce cher colonel la voie.

Il tardait aussi à Elinor de le voir, d'apprendre de lui tout ce qu'il saurait sans doute de M. et Mme Ferrars. Elle alla faire arranger la chambre destinée aux visites, et fit bien, car en rentrant au salon, elle vit de la fenêtre un homme à cheval s'avancer.

— Le voilà ! s'écria-t-elle, c'est le colonel !

Sa mère et ses sœurs regardèrent aussi. Il était dans la cour ; il descendait de sa monture, et... ce n'était pas le colonel Brandon, c'était... Edward en personne.

— Est-ce possible ? s'écrie Elinor.

— C'est Edward ! Edward ! répétèrent-elles avec émotion et surprise.

Elinor est la plus calme ; elle fait un effort inouï.

— Eh bien ! c'est Edward, notre ancien ami, qui vient de chez son oncle pour nous voir. Faites entrer, dit-elle à Thomas qui l'annonçait. Je veux être calme, je veux être maîtresse de moi-même. Je vous en conjure, ma mère, mes sœurs, recevez-le bien, sans froideur, sans gêne.

On n'a pas le temps de lui répondre. Il est à la porte, il entre...

Certes, il n'avait pas la contenance d'un heureux époux ; il était aussi pâle, aussi ému que celles qui le recevaient. Son regard baissé semblait redouter leur réception et sentir qu'il n'en méritait pas une bonne. Mme Dashwood en fut touchée ; et, tant pour suivre la recommandation de sa fille que celle de son propre cœur, elle le salua avec une bienveillance un peu forcée, lui tendit la main et lui souhaita joie et bonheur ; mais avec un ton bien différent de sa manière ordinaire.

Il rougit et bégaya une réponse inintelligible. Elinor voulut dire comme sa mère, mais elle ne put articuler un mot. Elle voulut aussi lui donner la main ; c'était trop tard, il s'était assis. Quelques minutes après, elle prit une contenance qu'elle crut très naturelle, et avec un son de voix altéré, parla du beau temps qu'il avait eu pour sa course.

Marianne le salua d'un mouvement de tête sans ouvrir la bouche, et s'assit aussi loin de lui qu'il lui fut possible.

Margaret, qui, sans savoir tout, savait cependant qu'il était marié, et qui trouvait très mauvais que ce ne fût pas avec sa sœur Elinor, garda aussi un digne silence, et alla s'asseoir à côté de Marianne. Elles prirent leurs ouvrages, afin de n'être pas tentées de le regarder. Pour tout au monde, Marianne n'aurait pas adressé la parole au mari de Lucy Steele.

Quand Elinor eut cessé de se réjouir du beau temps, de la sécheresse, un silence général suivit. Edward était visiblement dans le plus grand embarras. Sans savoir ce qu'il faisait, il prit les ciseaux de Margaret, qui étaient sur la table, les sortit de leur étui de maroquin rouge et se mit à le couper en petits morceaux. Margaret poussa Marianne du coude et lui dit à l'oreille :

— C'est mon pauvre étui qui en porte la peine ; mais j'aime mieux qu'il le coupe en entier que de lui parler.

Marianne leva les épaules et ne répondit rien.

Mme Dashwood voulut enfin rompre ce ridicule silence, et, avec un demi-sourire qu'elle croyait honnête, et qui n'était qu'amer, elle lui dit :

— J'espère, monsieur, que Mme Ferrars est bien ?

— Très bien, madame.

Un autre silence suivit. Elinor, qui voyait l'excès de son embarras, ne voulait pas y ajouter en ayant l'air de s'en apercevoir ; elle voulut, au contraire, chercher à le remettre en lui parlant amicalement ; elle fit donc un nouvel effort sur elle-même, et lui dit avec un air d'intérêt :

— Est-ce que Mme Ferrars est à Longstaple ?

— À Longstaple ! reprit-il d'un air de surprise ; non, ma mère est à Londres.

— Je voulais parler, dit Elinor en prenant aussi son ouvrage, de… non pas de Mme Ferrars la mère, mais de la jeune Mme Ferrars.

Elle ne leva pas les yeux, n'osant le regarder. Mme Dashwood et ses deux cadettes, au contraire, tournèrent les yeux sur lui. Il rougit, perplexe ; enfin, après quelque hésitation, il dit :

— Peut-être voulez-vous parler de la femme de mon frère, Mme Robert Ferrars ?

— Mme Robert Ferrars !

Ce nom fut répété par Mme Dashwood et par Marianne avec l'accent de la surprise. Elinor ne pouvait prononcer un seul mot, ne savait ce qu'elle entendait, et ses yeux attachés sur lui demandaient une explication.

— Peut-être ne savez-vous pas, dit-il d'une voix un peu plus ferme, il me paraît à présent que vous ignorez que mon frère s'est marié dernièrement avec la plus jeune des… avec Mlle Lucy Steele.

Ces paroles furent répétées en écho, excepté par Elinor. Toute sa présence d'esprit, toute sa fermeté l'avaient abandonnée.

— Oui, reprit-il, ils se sont mariés la semaine dernière et ils sont maintenant à Dawlish.

Elinor sentit qu'elle allait ou se trouver mal, ou fondre en larmes, et n'eut que la force de se lever et de passer dans la salle à manger. Sa mère, qui l'avait vue pâlir, la suivit immédiatement. Edward aurait bien voulu en faire autant ; il fut retenu non seulement par sa timidité naturelle, mais par Marianne, qui vint à lui au moment où sa mère et sa sœur furent sorties, et lui prit vivement les deux mains entre les siennes, en lui disant :

— Ô Edward ! ô mon ami ! mon frère ! dites, répétez encore que vous êtes libre, que Lucy est mariée, et que ce n'est pas avec vous !

— Ah ! non, non, grâce au ciel ! pas avec moi... Mais Elinor ? dit-il en regardant vers la porte avec inquiétude. Ah ! Marianne, s'il est vrai que je suis votre ami, votre frère, conduisez-moi aux pieds d'Elinor et de votre mère... Je me suis cru rejeté pour toujours quand j'ai vu votre réception, à présent je retrouve la vie et l'espoir du pardon.

— Faut-il aussi vous pardonner d'avoir coupé mon étui ? dit Margaret en relevant les petites pièces de maroquin et en les lui montrant dans sa main.

— Allons, dit Marianne en passant son bras sous le sien, allons trouver ma mère et ma sœur. Vous avez mon aveu ; mais tout dépend d'elles.

— Et j'ose compter sur leur bonté, dit l'heureux Edward.

Ils passèrent dans la salle à manger, où la mère et la fille pleuraient de joie dans les bras l'une de l'autre...

— Ô ma mère ! ô mon Elinor ! dit Edward à genoux devant elles.

— Mon fils ! mon cher Edward ! répondirent-elles toutes les deux en même temps...

Ces mots lui suffirent. Il se releva pour embrasser Marianne et Margaret ; il revint auprès de son Elinor. Pendant longtemps il n'y eut entre eux que des acclamations de bonheur et de joie. À quatre heures, le déjeuner fut servi, et l'heureuse famille, réunie autour de la table, mangea peu, mais but de bon cœur à l'engagement d'Edward et d'Elinor ; on ne savait qui était le plus content. Marianne semblait avoir oublié toutes ses peines et ne plus exister que pour sa sœur.

Cependant, sur la fin du dîner, quelques soupirs échappèrent de son cœur lorsqu'elle pensa que le bonheur dont jouissait Elinor était fini pour elle. Elinor s'en aperçut, et, reprenant plus de calme, elle pria Edward de leur raconter les détails d'un événement qu'elles avaient du mal à croire ; par quel miracle Robert, qui blâmait si fort son frère de son engagement avec Lucy, qui le voyait pour cela rejeté de la famille, avait pu se mettre à sa place ? Quelquefois, Elinor craignait de faire un songe et tremblait de se réveiller. Edward, libre de son engagement, et sans avoir aucun reproche à se faire ! C'était un événement si inespéré, si inattendu, qu'elle ne pouvait le comprendre.

— Il ne peut s'expliquer, dit-il, que par le caractère de mon frère, celui de sa femme et le mien, et je demande la permission d'entrer là-dessus dans quelques détails. Chère Elinor, c'est le premier moment où j'ose vous offrir mon cœur ; il faut qu'il vous soit connu en entier jusque dans ses moindres replis, ainsi qu'à votre mère et à vos sœurs. Je dois expier un tort de jeunesse dont j'ai été bien puni par les tourments qu'il m'a donnés. Une fois, j'ai craint d'avoir à m'en repentir toute ma vie. Le ciel m'a pardonné sans doute, et je suis bien plus heureux que je n'aurais osé l'espérer.

Il commença son récit, qui fut souvent interrompu.

51

— Mon frère n'a qu'une année de moins que moi. La nature, en rapprochant ainsi nos âges, nous avait destinés à cette liaison, la plus intime des amitiés, qui répand sa douce influence sur toute la vie, qui commence avec l'enfance et dure jusqu'à la mort. À peine puis-je me rappeler le temps où je l'ai éprouvée. J'aimais passionnément le petit compagnon des jeux de mon enfance. Mais bientôt, notre mère sembla prendre à tâche d'altérer ce sentiment par la différence extrême qu'elle mit entre nous deux. Robert était un très bel enfant, et moi tout le contraire. Ce qu'il y a de certain, c'est qu'il était plus gentil et moins pleureur ; parce qu'on ne le contrariait jamais et qu'on faisait toutes ses fantaisies. Il était non seulement le favori de ma mère, mais de tous ceux qui avaient intérêt de lui plaire, et fut un enfant gâté, dans toute l'étendue du terme, tandis que le pauvre fils aîné, toujours grondé, toujours repoussé, devint de plus en plus triste et maussade, et finit par mériter peut-être, à l'extérieur du moins, l'indifférence qu'il inspirait. Mais si j'en suis devenu moins aimable, si j'ai été plus malheureux dans mon enfance, j'ose croire aussi que j'ai dû quelques vertus à cette éducation sévère. C'était surtout ce titre d'aîné que ma mère ne pouvait supporter. Mon père l'avait laissée maîtresse, il est vrai, de disposer de sa fortune ; mais l'usage, le respect de l'opinion empêchaient de substituer mon frère à mes droits, tant que je ne donnerais pas, par ma mauvaise conduite, l'occasion de me déshériter. Cent fois je l'ai entendue dire : « Pourquoi n'est-ce pas Robert qui est venu le premier au monde ? Celui-là aurait fait honneur à sa fortune. » Elle pouvait du moins m'éloigner d'elle, et n'y manqua pas. Dès l'âge de quinze ans, je fus remis aux soins de M. Pratt, dont on lui parlait comme d'un homme en état de diriger mon éducation, et qui consentit à me prendre en pension chez lui près de Plymouth, où il faisait valoir un petit domaine. C'était un homme simple et bon, assez savant, en effet, pour m'enseigner ce qu'un jeune homme bien né doit apprendre, mais sans le moindre usage du monde, où jamais il n'avait vécu, et tout à fait hors d'état de me former pour la société, où je devais vivre, et de corriger l'excessive timidité que ma première éducation m'avait donnée. Sa femme était simple et commune. Ils n'avaient pas d'enfant. J'étais leur seul pensionnaire, et je me serais ennuyé à périr, dans leur maison, si ses deux nièces, les jeunes Steele, n'y avaient fait de fréquents séjours. Lucy, du même âge que moi, était très jolie, très vive, très agaçante, et du premier moment décida que le pensionnaire de son oncle devait être son amoureux et son mari, et fit tout ce qu'il fallait pour y réussir. Cela n'était pas difficile ; elle n'eut pas besoin, pour me captiver, de toute l'adresse qu'elle y mit, ni de tous les soins qu'elle se donna. J'étais dans l'âge où le cœur s'ouvre à toutes les impressions. Le mien, naturellement très aimant, ne demandait qu'à se donner, et n'en avait point encore trouvé l'occasion. Toujours repoussé, toujours humilié chez ma mère, la première personne qui me témoigna un intérêt vif, qui parut me compter pour quelque chose, qui ne m'épargnait pas des flatteries de tout genre, dut me paraître un ange du ciel ; et comme elle joignait à cela une figure très jolie, très animée, et la fraîcheur de ses seize ans, il n'est pas étonnant qu'en peu de temps je crus être, ou je fus réellement, peut-être passionnément, amoureux. C'était la première jeune personne que je voyais familièrement.

« Le bon M. Pratt, content de mes progrès dans mes études, et plus encore de la bonne pension, ferma les yeux sur mon attachement pour sa nièce ; car je le cachais si peu qu'il était presque impossible qu'il ne s'en aperçût pas. Naturellement honnête, timide, mon seul projet était de l'épouser dès que je serais en âge. Je lui en donnai mille fois l'assurance, et de vive voix et par écrit ; mais je n'allai pas plus avant, et j'aurais regardé comme un crime d'avoir une autre idée. Lucy m'aimait-elle alors comme je l'aimais, ou l'espoir de partager ma fortune et de briller à Londres était-il son seul mobile ? Ce n'est que depuis peu que je me suis permis ce doute. Elle jouait si naturellement l'amour passionné et désintéressé que, même depuis que j'ai été éclairé sur ces défauts, je n'eus jamais le moindre soupçon sur ses sentiments.

« Je passai trois ans chez M. Pratt. J'en avais dix-huit quand mes tuteurs exigèrent de ma mère que je fusse rappelé chez elle. Je partis de Longstaple, formant le projet d'une constance éternelle, la jurant à Lucy, et pouvant à peine, par mes serments répétés, apaiser un peu sa douleur, que je partageais de toute mon âme. Mais je n'avais que dix-huit ans, et à cet âge les serments ont peu de valeur. Je suis convaincu que si ma mère m'avait alors voué à quelque état qui demandât de l'activité ou de la réflexion, que si mon temps avait été employé de manière à me tenir au moins quelques mois éloigné de Lucy, j'aurais fini, comme tous les jeunes gens de mon âge, par oublier cette inclination d'enfance, qui n'était rien moins que fondée sur la sympathie, et qui existait bien plus dans l'imagination que dans le cœur. Mais au lieu de m'adonner à un état, ou de me permettre d'en choisir un, je revins à la maison complètement désœuvré.

« Ma mère ne me grondait plus, mais ne faisait nulle attention à moi. La plus entière indifférence avait succédé à sa sévérité. Elle ne songea pas même à me présenter dans le monde, et me laissa absolument livré à moi-même et à mon oisiveté. Robert, au contraire, était de toutes les sociétés ; il donnait dans tous les travers extravagants de la mode. L'excès de sa fatuité m'inspira naturellement une extrême aversion pour son genre de vie, et me rendit toujours plus sauvage, plus réservé. J'eus peut-être, à cette époque, quelque obligation à l'amour que je croyais avoir pour Lucy et au goût de l'étude que j'avais pris chez son oncle. Ma mère ne faisant rien pour me rendre la maison agréable, abandonné à moi-même, ne trouvant dans mon frère ni un compagnon ni un ami, j'aurais pu facilement chercher des distractions dangereuses. Mais la seule que je me permettais était de fréquents voyages à Longstaple, que je regardais comme ma demeure, et ceux qui l'habitaient comme ma famille ; où j'étais toujours bienvenu ; où Lucy me paraissait toujours plus tendre, plus aimable ! C'était encore la seule femme que j'eusse vue ; je ne pouvais donc faire aucune comparaison ni m'apercevoir d'aucun de ses défauts. Auprès de sa sœur Anne et de sa tante Pratt, je la trouvais un prodige d'esprit, de beauté, et chaque fois que je la voyais, je confirmais mes engagements de l'épouser.

« Ainsi s'écoula toute une année. Quand j'eus dix-neuf ans, on crut convenable de me faire passer un ou deux ans à l'université d'Oxford. Mon frère était alors à Westminster. Ce fut pendant ce temps que notre sœur Fanny, avec qui je m'étais cependant assez lié pendant les dernières années, épousa votre frère, M. John Dashwood. Je ne fus pas à leur noce ; mais lorsqu'à vingt et un ans je quittai Oxford, mon premier soin fut d'aller la voir à Norland, dont ils venaient d'hériter… Ah ! chère Elinor, c'est là où je devais apprendre à connaître un sentiment bien différent de celui que je croyais avoir pour Lucy et qui s'était déjà fort affaibli par l'absence ; c'est là que, voyant continuellement la plus aimable des femmes, je sentis que ce que j'avais pris jusqu'alors pour de l'amour n'était qu'une effervescence de jeunesse, et que j'avais trouvé l'objet qui doit m'attacher pour la vie. Chacune des perfections d'Elinor me découvrait un défaut dans Lucy dans celle avec qui j'étais engagé, et qui devait être ma compagne.

« Avant de venir à Norland, j'avais fait une course à Longstaple. Déjà, comme si c'eût été un pressentiment, Lucy m'avait paru moins aimable. Elle écrit mal ; son style est commun, dépourvu d'idées ; son orthographe est mauvaise, et notre correspondance soutenue pendant que j'étais à Oxford avait plutôt affaibli qu'augmenté mon amour. Mais en la retrouvant plus tendre, plus empressée qu'elle ne l'avait encore été, je crus avoir un tort envers elle ; et je voulus le réparer par un engagement ferme de l'épouser. Pouvais-je, chère Elinor, dans ces circonstances, vous offrir un cœur qui ne tarda pas à vous appartenir en entier ? J'aurais dû vous fuir sans doute ; mais l'entraînement était trop fort, trop puissant. Je connaissais trop mon peu de moyens de plaire pour imaginer qu'il y eût quelque danger pour vous ; et me condamnant au silence, je crus qu'il m'était permis de jouir dans votre société des derniers moments de bonheur de ma vie. Après votre départ pour Barton, et le vide affreux, le désespoir que j'éprouvai loin de vous, me suggérèrent une démarche qui devait me rendre la liberté : c'était de parler à Lucy avec franchise de l'état de mon cœur. Je cédai à cette idée après quelques combats ; et préférant lui parler moi-même, que de lui faire savoir par une lettre qu'elle aurait pu feindre de n'avoir pas reçue, j'allai à Longstaple, où elle était alors, et j'eus avec elle un entretien, où rien ne lui fut caché. Elle dut voir combien je vous adorais sans vous l'avoir jamais dit ; elle dut voir combien je serais malheureux, séparé de vous, uni à une autre femme ! Alors elle mit tout en jeu : larmes, évanouissement, tendresse, reproches, prières, menaces, rien ne fut négligé. Elle parla à ma conscience. Enfin, le résultat de cette visite, d'où j'avais espéré mon bonheur, fut de renouveler mes engagements envers elle, et de la quitter le plus infortuné des hommes. En partant, elle me mit au doigt un anneau de ses cheveux, et me fit jurer de le porter. Vous daignerez peut-être vous rappeler, mon Elinor, l'état où j'étais lorsque je vins à la *chaumière*.

« Nos relations de famille ne me permettaient pas de passer si près de vous sans vous voir, et je désirais vous faire tacitement un dernier adieu. Je ne voulais rester qu'un jour, et j'y fus une semaine ; ce fut pour y éprouver encore l'ascendant d'un sentiment vrai et profond. À côté de vous, je ne pouvais penser qu'à vous-même, et j'étais heureux. Il

fallut m'arracher à cet enchantement, il fallut vous quitter…
Vous savez le reste, comment Anne trahit notre secret, et
comment ma mère, en voulant m'obliger à épouser
Mlle Morton, me força à déclarer moi-même mes anciens
engagements envers Lucy. Je savais par elle qu'ils étaient
connus de vous. Elle m'avait assuré que vous y preniez
intérêt, que vous les regardiez comme sacrés. Ah ! cela seul
m'aurait engagé à les tenir : mon seul dédommagement
était de mériter votre estime. Qu'aurais-je d'ailleurs gagné à
les rompre, puisque j'étais sûr qu'alors je n'aurais plus rien
été pour vous ? je me résignai donc à mon sort, et je fis le
sacrifice de ma famille, de ma fortune et de toutes mes
espérances de bonheur sur cette terre à une personne que
je n'aimais plus, et qui, par ses procédés avec vous, m'avait
dévoilé son caractère.

« Voilà mon histoire ; celle de mon frère et de Lucy m'est
moins connue. Je ne puis en juger que d'après leur caractère et les lettres qu'ils m'ont écrites, et que je vous montre-
rai. De tout temps, Robert a affecté un grand mépris pour
moi et pour ma tournure. La pensée que j'avais pu plaire à
une jolie femme a dû naturellement exciter sa vanité, et lui
donner l'idée de l'emporter sur moi et de m'enlever cette
conquête. Quand Lucy alla demeurer chez ma sœur, je la
blâmai d'avoir accepté l'offre qu'on lui avait faite d'y séjour-
ner quelque temps, et j'eus soin de m'y trouver très peu ;
Robert, au contraire, y était sans cesse. Il ignorait notre liaison ; mais certainement, Lucy lui plaisait, parce qu'elle
encensait sa vanité en le flattant avec excès. Sans doute aussi
son élégance et son jargon plaisaient-ils davantage à Lucy
que ma timide simplicité.

« La grande découverte arriva. Je fus déshérité : ma mère
donna tout de suite à Robert ce qu'elle me destinait et, dès
lors, il plut encore davantage à une femme vaine, intéressée, qui forma le projet de chercher à se l'attacher, mais en
me ménageant encore pour le cas où elle n'y pourrait réussir. Mon absence lui donnait la facilité de suivre à merveille

ce double plan. Je lui avais déclaré que notre mariage n'aurait lieu que lorsque je serais consacré et que j'aurais un presbytère. La générosité du colonel Brandon a levé cet obstacle. Vous avez été chargée de me l'apprendre, et vous avez dû voir que j'en étais plus peiné que satisfait ; mais je n'étais pas encore dans les ordres, et je suis parti pour Oxford. Lucy m'écrivait, et ses lettres n'étaient ni moins tendres ni moins fréquentes qu'à l'ordinaire. Je n'avais donc pas le moindre soupçon du bonheur qui m'attendait et de ma délivrance, lorsque tout à coup je reçus celles-ci.

Edward les sortit de son portefeuille et les présenta à Elinor, qui les ouvrit et lut ce qui suit :

Mon cher Edward,

Ayant appris, par vous-même, que je n'étais plus depuis longtemps le premier objet de vos affections, j'ai cru qu'il m'était permis de donner les miennes à un autre, qui en sent mieux le prix que vous et veut bien m'assurer qu'aucune femme ne lui plaît autant que moi De mon côté, je suis convaincue que lui seul peut me rendre heureuse. Ainsi, en épousant le cadet au lieu de l'aîné, j'assure le bonheur de trois personnes, le vôtre, le mien et celui de mon cher Robert, à qui je viens de jurer à l'autel amour et fidélité. Il ne tiendra pas à moi que nous ne soyons également bons amis sous notre nouvelle relation. Si, comme il est possible, notre mariage vous raccommode avec ma belle-mère, je suis sûre au moins que vous vous intéresserez à obtenir notre pardon, dont, au reste, je ne suis plus inquiète. Robert m'assure qu'elle ne lui a jamais rien refusé, qu'elle ne peut se passer de le voir, j'ai donc bien plus de chances de la voir ainsi et de lui plaire, que je n'en aurais eu avec vous. D'ailleurs, mon mari a déjà une jolie fortune assurée, et nous pouvons mieux nous passer de l'héritage de Mme Ferrars. Nous partons à l'instant pour Dawlish, en Devonshire où nous passerons quelques semaines. J'ai brûlé toutes vos lettres, et je vous prie d'en faire autant des miennes. Mais je pense que mon beau-frère voudra bien me laisser son portrait, de même que je le prie de garder l'anneau de mes cheveux, en souvenir de son ancienne amie et sœur,

Lucy Ferrars.

Celle de Robert était plus courte :

Vous ne m'en voudrez pas, Edward, si je vous ai enlevé votre belle conquête. Ce n'est, d'honneur, pas ma faute si la nature et l'éducation m'ont donné plus de moyens de plaire. Je crois d'ailleurs que Lucy et moi avons été formés l'un pour l'autre ; même âge, mêmes goûts. Elle est vraiment charmante, ma petite Lucy, et, formée par moi, elle effacera, l'hiver prochain, toutes nos beautés à la mode. C'eût été un meurtre que de l'ensevelir dans un presbytère. Au reste, à présent vous pourrez renoncer à embrasser ce saint état, pour lequel je vous crois cependant une vocation toute particulière. Adieu donc, mon cher pasteur, vous m'avez donné l'exemple de la désobéissance à nos parents, et je l'ai suivi. Vraiment, je trouve très doux, quand on n'est plus enfant, de faire sa volonté plutôt que celle des autres ; et vous aviez bien raison. Ma mère m'en a donné les moyens ; j'en profite, et j'ai sans doute votre approbation.

Votre heureux frère,
Robert Ferrars.

Elinor les rendit sans aucun commentaire.

— Je ne vous demande pas votre opinion, dit Edward, sur le style de ma belle-sœur. Pour rien au monde je n'aurais voulu que vous eussiez vu une lettre d'elle quand elle devait être ma femme. Combien de fois j'ai rougi en les lisant ! Je crois, en vérité, que, passé les premiers six mois, cette lettre est la seule qui m'ait fait un plaisir sans mélange.

— Il m'est impossible, dit Marianne, de ne pas remarquer combien votre mère a été punie par ce qu'elle a eu tort. L'indépendance qu'elle a donnée à Robert par ressentiment contre vous s'est entièrement retournée contre elle. Il est vraiment assez plaisant qu'elle ait donné mille livres de revenu à l'un de ses fils, pour qu'il fît exactement la même faute pour laquelle elle déshéritait l'autre. Car je suppose qu'elle sera aussi blessée du mariage de Robert, qu'elle l'avait été du vôtre.

— Elle le sera bien davantage, dit Edward. Dans le fond de son âme, elle n'était pas fâchée d'avoir un prétexte pour mettre mon frère à ma place ; mais aussi, comme il a toujours été son favori, sa faute sera plus vite pardonnée.

— Peut-être, dit Elinor, trouvera-t-elle votre second choix aussi mauvais que le premier. Avez-vous communiqué vos intentions à quelqu'un de votre famille ?

— Non, pas encore, chère amie ! Ma première pensée, après avoir reçu la lettre de Lucy, fut de me mettre en route pour Barton par le plus court chemin. J'ai quitté Oxford le lendemain. Je voulais avant tout, mon Elinor, obtenir votre aveu et celui de votre mère. Hélas ! je suis à présent un bien pauvre parti ! Un ministre de village avec deux ou trois cents livres de revenu. Voilà tout ce que je puis offrir à celle qui, à mon avis, mériterait ce qu'il y a de mieux au monde.

— Et votre cœur, dit Elinor avec son charmant sourire, ce cœur que le mien sait apprécier depuis longtemps, le comptez-vous pour rien ?

Il fallut lui expliquer ensuite comment on l'avait cru marié, et comment Thomas avait rencontré Lucy et Robert. Ce récit excita de nouveau son indignation contre sa belle-sœur, qui s'était certainement fait un jeu de tromper un moment Elinor, en lui faisant croire qu'elle avait épousé Edward. Depuis longtemps, les yeux de celui-ci s'étaient ouverts sur son ignorance complète, son mauvais ton, et ce genre de finesse malicieuse qu'on qualifie du nom d'*esprit*, et qui n'en est que le simulacre, car c'est presque au contraire toujours le signe d'un sens étroit et d'un manque d'éducation. Edward attribuait à ce dernier travers tous les défauts de Lucy, et la croyait par ailleurs une bonne fille, ayant assez d'esprit naturel et d'attachement pour lui pour se former insensiblement. Sans cette idée, rien ne l'aurait empêché de rompre un engagement qui était une source de peines et de regrets.

— Je crus de mon devoir, poursuivit-il, lorsque je fus déshérité, de lui donner encore l'option d'annuler ou de continuer nos engagements. J'étais alors dans une situation qui ne pouvait, ce me semble, tenter ni la vanité ni l'avarice de qui que ce fût. En persistant à vouloir m'épouser, elle semblait me prouver une affection vive et désintéressée, dont je fus entièrement dupe, et qui me donna des remords. Encore à présent, je ne puis comprendre pourquoi elle s'obstinait à enchaîner un homme qu'elle n'aimait pas, dont elle savait n'être pas aimée, et qui n'avait plus ni fortune, ni amis, ni protection. Elle ne pouvait deviner que le colonel Brandon me donnerait un bénéfice.

— Non, dit Marianne ; mais il pouvait arriver un événement dans votre famille qui vous remît à votre place. Elle ne risquait rien pour elle-même, puisqu'elle a prouvé qu'elle se croyait en pleine liberté. Votre nom seul lui donnait un grand relief parmi les siens ; et si rien ne se présentait de plus avantageux, elle vous aurait du moins préféré au célibat.

Edward apprit avec plaisir que le colonel Brandon était attendu à la *chaumière*. Il était charmé d'une prompte occasion de le remercier mieux qu'il ne l'avait fait encore. La mauvaise humeur que lui donnait cette offre, lorsqu'il l'obligeait d'épouser Lucy, avait percé dans l'expression très faible de sa reconnaissance.

— À présent, dit-il, en pourrai-je jamais témoigner assez à celui qui assure mon bonheur ? Sans asile et presque sans revenu, aurais-je osé demander cette main chérie ?

— Sans asile ? dit Mme Dashwood. N'auriez-vous pas pu vivre ici, avec nous ? Le gendre qui rendra mon Elinor heureuse, comme elle mérite de l'être, sera toujours assez riche pour moi, et je partagerai avec lui le peu que je possède.

Elinor vint embrasser son excellente mère. Un peu moins romanesque qu'elle, elle savait bien qu'on ne vit pas d'amour, et que trois cent cinquante livres par an – tout ce qu'ils pouvaient espérer en réunissant leurs petites fortunes – demandaient beaucoup d'économie pour nouer les deux bouts de l'année. Edward n'était pas sans espérance que sa mère ne fît à présent quelque chose pour lui, mais non pas Elinor. Mlle Morton et ses trente mille livres étant encore là, elle était sûre que Mme Ferrars, qui la regardait seulement comme un parti moins déshonorant que Lucy offrirait encore Mlle Morton à son fils non marié, et sur son nouveau refus, dont elle ne doutait pas, le déshériterait cette fois pour toujours, et que l'offense de Robert ne servirait qu'à enrichir Fanny. Mais Elinor et Edward avaient tous les deux des goûts si simples qu'ils étaient sûrs de pouvoir trouver, malgré cela, le bonheur en dépit de la médiocrité de leur fortune.

Edward fut invité par Mme Dashwood à passer huit jours à la *chaumière*, et l'on juge s'il accepta avec transport, et si Elinor fut heureuse. Mais leur caractère à tous les deux ne donnait pas beaucoup d'expansion à leur bonheur ; ils en jouissaient en silence. Elinor, d'ailleurs, ménageait Marianne, et ne voulait pas lui offrir le spectacle d'un amour heureux et passionné. Edward était avec toutes comme un frère chéri, et un étranger aurait eu peine à deviner à laquelle il était attaché par l'amour le plus tendre et le plus réciproque.

52

Quatre jours environ après l'arrivée d'Edward, celle du colonel Brandon vint compléter la satisfaction de Mme Dashwood.

Mais elle ne put avoir celle de le loger ; il n'y avait à la *chaumière* qu'une seule chambre à donner. Edward garda son privilège de premier venu ; il n'avait d'ailleurs pas de relations dans le voisinage. Alors, le colonel offrit de retourner tous les soirs dans son ancien appartement du Park ; il en revenait dès le matin pour déjeuner avec ses amies. Pendant trois semaines de solitude à Delaford, il avait eu le temps de calculer la disproportion existant entre dix-huit et trente-cinq ans, et il revint à Barton dans une disposition d'esprit qui lui rendait bien nécessaires les progrès de la santé de Marianne, l'amitié qu'elle lui témoignait, et tous les encouragements de Mme Dashwood. Au milieu de tels amis, il eut bientôt retrouvé sa sérénité. Il ignorait complètement le nouveau choix de Lucy ; il ne savait pas un mot du penchant d'Elinor, en sorte que les premières visites se passèrent à écouter et à s'étonner, Mme Dashwood se chargea de ce récit ; il y prit le plus vif intérêt et trouva de nouveaux motifs de se réjouir de ce qu'il avait fait pour Edward, puisque c'était à présent aussi dans l'intérêt d'Elinor. Il est inutile de dire que les deux hommes, ayant de nombreuses similitudes d'opinion, de caractère et de manières, ne tardèrent pas à se lier intimement. Ces ressemblances auraient sans doute suffi, mais leur attachement pour les deux sœurs rendit inévitable et immédiate leur mutuelle sympathie, et produisit en peu de jours ce qui aurait été l'effet du temps et de leur rapprochement.

Les lettres de Londres arrivèrent enfin, très volumineuses ; elles racontaient la surprenante histoire dans tous ses détails. Mme Jennings témoignait de son indignation contre cette *changeante* fille, et sa compassion pour le *pauvre malheureux* Edward, qui peut-être, disait-elle, allait mourir à Oxford de ce chagrin si cruel, si inattendu. Deux jours seulement étaient écoulés depuis que Lucy était venue passer deux heures avec elle, et elle ne lui en avait pas dit un mot. Seulement elle lui avait conté qu'elle voyait quelquefois M. Robert Ferrars, et qu'elle cultivait une bienveillance qui pouvait un jour être utile à Edward, ce dont elle l'avait fort louée. « *Voyez quelle indigne trompeuse !* s'écriait-elle dans sa lettre. *La bonne Anne ne s'est pas non plus doutée de rien. Pauvre créature ! C'est elle qui est venue me l'apprendre ; elle en pleurait amèrement. Sa sœur au lieu de l'emmener avec elle, a emporté tout leur argent ; c'est elle qui le gardait, et la malheureuse n'avait plus que sept shillings au monde. Je l'ai gardée avec moi jusqu'à ce que j'aille au Park, d'où je la renverrai à sa famille. Sa joie de rester encore un peu à Londres et chez moi, où le docteur Davies vient quelquefois, l'a complètement consolée. Mais qui consolera le pauvre Edward ? Pour moi, je l'aimerais cent fois mieux que ce fat de Robert... Il me vient une idée : il faut que vous l'invitiez à Barton, et que Marianne ait pitié de lui.* »

Il y avait aussi une longue lettre de M. John Dashwood, qui racontait cet événement à Elinor avec de grandes lamentations. Sa belle-mère était la plus malheureuse des femmes. La sensible Fanny avait eu des rechutes de maux de nerfs si violentes que c'était un miracle qu'elle y eût résisté. L'offense de Robert était impardonnable ; mais Lucy était beaucoup plus blâmable. On n'osait mentionner ni l'un ni l'autre devant Mme Ferrars. Cependant, elle aimait tellement ce fils que peut-être, un jour, elle pourrait consentir à le revoir ; mais sa femme ne paraîtrait jamais en sa présence. La manière mystérieuse avec laquelle cette affaire s'était tramée ajoutait beaucoup à leur *crime*. Car si l'on avait eu le moindre soupçon, on aurait pu prendre des mesures pour l'empêcher. Il priait Elinor de se joindre à lui pour se plaindre de ce qu'Edward n'eût pas épousé plus tôt cette fille, qui privait tour à tour une bonne mère de ses deux fils. Mme Ferrars, à leur grande surprise, n'avait pas nommé Edward une seule fois en cette occasion ; lui-même n'avait pas écrit une ligne ; c'était pourtant le moment de chercher à se réconcilier avec sa mère, en lui promettant de faire ce qu'elle désirait. Peut-être ne l'osait-il pas ; mais il pouvait s'adresser à sa sœur, y joindre une lettre de soumission pour sa mère, que Fanny lui remettrait, et qui peut-être aurait un bon effet.

Ce paragraphe était de quelque importance pour régler la conduite d'Edward. Il le détermina à tenter en effet une réconciliation, mais non pas comme John Dashwood l'entendait.

— *Une lettre de soumission !* répétait Edward. Non certainement, je n'ai point de soumission à faire. Dois-je demander pardon à ma mère de l'ingratitude de Robert envers elle, et de sa trahison envers moi ? Il m'a rendu le plus heureux des hommes ; voilà tout ce que je puis lui dire, et ce qui l'intéressera fort peu.

— Vous pouvez certainement, dit Elinor, demander pardon à votre mère de ce que vous l'avez offensée. Je pense même que vous pourriez à présent lui témoigner en conscience quelques regrets d'avoir formé cet engagement qui attire sur vous sa colère.

— Oui, je le puis, dit Edward, et je le ferai.

— Et, ajouta-t-elle en souriant, vous pourriez peut-être, après cela, convenir en toute humilité que vous avez formé un second engagement, presque aussi imprudent à ses yeux que le premier, avec la sœur de son gendre.

Edward n'eut rien à opposer à ce plan ; mais se défiant un peu, dans cette occasion, de l'intercession de son beau-frère et de sa sœur, il préféra traiter personnellement et de vive voix, plutôt que par écrit. Il fut donc résolu qu'il irait à Londres, descendrait chez Fanny, et lui demanderait d'user de ses bons offices en sa faveur.

— Et si elle y consent, dit Marianne avec vivacité, si elle amène une réconciliation entre vous et votre mère, je me réconcilie aussi avec elle, et je lui pardonne tout.

Le lendemain, Edward partit accompagné des vœux de tous ses amis pour le bon succès de son voyage ; et le colonel consentit à rester quelques jours encore pour les consoler un peu de son absence ; mais il continua de loger au Park.

Le troisième jour, il ne vint pas au déjeuner. Elinor proposa à sa sœur une promenade du côté du Park, où peut-être elles le rencontreraient, et Marianne y consentit. En effet, à peine eurent-elles tourné la colline qu'elles le virent, à quelque distance, assis sur un banc de gazon ; mais il n'y était pas seul. Une femme était assise à côté de lui, un enfant sur les genoux ; il caressait beaucoup l'enfant, et prenait aussi les mains de la dame entre les siennes.

— Je veux mourir, s'écria Marianne, s'il n'est pas avec notre nouvelle connaissance d'Allenham, Mme Summers, la parente de Mme Smith, et sans doute c'est son fils. Mais d'où le colonel la connaît-il si intimement ?

Elinor ne répondit rien ; un soupçon traversait sa pensée.

— Avançons, dit Marianne.

Au moment même, le groupe du banc de gazon les aperçut ; ils se levèrent et vinrent au-devant d'elles, en sorte qu'on se rencontra bientôt. Le colonel avait l'air assez embarrassé ; mais au premier regard que Marianne eut jeté sur l'enfant, que sa mère avait repris, elle en comprit la cause. C'était le portrait en miniature de Willoughby ; il était impossible de s'y méprendre et de ne pas voir que c'était son fils. Tout fut dévoilé. Mme Summers était la fille adoptive du colonel, l'infortunée Eliza Williams, la victime des séductions de celui que Marianne avait tant aimé. Elle eut peine à retenir un cri et à ne pas repousser l'enfant qui, attiré par les rubans roses de son chapeau, lui tendait les bras. Elinor, frappée aussi de la ressemblance, se hâta de se mettre entre lui et sa sœur, de parler à Mme Summers, de caresser le petit pour laisser à Marianne le temps de se remettre. Mais ce mouvement avait effrayé l'enfant ; il pleurait, et sa mère voulait absolument l'emmener et rejoindre Mme Smith. Une bonne attendait à quelque distance. La jeune maman salua les deux sœurs avec amitié, le colonel avec un tendre respect, et s'éloigna avec son petit fardeau. Marianne lui rendit son salut amical, et l'embrassa même. Rien ne prouva mieux à Elinor les progrès de sa raison ; mais elle avait un tremblement d'émotion involontaire, qui l'obligea à prendre le bras que le colonel lui offrait.

Ils firent quelques pas en silence ; enfin le colonel le rompit.

— Vous venez, leur dit-il, de faire une découverte qui a dû vous surprendre. Oui, cette jeune femme est celle à qui j'ai longtemps servi de père, et que je n'ai pu garantir du malheur. Mais il est réparé autant qu'il peut l'être. L'excellente Mme Smith, en punissant sévèrement son jeune parent, a voulu que l'enfant et celle qui lui a donné la vie, rejetés par lui, le remplacent dans ses affections. « Je ferai, m'écrivit-elle en me les demandant, ce qu'il aurait dû faire, ce qu'il m'a refusé ; j'assurerai leur sort, et comme je ne puis désirer la damnation éternelle d'un jeune homme que j'aimais comme un fils avant ses erreurs, j'espère obtenir ainsi de Dieu le pardon de son péché, et qu'il ne soit puni que dans cette vie. » Vous comprenez avec quelle joie je cédai mon infortunée pupille à cette respectable femme. Eliza, formée par le malheur, aimant passionnément son enfant, accepta avec transport une place qui ne la séparait pas de lui et la faisait vivre dans une austère retraite. Il fut convenu entre Mme Smith et moi qu'elle changerait de nom et passerait pour veuve. Jusqu'ici le secret avait été bien gardé. Mais la ressemblance de l'enfant avec son père m'a souvent fait trembler ; c'est ce qui fait qu'Eliza ne l'avait point encore mené avec elle dans ses promenades. Depuis que je suis ici, je vais souvent la voir en allant à la *chaumière*. Cette fois, je suis resté plus longtemps qu'à l'ordinaire. Elle m'a accompagné avec le petit John, et vous nous avez surpris. J'ai vu, au premier instant, que cet enfant vous disait tout et que notre secret était découvert. Mais ce n'est pas avec vous que je crains qu'il soit trahi, et souvent j'aurais voulu vous le confier moi-même, si je…

Il s'arrêta. Elinor le comprit et le remercia par un regard de ne pas achever. Marianne, les yeux baissés et pleins de larmes, ne disait rien ; mais il était facile de voir combien son cœur était oppressé ; celui du colonel n'était pas plus à son aise. Il voyait, à n'en pas douter, que ce sentiment, qu'il avait cru presque éteint, avait encore un grand pouvoir sur elle. Quoiqu'il eût évité de nommer une seule fois Willoughby dans son récit, il se repentait de l'avoir fait devant elle. Mais ne rien dire aurait été plus pénible encore. Elinor se chargea de l'entretien, et sans prononcer non plus le nom fatal, elle témoigna au colonel un grand intérêt pour sa pupille, et lui dit combien elle leur avait plu. Marianne prit sur elle de le confirmer par quelques mots obligeants ; mais sa voix tremblante en détruisit l'effet. Ils arrivèrent à la maison. Marianne dit que l'air du matin l'avait incommodée, et se sauva dans sa chambre. Le colonel était si sombre et si rêveur que Mme Dashwood le crut malade et s'en alarma. À déjeuner, Marianne, qui avait réfléchi, reparut à peu près comme à l'ordinaire, fut amicale avec le colonel, et raconta elle-même à sa mère qu'elles avaient rencontré leur aimable voisine d'Allenham ; mais il ne fut pas question de l'enfant. Cette manière remit un peu le colonel, et la soirée fut plus agréable que la matinée.

On reçut des lettres d'Edward. Après quelque résistance de la part de Mme Ferrars, il avait été admis en sa présence, et reconnu de nouveau pour son fils unique ; car c'était le tour de Robert de ne plus l'être. Mais Edward n'avait point d'abord révélé son engagement actuel avec Elinor. Il était loin de croire son sort assuré, et craignait d'être repoussé avec plus de rigueur qu'auparavant, il avait fait son aveu après quelques préparations, et, contre son attente, avait été écouté avec beaucoup de calme. Mme Ferrars chercha d'abord à le dissuader d'épouser Mlle Dashwood, la fille d'un simple gentilhomme, sans fortune et sans espérance, plutôt que Mlle Morton, la riche fille d'un lord, il ne la contredit pas, mais lui dit avec fermeté et respect qu'il y était absolument décidé. Alors, instruite par l'expérience, elle jugea plus sage d'accorder de bien mauvaise grâce, ce qu'elle ne pouvait empêcher ; et de consentir qu'Edward épousât Elinor.

Mais quoiqu'il fût à présent son *seul fils*, disait-elle à chaque instant, elle ne le traita pas comme tel, et ne lui rendit pas son droit d'aînesse. Pendant que le coupable Robert jouissait de mille livres de revenu sans faire autre chose que des sottises, elle trouva fort bon que le pauvre Edward devînt pasteur d'un village avec deux cent cinquante livres de rente ; elle y ajouta cependant, tant pour le présent que pour le futur, la même somme de dix mille livres qu'elle avait donnée à Fanny en la mariant.

Edward ne s'en plaignit pas ; c'était plus qu'il n'avait espéré, et assez pour pouvoir rendre son Elinor heureuse. John Dashwood répéta sur tous les tons que Mme Ferrars était la meilleure et la plus généreuse des mères. Elle-même, avec ses excuses de ne pouvoir faire plus, sembla être la seule personne qui fût surprise de ce qu'elle ne fît pas davantage.

Il ne manquait plus à Edward, pour compléter son bonheur, que d'être consacré, et que le presbytère fût prêt à les recevoir. Le colonel, à présent qu'il devait être habité par Elinor, trouvait toujours de nouveaux embellissements à y faire, et finit par les inviter à passer les premiers mois chez lui, d'où ils pourraient présider eux-mêmes à leurs réparations. Ils y consentirent, et de bonne heure, en automne, la cérémonie eut lieu dans l'église de Barton.

Cette fois, les prophéties de Mme Jennings furent accomplies à sa grande joie, elle put visiter à la Saint-Michel le pasteur de Delaford, et ne fut pas fâchée d'y trouver Elinor plutôt que Lucy ; mais elle fut un peu surprise de s'être encore trompée sur l'amour du colonel, qu'elle recommença de nouveau à destiner à Marianne ; et c'était le vœu général de la famille, la seule chose qui manquât encore à la félicité d'Elinor.

Ils eurent aussi la visite de Mme Ferrars la mère, presque honteuse d'avoir autorisé leur bonheur, et celle de John et de Fanny, qui vinrent avec elle de Sussex.

— Je ne veux pas dire que vous avez mal fait d'épouser mon beau-frère, dit John à Elinor en se promenant avec elle dans l'avenue du château de Delaford ; je vois que vous êtes aussi heureuse qu'on peut l'être avec peu d'argent ; mais j'avoue que j'aurais eu un grand plaisir à appeler le colonel Brandon mon frère. Cette terre, cette maison, chaque chose ici est vraiment très agréable et fait envie ; et quels bois, quels beaux arbres ! Enfin Marianne est encore là, et quoique ce ne soit point une personne qui l'attire, et qu'il n'ait jamais eu de goût pour elle, je crois que si elle voulait se donner un peu de peine, et vous insinuer au colonel d'y penser ; cela pourrait s'arranger. Je rirais bien si nous en venions à bout, car il ne l'aime pas du tout. Je ne me trompe jamais, moi, sur ces sortes de choses ; mais quand on se voit tous les jours, le diable est bien fin. Vous ferez fort bien, ma sœur, d'inviter souvent Marianne, de faire remarquer au colonel comme sa santé et sa beauté reviennent : et qui sait ce qui peut arriver ? Je le voudrais de tout mon cœur, je vous assure.

Mme Ferrars les vit quelquefois et se conduisit décemment avec eux ; mais ils ne furent pas insultés par sa préférence, elle ne pouvait l'accorder au vrai mérite. La fatuité de Robert et les flatteries de sa femme l'obtinrent encore. Les mêmes moyens, que Lucy avait employés pour faire tomber Robert dans le piège, furent pratiqués pour rentrer dans la faveur de sa mère, dès qu'il lui fut possible d'en approcher ; et elle mit beaucoup d'art pour l'obtenir : elle feignit d'être malade au point d'en mourir.

Mme Ferrars, qui déjà avait pardonné à Robert, et qui le recevait quelquefois, céda à ses sollicitations pour aller voir sa femme, espérant en être bientôt débarrassée. Dès lors, Lucy ne tarda pas à être guérie, et sa respectueuse humilité, ses attentions assidues pour la vieille dame et son petit chien, ses flatteries sans fin, réconcilièrent Mme Ferrars sur le choix de son fils, et si promptement qu'elle devint aussi nécessaire que Robert à sa belle-mère, qui l'aima même mieux que Fanny. Ils s'établirent à Londres, reçurent mille libéralités de Mme Ferrars, furent dans les meilleurs termes avec les Dashwood en apparence. Mais la jalousie de Fanny, la légèreté de Robert, le mauvais esprit de Lucy les rendirent malheureux malgré leurs richesses, tandis que dans, le presbytère de Delaford, tout était bonheur et jouissances. L'attachement de ses habitants s'augmentait tous les jours. Ils n'avaient aucun besoin factice. Rien ne les entraînait hors de chez eux, et loin de ne pas se croire assez riches, ils avaient encore de quoi aider les malheureux.

Le mariage d'Elinor la sépara peu de sa famille. Sa mère et ses sœurs passaient avec elle plus de la moitié de leur vie. Mme Dashwood espérait toujours qu'en donnant au colonel et à Marianne de fréquentes occasions de se rencontrer, celle-ci s'attacherait enfin à cet homme si digne d'être aimé. Mais plus d'une année s'était écoulée, et rien n'avançait que l'amitié de Marianne pour lui, qui s'augmentait graduellement, ainsi que l'amour du colonel qui, persuadé qu'elle aimait encore malgré elle Willoughby, ou que du moins elle n'en aimerait jamais d'autre, n'osait s'expliquer et proposer sa main à celle qui possédait en entier son cœur. Heureux d'en être regardé comme un ami, et déjà comme un fils et un frère par Mme Dashwood et Elinor, il redoutait de porter atteinte à ce bonheur par une démarche décisive et trop précipitée. Il chérissait ses espérances et tremblait de les perdre. Ce n'était qu'à Elinor seulement qu'il osait ouvrir son cœur, et tout était transmis avec soin par elle à Marianne, qui l'écoutait sans peine, et répondait en soupirant :

— Je ne serais pas digne de lui, si je pouvais aimer deux fois.

Un matin, ils étaient tous rassemblés chez Elinor, lorsqu'on apporta les papiers et les lettres de la poste. Dans le nombre de celles adressées à Mme Edward Ferrais, il y en avait une à grand cachet noir, dont l'écriture ne lui était pas inconnue, quoiqu'elle n'eût pu la désigner. Marianne, occupée à parcourir les journaux, ne la voyait pas. Tout à coup, le journal lui tombe des mains ; elle jette un cri dont l'expression était plus l'étonnement que la peine ou l'émotion, et dit d'une voix assez ferme :

— Mme Willoughby est morte d'une chute de phaéton. Pauvre femme ! Elle paie cher son goût effréné pour le plaisir.

Le colonel, plus ému qu'elle, prend ce fatal journal, et ne doute pas qu'il ne renferme l'arrêt de sa condamnation.

— J'ai ici, dit Elinor, la confirmation de cette nouvelle par M. Willoughby lui-même, qui me la communique. Lisez, Marianne. Celle-ci prit la lettre et lut bas ce qui suit :

L'intérêt que Mme Edward Ferrars m'a témoigné dans notre dernier entretien me fait espérer qu'elle me pardonnera d'oser lui apprendre que ma fatale chaîne est rompue. Celle à qui j'avais donné mon nom en échange de sa fortune a péri victime d'un accident que je n'ai cessé de lui prédire, en s'obstinant à conduire elle-même des chevaux trop vifs. Mais, depuis longtemps, mes conseils lui étaient aussi odieux que ma présence.

Je sais que ce n'est pas encore le temps de parler du sentiment qui domine dans mon cœur ; mais celle qui me l'inspire est libre encore, et je ne puis me défendre d'espérer. Bonne Elinor ! Vous qui sans doute êtes la plus heureuse des femmes dans une union fondée sur un amour réciproque, vous ne me refuserez pas un jour votre appui. Mon étude sera de le mériter ; recevez-en l'assurance de votre dévoué

John Willoughby

Marianne rougit beaucoup en lisant cette lettre, qu'elle passa à sa mère. Le colonel avait hésité à sortir ; mais un sentiment involontaire le clouait sur place. La tête appuyée sur sa main, tenant de l'autre les journaux, il avait l'air de les lire, et n'en distinguait pas un mot.

— Répondrez-vous à M. Willoughby ? dit Marianne à sa sœur après un moment de silence.

— Oui, sans doute. Mais que dois-je lui dire ?

— Qu'il se trompe complètement, et que je ne suis plus libre, si... (elle se tourna vers le colonel), si le meilleur des hommes daigne accepter cette main et le don de mon cœur ; et même s'il les refusait, Dieu aurait mon...

— Refuser ! s'écria le colonel transporté de joie en serrant contre son sein et pressant de ses lèvres cette main adorée. Ô ! Marianne, chère Marianne, l'ai-je bien entendu ? Et dans quel moment ! Mais n'est-ce point une erreur de votre cœur généreux ?

— Non, non, dit-elle avec une grâce enchanteresse ; il est guéri de toutes ses erreurs, il n'appartient qu'à celui qui m'a véritablement aimée.

— Et qui vous adorera toute sa vie...

— On ne sollicite pas mon consentement ? dit en riant Mme Dashwood. Si j'allais le refuser ? Mais c'est le jour où les femmes font les avances, et je vous donne Marianne, mon cher Brandon, avant que vous me l'ayez demandée.

Ils se jetèrent dans ses bras, puis dans ceux d'Elinor et de Margaret. Edward fut appelé de son cabinet pour prendre part à la joie générale, et la sienne fut bien grande en donnant le nom de frère à son intime ami.

La noce ne tarda pas à se célébrer en famille ; elle fut bénie par Edward. Le colonel aurait voulu obtenir de sa belle-mère qu'elle se fixât tout à fait chez lui avec Margaret ; mais elle fut assez prudente pour conserver sa liberté et sa jolie *chaumière*, qu'elle quittait souvent pour visiter, à Delaford, tantôt le château, tantôt le presbytère, où elle trouvait autant de bonheur qu'on puisse en avoir ici-bas. Celui de Marianne augmenta tous les jours. Il était principalement fondé sur l'estime et sur une reconnaissance mutuelle. Le colonel sentait tous les jours davantage qu'il devait à sa charmante compagne les seuls moments heureux de sa vie. Elle le consola de toutes ses affections précédentes, rendit à son esprit sa gaieté, et il redevint le plus aimable, de même qu'il était le meilleur des hommes. Marianne fut heureuse du bonheur de cet homme excellent ; et comme elle ne savait pas aimer à demi, elle finit par aimer son mari au moins autant qu'elle avait aimé Willoughby.

Ce dernier fut d'abord attristé du mariage de Marianne et de la réponse d'Elinor, qui lui prouva son intérêt en ne lui épargnant pas les conseils d'une raison saine et éclairée. Ils n'eurent pas d'abord grand effet sur un caractère aussi léger. En relisant encore une fois, dans un moment de réflexion, la lettre de Mme Edward Ferrars, il en fut touché comme d'une vraie preuve d'amitié. Il désira la voir et la remercier ; il en demanda la permission et l'obtint une année après son veuvage.

— C'est encore à vous, lui dit-il, sage Elinor, que je remets le soin du bonheur de ma vie et cette fois j'espère être écouté. En renonçant à l'espoir insensé, j'en conviens, d'épouser Marianne ; en me rappelant tous mes torts passés, le plus grand de tous, la séduction de la jeune Eliza Williams s'est présentée à mon souvenir et m'a rempli de remords. Je sais qu'elle m'a donné un fils, que je n'ai jamais vu, mais à qui aussi je dois donner un père. J'ignore où vivent la mère et l'enfant ; le colonel Brandon les a si bien cachés que je n'ai pu les découvrir à présent que mes intentions sont honorables et que je suis libre de les remplir ; je vous conjure d'obtenir de lui pour moi la main de sa pupille. Décidé à réparer mes torts avec elle et avec le colonel, tout le reste m'est égal. Sa naissance est illégitime, je le sais, mais elle est la fille adoptive du colonel Brandon, et portera mon nom. Elle n'a point de fortune ; la mienne nous suffira ; et peut-être qu'après avoir rempli ce devoir, Mme Smith me rendra son amitié. On dit cependant qu'elle a adopté des parents éloignés, et je n'ai pas grand espoir de ce côté ; mais je vivrai en philosophe à Haute-Combe entre ma femme et mon enfant, je rétablirai ma fortune, qui s'est déjà raccommodée par mon premier mariage.

Elinor sourit, l'approuva, et lui promit de parler pour lui au colonel. Le même jour, elle entretint celui-ci et Marianne ;

cette dernière s'enflamma de cette idée, et conjura son mari d'y consentir. On alla en parler à Eliza, à Mme Smith. Celle-ci, enchantée de sauver une âme de la damnation éternelle, ne se fit pas presser, et rendit son amitié à Willoughby en l'unissant à Eliza. La jeune femme, depuis qu'elle était mère d'un enfant charmant, qui était le portrait vivant de Willoughby, était devenue beaucoup plus jolie et beaucoup plus aimable qu'elle ne l'était autrefois. Elle le fixa autant qu'on pouvait le fixer. Ils restèrent à Allenham tant que Mme Smith vécut, et purent ensuite s'établir à Haute-Combe.

Marianne fut alors en mesure de le voir sans danger et sans émotion ; et n'ayant point à rougir devant lui, leur relation devint ce qu'elle devait être. Mais ils se virent rarement ; Mme Brandon était toute à ses devoirs d'épouse, de mère, de dame de paroisse, et s'acquittait de tout avec la chaleur de son âme et son aimable vivacité. Son destin avait été singulier ; elle semblait avoir été appelée à prouver elle-même la fausseté de son système favori sur l'impossibilité d'aimer deux fois. Elle avait aimé passionnément à dix-sept ans, ce qui est assez rare ; à cet âge, on prend souvent pour une passion ce qui n'est qu'un goût léger, excité par l'attrait de la nouveauté et l'effervescence de la jeunesse et de l'imagination. Ce n'est ordinairement que quelques années plus tard qu'on est capable d'avoir une passion vraie et profonde, et celle de Marianne avait ces caractères. Mais un sentiment d'un autre genre et bien supérieur, une haute estime, une vive amitié, une tendre reconnaissance l'avaient amenée à donner volontairement sa main à un homme qui n'était pas moins qu'elle victime d'un premier attachement, que deux années auparavant elle trouvait trop âgé pour se marier, et qui se donnait encore la bonne sauvegarde d'un gilet de flanelle !

Il n'est pas besoin de dire qu'elles eurent souvent la visite de la bonne Mme Jennings, et quelquefois celle de ses filles et de ses gendres, les Middleton et les Palmer. Sir John, toujours le plus gai et le meilleur des voisins, se trouva réduit à la jeune Margaret pour orner ses bals de campagne. Mais

Margaret grandit tous les jours : elle a quinze ans, et déjà Mme Jennings s'occupe beaucoup de deviner qui sera son amoureux.

Nous laissons à regret cette aimable famille, et nous devons compter au nombre des mérites et des bonheurs d'Elinor et de Marianne qu'elles sont jeunes, jolies, et qu'elles vivent à côté l'une de l'autre dans des situations de fortune bien différentes, sans que leurs relations aient jamais été troublées par le moindre nuage, non plus que celles de leurs maris.

Cet ouvrage a été composé
par Atlant'Communication
aux Sables d'Olonne (Vendée)

Impression réalisée par Liberduplex
pour le compte des Éditions Archipoche
en octobre 2006

Imprimé en Espagne
N° d'édition : 21
Dépôt légal : novembre 2006